DEUX HOMMES DE BIEN

ARTURO PÉREZ-REVERTE

DEUX HOMMES DE BIEN

roman

TRADUIT DE L'ESPAGNOL
PAR GABRIEL IACULLI

ÉDITIONS DU SEUIL
*25, bd Romain-Rolland, Paris XIVe*

Titre original : *Hombres buenos*

ISBN original : 978-84-204-0324-3
Éditeur original : Penguin Random House

ISBN 978-2-02-128804-9

www.seuil.com

À Gregorio Salvador.
Et à Antonio Colino, Antonio Mingote et l'amiral Álvarez-Arenas, in memoriam.

Une vérité, une foi, une génération d'hommes passe, est oubliée, ne compte plus. Excepté pour ceux, peu nombreux, qui ont pu croire à cette vérité, professer cette foi, ou aimer ces hommes.

JOSEPH CONRAD,
Le Nègre du « Narcisse »
(trad. Robert Humières)

Ce roman repose sur des faits réels, avec des personnages
et des scènes authentiques, même si une large part de l'histoire
et de ses protagonistes relève de la liberté de fiction
exercée par l'auteur.

Imaginer un duel à l'aube, dans le Paris de la fin du XVIIIe siècle, n'est pas difficile. Il suffit d'avoir lu quelques livres et vu quelques films. Le raconter par écrit est plus compliqué. Et le prendre pour départ d'un roman n'est pas sans risques. Le tout est d'obtenir du lecteur qu'il voie ce que l'auteur voit ou imagine. De devenir le regard de l'autre, celui qui lit, et de s'effacer discrètement afin que ce soit lui qui fasse corps avec l'histoire qu'on lui raconte. Celle de ces pages demande un pré couvert de givre au petit matin, et une lumière diffuse, grisaillante, pour laquelle il serait utile de recourir à la douce brume, pas trop épaisse, qui s'élevait le plus souvent des bois aux alentours de la capitale française – dont la plupart ont aujourd'hui disparu ou se sont fondus avec elle – dès les premières lueurs du jour.

La scène appelle aussi des personnages. Dans l'éclat indécis du soleil qui ne se montre pas encore doivent se deviner, un peu estompées par la brume, les silhouettes de deux hommes. Légèrement en retrait, sous les arbres, à côté de trois voitures à chevaux arrêtées là il y a d'autres figures humaines, masculines, enveloppées dans des capes, les tricornes enfoncés jusqu'aux oreilles. Elles sont une demi-douzaine, mais sans intérêt pour la scène principale ; aussi pouvons-nous nous passer d'elles pour le moment. Ce qui doit attirer notre attention, ce sont les deux hommes immobiles qui se font face, debout sur l'herbe mouillée du pré. Ils portent une culotte cintrée et sont en manches de chemise. L'un est svelte, plutôt grand pour l'époque, ses cheveux sont gris, noués en un court catogan sur la nuque. L'autre est de taille moyenne, ses cheveux frisent sur les tempes, poudrés à la mode la plus raffinée de son temps. Aucun des deux ne paraît jeune, encore que nous soyons trop loin pour nous en assurer. Approchons-nous donc un peu et examinons-les de plus près.

Chacun tient à la main une épée. Une épée semblable à un fleuret, si l'on s'attache aux précisions. L'affaire a donc l'air sérieuse. Grave. Les deux hommes, à trois pas l'un de l'autre, encore immobiles, s'observent avec attention. Quasi songeurs. Probablement concentrés sur ce qui va arriver. Leurs bras s'abaissent le long de leur corps, et les pointes de leurs fers frôlent l'herbe du pré couverte de gelée blanche. Le plus petit qui, vu de près, semble être le plus jeune, a une expression hautaine, peut-être emphatiquement dédaigneuse. Comme si, bien qu'il étudie son adversaire, il tenait à faire belle figure devant ceux qui, en bordure du pré, le regardent. L'autre homme, plus grand et plus âgé, a des yeux bleus aqueux, mélancoliques et apparemment imprégnés de l'humidité ambiante. À première vue, on dirait que ces yeux regardent l'homme qu'ils ont devant eux, mais si on les examine avec plus d'attention on s'aperçoit qu'il n'en va pas ainsi. En réalité, son regard est absorbé en lui-même, ou distrait. Absent. Peut-être que si, d'un moment à l'autre, l'homme qui est là, vis-à-vis de lui, changeait de position, ce regard demeurerait fixé au même endroit, indifférent à tout le reste, attentif à des images lointaines dont lui seul a connaissance.

Du groupe assemblé sous le couvert des arbres vient une voix, et les deux hommes qui sont dans le pré lèvent lentement leur épée de cour. Ils se saluent brièvement, l'un d'eux en portant le pommeau à son menton, puis ils se mettent en garde. Le plus petit pose sa main libre sur sa hanche, en adoptant une très élégante posture d'escrime. L'autre, le grand aux yeux aqueux et à la courte mèche de cheveux gris sur la nuque, d'une main pointe l'arme et lève son autre main, le bras et l'avant-bras formant pour ainsi dire un angle droit, les doigts détendus et légèrement ployés en avant. Les lames, en se croisant sans heurt pour la première fois, produisent un tintement métallique qui retentit, argentin et net, dans l'air froid de l'aurore.

Maintenant, continuons d'écrire. Racontons l'histoire. Sachons qui a conduit ces personnages jusqu'ici.

1

L'homme élancé et l'homme replet

> C'est un plaisir de les entendre parler mathématiques, physique moderne, histoire naturelle, droit des gens, antiquités et belles-lettres, parfois avec plus de précaution que s'ils fabriquaient de la fausse monnaie. Ils vivent dans l'obscurité et meurent comme ils ont vécu.
>
> JOSÉ CADALSO, *Lettres marocaines*

Je les découvris au fond de la bibliothèque, sans les avoir cherchés : vingt-huit volumes in-folio, à la reliure en cuir marron clair pâli par le temps, abîmée par deux siècles d'usage. Je ne savais pas qu'ils étaient là – en quête d'autre chose, j'avais laissé la curiosité m'emporter dans les rayonnages – et je fus surpris de lire sur leur dos : *Encyclopédie, ou Dictionnaire raisonné*. Il s'agissait de l'édition originale. Celle dont la publication avait commencé en 1751 et dont le dernier volume avait paru en 1772. Je connaissais l'œuvre, bien entendu. Du moins, assez bien. J'avais même failli l'acheter, cinq ans auparavant, à mon ami le libraire d'ancien Luis Bardón, qui me l'avait proposée au cas où le client dont il avait l'accord verbal se désisterait. Malheureusement pour moi – ou heureusement, car elle était très chère –, ce dernier avait tenu son engagement. C'était Pedro J. Ramírez, alors directeur du journal *El Mundo*. Un soir que nous dînions chez lui, je la vis fièrement exposée dans sa bibliothèque. Son possesseur savait à quoi elle avait donné lieu entre Bardón et moi, et nous avons plaisanté à ce sujet. « Bonne chance pour la prochaine fois », me dit-il. Mais il n'y eut pas de prochaine fois. C'est une œuvre rare sur le marché du livre ancien. Très difficile à obtenir complète.

Le fait est que je me trouvais ce matin-là à la bibliothèque de l'Académie royale espagnole – où j'occupe la chaise T depuis maintenant une douzaine d'années –, debout devant l'ouvrage qui résumait la plus grande aventure intellectuelle du XVIIIe siècle : le triomphe de la raison et du progrès sur les forces obscures du monde alors connu. Un exposé systématique en 72 000 articles, 16 500 pages et 17 millions de mots des idées les plus révolutionnaires de leur temps, qui fut condamné par l'Église catholique et dont les auteurs furent menacés de prison et de mort. Je me demandai comment cette œuvre, si longtemps restée à l'Index, était arrivée jusque-là. Quand, et par quel moyen. Les rais du soleil, qui entraient par les fenêtres de la bibliothèque et formaient de grands rectangles lumineux sur le sol, créaient une atmosphère presque vélasquaise où luisaient les anciennes dorures aux dos des vingt-huit volumes posés sur les rayonnages. Je tendis la main, en pris un et l'ouvris à la première page.

Encyclopédie,
ou
Dictionnaire raisonné des sciences, des arts et des métiers,
par une société de gens de lettres.
Tome premier
MDCCLI
Avec approbation et privilège du roy[1]

Les deux dernières lignes me firent sourire dans ma barbe. Quarante-deux ans après ce MDCCLI, en 1793, le petit-fils du *roy** qui avait donné son autorisation et accordé son privilège pour l'impression de ce premier volume était guillotiné à Paris

1. Les mots en italique suivis d'un astérisque sont en français dans le texte. *(Toutes les notes sont du traducteur.)*

sur la place publique, précisément au nom de ces idées qui, à partir de cette même *Encyclopédie*, avaient embrasé la France et le reste du monde. La vie joue de ces tours, conclus-je. Elle a son sens de l'humour bien à elle.

Je feuilletai quelques pages au hasard. Le papier, d'un blanc immaculé en dépit de son âge, bruissait comme s'il sortait de presse. Un bon et noble papier chiffon, me dis-je, résistant au temps et à la bêtise des hommes, si différent de la cellulose acide du papier moderne qui en quelques années jaunit les pages, les rend cassantes et caduques. J'en approchai mon nez, pour le humer avec plaisir. Même son odeur était sémillante. Je refermai le volume, le remis sur le rayon et quittai la bibliothèque. J'avais d'autres choses à faire, mais le souvenir de ces vingt-huit volumes logés dans un coin discret du vieil édifice madrilène de la rue Felipe IV, parmi des milliers de livres, ne me sortait pas de la tête. Je m'en ouvris par la suite à Víctor García de la Concha, son directeur honoraire, quand je le rencontrai dans le vestiaire du vestibule. Il m'avait abordé pour m'entretenir d'un autre sujet – il voulait me demander un texte sur l'argot des truands dans l'œuvre de Quevedo pour je ne sais quel ouvrage en cours – mais j'orientai la conversation sur ce qui m'intéressait à ce moment-là. García de la Concha venait d'écrire une histoire de l'Académie royale espagnole et devait encore avoir la mémoire fraîche.

– Quand l'Académie a-t-elle obtenu l'*Encyclopédie* ?

La question parut le surprendre. Puis il me prit par le bras avec cette exquise délicatesse dont il avait fait montre pendant son mandat, aussi bien pour étouffer dans l'œuf les schismes des Académies sœurs d'Amérique latine – dissuader les Mexicains quand ils voulurent réaliser leur propre dictionnaire fut une affaire très épineuse – que pour convaincre telle fondation bancaire de financer sept volumes des *Œuvres complètes* de Cervantès à l'occasion du quatre-centième anniversaire de son *Don Quichotte*. C'est peut-être pour cela que nous l'avions réélu plusieurs fois, jusqu'à ce qu'il atteigne l'âge de la retraite.

– Je ne suis pas très au courant, me dit-il pendant que nous empruntions le couloir pour aller à son bureau, je sais qu'elle est ici depuis la fin du XVIIIe siècle.

– Et tu ne vois personne qui pourrait m'orienter ?

– Pourquoi t'y intéresses-tu, si ce n'est pas indiscret ?

– Je ne sais pas encore.

– Un nouveau roman ?

– Il est trop tôt pour le dire.

Il plongea dans mon regard ses pupilles bleues avec une légère défiance. Parfois, pour taquiner un peu mes collègues de l'Académie, j'évoque un court roman qu'en fait je n'ai pas l'intention d'écrire, mais dans lequel je menace de les faire figurer tous. Le titre est : *Épure, tue et donne du lustre*[1], une histoire de crimes où le fantôme de Cervantès hanterait l'Académie mais n'apparaîtrait qu'aux concierges. L'idée est que les académiciens soient assassinés l'un après l'autre, à commencer par le professeur Francisco Rico, notre plus éminent cervantiste. Il mourrait le premier, pendu avec le cordon d'un rideau du salon.

– Tu ne veux pas parler de ce roman policier qui fait polémique, j'espère ? Celui sur…

– Non. Rassure-toi.

García de la Concha, rompu à se conduire en gentleman, se garda de pousser un soupir de soulagement. Mais il était visiblement rasséréné.

– J'ai beaucoup aimé ton dernier roman. *Le Danseur murcien*. C'est quelque chose, comment dire…

C'est là tout notre directeur honoraire. Toujours brave garçon. Il laissa sa phrase en suspens, en me donnant généreusement l'occasion de hausser les épaules avec la modestie adéquate.

– Mondain.

– Pardon ?

– Son titre, c'est *Le Danseur mondain*.

– Ah, oui. Bien sûr. Celui-là… Il y a même eu dans *Hola*, l'été dernier, une photo de notre Premier ministre avec un exemplaire posé sur son hamac, à Zahara de los Atunes.

1. Métaphrase de la légende qui accompagne l'emblème de l'Académie royale espagnole représentant un creuset au feu : *Limpia, fija y da esplendor* (on la trouve traduite littéralement : « Nettoie, fixe et donne de la splendeur »).

– Il devait être à sa femme, objectai-je. Lui n'a pas dû lire un livre de sa vie.

– Allons, fit García de la Concha avec un sourire évasif, scandalisé juste ce qu'il fallait. Allons…

– Tu l'as déjà vu à un quelconque événement culturel ? À une première au théâtre ? À l'Opéra ? Ou regarder un film ?

– Allons, allons… répéta-t-il alors que nous étions dans son bureau et prenions place dans les fauteuils.

Le soleil entrait encore par les fenêtres, et la pensée me vint que c'était un de ces jours où les histoires à raconter s'emparent de vous et ne vous lâchent plus. Peut-être, me dis-je, cette conversation est-elle en train d'hypothéquer mes deux prochaines années de vie. À l'âge que j'ai, il reste plus d'histoires à écrire que de temps à leur consacrer. En choisir une, c'est en condamner d'autres à mort. Voilà pourquoi il faut choisir avec soin. Ne pas se fourvoyer complètement.

– Tu ne sais rien de plus ?

Il haussa les épaules en jouant avec le coupe-papier en ivoire habituellement posé sur son bureau et qui arbore, ciselés sur le manche, l'emblème et la légende moulés sur les médailles émaillées que nous portons lors des grandes occasions. Depuis sa fondation en 1713, l'Académie royale espagnole est attachée aux traditions, ce qui implique le port de la cravate entre ses murs, le voussoiement lors des cérémonies officielles, et d'autres choses de même nature. La coutume absurde qui excluait les femmes a été enfreinte depuis longtemps. Elles sont de plus en plus nombreuses à s'asseoir sur les bancs lors de la séance plénière du jeudi. Le monde a changé, notre institution aussi. C'est maintenant une usine linguistique de premier ordre, dont les académiciens ne sont que le conseil consultatif. La vieille image du club masculin d'érudits mités du troisième âge n'est plus qu'un cliché rance.

– Je crois me rappeler que don Gregorio Salvador, notre doyen, m'en a parlé un jour, dit García de la Concha après avoir un peu réfléchi. Il y aurait eu un voyage en France, il me semble bien… pour en rapporter ces livres.

– C'est bien curieux. – Pour moi, quelque chose clochait. – Si c'était à la fin du XVIIIe, comme tu me l'as dit tout à l'heure, l'*Encyclopédie* était interdite en Espagne. Et elle l'est restée un certain temps, par la suite.

García de la Concha, qui s'était penché en avant et avait posé les coudes sur la table, m'observait par-dessus ses doigts croisés. Comme toujours, ses yeux transmettaient à son interlocuteur une exhortation enthousiaste à se lancer dans l'aventure, dès lors qu'elle ne lui compliquait pas la vie.

– Peut-être Sánchez Ron, le bibliothécaire, pourrait-il t'aider, suggéra-t-il. Il s'occupe des archives, où sont conservés les actes de toutes les séances plénières depuis la fondation de la maison. S'il y a eu un voyage pour en rapporter les livres, tu en trouveras la trace.

– S'il a été clandestin, j'en doute.

L'adjectif le fit sourire.

– Détrompe-toi, m'opposa-t-il. L'Académie a toujours conservé une indépendance royale vis-à-vis du pouvoir, ce qui lui a valu de traverser des moments difficiles. Souviens-toi de Ferdinand VII, ou des tentatives faites par le dictateur Primo de Rivera pour la contrôler... ou par Franco qui, après la Guerre civile, a donné l'ordre d'attribuer les sièges des académiciens républicains en exil. L'Académie s'y est refusée, et ces places sont restées vacantes jusqu'au retour ou à la mort des exilés.

Je songeais aux implications que l'affaire avait pu avoir, en son temps. Aux circonstances possibles, complexes. Il y a là, me dit mon instinct, une bonne histoire.

– Ça serait un épisode intéressant non ? fis-je, si ces livres étaient arrivés ici secrètement.

– Je ne sais pas. Je ne me suis jamais penché là-dessus. Si le sujet t'intéresse tellement, va voir le bibliothécaire et tente ta chance auprès de lui... Tu peux aussi aller te renseigner auprès de don Gregorio Salvador.

Je le fis. Ma curiosité était maintenant piquée. J'ai commencé par Darío Villanueva, le directeur, qui, en bon Galicien à pied d'œuvre, me posa trente questions et ne répondit à aucune des miennes. Lui aussi s'inquiéta du roman sur les meurtres des académiciens, et quand je lui dis que Francisco Rico serait la première victime, il me demanda d'être l'assassin. Avec un cordon de rideau ou une corde de guitare, peu lui importait.

– Je ne peux rien te promettre, répondis-je. On fait la queue pour régler son compte à Francisco : tous veulent le rôle.

Il me regarda, songeur, une main sur mon épaule.

– Fais ce que tu peux, allez. J'y tiens. Je te promets de rétablir les accents des pronoms démonstratifs.

Ensuite, j'allai voir José Manuel Sánchez Ron, le bibliothécaire : un grand type maigre aux cheveux poivre et sel, dont le regard intelligent pose sur le monde sa froide lucidité. Nous avons été élus à l'Académie presque en même temps, et nous sommes très proches. Son domaine est la partie scientifique de nos travaux – il est professeur d'histoire des sciences – et, à ce moment-là, il s'occupait encore de notre bibliothèque. Ce qui engageait sa responsabilité sur des joyaux comme l'édition princeps du *Quichotte*, des manuscrits inestimables de Lope de Vega ou de Quevedo, et d'autres œuvres que nous gardons sous clef au sous-sol.

– Oui, l'*Encyclopédie* est bien arrivée à la fin du XVIIIe, me confirma-t-il, c'est sûr. Et, bien entendu, elle était alors interdite, aussi bien en France qu'en Espagne. Là-bas juste pour la forme, ici absolument.

– J'aimerais savoir qui l'a apportée. Comment elle a pu échapper aux contrôles de l'époque… et comment on a réussi à la faire entrer dans notre bibliothèque.

Il réfléchit un instant, en se balançant dans son fauteuil, à demi caché par les piles de livres qui couvraient sa table de travail.

– Je suppose que, comme pour toutes les décisions de l'Académie, celle-ci a été approuvée en séance plénière, dit-il enfin. Je ne crois pas qu'une résolution de cette importance ait pu être adoptée sans l'accord de tous les académiciens… il doit donc y avoir un acte qui en conserve la trace.

Je me dressai comme un chien de chasse qui flaire la bonne piste.

– On peut chercher dans les archives ?

– Bien sûr. Mais les actes ne sont pas encore numérisés. Les originaux sont conservés tels quels. Sur papier.

– Si nous arrivons à mettre la main dessus, nous saurons à quel moment et en quelles circonstances l'aventure a eu lieu.

– Et pourquoi t'y intéresses-tu autant ? Un nouveau roman ? Historique, cette fois ?

– Pour l'instant, par curiosité.

– Eh bien, je m'y mets. Je vais parler à la responsable des archives, et je te tiens au courant... Et, dis-moi, c'est quoi, cette histoire au sujet de Francisco Rico ? Tu comptes sur moi pour être l'assassin ?

Je le quittai et retournai à la bibliothèque. À son odeur de vieux papier et d'anciens cuirs. Les rectangles de soleil venus des fenêtres avaient changé de place et diminué, presque jusqu'à disparaître, et les vingt-huit volumes de l'*Encyclopédie* étaient maintenant dans la pénombre, sur leurs rayonnages. Le vieil or des lettres de leurs dos ne luisait plus quand j'ai promené un doigt dessus, en caressant le cuir fané. Alors, tout à coup, j'ai su quelle histoire je voulais raconter. Elle est venue tout naturellement, comme viennent parfois les choses. J'ai pu la voir nettement, structurée dans ma tête tel un exposé, avec intrigue et dénouement : une suite de scènes, de cases vides à remplir. Il y avait un roman en marche, et sa trame m'attendait dans les recoins de cette bibliothèque. Le soir même, en rentrant chez moi, j'ai commencé à imaginer. Et à écrire.

Ils sont vingt-quatre, mais ce jeudi-là seuls quatorze sont présents...

Ils sont vingt-quatre, mais ce jeudi-là seuls quatorze sont présents. Ils sont arrivés à quelques moments d'intervalle dans la vieille bâtisse, un par un, certains à deux, d'aucuns en voiture, la plupart à pied, et ils ont formé de petits groupes dans le vestibule pendant qu'ils ôtaient leur cape, leur manteau et leur chapeau avant d'entrer dans la salle des séances et de se mettre à leur place autour de la grande table rectangulaire recouverte de basane tachée de cire de bougie et d'encre. Il y a des cannes appuyées aux chaises, des mouchoirs que l'on tire des manches ou que l'on y glisse. Une petite boîte qui porte sur le couvercle un blason de marquis et contient de la poudre de tabac – attention du directeur – circule de main en main. Atchoum. À vos souhaits. Merci. Recrudescence d'éternuements et de moucheries.

Une rumeur de toux et de graillonnements policée, des commentaires à voix basse sur les rhumatismes, les refroidissements, les dyspepsies et autres problèmes de santé occupent les premières minutes de conversation jusqu'à ce que, encore debout, on lise le *Veni Sancte Spiritus* et que tous s'asseyent sur des chaises dont le tissu commence à être élimé par l'usage et le temps. Le plus jeune d'entre eux a un demi-siècle ; autour de la table il y a surtout des vestes de drap de couleur sombre, quelques soutanes, une demi-douzaine de perruques poudrées ou pas, des visages rasés où les rides et les taches révèlent l'âge de chacun. Tout cela paraît s'harmoniser à l'humble décor qu'éclairent la cire et l'huile : un portrait du défunt roi Philippe V et un autre du marquis de Villena, fondateur de l'Académie, trônent sur un ensemble de rideaux de velours râpé, d'un vieux tapis décoloré, de meubles au vernis éteint et d'étagères de livres et de dossiers. Depuis longtemps, en dépit d'un nettoyage hebdomadaire rigoureux, cet agencement est comme couvert d'une fine couche de poussière grise de maçonnerie : la Casa del Tesoro, où la munificence du roi Charles III permet aux académiciens de se réunir, est l'ancienne annexe du nouveau palais royal, alors en chantier. Dans l'Espagne de ce XVIIIe siècle qui touche presque à son dernier tiers, même la langue castillane et ses érudits sont réduits à la misère.

– Livres ? demande Vega de Sella, le directeur.

Don Jerónimo de la Campa, critique de théâtre, auteur d'une prolixe *Histoire du théâtre espagnol* en vingt-deux volumes, se lève péniblement et va jusqu'au siège du directeur pour remettre le tome XX, le dernier publié. Avec un sourire d'une courtoisie extrême, le directeur reçoit le livre et le confie aux mains du bibliothécaire, don Hermógenes Molina, latiniste distingué et traducteur éminent de Virgile et de Tacite.

– L'Académie remercie don Jerónimo de lui confier son œuvre, qui fait désormais partie de la bibliothèque, dit Vega de Sella.

Francisco de Paula Vega de Sella, marquis d'Oxinaga, est grand écuyer de Sa Majesté le roi. Homme élégant, il est vêtu à la dernière mode, sa veste bleue brodée et son justaucorps cerise aux deux gourmettes d'or mettent une insolite note de couleur dans la salle. Détenteur d'une petite fortune, il sait faire son chemin à la cour et son habileté diplomatique est proverbiale. On dit de lui que, s'il avait été destiné par sa famille à la carrière ecclésiastique – comme son frère cadet, aujourd'hui évêque de Solsona –, il serait à présent cardinal à Rome, avec tous les bulletins nécessaires pour être élu pape. Par ailleurs, bien qu'il ne soit qu'un poète acceptable – ses *Lettres à Clorinde*, œuvre de jeunesse, ne lui ont valu ni blâme ni gloire –, le marquis s'est distingué avec la publication, il y a une dizaine d'années, d'un petit livre intitulé *Entretiens sur la pluralité et l'égalité des hommes*, qui lui a valu quelque renom dans les salons où l'on échange des idées avancées au grand dam des censeurs de l'Inquisition. Et ne parlons pas des échanges épistolaires entretenus un certain temps avec Rousseau. Cela donne un peu de l'éclat des Lumières aux travaux de la docte maison, ce qui a pour conséquence de nourrir la suspicion des cercles ultramontains.

– Affaires courantes, poursuit Vega de la Sella.

À sa requête, don Clemente Palafox, le secrétaire, informe ses collègues de l'état des travaux de l'Académie, de la répartition des tâches et des articles pour la prochaine édition du Dictionnaire, du Précis d'orthographe, puis des fonds jusqu'alors obtenus pour la grande édition du *Quichotte* en quatre tomes qui vient de sortir des presses de l'imprimeur Ibarra.

– Et maintenant, conclut le secrétaire en les regardant pardessus ses lunettes, nous allons passer au vote prévu pour le voyage à Paris et l'*Encyclopédie*.

Il prononce le mot à la française, avec un impeccable accent – prestigieux helléniste, Palafox est traducteur d'une *Poétique* d'Aristote annotée par lui-même –, en promenant son regard autour de la table, la plume à la main droite, en suspens à quelques pouces au-dessus du papier de l'acte, afin de s'assurer que personne ne fait de commentaire avant de poursuivre.

– Un avis de messieurs les académiciens, en dehors de ce qui a été discuté la dernière fois ? demande le directeur.

Une main se lève à l'autre bout de la table. Potelée, avec des bagues en or. La lumière d'une des bougies projette son ombre sinistre sur la basane qui couvre la table.

– La parole est à don Manuel Higueruela.

Et Higueruela prend la parole. C'est un sexagénaire au cou

épais qui parle du nez, porte une veste évasée, une perruque non poudrée toujours de travers, comme si elle tenait mal sur sa tête, dont les traits grossiers ne sont altérés que par des yeux vifs, malins et intelligents. Auteur de comédies triviales et poète médiocre, il édite l'ultraconservateur *Censor Literario*, qui a de forts appuis dans les rangs les plus réactionnaires de la noblesse et du clergé. De sa tribune prétorienne, il lance des attaques féroces contre tout ce qui sent le progrès ou les doctrines des Lumières.

– Je veux que soit spécifiée dans l'acte mon opposition à ce projet, dit-il.

Le directeur regarde de côté le secrétaire qui prend note de tout ce qui est dit. Puis il pousse un léger soupir en pesant ses mots avec soin.

– Le voyage a été approuvé par l'Académie en séance ordinaire, il y a une semaine… Aujourd'hui, nous devons nous prononcer sur le nom des deux académiciens délégués.

– Il n'empêche, je tiens à réitérer mon opposition à cette absurdité. J'ai pu prendre connaissance du contenu des articles consacrés dans cet ouvrage aux mots *Dieu* et *Âme*, qui ont suscité l'indignation des théologiens… Et je vous assure que les lire a failli me rendre malade. Cet ouvrage est indigne de figurer dans notre fonds.

Vega de Sella regarde autour de lui, prudent. Quand se présentent des affaires qui exigent de se prononcer en public, les académiciens gardent généralement le silence avec une expression indéchiffrable, comme si rien de ce qui se passe ne les concernait. Ils savent dans quel monde ils vivent, et qu'ils n'ont pas grand-chose à en attendre. Encore heureux, se dit le directeur pour se consoler, que le vote de la semaine précédente ait pu se faire à bulletins secrets, déposés anonymement dans l'urne. Un franc succès. S'il avait dû se faire à main levée, bien peu d'académiciens auraient osé se compromettre. Il y a seulement deux ans quelques-uns d'entre eux, y compris le directeur, ont dû comparaître devant le tribunal de l'Inquisition pour avoir lu des œuvres de philosophes étrangers. Bien que rien ne soit officiellement prouvé, tous savent que le dénonciateur n'est autre que l'individu qui demande maintenant la parole.

– Faites votre déclaration, don Manuel, dit Vega de Sella avec une affabilité stoïque. Comme toujours, monsieur le secrétaire en prendra fidèlement note.

Higueruela entre en matière, en se réjouissant de son bonheur. Dans le style des articles qu'il rédige, il dresse un bilan apocalyptique de l'état, calamiteux à ses yeux, des idées en Europe : la tourmente de libre-pensée et d'athéisme qui menace la paix des peuples innocents ; la mécréance qui mine les fondations des maisons royales européennes, avec pour principal instrument de sape révolutionnaire les doctrines des philosophes et leur culte acharné de la raison, qui empoisonne l'ordre naturel et insulte le divin : le cynique Voltaire, l'hypocrite Rousseau, le tergiversateur Montesquieu, les impies Diderot et D'Alembert, et tant d'autres dont l'infâme pensée a forgé cette *Enciclopedia* – il dit ce mot en castillan pour rendre plus acerbe son ton méprisant – avec laquelle l'Académie royale espagnole cherche à déshonorer sa bibliothèque.

– Voilà pourquoi je m'oppose à l'acquisition de cette œuvre néfaste, conclut-il, et aussi à ce que deux membres de cette institution aillent à Paris pour se la procurer.

Seul le grattement de la plume du secrétaire sur le papier de l'acte, *crss, crss*, brise le silence qui suit. Le directeur, avec sa sérénité habituelle, regarde ceux qui l'entourent.

– Un de ces messieurs les académiciens désire-t-il faire une remarque ?

Le crissement de la plume du secrétaire s'interrompt, mais nul n'ouvre la bouche. La plupart des regards vaguent dans le vide, en attendant que passe l'averse. Les quatre membres qui constituent avec l'orateur ce que la salle compte de plus conservateur – deux des cinq ecclésiastiques académiciens, le duc du Nuevo Extremo et un haut fonctionnaire du Trésor – opinent du chef pour complaire à Higueruela. Même si le vote du jeudi précédent a été anonyme, Vega de Sella devine, comme tous ses collègues, à quels noms on peut attribuer les bulletins blancs, manière élégante de manifester sa désapprobation sur les questions soumises au vote. En réalité, il y a eu six voix opposées à l'acquisition de l'*Encyclopédie*, en comptant celle d'Higueruela. Le directeur a la certitude absolue que le sixième vote d'opposition provient, paradoxalement, de quelqu'un situé aux antipodes idéologiques du journaliste radical : un académicien – vêtu à la nouvelle mode d'Angleterre et de France, en frac aux manches étroites, avec une spectaculaire cravate qui lui emprisonne le cou, des cheveux non poudrés mais frisés aux tempes – qui, à ce moment-là et nullement par hasard, lève la main, à un bout de la table.

– La parole est à monsieur Sánchez Terrón.

Tous savent que cet individu est un cas particulier. Justo Sánchez Terrón est ce qu'on appelle en Espagne un « radical éclairé ». Asturien d'origine modeste, il s'est fait lui-même à force d'études et de lectures, et jouit d'une réputation d'homme aux idées avancées. Fonctionnaire d'État, son rapport sur les hôpitaux, les prisons et les amnisties générales – sous le titre *Traité sur le malheur des peuples* – a provoqué un scandale et fait couler beaucoup d'encre. Depuis, divers cafés et salons de Madrid sont le théâtre de débats philosophico-littéraires dont il est la vedette ; et peut-être le vedettariat est-il la clef de tout ce qui le concerne. À cinquante-cinq ans, aveuglé par le succès, incapable de se considérer avec une lucidité critique, Sánchez Terrón est devenu un grand personnage pédant, imbu de lui-même jusqu'à la plus fastidieuse arrogance – à cause du sempiternel ton moralisateur de ses écrits et de ses discours, on l'a surnommé confidentiellement *Le Caton d'Oviedo*. De plus, ayant rejoint assez tardivement les dernières avancées de la pensée et de la culture, sa particularité la plus irritante est de découvrir ce que beaucoup connaissent déjà et de l'annoncer au monde comme si l'humanité devait lui savoir gré de cette révélation. En outre, le bruit court qu'il prépare un drame dans lequel il se propose d'enterrer les vieilles gloires décaties du théâtre national. Quant aux auteurs et philosophes modernes, l'Asturien prétend être l'unique médiateur entre eux et la société espagnole rétrograde, de laquelle il se proclame sans complexe le phare et l'interprète. Et le sauveur, si l'on veut. Pour ce titre, il ne tolère ni ingérences ni rivaux. Chacun sait qu'il travaille depuis des années à une œuvre d'envergure intitulée *Dictionnaire de la raison*, dont une large part des articles et des arguments présentés comme siens est traduite, sans le moindre remaniement, des encyclopédistes français.

– Que soit également notifiée dans l'acte, dit-il en se rengorgeant, tout en arrangeant les dentelles qui sortent des poignets de son frac, mon opposition à ce voyage inadmissible à Paris. Je ne crois pas que cette institution soit le lieu adéquat pour l'*Encyclopédie*. Si l'Espagne nécessite une régénération, et c'est l'évidence même, celle-ci ne peut venir que des lumières de certaines élites de l'intellect...

– Auxquelles j'appartiens, souffle un des académiciens en le parodiant.

Sánchez Terrón interrompt son discours en cherchant d'un œil irrité le plaisantin ; mais tous, à la table, restent imperturbables. Avec un air innocent.

– Poursuivez, don Justo, l'enjoint le directeur, en accourant gracieusement à sa rescousse.

– Des lumières de la raison et du progrès, reprend Sánchez Terrón, que cette docte maison ne doit pas aller chercher plus loin que l'exige son devoir spécifique. Il incombe à l'Académie royale espagnole de composer dictionnaires, précis de grammaire et d'orthographe. De fixer, d'épurer et de donner du lustre à la langue castillane... et rien de plus. Les idées nouvelles des Lumières, évidemment bienvenues, sont l'affaire des philosophes. – Là-dessus, il promène sur l'aréopage un regard de défi. – Et c'est à eux qu'il revient de s'en occuper.

Tous comprennent qu'il a voulu, avec ces « philosophes », signifier : « nous, les philosophes ». Comme dit l'adage populaire, chacun son métier, les vaches seront bien gardées, et laissez l'*Encyclopédie* à ceux qui savent et méritent de la lire. Quand Sánchez Terrón se tait, un murmure de désapprobation court d'un bout à l'autre de la table ; plusieurs académiciens s'agitent sur leur siège, mal à l'aise, et le brocard volette ostensiblement sur certaines lèvres. Toutefois, le regard sévère du directeur maintient la paix dans la partie qui se joue.

– La parole est à notre bibliothécaire, don Hermógenes Molina.

Le susnommé – corps replet, visage affable, veste marron élimée aux coudes lustrés qui a connu des temps meilleurs – a levé la main et, après avoir remercié le directeur de lui en donner l'occasion, il rappelle à ses collègues les raisons qui imposent le devoir d'apporter à la bibliothèque les vingt-huit volumes édités à

Paris par Diderot, D'Alembert et Le Breton. Cette œuvre, allègue-t-il non sans quelque émotion, s'impose malgré ses imperfections comme la plus brillante réalisation moderne de l'intelligence humaine, la somme monumentale des connaissances les plus avancées en matière de philosophie, de science, d'art et de toutes les autres disciplines connues et à connaître. C'est une de ces œuvres érudites et décisives, rares dans l'histoire de l'humanité, qui éclairent ceux qui les lisent et ouvrent aux peuples la porte du bonheur, de la culture et du progrès.

– Ce serait un manquement impardonnable, conclut-il, de ne pas la compter parmi celles qui ornent notre bibliothèque, pour l'édification et le plaisir de messieurs les académiciens, l'émulation de nos travaux et l'honneur de cette docte institution.

Higueruela, le journaliste, lève de nouveau la main. Son regard est venimeux.

– Philosophie, nature, progrès, félicité terrestre, tranche-t-il avec rudesse, sont des mots qu'il nous incombe seulement de définir, de sorte à prévenir les ingénus contre eux, surtout quand ils attentent aux fondements sacrés de la monarchie ou de la religion… Bien que nos pensées soient très éloignées, et même opposées, je suis heureux de partager à ce sujet le point de vue de mon collègue, monsieur Sánchez Terrón, dit-il en adressant un sourire torve à celui-ci qui, en retour, a pour lui un bref et sec hochement de tête. Des extrêmes opposés, pour ainsi dire, nous condamnons tous deux également ce funeste dessein… Et je me permets de rappeler à messieurs les académiciens que l'*Encyclopédie* est un des livres interdits et mis à l'Index par le Saint-Office. Même en France.

Tous regardent don Joseph Ontiveros, procureur de l'archevêché de Tolède et secrétaire perpétuel du Conseil de l'Inquisition : il vient d'avoir quatre-vingt-un ans, et c'est un religieux aux cheveux blancs, aux genoux faibles et à l'esprit vif, qui depuis trois longues décennies occupe la chaise R. Il hausse les épaules en souriant avec indulgence, plein de tolérance. En dépit de sa charge, Ontiveros est un homme très éclairé et cultivé, dépourvu de complexes. La meilleure version en langue castillane d'Horace est sortie il y a une quarantaine d'années de sa plume – *Toi, de fugitives nymphes / Amant divin, Faune* –, et tous savent bien que la traduction des poésies de Catulle parue sous le pseudonyme de *Linarco Andronio*, œuvre splendide, est aussi un de ses travaux.

– En ce qui me concerne, *nihil obstat*, dit l'ecclésiastique, en faisant naître des sourires autour de lui.

– Je rappelle en toute cordialité à don Manuel Higueruela, intervient le directeur avec son tact habituel, que la permission d'apporter l'*Encyclopédie* dans cette Académie nous a été accordée par notre clergé grâce aux judicieuses démarches de don Joseph Ontiveros... Le Saint-Office a décidé en connaissance de cause que ces volumes, qu'il ne serait sans doute pas prudent de placer entre les mains de personnes non averties, peuvent être lus par messieurs les académiciens sans préjudice pour leur âme ni pour leur conscience... N'est-ce pas exact, don Joseph ?

– Rigoureusement, confirme l'interpellé.

– Poursuivons donc, dit le directeur en regardant la pendule murale. Si vous le voulez bien, monsieur le secrétaire ?

Celui-ci cesse d'écrire, lève les yeux du livre des actes et les promène sur l'assemblée tout en réajustant ses lunettes sur son nez.

– Nous allons, dit-il, procéder au vote pour élire les deux académiciens qui iront à Paris afin d'en rapporter avec eux les vingt-huit volumes de l'*Encyclopédie*, conformément à la décision prise en séance plénière, et dont je vais lire la partie de l'acte correspondante :

> *Réunie en son siège de la Casa del Tesoro, et ayant obtenu les autorisations nécessaires de Notre Seigneur le Roi et de l'Autorité ecclésiastique, l'assemblée plénière de l'Académie royale espagnole s'accorde pour désigner à la majorité entre messieurs les académiciens deux hommes de bien qui, pourvus des viatiques nécessaires au transport et à la subsistance, iront à Paris pour y acquérir l'œuvre complète connue sous le titre d'*Encyclopédie, ou Dictionnaire raisonné des sciences, des arts et des métiers*, et de l'apporter à l'Académie, afin qu'en sa bibliothèque elle soit mise, en libre consultation et lecture, à la disposition des membres en titre de cette institution.*

Suit un bref silence que seul rompt la toux asthmatique du vieux don Felipe Hermosilla – auteur du célèbre *Catalogue des anciens auteurs espagnols*. Les académiciens se regardent les uns les autres : avec espoir et solennité pour la plupart, conscients de la transcendance symbolique de l'acte ; quelques-uns, revêches, affichent tous les signes du désaccord : les deux ecclésiastiques les plus conservateurs, le duc du Nuevo Extremo et le haut fonctionnaire du Trésor. Ceux-là considèrent d'un air complice Higueruela et Sánchez Terrón pour marquer leur solidarité avec leurs objections, sans pour autant vouloir se compliquer la vie en osant manifester les leurs.

– Quelqu'un a-t-il encore une remarque à faire ?... Non ? demande le directeur. Bon, dans ce cas, votons. Comme vient de le lire monsieur le secrétaire, il s'agit de choisir parmi nos collègues deux hommes de bien.

– C'est bien en ces termes que la chose figure dans les actes, me confirma don Gregorio Salvador quand je lui fis une visite. *Deux hommes de bien*. Je le sais parce que j'ai pu lire ce document, il y a des années.

Par la fenêtre du balcon, je pouvais voir, derrière lui, les immeubles de la rue Malasaña. Le vieux professeur et académicien – octogénaire, linguiste prestigieux, doyen des membres actifs de l'Académie – était assis dans un fauteuil de la bibliothèque de sa maison. Sur un guéridon, il y avait une tasse de café que venait de me servir une de ses petites-filles.

– Il existe donc un acte de cette séance ? demandai-je, intéressé.

Il acquiesça d'un vif mouvement de tête. Il avait un visage de patricien, bien conservé, des cheveux blancs encore abondants, et des yeux souriants en dépit de son âge et d'une opération récente de la cataracte, qui n'avaient besoin de lunettes que pour lire. Don Gregorio Salvador assistait depuis trente ans aux séances de l'Académie, sans manquer un seul jeudi. Il conservait une lucidité extraordinaire et était le plus sûr connaisseur des circonstances historiques et des vieilles anecdotes. Coauteur du monumental *Atlas linguistique et ethnographique de l'Andalousie*, il était le seul académicien que nous voussoyions tous même en dehors du protocole traditionnel des assemblées plénières.

– Bien sûr, répondit-il. On les a tous conservés. Mais comme ils sont sur papier, il n'est pas évident de tomber dessus. Il y a trois cents ans de livres des actes, rendez-vous compte. Concrètement, pour le retrouver, il faudra chercher patiemment, un jeudi après l'autre.

– Est-il possible de déterminer l'année ?

Il réfléchit un moment, en faisant tourner la canne d'ébène au pommeau d'argent qu'il tenait à la main. Son autre main, il la tenait dans la poche du cardigan de laine grise qu'il portait par-dessus sa chemise avec cravate et le haut de son pantalon de flanelle sombre. Ses chaussures usées, bien cirées, reluisaient. Don Gregorio Salvador était un homme soigné. Rigoureux.

– Il me semble que c'était vers 1780. Je le sais parce que, quand j'ai fait une recherche sur l'édition d'Ibarra de notre *Quichotte*, qui date de cette année-là, j'ai consulté un acte qui mentionnait celui qui vous intéresse.

– Il y est question du voyage des deux académiciens ?

– Oui, ils devaient se rendre à Paris pour en rapporter l'œuvre complète. Et tous les membres n'étaient pas d'accord sur ce point. Il y a eu un peu de bagarre.

– De quel genre ?

Il sortit de sa poche une main décharnée, noueuse, maltraitée par l'arthrose, et fit un geste vague en l'air.

– Je n'en sais trop rien. Comme je vous l'ai dit, je n'ai fait que survoler cet acte. L'affaire était curieuse, je voulais y revenir, mais j'ai pour finir été accaparé par d'autres choses.

J'ai approché mes lèvres de la tasse de café.

– C'est étrange, non, l'*Encyclopédie* étant interdite en Espagne, que tout cela se soit fait aussi facilement ?

– Facilement, je ne dirais pas ça. Il me semble que ce voyage en France a été mouvementé… Par ailleurs, l'Académie était une institution à part, qui comptait des gens intéressants. – Sur ces mots, le vieil académicien sourit. – Il y avait de tout.

– Des bons et des méchants, voulez-vous dire ?

Le sourire de don Gregorio s'élargit. Pendant quelques instants il contempla le pommeau d'argent de sa canne en silence.

– On peut considérer les faits de cette façon, répondit-il enfin, à supposer que l'on puisse jamais séparer le bon grain de l'ivraie, bien entendu... Mais il y avait des factions, bien sûr. Il y a eu des ligues en Espagne, alors, et il y en a toujours. En ce temps-là, des divergences qui devaient par la suite se révéler terribles pour notre histoire se profilaient assez nettement : un groupe porté par la confiance, l'ardeur généreuse, la foi dans le progrès et l'éducation, convaincu que pour faire le bonheur des peuples il est nécessaire de les éclairer... un autre pétrifié dans son ignorance délibérée, dans son indifférence à l'égard de la modernité et des Lumières, installé dans sa haine de la nouveauté. Et encore, inévitablement, tous les indécis et les opportunistes qui, au gré des circonstances, se regroupent autour des figures éminentes d'un bord et de l'autre... Alors se tissaient déjà, au sein de l'Académie comme ailleurs, les fils de la corde avec laquelle les Espagnols allaient se garrotter les uns les autres pendant les deux siècles suivants.

Il me regardait maintenant avec attention. Intéressé. En se demandant ce que j'allais bien pouvoir écrire à ce sujet. Finalement, il parut m'accorder quelque crédit.

– Connaissez-vous bien cette époque ? me demanda-t-il.

– Plus ou moins.

– Julián Marías, qui a été notre collègue à l'Académie, le père de Javier Marías, le romancier, a écrit quelque chose à ce sujet. Nous avons de lui un petit livre notable : *L'Espagne du possible au temps de Charles III*. Je ne me rappelle pas bien, mais il se pourrait qu'il y raconte comment l'Académie a obtenu notre *Encyclopédie*... Il est vrai qu'il a été lui aussi victime de délations et de poursuites à la fin de la Guerre civile.

Il sourit de nouveau, distrait cette fois. Peut-être plongé dans des souvenirs, dont les premiers – le vieil académicien était né en 1927 – devaient receler des images de nos divers Guernicas personnels.

– L'histoire de l'Espagne n'est pas une histoire heureuse, dit-il, mélancolique.

– Peu d'histoires nationales le sont.

– C'est vrai, admit-il. Mais nous avons été particulièrement malheureux. Notre XVIIIe siècle n'a été qu'occasions perdues :

militaires qui lisaient, navigateurs férus de science, ministres éclairés... Un renouveau était en marche qui peu à peu triomphait de la résistance des noyaux les plus réactionnaires de l'Église et de la société dans laquelle ils étaient tapis comme une énorme araignée noire. Les idées nouvelles secouaient la vieille Europe...

Maintenant, tandis qu'il parlait, don Gregorio parcourait lentement du regard les livres sur les rayonnages – il y en avait partout ailleurs, empilés sur les meubles et par terre –, et je suivais ce regard. Il ne peut être fortuit, ajouta-t-il un instant plus tard, que le voyage des académiciens à Paris ait coïncidé avec le règne de Charles III. L'époque était à l'espérance. Une partie du clergé, bien que minoritaire, était cultivée et mesurément éclairée. Des hommes d'honneur essayaient d'introduire les Lumières dans la péninsule et, avec elles, de sortir de siècles d'obscurantisme.

– L'Académie royale d'Espagne, poursuivit-il, se devait de se joindre au mouvement. Dès lors qu'il existe une œuvre majeure qui éclaire l'Europe, ont-ils dit, il faut nous la procurer pour l'étudier. C'en est assez que chaque définition de notre Dictionnaire, par ailleurs magnifique, soit empreinte de christianocentrisme, que Dieu y soit partout, jusque dans les adverbes, tournant ainsi le dos à la raison, à la science et à l'avenir... Il faut que la langue castillane, en plus d'être noble, belle et docte, soit aussi éclairée et sage. Qu'elle soit philosophique.

– Un concept révolutionnaire, ai-je conclu.

– Oui. Pour la plupart, ces académiciens étaient des hommes sagaces d'une vraie hauteur morale, comme en témoignent les étonnantes définitions auxquelles, malgré leur peu de moyens, ils sont parvenus dans leur *Dictionnaire de la langue castillane*... À la fin du siècle, presque tous étaient encore des catholiques pratiquants et, pour certains d'entre eux, des ecclésiastiques ; ils n'en ont pas moins cherché à concilier en toute bonne foi leurs croyances et les idées nouvelles. Ils sentaient qu'en définissant avec rigueur la langue, en la rendant plus rationnelle et scientifique, ils étaient aussi en train de changer l'Espagne.

– Mais tout en est pourtant resté là.

Don Gregorio leva un peu sa canne, pour manifester son désaccord.

– Pas tout, objecta-t-il. Encore qu'il soit certain que l'occasion a été perdue. Pour finir, il a manqué ce qui s'est passé en France : une révolution pour renverser l'Ancien Régime... Voltaire, Rousseau, Diderot, qui ont permis que l'*Encyclopédie* soit, sont restés exclus, ou n'ont été admis qu'avec la plus grande difficulté. Leur legs a sombré tout d'abord dans la répression puis dans le sang.

Je bus le reste de mon café, et il y eut un silence. Le vieil académicien me regardait de nouveau avec curiosité.

– Il n'empêche, ajouta-t-il un instant plus tard, que l'aventure des vingt-huit volumes qui sont dans notre bibliothèque fait une belle histoire... Allez-vous vraiment écrire quelque chose sur le sujet ?

J'ai montré d'un geste les livres qui nous entouraient, comme si en eux se trouvait la clef de l'affaire.

– C'est possible. Si je réussis à en apprendre davantage là-dessus.

Il sourit, bienveillant. L'idée semblait beaucoup lui plaire.

– Ce serait une bonne chose, parce que c'est un épisode qui fait la noblesse de notre Académie. Ce serait justice de rappeler que même en des temps d'obscurantisme il y a eu des hommes de bien qui ont lutté pour apporter à leurs compatriotes les lumières et le progrès... et que ceux qui ont tenté de les en empêcher n'ont pas manqué.

Ils se sont levés de leurs sièges sur le coup des huit heures et demie du soir, comme à leur habitude, en se séparant jusqu'au jeudi suivant. L'hiver a ses derniers sursauts, bien que la nuit soit sereine : entre les auvents des toits, on peut voir les étoiles. Justo Sánchez Terrón marche en direction de la Calle Mayor quand résonnent derrière lui les fers d'un cheval. La lanterne de la Casa de los Reales Consejos projette à côté de l'académicien l'ombre d'un fiacre qui le rattrape. Quand il arrive à sa hauteur se font entendre quelques mots venus de l'intérieur, le cocher tire sur les rênes, la voiture s'arrête, et la perruque de travers de Manuel Higueruela se montre à la portière, couronnant le visage rond et vil.

– Montez, don Justo. Je vous rapproche de chez vous.

L'interpellé refuse avec une hauteur dédaigneuse qu'il ne cherche pas à dissimuler. Il ne lui plaît pas de se promener dans Madrid en voiture, dit son expression, et moins encore assis auprès d'un journaliste et homme de lettres aux idées ultramontaines, même par des rues mal éclairées sans passants pour le voir abjurer son austère intégrité bien connue.

– Comme vous voudrez, admet Higueruela. Alors, je vous accompagnerai à pied.

Le journaliste descend de voiture, glisse sous son bras cape et chapeau – qu'il ne met presque jamais, à cause de sa perruque –, renvoie le cocher et marche avec désinvolture dans les pas de Sánchez Terrón. Celui-ci avance tête nue, mains dans les poches de sa veste, menton baissé sur sa poitrine. Sa démarche est grave. C'est ainsi qu'il se meut habituellement : d'un air pensif, introspectif, entièrement absorbé en lui-même. Ce qui le fait paraître occupé à de profondes réflexions philosophiques, même quand il regarde avec attention où il met les pieds pour ne pas écraser un étron de chien.

– Il faut empêcher cette imbécillité ! lance Higueruela.

Sánchez Terrón continue d'avancer dans un silence inflexible. Il sait à quelle imbécillité se réfère le journaliste. Lors du vote final de la séance plénière, cette fois avec huit voix favorables contre six bulletins blancs – parmi lesquels le sien –, ont été désignés pour rapporter de Paris l'*Encyclopédie* le bibliothécaire, don Hermógenes Molina, et le brigadier des armées navales à la retraite don Pedro Zárate, à qui tous les académiciens donnent de l'Amiral, et qui occupe le fauteuil que la tradition réserve à un haut gradé des Armées du roi ou de la Marine royale familier du théâtre des Lettres.

– Vous et moi, don Justo, divergeons en bien des choses, poursuit Higueruela. Mais, dans ce cas, bien que de positions opposées, nos points de vue concordent. Pour moi, patriote et catholique, l'œuvre de ces prétendus philosophes français est corrosive et néfaste… Pour vous, penseur profond, pasteur de l'ingénu peuple espagnol encore mineur, sa lecture, ici et maintenant, est outrancière.

– Inopportune, nuance don Justo avec une sécheresse rude.

– Bon, ça revient au même. Inopportune, prématurée... Dites-le comme il vous plaira. Nous sommes là pour ça, nous, les académiciens : qualifier proprement. Le fait est que, de votre point de vue et du mien, l'Espagne n'est pas prête pour que cette fâcheuse *Enciclopedia* y circule de main en main... À vos yeux, pardonnez-moi d'oser percer votre pensée, les idées de Diderot et de ses comparses, même si elles correspondent aux vôtres, sont trop dangereuses pour être livrées au grand public.

Ces mots suscitent un regard hautain de Sánchez Terrón, quasi olympien en son dédain.

– Dangereuses, dites-vous ?

Mais Higueruela, qui connaît la musique, ne se laisse pas intimider.

– Oui, je le dis : dangereuses et absurdes. L'homme issu des poissons, les montagnes de la mer... Quelle idiotie !

– L'idiotie, c'est de se prononcer sur ce que l'on ignore.

– Laissons là les chicaneries et venons-en au fait. Ce qui nous manque, ici, ce sont des intermédiaires, des guides formés pour interpréter cette œuvre monumentale et complexe et éclairer le lecteur.

Là-dessus, Higueruela adresse à Terrón un regard fourbe, lourd de sous-entendus et de flagornerie.

– Comme vous, sans aller chercher plus loin... En deux mots, les raisins encyclopédiques sont encore trop verts, en Espagne, pour en faire du vin. Ne sommes-nous pas d'accord ?

Ils longent la rue des Platerías, à deux pas de la Plaza Mayor. À cette heure, les passants sont peu nombreux. La porte de Guadalajara est dans l'ombre, les bâches des orfèvres repliées et les portes closes par des volets de bois. Des chats silencieux fouillent les tas d'immondices qui, accumulées devant les portes, attendent le char éboueur.

– Voilà l'Espagne, don Justo. Et maintenant, si Dieu n'y remédie pas, nous allons tous être philosophes. Même certaines dames que je connais se piquent de mentionner Newton ou de citer Descartes et ont sur leur coiffeuse des livres de Buffon, même si ce n'est que pour regarder les estampes... Nous finirons par danser la chaconne à la parisienne, coiffés à la philosophe et poudrés comme des souris de moulin.

– Qu'est-ce que tout ça a à voir avec l'*Encyclopédie* et l'Académie ?

– Vous avez voté contre cette acquisition et ce voyage.

– Permettez-moi de vous rappeler que nous votons à bulletins secrets. Je ne sais comment vous osez...

– Oui. Secrets, c'est ça. Mais, à l'Académie, nous nous connaissons tous.

– Cette conversation est déplacée, don Manuel.

– Absolument pas... Avec votre permission, elle vous agrée, tout comme à moi.

Un tintement de clochette se fait entendre. De l'église voisine de San Ginés montent un prêtre et un enfant de chœur avec les saintes huiles et le saint sacrement, pour aller assister un moribond. Les deux académiciens s'arrêtent, Higueruela se signe, tête baissée ; Sánchez Terrón affiche une expression de désapprobation et de mépris.

– Pour ce qui est de mon avis, vous le connaissez, dit le journaliste quand ils se remettent en marche. Sale coup que nous porte ce torrent imprimé de mécréance et d'impiété, cette insulte à la tradition et à tout ce qui est honorable... Cette vague qui prétend submerger le trône et l'autel, en leur substituant le culte de mots tels que raison et nature, que si peu comprennent... Imaginez-vous les bouleversements et les révolutions auxquels nous exposent ces idées, mises à la portée de n'importe quel cadet, ou étudiant de première année, ou apprenti pharmacien ?

– Là n'est pas non plus la question, objecte Sánchez Terrón, formel. Vous vous égarez, comme d'habitude. Vous forcez et faussez. Je ne suis pas un de vos lecteurs bornés, ne l'oubliez pas. L'Académie fera venir l'*Encyclopédie* pour l'usage exclusif des académiciens. Nul ne parle de la mettre à la disposition d'un public inadéquat.

Higueruela sourit avec un scepticisme cynique.

– Les académiciens... Ne me faites pas rire à un moment pareil, don Justo. Vous les connaissez et les méprisez comme moi ; la plupart d'entre eux sont de médiocres gratte-papier, des érudits de coin du feu, des rats de bibliothèque étrangers aux grands problèmes de notre temps… Et quelques-uns sont en outre trop ingénus, malgré leur âge. Combien en comptez-vous, parmi eux, qui soient capables d'avaler tout Voltaire ou tout Rousseau sans se donner une indigestion ? Quelles conséquences aura un tel matériel inflammable sur ces esprits inadaptés, sans le contrôle de philosophes affirmés tels que vous ?

La dernière phrase est de la pure pommade. Sánchez Terrón ne lui oppose rien, il se borne à froncer un peu plus les sourcils. Sa vanité le rend imperméable à l'aplomb opportuniste d'Higueruela. Le philosophe avance sans hâte, droit, les mains dans les poches de sa veste, le menton baissé sur la poitrine, image même de la rectitude. Auprès de lui, prêt à continuer de l'encenser sans lâcher sa proie, le journaliste agite les mains, éloquent, persuasif.

– Admirable travail que celui que nous faisons à l'Académie pour la noble langue castillane, insiste-t-il. C'est indiscutable : Cervantès, Quevedo, le Précis d'orthographe, le Dictionnaire, et le reste… Tout cela digne de louanges. Très philanthropique et patriotique… Mais mettre les pieds dans ces modernités philosophiques c'est aller à vau-l'eau, vous êtes d'accord ?

– Je pourrais l'être, concède don Justo.

Higueruela a le petit rire satisfait de qui se sait sur la bonne voie.

– Rien de tel n'incombe à notre docte maison, ajoute-t-il, plus sûr de lui. Il y a des limites à la luxure, à la libre-pensée, à l'orgueil de l'être humain ; et certaines de ces limites sont la monarchie, la religion catholique et ses dogmes indiscutables…

À ces mots, Sánchez Terrón l'interrompt, sursautant comme s'il venait d'apercevoir un serpent.

– Et il faudrait jeter au cachot les vils athées ? Je connais, monsieur, la vieille ritournelle que vous chantez, vous et ceux de votre partie, ces vieilles badernes qui usent leur perruque jusqu'au dernier poil, ont les ongles longs et changent de chemise une fois par quinzaine. Je ne me baigne pas dans ces eaux-là.

Le journaliste, prudent, réduit la voilure. Il regarde à deux fois où il met les pieds.

– Désolé, don Justo. Mon intention n'est pas de vous offenser ni de m'opposer à vous… Je connais vos idées et je les respecte.

Mais le Caton d'Oviedo est maintenant lancé.

– Vous ne respectez même pas votre propre mère, don Manuel… Vous êtes un exalté qui passe sa vie à réclamer du bois pour brûler les hérétiques, comme au siècle dernier… À exiger à grands cris chaînes et tribunaux, chacun avec son ecclésiastique. Quant à votre journal…

– Oubliez-le. Complètement. Ce n'est pas l'éditeur combatif qui parle, à présent, mais l'ami.

– L'ami ? C'est assez, monsieur. Me prenez-vous pour un imbécile ?

Ils se sont arrêtés un instant devant les degrés de San Felipe, si animés le jour, si déserts à cette heure, en face des librairies fermées de Castillo, de Correa et de Fernández. Il y a des monticules sombres de mendiants emmitouflés sur les marches de pierre et sous les arcades des échoppes en sous-sol.

– Je lutte contre les ennemis du genre humain, même si je me vois forcé de le faire seul, proclame Sánchez Terrón en montrant les volets clos des librairies comme pour les prendre à témoin. Je ne prends pour guides que la raison et le progrès. Mes idées n'ont rien à voir avec les vôtres.

– C'est juste, concède Higueruela, désinvolte. Je les ai même attaquées publiquement par écrit, je le reconnais. De nombreuses fois.

– Inutile de le dire ! Dans votre dernier numéro, par exemple, sans me mentionner expressément…

– Écoutez, tranche le journaliste, ce qui va se passer est si grave que, sans que cela serve de précédent, je suis prêt à respecter vos idées pour le moment, don Justo, au nom de l'intérêt commun. De la dignité de l'Académie royale espagnole.

– La dignité n'est pas précisément ce qui caractérise votre feuille de chou, don Manuel. Passez-moi l'expression.

Higueruela a de nouveau un sourire cynique.

– Aujourd'hui, je vous passe tout. Mais, puisque nous parlons franc, je ne crois pas que vous soyez affranchi, vous non plus, de tout pharisianisme.

Justo Sánchez Terrón lève la tête, avec une certaine violence.

– Cette conversation est terminée. Adieu, monsieur.

Furieux, il s'en va tout à coup, pressant le pas. Il s'éloigne rapidement. Mais Higueruela le suit jusqu'à ce qu'il l'ait rattrapé, puis marche patiemment à son côté, sans faire la moindre remarque. Il lui laisse le temps de réfléchir. Enfin, Sánchez Terrón ralentit, s'arrête et regarde le journaliste.

– Que proposez-vous ?

– Vous ne voulez pas que les idées de l'*Enciclopedia* soient ici semées à tout vent. Que n'importe qui puisse se les approprier, sans intermédiaire. En deux mots, sans vous comme interprète. Votre *Dictionnaire de la raison*, par exemple…

Don Justo le toise, piqué et hautain.

– Que lui voulez-vous ?

Higueruela sourit, cette fois avec un sourire de loup. Dans son élément. Il est lui aussi bien placé pour savoir que Sánchez Terrón pille sans scrupule les philosophes transpyrénéens.

– Ce sera sans doute une œuvre sans pareille. Et espagnole, surtout, ce qui est tout à votre honneur. Ici, on n'a que faire des penseurs gaulois. Même pour ce qui relève de l'athéisme et de l'égarement, les Espagnols se suffisent à eux-mêmes… Ne trouvez-vous pas ?

Le ton ironique glisse une fois encore sans effet notable sur la vanité de marbre du philosophe.

– Et alors ? se contente-t-il de dire.

Higueruela hausse négligemment les épaules.

– Je vous tends un petit rameau d'olivier.

Sánchez Terrón le regarde, stupéfait, plus saisi que fâché.

– Vous ? À moi ?

Le journaliste ouvre les mains, paumes vers le haut, pour signifier qu'il n'a rien à cacher.

– Estimé collègue, je vous propose une trêve. Une alliance tactique temporaire et profitable. Pour les deux extrêmes.

– Soyez plus clair.

– Ces vingt-huit volumes ne doivent pas arriver ici. Pas même passer la frontière. Il faut faire péricliter ce voyage.

Sánchez Terrón, sourcils froncés, regarde un instant Higueruela sans rien dire.

– Je ne vois pas comment, conclut-il, méfiant. L'Académie

a pourvu de fonds le bibliothécaire et l'Amiral. Tous les deux parlent français et sont des gens sur lesquels on peut compter. Des hommes de bien, comme dit l'acte. D'honnêtes hommes. Rien ne peut empêcher…

– Vous vous trompez. Je vois beaucoup d'empêchements possibles. Beaucoup.

– Par exemple ?

Avec une expression équivoque, Higueruela répond que c'est un long voyage. Il y a des frontières, des douanes. Des dangers. Et l'*Enciclopedia*, condamnée par l'Église, proscrite par de nombreuses maisons royales européennes, est officiellement interdite en France. Ses imprimeurs la vendent pour ainsi dire sous le manteau.

– Avec grande facilité.

– Peu importe… Vous, don Justo, connaissez les débats qui ont eu lieu à ce sujet en Espagne, l'opposition initiale du Saint-Office et du Conseil d'État, l'intervention finale de Sa Majesté le roi qui, mal conseillé, a favorisé le projet…

– Où voulez-vous en venir ? s'impatiente Sánchez Terrón.

Higueruela soutient son regard, imperturbable.

– Au seul endroit possible. À votre collaboration en vue de l'échec de ce voyage.

– Et quel rôle suis-je censé tenir ?

– Si tout ne venait que de moi, on pourrait y voir une machination réactionnaire, et rien de plus. Mais avec vous, c'est autre chose. Nous pouvons unir nos forces et nos moyens… Vous entretenez une correspondance avec des philosophes et des libraires français. Des gens aux idées avancées. Vous avez des amis à Paris.

– Exercer des pressions de votre côté et du mien ? C'est là votre pensée ?

– Exactement. Prendre en étau cette aventure absurde et l'écraser.

La vilenie et la superbe sont ainsi arrivées, presque bras dessus bras dessous, à la Puerta del Sol, où l'on observe plus de mouvement. Une diligence vient de s'arrêter dans la rue des Postas voisine, près de boutiques aux devantures bâchées, et les voyageurs se dispersent dans la lumière rougeâtre des lanternes de la place, suivis de portefaix chargés de paquetages et de malles. Un petit groupe d'oisifs attend près de la guérite de la Casa de Correos, où à cette heure arrivent d'habitude les dernières nouvelles imprimées de la guerre contre l'Angleterre et du siège de Gibraltar.

– Je connais quelqu'un, poursuit Higueruela. Un individu parfait pour le projet. Je vous en dirai plus si vous décidez de me seconder dans cette tâche. Pour le moment, sachez seulement que cet homme passe facilement d'Espagne en France et qu'il a déjà effectué des missions discrètes à l'entière satisfaction de ses employeurs.

– Pour de l'argent, je présume.

– Pour quoi d'autre, sinon ?... L'expérience, cher don Justo, montre qu'il n'y a rien de plus efficace que quelqu'un bien payé. Je me suis toujours méfié des volontaires enthousiastes, qui s'offrent spontanément de faire telle ou telle chose sans autre avantage que la satisfaction de leur conscience ou de leur caprice, et qui, quand ils se dérobent, vous laissent dans le pétrin. Alors qu'un homme bien acheté, quelles que soient ses idées, vous reste fidèle jusqu'au bout. Et celui dont je vous parle est de ceux-là.

– Nous ne sommes pas en train de dire que nos collègues...

– Oh, bien sûr que non. Ne vous inquiétez pas. Pour qui me prenez-vous ?

Ils traversent la Puerta del Sol, s'approchent des voitures de louage stationnées au débouché de la rue Carretas. Sánchez Terrón habite à quelques pas de là, à côté de l'auberge de Preciados. Higueruela fait signe à un cocher, qui allume la lanterne de son fiacre.

– Nul n'a l'intention de faire du mal à notre bibliothécaire et à notre Amiral, qui nous sont chers, dit le journaliste. Il s'agit seulement d'entraver le projet. De leur rendre la tâche si difficile qu'ils seront contraints de revenir les mains vides... Qu'en dites-vous ?

– C'est une idée à considérer, en tout cas, concède prudemment Sánchez Terrón. Et qui est cet homme ?

– Un drôle plein de ressources, n'en doutez pas. Et avec juste ce qu'il faut de scrupules. Il s'appelle Raposo... Pascual Raposo.

– Et vous dites qu'il est intelligent ?

Higueruela a la semelle sur le marchepied. Il porte la main à sa tête pour remettre en place sa perruque, et la lanterne à huile semble rendre luisant de graisse son sourire infâme.

– Malin et dangereux, confirme-t-il. Comme son nom l'indique[1].

Il ne fut pas facile de consulter les actes. Ils étaient gardés sous sept clefs dans les archives de l'Académie, et Lola Pemán, l'archiviste, faisait partie de ces cerbères pour lesquels la meilleure façon de garantir la bonne conservation d'un document est de ne laisser personne le consulter. Mais je finis pourtant, les habituelles résistances bureaucratiques surmontées, par accéder aux originaux du XVIIIe siècle.

– Faites attention en tournant les pages, dit l'archiviste qui considérait la permission accordée comme un affront personnel. Ce n'est pas du bon papier et il est très détérioré. Il peut se déchirer.

– Ne vous inquiétez pas, Lola.

– Vous dites tous ça… et après arrive ce qui arrive.

Je m'assis près d'une des fenêtres de la bibliothèque, dans un des compartiments aux tables desquels travaillent les académiciens. C'était un moment de plaisir. Les sujets abordés lors de chaque séance plénière du jeudi étaient inscrits régulièrement dans le gros volume relié en basane jaspée : l'écriture claire et nette, presque de copiste, changeait de temps en temps, à la mort d'un rédacteur et à l'arrivée d'un autre. Celle du secrétaire Palafox était élégante, pointue, facile à lire : *L'Académie, réunie en son siège de la Casa del Tesoro…*

À ma déception, les actes n'étaient pas très explicites. Au temps où, en dépit de la politique éclairée des gouvernements de Charles III, l'Inquisition conservait un immense pouvoir, la prudence des académiciens – même dans le corps du texte la main habile de Palafox était reconnaissable – n'avait laissé par écrit que des comptes rendus aussi peu circonstanciés que possible. J'ai trouvé seulement la première référence à l'intérêt

1. *Raposo* veut dire *renard*, fin renard, comme notre goupil.

que l'institution portait à l'achat de l'*Encyclopédie* complète – *En séance plénière, l'Académie royale espagnole approuve à la majorité...* – et une seconde note sur les académiciens choisis pour faire le voyage : *L'Académie, ayant appris dernièrement qu'est mise en vente l'œuvre complète de l'*Enciclopedia *française, a pris la décision d'en acheter l'édition originale, et dépêche messieurs Molina et Zárate à Paris pour la rapporter*.

C'était cependant suffisant pour suivre le fil de l'affaire. Dans l'ouvrage très documenté d'Antonio Colino et Eliseo Álvarez-Arenas, *Les Académiciens espagnols*, j'ai pu consulter les biographies des deux commissionnés, sans toutefois trouver la moindre mention de leur voyage à Paris. Le premier d'entre eux, le bibliothécaire don Hermógenes Molina, qui avait alors soixante-trois ans, était un éminent enseignant et traducteur des auteurs classiques. L'autre, Pedro Zárate, un brigadier à la retraite des armées de la Marine royale, appelé « Amiral » par ses collègues, était un spécialiste en terminologie navale, et auteur d'un important dictionnaire en la matière.

Nanti de ces données de base, j'entrai en action : consultation des dictionnaires biographiques, de l'encyclopédie Espasa-Calpe, d'Internet, et de bibliographies. En quelques jours, j'avais reconstruit de façon acceptable tout ce dont on disposait sur la vie de ces deux personnages. Ce n'était pas grand-chose. Tous deux avaient été discrets, respectables. Deux vies grises consacrées l'une à la traduction et à l'enseignement, l'autre à une paisible retraite et à l'étude érudite de l'art naval, couronnées sur leur fin de dignités académiques. L'unique fait d'armes du brigadier Zárate dont je pus trouver trace fut sa participation, dans sa jeunesse, à une bataille navale contre une escadre britannique en 1744. Rien de ce que je lus sur l'un et l'autre ne démentait ce qui avait été écrit dans le livre des actes par le secrétaire Palafox : *des hommes de bien*.

Le parquet grince quand, après le dessert, un serveur apporte un plateau avec une cafetière fumante, de l'eau et une bouteille de liqueur, ainsi qu'un nécessaire de fumeur. Prévenant envers ses deux commensaux, Vega de Sella, le directeur de l'Académie royale espagnole, fait lui-même les honneurs de la table : une pleine tasse de café et un petit verre de marasquin pour le bibliothécaire, don Hermógenes Molina, et un doigt de muscat pour l'« Amiral » Zárate, dont la tempérance – c'est à peine s'il a goûté à l'agneau en sauce verte et au vin de Medina del Campo – est notoire parmi les membres de la docte maison. Tous trois sont assis autour d'une table de la petite salle à manger de la taverne La Fontana de Oro, par la fenêtre ouverte de laquelle on peut voir circuler les calèches et les passants qui montent et descendent la Carrera de San Jerónimo.

– C'est une drôle d'aventure, dit Vega de Sella, qui vous vaudra, je n'insisterai pas là-dessus, la reconnaissance de vos collègues et de l'Académie... Je voulais vous en remercier en vous invitant à cette table.

– Je ne sais pas, dit le bibliothécaire, si nous serons à la hauteur de vos attentes.

Vega de Sella fait un geste confiant, mondain, chargé d'une affection pleine de civilité.

– Je n'en doute pas, souligne-t-il, encourageant. Aussi bien vous, don Hermógenes, que monsieur l'Amiral vous en acquitterez conformément à ce que vous êtes... J'en ai l'absolue certitude.

Cela dit, il se penche au-dessus de la table et approche le bout d'un havane de la petite flamme de la bougie qu'a allumée le serveur en apportant le tabac.

– L'absolue certitude, répète-t-il en se renversant sur le dossier de sa chaise tandis que son sourire laisse s'échapper un nuage de fumée bleue.

Don Hermógenes Molina, bibliothécaire de l'Académie – que ses amis de confiance se permettent d'appeler don Hermès –, opine courtoisement du chef, bien que guère convaincu. C'est un petit homme rond, débonnaire, veuf depuis cinq ans. Latiniste émérite, professeur de langues classiques, sa traduction des *Vies parallèles* de Plutarque a été un sommet des belles-lettres espagnoles. Il est peu soucieux de son apparence – les revers de sa veste usée aux coudes portent des taches de chocolat et quelques brins de tabac à priser –, mais son bon caractère compense largement ce défaut et lui vaut l'estime de ses collègues. Comme bibliothécaire, il leur permet d'utiliser des livres qui lui appartiennent en propre, et il lui arrive d'acquérir de ses deniers dans des librairies anciennes des exemplaires rares ou utiles, dont il oublie toujours de réclamer le remboursement. À la différence du directeur et d'autres académiciens, don Hermógenes ne porte pas de perruque et ne poudre pas ses cheveux, dégarnis et mal coupés, encore noirs, quoique veinés de fils blancs. Sa barbe drue, qui aurait besoin d'être rasée deux fois par jour pour qu'il puisse avoir une apparence soignée, assombrit un visage dans lequel des yeux marron, pleins de bonté, fatigués par l'âge et les lectures, semblent contempler l'univers avec une certaine désorientation et un étonnement poli.

– Nous ferons de notre mieux, monsieur le directeur.

– Je n'en doute pas.

– J'ai toute confiance en monsieur l'Amiral, ajoute le bibliothécaire. Il a voyagé, connu le monde. Et il parle très bien français.

Sur la chaise où il se tient droit, rigide et formel comme à son habitude, l'Amiral s'incline légèrement ; ses mains posées sur la table émergent des poignets d'un impeccable frac noir, rehaussé d'une large cravate de soie au nœud parfait, qui paraît le forcer à tenir toujours la tête bien haute. Le soin de sa personne offre un vif contraste avec l'attendrissant négligé du bibliothécaire.

– Vous le parlez aussi, don Hermógenes, précise-t-il d'un ton sec.

L'intéressé remue la tête pour démentir humblement l'affirmation pendant que Vega de Sella, entre ses volutes de fumée, adresse un regard scrutateur à l'Amiral ; il apprécie le vieux marin, mais non sans quelque distance, comme la plupart des académiciens. Ce n'est pas pour rien que Pedro Zárate y Queralt a une réputation d'homme renfermé et excentrique. Ancien brigadier des armées de la Marine du roi, auteur d'un important dictionnaire de marine, il est grand, mince, encore fringant, avec un air mélancolique et un comportement rigide, presque sévère. Ses cheveux gris modérément longs, qui commencent à se clairsemer, se terminent sur la nuque en une courte queue nouée par un ruban de taffetas. Ce qu'il y a de plus remarquable, dans son visage, ce sont ses yeux bleu clair, très aqueux et transparents, qui regardent le plus souvent ses interlocuteurs avec une fixité vite inquiétante, quasi insoutenable.

– Ce n'est pas pareil, proteste don Hermógenes. Ma connaissance du français n'est que théorique. Livresque. Le latin m'a pris toute ma vie, il ne m'a guère laissé de loisir pour les autres disciplines.

– Mais vous lisez Montaigne et Molière presque aussi couramment que César ou Tacite, monsieur le bibliothécaire, dit Vega de Sella.

– Lire une langue est tout autre chose que la parler aisément, insiste don Hermógenes, avec toujours autant d'humilité. Contrairement à moi, don Pedro a beaucoup de pratique : quand il naviguait dans la marine française, il a eu largement l'occasion de s'y rompre… C'est une des raisons pour lesquelles il a été choisi pour faire ce voyage, évidemment. Ce que je ne comprends pas bien, c'est pourquoi je l'ai été, moi.

Le directeur affiche un sourire irréprochable, bien qu'il lui en coûte de se voir contraint de souligner l'évidence.

– Parce que vous êtes, don Hermógenes, un homme de bien, sensé, estimable, et aussi parce que vous êtes le bibliothécaire compétent de notre docte maison. Quelqu'un à qui l'on peut se fier, comme on peut se fier à monsieur l'Amiral. Vos collègues académiciens ne se sont pas trompés en plaçant en vous leur confiance… Avez-vous arrêté la date du départ ?

Il regarde l'un, puis l'autre, en accordant à chacun le même temps d'attention extrême, quelques secondes. Avec une amabilité prévenante d'homme distingué. Ces façons de faire, dans lesquelles la délicatesse de Vega de Sella se manifeste avec naturel, sont si appréciées par Sa Majesté que le roi Charles III voit en lui son bras droit pour épurer, fixer et donner du lustre à la langue castillane, que d'aucuns appellent l'espagnol. Le bruit court que le collier de l'ordre de la Toison d'or ne va pas tarder à lui pendre au cou. Pour les services rendus.

– J'ai laissé l'organisation du voyage à mon collègue, explique le bibliothécaire. En tant que militaire, il est habitué aux préparatifs. Il a l'énergie et tout ce qu'il faut pour s'y attaquer. Moi, je m'en fais une montagne.

Le directeur se tourne vers don Pedro Zárate.

– Qu'avez-vous dans l'idée, Amiral ?

Celui-ci pose un doigt sur la table, un autre à une certaine distance du premier, et il parcourt du regard l'espace entre les deux points, comme s'il calculait les milles nautiques sur une carte marine.

– La route de poste la plus courte : de Madrid à Bayonne, et de là à Paris.

– Une affaire de trois cents lieues, j'en ai peur…

– Deux cent soixante-cinq, d'après mes calculs, répond don Pedro, avec une froideur technique. Près d'un mois de voyage. Rien que pour l'aller.

– Quand envisagez-vous de partir ?

– Nous serons prêts dans deux semaines, je crois.

– Bien. Cela me laisse le temps de m'occuper de la provision de fonds. Vous avez une estimation ?

L'Amiral tire du revers d'une manche de sa veste une feuille de papier pliée en quatre et l'étale sur la table, en la lissant avec soin. Elle est couverte de chiffres, d'une écriture claire, droite et nette.

– En plus des huit mille réaux destinés à l'achat de l'*Encyclopédie*, j'en compte cinq mille pour les frais d'hébergement et de transport, et trois mille pour payer la poste de chacun de nous. Vous avez là tout le détail.

– C'est une somme très raisonnable, observe Vega de Sella, admiratif.

– Ce sera suffisant. Je ne prévois pas d'autres dépenses que celles de notre subsistance. L'Académie ne permet pas d'excès.

– Je ne voudrais pas que vous payiez de votre bourse…

Avec un peu de hauteur, les yeux clairs de don Pedro Zárate soutiennent le regard de Vega de Sella qui, alors, s'attache à la petite cicatrice horizontale à demi cachée dans le réseau de rides du visage de son interlocuteur ; elle court de la tempe à la paupière gauche. L'ancien marin n'en parle jamais, mais le bruit court parmi les académiciens que c'est la marque d'un éclat de bois qui se serait fiché là dans sa jeunesse pendant la bataille navale de Toulon.

– Je parle en mon seul nom, monsieur le directeur, pas en celui de don Hermógenes, dit l'Amiral, mais ma bourse ne regarde que moi.

Vega de Sella tire sur son cigare et pose les yeux sur le bibliothécaire, qui hoche la tête avec un sourire affable.

– Je me fie les yeux fermés aux calculs de mon collègue, dit-il. S'il a la sobriété spartiate du marin, je suis habitué à me contenter de peu.

– Comme vous voudrez, dit le directeur, se donnant pour vaincu. Dans quelques jours notre trésorier vous remettra une partie de la somme en espèces, et une lettre de change pour un banquier de Paris, la maison Vanden-Yver, qui est de confiance.

L'Amiral lève son index et le pose, martial, sur la feuille de papier où figure son estimation des frais de voyage.

– Nous vous remettrons, bien entendu, les justificatifs des moindres dépenses, déclare-t-il sur un ton solennel. Avec les reçus correspondants.

– Je vous en prie, cher ami... Je ne crois pas nécessaire d'en venir aux comptes d'apothicaire avec vous deux.

– Je m'en tiens à ce que j'ai dit, insiste don Pedro Zárate avec sa sécheresse habituelle, en maintenant son doigt sur le calcul prévisionnel comme si son honneur en dépendait.

Vega de Sella remarque que les ongles de l'Amiral, au contraire de ceux du négligent bibliothécaire, longs et sales, sont coupés très court et impeccablement soignés.

– Comme vous voudrez, admet-il, mais il y a un point à considérer : la poste ordinaire n'est pas bien pourvue, peu de diligences font tout le trajet, et les routes sont terribles. Sauf votre respect, vous n'êtes plus d'âge à les courir à dos de mule... pas plus que moi.

L'aimable plaisanterie lui vaut un sourire bonhomme de la part de don Hermógenes, alors que l'Amiral demeure impassible. En tout ce qui tient à sa personne, don Pedro Zárate reste sur la réserve de la coquetterie, même en ce qui concerne son âge. Malgré la belle allure qu'il conserve, ses vêtements qui lui vont comme un gant et son apparence soignée, ses collègues lui donnent entre soixante et soixante-cinq ans, encore que nul ne sache quel est exactement son âge.

– Le voyage du retour, admet-il, peut en effet se compliquer à cause de la charge. Vingt-huit volumes in-folio pèsent lourd. Il faudra nous organiser en conséquence parce que, compte tenu de la situation, des douanes et de tout le reste, il ne serait pas prudent d'envoyer l'*Encyclopédie* sans surveillance.

– Une voiture, bien sûr, suggère Vega de Sella, réflexion faite. L'idéal, ce serait un coche, rien que pour vous deux. Avec des chevaux au lieu de mules ; ils vont à un meilleur pas et sont plus rapides. – Sur ce, il fait la grimace, en pensant au coût. – Mais je ne sais pas si nous pouvons nous le permettre.

– Ne vous inquiétez pas pour ça, nous nous contenterons de la malle-poste ordinaire.

Le directeur réfléchit encore un moment.

– J'ai une voiture anglaise, annonce-t-il enfin, qui est parfaite pour être tirée par des chevaux. Je pourrais la mettre à votre disposition.

– C'est très généreux de votre part, mais nous nous en tiendrons à ce dont nous disposons, n'est-ce pas, don Hermógenes ?

– Bien entendu.

Le directeur les voit en imagination se conduire chacun à sa manière : le bibliothécaire, soumis aux incommodités du voyage avec son habituelle bonhomie résignée, sans se départir de son humour ni de son espoir indéfectibles ; l'Amiral stoïque et soucieux de son apparence, drapé dans sa rigide discipline militaire, son seul recours face aux trajets interminables entre deux relais de poste, aux auberges coupe-gorge, aux ragoûts de morue et de pois chiches, à la poussière et aux accidents de voyage.

– Il vous faudra aussi un valet.

Don Hermógenes le regarde, étonné.

– Pardon ?

– Un valet… Quelqu'un qui se chargera des menues besognes.

Ils se regardent, plutôt embarrassés. Vega de Sella sait que don Hermógenes, véritable désastre domestique, est mal servi et encore plus mal nourri par une vieille servante qui s'occupait déjà de sa maison du vivant de sa femme. Mais don Pedro Zárate est son contraire. Il ne s'est jamais marié. Depuis qu'il a quitté les armées de la Marine du roi, il vit avec ses deux sœurs, vieilles filles à peu près du même âge et de la même constitution que lui – on les voit souvent se promener tous les trois le dimanche sous les ormes du Prado, non loin de leur maison de la rue du Caballero de Gracia –, qui ont consacré leur vie à prendre soin de lui. Et cette abnégation féminine dévotement fraternelle semble avoir à cœur que nul autre académicien ne soit vêtu avec son irréprochable et sobre élégance : les vestes de couleur sombre – elles en choisissent les patrons et surveillent le travail du tailleur – immanquablement en drap fin, bleu, gris ou noir, tombent à la perfection sur la haute et svelte silhouette de l'Amiral. Ses justaucorps et ses culottes pourraient honorablement soutenir la comparaison avec ceux d'un aristocrate français, ses bas sont impeccables, sans un pli ni un accroc, et le repassage de ses chemises et de ses cravates ferait pâlir d'envie le duc d'Albe en personne.

– Je peux vous céder quelqu'un de ma maison, propose Vega de Sella.

– Et sa rémunération ? s'inquiète don Hermógenes. Parce que je ne sais pas ce qu'il en est pour monsieur l'Amiral, mais de mon côté...

Celui dont il vient d'être question fronce les sourcils, mal à l'aise. Il est évident que par son éducation et son caractère il déteste traiter les questions d'argent, même si, malgré son aspect soigné, il n'en a pas de trop. Vega de Sella sait que don Pedro Zárate et ses sœurs n'ont aucun patrimoine, vivent de quelques économies, de la pension de brigadier et de peu de chose de plus ; que dans cette désastreuse Espagne aux injustices et retards de paiements éternels, où les marins et les militaires à la retraite meurent souvent dans la misère, on ne touche même pas régulièrement ce qui vous est dû.

– C'est un serviteur de ma maison, comme je vous l'ai dit. Je ne ferai que vous le céder.

– C'est très généreux de votre part, monsieur le directeur, dit don Hermógenes, avec amabilité. Mais je ne crois pas qu'il soit nécessaire... N'êtes-vous pas d'accord, monsieur l'Amiral ?

Don Pedro donne son assentiment.

– C'est un luxe dont nous pouvons nous passer, estime-t-il abruptement.

– Comme vous voudrez, admet Vega de Sella. Mais pour le coche, c'est moi qui m'en charge, et le cocher est digne de confiance. Vous n'allez pas revenir là-dessus.

Don Pedro donne de nouveau son assentiment, sans desserrer

les lèvres. Austère, très sérieux, il a un air aussi insondable que d'habitude, mais ses traits ont une expression mélancolique. Peut-être est-ce ainsi, se dit le directeur, que s'exprime son inquiétude. Il s'agit d'un long voyage, hasardeux. Une étrange et noble aventure propre à son temps prodigieux : apporter les lumières, la sagesse du siècle, jusqu'à cet humble coin de l'Espagne cultivée qu'est l'Académie royale. Et cette aventure va être tentée par deux honnêtes hommes intègres, hardis, qui vont traverser une Europe toujours plus ébranlée, où les anciens trônes chancellent et où tout paraît changer trop rapidement.

2
L'homme dangereux

> Ce qui avait été accepté sous la contrainte fut réalisé avec d'excessives précautions doctrinales et politiques. Tout cela pour défendre d'innombrables privilèges et quelques traditions idéologiques qui n'avaient plus aucun sens dans le monde nouveau qui s'ouvrait aux Lumières.
>
> FRANCISCO AGUILAR PIÑAL,
> *L'Espagne de l'absolutisme éclairé*

Dans un roman, j'essaie toujours de soigner la description du cadre, même si elle ne dépasse pas quelques lignes. Cela a son utilité pour camper les personnages ou encore tisser l'intrigue à laquelle il prend parfois une part active. Sans tomber dans l'excès, une journée ensoleillée ou grise, un espace ouvert ou fermé, l'impression que donnent la pluie, la pénombre, l'obscurité aident, insérés dans l'action et les dialogues, à planter de manière plus efficace les décors de la narration. Il s'agit, pour l'essentiel, de permettre au lecteur d'imaginer ce que l'auteur suggère : scènes et situations. D'avoir un regard aussi proche que possible de celui du narrateur.

J'étais familiarisé avec le Madrid du dernier tiers du XVIIIe siècle ; je l'avais exploré dans un roman précédent. Aussi, pour mettre mes personnages en scène, savais-je où chercher. Sur les us et coutumes de l'époque, ainsi que sur les tours et autres expressions alors en usage, je pouvais consulter les œuvres adéquates : celles de José Cadalso et de Leandro Fernández de Moratín, les saynètes de Ramón de la Cruz et de González del Castillo, les mémoires et les livres de voyage avec leurs descriptions détaillées de personnages, de lieux et de monuments. Quant à la structure urbaine, aux tracés des rues et à la localisation des édifices, ils ne présentaient pas non plus de grandes difficultés. Dans ma bibliothèque, je disposais de deux précieuses ressources auxquelles j'avais déjà eu recours pour donner un récit du soulèvement contre l'armée napoléonienne du 2 mai 1808. L'une était le plan de Madrid dressé en 1785 par le cartographe Tomás López, œuvre d'une précision admirable – on oublie souvent le mérite d'un temps où la photographie par satellite n'existait pas –, accompagné d'une liste exhaustive des rues et des édifices. L'autre était le livre intitulé *Plano de la Villa y Corte de Madrid*, de Martínez de la Torre y Asensio, publié en 1800, que le libraire d'ancien Guillermo Blázquez m'avait procuré quelques années auparavant. Cette œuvre incluait, outre un plan dépliable qui justifie le titre, soixante-quatre planches plus petites, descriptions exhaustives de chaque quartier de la ville.

Avec ce matériel sous les yeux, il a été facile de situer la Casa del Tesoro qui abritait l'Académie royale d'Espagne au moment où l'on avait acquis l'*Encyclopédie* : c'était une annexe du palais royal alors en travaux, dont la décoration n'avait pas encore été achevée. La Casa del Tesoro n'existe plus de nos jours, elle a été démolie en 1810 lors de l'aménagement de la place de Oriente ; mais j'ai trouvé sur Internet quelques relevés de l'édifice exécuté par un architecte français anonyme et conservés à la Bibliothèque nationale. Avec ces relevés et des copies d'autres plans, je suis allé faire un tour sur place pour resituer la topographie actuelle dans celle du passé et tâcher, au gré de longues promenades, de récréer le palais dans lequel les membres de l'Académie espagnole s'étaient réunis pendant une quarantaine d'années jusqu'à ce que, en 1793, un décret royal leur assigne un autre siège, dans la rue de Valverde. C'est ainsi que j'ai imaginé les vénérables sages de ce temps-là en train d'entrer et de sortir du vieux bâtiment, puis que j'ai reconstruit approximativement le chemin suivi de la Calle Mayor à la Puerta del Sol par Manuel Higueruela et Justo Sánchez Terrón, les deux académiciens opposés à l'acquisition de l'*Encyclopédie* malgré leurs divergences idéologiques, trajet nocturne pendant lequel le premier avait convaincu le second d'unir leurs efforts dans une conspiration contre le voyage de leurs collègues à Paris.

Il y avait une autre situation que je devais mettre en scène avant d'aller plus loin : l'entretien d'Higueruela et de Sánchez Terrón avec l'homme dangereux de l'histoire, Pascual Raposo, qui allait revêtir une grande importance dans le déroulement ultérieur des faits. Pour les besoins de l'intrigue, il fallait que la rencontre ait lieu dans un endroit adéquat, dont le climat permettrait d'esquisser certaines caractéristiques du personnage. Pour finir, j'ai décidé de les réunir tous les trois dans un local typique de l'époque : un café dans le style de celui de *La Comédie nouvelle* de Moratín, avec des salles annexes où l'on joue au billard, aux cartes et aux échecs. L'établissement devait se trouver en plein cœur de Madrid, aussi ai-je choisi, après avoir consulté les plans, les rues situées entre celle de San Justo et la place du Conde de Barajas, au milieu de ce que l'on a appelé – et pas toujours à juste titre – « le Madrid de la Maison d'Autriche ». Ensuite, je suis allé sur le terrain voir si tout cadrait : il semblait bien que oui. Et là, devant une ancienne construction qui aurait parfaitement pu exister au temps où ce récit se passe, j'ai imaginé l'un des personnages qui se rend à contrecœur au rendez-vous.

Le local que cherche Justo Sánchez Terrón est sis dans une ruelle étroite et sombre, près de Puerta Cerrada. Il y a du linge étendu d'un balcon à l'autre, et une rigole d'eau usée court au milieu du pavé. La façade principale de l'édifice regarde un endroit d'apparence plus décent, mais c'est Sánchez Terrón lui-même qui a insisté pour que le bâtiment ait un accès discret, peu exposé aux regards des passants. C'est ainsi que, fronçant les sourcils et pressant le pas, le philosophe et académicien franchit les derniers mètres, pousse la porte d'entrée entrouverte et pénètre dans l'habitation en plissant le nez : une odeur de croupi et de fumée de tabac l'accueille à l'intérieur. Au bout d'un couloir obscur on entend un brouhaha de conversations et de boules de billard entrechoquées. La clarté venue d'une haute lucarne tombe sur l'homme qui attend, en feuilletant un journal, le *Diario Noticioso*, assis à une table sur laquelle sont posées une tasse de chocolat à moitié vide et une assiette avec des miettes de gâteau.

– Toujours ponctuel, don Justo, dit Manuel Higueruela en manière de salut, avant de glisser dans la poche de sa veste la montre qu'il vient de consulter.

– Abrégeons, réplique Sánchez Terrón, mal à l'aise.

– Tout vient en son temps.

– Eh bien, je n'en ai pas beaucoup.

Souriant, Higueruela boit son chocolat jusqu'à la dernière goutte puis se lève péniblement.

– Mon rhumatisme, remarque-t-il en reposant la tasse. Quand je reste trop longtemps immobile, j'ai du mal à faire les premiers pas… Vous, en revanche, vous êtes toujours frais comme une rose. Ou plutôt : une rose pompon.

Sánchez Terrón a un geste d'impatience.

– Épargnez-moi les bavardages insubstantiels. Je ne suis pas venu ici pour m'entretenir de notre santé.

– Je m'en doute, fait l'autre avec un sourire goguenard. Il ne manquerait plus que ça.

Higueruela montre avec une courtoisie exagérée un couloir que les deux académiciens longent en silence. La rumeur des voix augmente tandis qu'ils s'approchent de la pièce du fond. Ils entrent dans une grande salle divisée en deux : d'un côté, il y a les billards autour desquels évoluent des joueurs qui frappent du bout de leur canne des boules d'ivoire ; de l'autre, moins vaste et surélevé, les tables sont occupées par les équipiers et leurs spectateurs. Un serveur en tablier va de-ci de-là avec une cafetière et une verseuse de chocolat pour remplir les tasses. On lit les journaux, on fume pipes et cigares en nombre, et les fenêtres fermées contribuent à alourdir l'atmosphère, raréfiée par un brouillard gris.

– *Ecce homo*, dit Higueruela.

D'un geste du menton, il montre une des tables où l'on joue aux cartes. Là, un individu d'une quarantaine d'années aux cheveux bouclés et aux épais favoris en forme de hache lève la tête en les voyant arriver. Puis il abat un valet de coupe, échange quelques mots avec ses adversaires, se lève et va à la rencontre des nouveaux venus. Plutôt petit, large d'épaules, il est vêtu d'une veste de drap marron. Il porte une culotte de cuir, ni bas ni chaussures de ville, mais des bottes rustiques et des guêtres. Quand il les rejoint, Higueruela fait les présentations.

– Don Justo, voici Pascual Raposo.

La main – forte, rugueuse, aussi brune que la peau basanée de son visage – que ce dernier tend avec désinvolture est ignorée par Sánchez Terrón, qui garde les siennes croisées derrière le dos et se borne à hocher deux fois le menton, geste qui plus qu'à un salut ressemble à une rebuffade. Sans broncher, après avoir braqué pendant quelques instants ses yeux noirs sur lui avec un air presque plaisant, Raposo examine sa main tendue dans le vide comme s'il se demandait ce qu'elle pouvait avoir d'incommodant, puis il la porte à sa veste, où il la pend du pouce à une poche.

– Venez, dit-il.

Les deux membres de l'Académie le suivent jusqu'à un salon particulier avec une table couverte d'un tapis vert, un jeu de cartes très fatigué et plusieurs chaises, sur lesquelles ils s'asseyent.

– Je vous écoute.

Raposo semble s'adresser à Higueruela, mais il étudie Sánchez Terrón, lequel hausse les épaules d'un air mécontent, laissant l'initiative à son collègue. Son silence paraît signifier qu'entre des gens de leur misérable espèce, un homme tel que lui ne fait jamais que passer.

– Don Justo et moi, commence Higueruela, nous sommes entendus pour recourir à vos services.

– Aux conditions arrêtées il y a trois jours ?

– À celles-là mêmes. Quand pourrez-vous partir ?

– Quand vous me le direz. Cela dépendra, je suppose, du départ de ces deux messieurs.

– Aux dernières nouvelles, ils se mettront en route lundi prochain.

– Par la poste ordinaire ?

– L'Académie leur a obtenu un coche de voyage... Ils changeront de chevaux aux relais de poste, quand il y en aura...

Higueruela s'interrompt. Raposo a pris le jeu de cartes, qu'il bat, distrait. Sánchez Terrón remarque que, chaque fois qu'il coupe, l'homme s'arrange pour faire apparaître un as.

– Il faudra les suivre, reprend Higueruela. Discrètement, bien entendu. Vous voyagerez seul ?

– Oui, répond l'homme en posant successivement sur le tapis trois valets et en regardant le jeu comme s'il se demandait où se cache le quatrième. À cheval, la plupart du temps...

– Monsieur Raposo a été soldat, explique Higueruela à l'intention de Sánchez Terrón. Dans la cavalerie. Il a également travaillé pour la police lors de l'expulsion des jésuites. Et par ailleurs...

Raposo fait voler une carte, le trois de bâtons, pour interrompre le journaliste, qui en dit trop. Une expression sympathique – et soudaine, qui se dissipe aussi vite qu'elle est apparue – atténue la brusquerie du geste.

– Je doute que monsieur, souligne-t-il en regardant Sánchez Terrón, s'intéresse à ma biographie. Nous ne sommes pas venus ici pour parler de moi, mais du voyage. Et des voyageurs.

– Le trajet de l'aller est moins important, explique Higueruela. Il suffira de les surveiller... Le travail sérieux commencera à Paris. Là, vous devrez faire tout votre possible pour gêner leur recherche. Il ne faut, en aucun cas, que les vingt-huit volumes arrivent à la frontière.

Raposo sourit, satisfait. Il vient de poser le quatrième valet, celui de bâtons, près des trois autres.

– Ça peut se faire, dit-il.

Un silence. C'est maintenant Sánchez Terrón qui, après une légère hésitation, prend la parole.

– J'ai cru comprendre que vous avez à Paris de bons contacts.

– J'y ai passé quelque temps... Je connais la ville. Et ses dangers.

Le dernier mot fait plisser le front du philosophe.

– Naturellement, l'intégrité physique des deux voyageurs doit être préservée à tout prix, spécifie-t-il.

– Coûte que coûte ?

– C'est bien ce que j'ai dit.

Entre les favoris touffus qui lui mangent le visage, les prunelles de Raposo, pensif, montent doucement des cartes aux boutons de nacre qui ornent la veste du Caton d'Oviedo, glissent sur la cravate bouffante et montent encore, jusqu'aux yeux de son interlocuteur.

– Entendu, dit-il, impassible.

Sánchez Terrón soutient ce regard pendant quelques instants, puis il se tourne à demi vers Higueruela, avec froideur, pour exiger de lui qu'il prenne le relais.

– Cela n'exclut évidemment pas, intervient ce dernier, les embarras que vous, monsieur Raposo, estimerez nécessaires.

– Les embarras ? répète l'homme en grattant un de ses favoris. Ah, oui, je vois.

Les deux académiciens échangent un coup d'œil : celui de Sánchez Terrón est méfiant, celui d'Higueruela rassurant.

– L'idéal serait que, confrontés à certaines difficultés, ces deux messieurs se voient contraints de renoncer à l'entreprise, suggère le journaliste.

– Des difficultés, répète Raposo comme s'il disséquait le terme.

– C'est cela même.

– Et si les difficultés habituelles ne suffisent pas ?

Higueruela se replie comme un calamar. Il ne manque que le jet d'encre.

– Je ne vois pas où vous voulez en venir.

– Vous le voyez parfaitement, réplique Raposo en ramassant les cartes et en reformant le jeu avec soin. Ce que je veux savoir, c'est ce que je devrai faire si, malgré les embarras et les difficultés du voyage, ces messieurs obtiennent les livres qu'ils vont aller chercher.

Higueruela ouvre la bouche pour répondre, mais Sánchez Terrón le devance.

– Dans ce cas, vous avez carte blanche pour les leur soustraire.

Si le philosophe comptait représenter l'autorité morale dans l'entretien, il en serait pour ses frais. Raposo le scrute avec une goguenardise évidente.

– Blanche à quel point ?

– Des plus blanches…

L'homme tourne son regard du côté d'Higueruela, pour s'assurer qu'il a bien entendu. Puis il pose le jeu sur la table.

– Les cartes blanches coûtent cher, messieurs.

– On y pourvoira, répond le journaliste, rassurant. En sus de ce qui a été convenu.

Il glisse une main dans la poche intérieure de sa veste, en sort une bourse – qui contient 6 080 réaux nichés dans dix-neuf onces d'or – et la remet à Raposo. Celui-ci la soupèse un instant, sans l'ouvrir, en examinant les académiciens tour à tour, plein d'une insolence tranquille.

– Vous partagez les frais ?

Sánchez Terrón s'agite sur sa chaise.

– Ce n'est pas votre affaire, répond-il, hargneux.

L'autre a une mimique d'approbation en empochant la bourse.

– Vous avez raison. Ça ne l'est pas.

Nouveau silence. Raposo continue de les observer, sans dire un mot, avec un étrange éclat d'amusement dans le regard.

– Jouez-vous aux cartes ? demande-t-il tout à trac. Au reversi, ou à un autre jeu ?

– Moi, oui, dit Higueruela.

– Non. En aucun cas, riposte avec dédain Sánchez Terrón.

– Dans une partie, on gagne ou on perd... mais il s'agit toujours d'opposer une carte à une autre. Vous me suivez ?

– Évidemment.

Raposo pose les coudes sur le tapis vert et les yeux sur le jeu de cartes, puis se tourne de nouveau vers le philosophe. Pendant ce mouvement, celui-ci croit entrevoir, sous la veste de l'homme, de côté, la garde d'une navaja.

– Qu'en serait-il si, dans une de ces situations extrêmes que nous réserve la vie, il arrivait à l'un des voyageurs, ou aux deux, quelque accident ?

Un long silence suit. C'est Higueruela qui, avec son cynisme habituel, fait front le premier.

– De quelle gravité ?

– Oh, je l'ignore, répond Raposo, souriant, évasif. Un accident, ai-je dit. De ceux qui se produisent pendant les longs voyages aventureux.

– Nous sommes tous dans les mains de Dieu.

– Ou du destin, intervient Sánchez Terrón, prétentieux et solennel. Les lois de la nature sont implacables.

– Je vois, fait Raposo, dans les yeux duquel apparaît de nouveau un éclat moqueur. Les lois de la nature, dites-vous.

– C'est cela même.

– Les valets, les rois et les autres… Relancer ou être relancé.

– Oui, je présume.

Raposo gratte encore une fois un de ses favoris.

– Il y a quelque chose que j'ai toujours voulu tirer au clair, lance-t-il après un instant de réflexion. Vous êtes bien des académiciens de la langue, non ?

– En effet, admet Sánchez Terrón.

– Quelque chose qui m'intrigue et me turlupine depuis longtemps… Avant la lettre *P*, faut-il mettre un *N* ou un *M* ? Faut-il écrire *inplacables* ou *implacables* ?

À la même heure, dans sa maison de la rue du Niño, don Hermógenes Molina, bibliothécaire de l'Académie royale d'Espagne, fait son bagage. Une petite malle et une vieille mallette, de carton et de cuir très usé, sont ouvertes près du lit de son alcôve. La servante qui s'occupe de la maison y a mis du linge blanc, une veste d'intérieur, un bonnet de nuit et des chaussures de rechange, neuves et en cuir, achetées pour le voyage. La garde-robe n'est pas brillante : les bas sont reprisés, les chemises commencent à s'effilocher aux poignets et au col, et la laine du bonnet accueille les vents coulis plus qu'elle n'en préserve. Les revenus d'un vieux professeur et traducteur de latin dans le Madrid de cette époque – comme dans celui de n'importe quelle autre – ne permettent pas grand-chose, et les dépenses pour le charbon, la cire et l'huile, tout ce qu'il faut pour se chauffer, se nourrir et s'éclairer, le loyer et les taxes municipales, sans parler du tabac à priser, des livres et autres menus plaisirs, engloutissent les maigres ressources du foyer.

– La table est mise, don Hermógenes, vient annoncer la servante en se montrant à la porte.

– J'arrive tout de suite.

Depuis quinze ans au service exclusif de ce veuf, la vieille femme fait entendre un grognement peu respectueux.

– Ne tardez pas, la soupe refroidit.

– J'ai dit que j'arrivais tout de suite.

Sans hâte, don Hermógenes plie un justaucorps et des culottes, les range dans la malle. Puis il pose par-dessus, en tâchant de ne pas froisser les manches ni les basques, une redingote de drap très élimée. Sur le dossier d'une chaise, il y a une cape noire doublée d'écarlate, un parasol de taffetas ciré, et un couvre-chef en castor à large bord qui a un petit quelque chose d'ecclésiastique ; enfin, sur la commode, le reste des menus objets qui vont l'accompagner dans le voyage en préparation : le nécessaire de rasage et de toilette, deux crayons et un carnet, une montre de gousset qui a connu des jours meilleurs et sa chaîne, une boîte de tabac à priser émaillée, une navaja au manche en corne de taureau, et un Horace en édition bilingue in-octavo.

Une fois la redingote placée dans la malle, le bibliothécaire demeure immobile. Pensif. Il arrive parfois, comme en ce moment, que la considération du voyage qui l'attend lui vaille une terrible fatigue, aussi pesante que le potage fumant qui attend sur la table de la salle à manger. Un profond désarroi. Don Hermógenes ne comprend toujours pas comment il a pu accéder sans trop se faire prier à la demande de ses collègues académiciens – ce que tout le monde attribue à sa bonté naturelle, point de vue qui n'est pas le sien – et comment, par voie de conséquence, il est à présent à la veille de partir pour un long voyage inconfortable dans un pays étranger. Il n'a plus l'âge ni la force d'encaisser de telles fatigues, estime-t-il en poussant un soupir de découragement. Jamais il n'a éprouvé le besoin de franchir les frontières de son pays, sauf pour aller en Italie, berceau du monde latin auquel il a consacré sa vie et ses études, mais jamais non plus il n'a eu l'occasion de faire le voyage dont il rêvait : voir Florence et Naples, visiter Rome et fouler ses pierres vénérables pour y chercher les échos de la belle langue qui, travaillée par l'alchimie du temps et de l'histoire, a fini par produire la langue espagnole, que parlent désormais des peuples différents sur les rives de tous les océans. Don Hermógenes n'est pas une seule fois sorti d'Espagne, qu'il a d'ailleurs peu parcourue : il s'est rendu à Alcalá et à Salamanque pour ses études, dans sa jeunesse, puis à Séville, Cordoue et Saragosse, et pas grand-chose de plus. Il a passé la plus grande partie de son temps à s'user la vue à la lumière d'une chandelle sur des textes anciens, les doigts tachés d'encre, en mordillant l'extrémité de sa plume. *La naissance de Thémistocle était trop obscure pour assurer son renom…*

Il y a pourtant un mot tentateur, un nom de ville : Paris, tout au bout du chemin épuisant que l'académicien voit se profiler devant lui, un nom devenu ces derniers temps un centre d'intérêt fascinant pour ceux qui, comme don Hermógenes, sont – de façon souvent dissimulée en Espagne, pour des raisons de simple prudence – à l'écoute du monde en mutation, de ces Lumières qui placent la raison au-dessus des vieux dogmes et éclairent un sentier censé conduire au bonheur des peuples. À soixante-trois ans, veuf d'une bonne épouse morte de maladie et chrétiennement résignée à son sort, le bibliothécaire de l'Académie espère en cette vie nouvelle ; sa foi religieuse est sincère, il ne nourrit pas ces doutes profonds qui tourmentent quelques-unes de ses connaissances – signe des temps qui courent – et troublent à l'excès leur âme. Le bibliothécaire de l'Académie royale croit que Dieu est l'auteur et la mesure de toute chose, mais il estime aussi, conclusion à laquelle l'ont conduit les lignes de ces textes dans lesquels il a passé sa vie, que l'homme doit tendre à son bien-être et à son salut sur cette terre, en harmonie avec les lois naturelles, et ne pas remettre à plus tard cette plénitude pour une autre existence, non terrestre, compensation des souffrances endurées au cours de sa vie. Concilier ces deux croyances n'est pas toujours facile, mais la foi sincère de don Hermógenes réussit, aux moments de plus grande incertitude, à jeter des ponts solides entre sa raison et sa conviction.

De ce point de vue, Paris est pour lui une expérience tentatrice, qui tient du défi. Cette ville, devenue l'indéniable nombril de la raison dans sa lutte pugnace contre la folie des hommes, est le creuset où bout la fine fleur de l'intelligence humaine et de la philosophie moderne, où maintenant se défont les nœuds gordiens, s'effondrent des croyances jadis inébranlables, et où l'on discute de tout ce qui se trouve dans les cieux et sur terre. Même le principe sacré de la monarchie française – et par voie de conséquence les têtes couronnées – n'échappe pas à cette conflagration d'idées. Connaître de près, prendre le pouls de ce monde nouveau, vivre pendant quelques jours dans l'effervescence d'une ville où tout cela bouillonne, des salons aux cafés en passant par les potinières, les arrière-boutiques des marchands et les antichambres de la cour, est un appel auquel même la disposition naturellement placide de don Hermógenes ne peut résister.

– Je vous ai déjà dit que la soupe refroidissait. Je ne vous le répéterai plus.

– J'arrive, Juana, ne sois pas pénible… Je t'ai dit que je venais.

Par la fenêtre de l'alcôve, rien qu'en levant les yeux, le bibliothécaire peut voir le couvent des Trinitaires, au bout de la rue. Il n'est de jour, songe-t-il, où, quand il regarde par cette fenêtre, il ne se sente gagné par la mélancolie. Il lui semble que derrière ces murs de brique se condensent la plupart des maux endémiques de sa nation rétrograde, abattue et inculte, qui a un si grand besoin d'idées propres à éclairer son avenir. Miguel de Cervantès, l'homme qui a donné leur plus grande gloire aux lettres hispaniques et universelles, gît là dans une fosse commune. Ses os retournés à la poussière s'y sont perdus avec le temps. Il est mort pauvre, abandonné de tous, ou presque, précipité dans l'oubli par les hommes de son temps, au terme d'une vie de malheurs, sans avoir pu savourer quoi que ce soit, pour ainsi dire, du retentissement de son œuvre immortelle. On l'a porté de sa modeste maison, toute proche, au croisement de la rue de Francos et de la rue du León, sans cortège ni pompe d'aucune sorte, et il a été enseveli dans un coin obscur dont nul n'a gardé trace en mémoire. Ignoré de ses contemporains, il n'a été reconnu que plus tard, quand on dévorait et réimprimait son *Don Quichotte* et, aujourd'hui encore, ni plaque ni autre inscription commémorative ne rappelle son nom. Seuls le temps, la sagacité et la dévotion d'hommes justes – des étrangers – lui ont enfin donné la gloire que ses compatriotes lui refusèrent de son vivant, gloire à laquelle demeure encore indifférente la plus grande partie des habitants de l'Espagne rustre des courses de taureaux, des farces et du paraître. Ces murs de brique anonymes sont le triste symbole d'une nation inculte endormie sur les décombres de son passé, qui a poussé l'autosatisfaction et le renfermement sur soi jusqu'au suicide. Amère leçon posthume que cette tombe oubliée, celle de cet homme de bien, ce soldat de Lépante qui fut captif à Alger, vécut dans le malheur et conçut le roman le plus novateur et le plus génial de tous les temps.

– Don Hermógenes ! Ou vous venez tout de suite, ou je rapporte la soupe à la cuisine !

Avec un soupir résigné, l'académicien tourne le dos à la fenêtre et se dirige doucement vers la salle à manger, par un couloir où, face à un mur de livres, il y a une Immaculée Conception en plâtre polychrome sous laquelle brûle la petite flamme d'un lumignon dans son bougeoir.

Se documenter sur le personnage du brigadier des armées navales à la retraite, don Pedro Zárate y Queralt, fut plus compliqué que recueillir des informations sur le bibliothécaire. Et, tout d'abord, je n'en ai guère trouvé, hormis une mention de quelques lignes dans un livre de Sisiño González-Aller sur les marins espagnols du temps des Lumières. Finalement, après diverses consultations, j'ai pu recouper quelques données et reconstruire partiellement sa biographie. Cet académicien à la vie discrète, sans rien de notable à porter dans ses états de service, n'avait pas été une figure éminente parmi les militaires de son temps. Je pus établir, d'après tous les indices, qu'il était célibataire – les marins des armées navales avaient besoin d'un permis des autorités pour se marier et rien de tel, le concernant, ne figurait dans les registres – et qu'il avait vécu dans une maison de la rue du Caballero de Gracia, au carrefour avec celle d'Alcalá. Son seul fait de guerre dont j'ai pu trouver trace fut sa participation, en tant que jeune enseigne de vaisseau âgé de vingt-six ans, à bord du navire amiral de cent quatorze canons, le *Real Felipe*, au dur combat naval du cap Sicié, devant Toulon, avec l'escadre du marquis de la Victoria, le 22 février 1744. Par la suite, sa carrière dans les armées de la Marine du roi était restée obscure, tout d'abord à l'École navale militaire de Cadix, puis dans les bureaux de l'état-major de la marine, jusqu'à sa retraite, avec le grade de brigadier.

Quant à son parcours littéraire, je découvris dans les archives de l'Académie un peu plus d'informations que sur sa carrière au sein de la marine. Depuis ses premiers temps, l'Académie royale d'Espagne a pour tradition d'adjoindre à ses membres un représentant des forces terrestres ou navales, chargé de définir le sens des mots liés à l'armée, très nombreux en ces années-là, pendant lesquelles la guerre – la Grande-Bretagne fut l'ennemi permanent de l'Espagne tout au long du XVIIIe siècle – était quasi constante. C'est ainsi que l'activité de don Pedro Zárate avait été intense, comme en témoignent les mentions de son nom pour nombre de mots introduits dans le Dictionnaire entre 1783 et 1791, tous liés au langage des armées. Mais l'œuvre la plus importante de sa vie a été le *Dictionnaire de la Marine*, le premier de cette sorte réalisé en Espagne après quelques petites cartes maritimes publiées dans le désordre ou des lexiques moins ambitieux. J'ai eu un exemplaire en main, que j'ai parcouru assis à l'une des tables de travail de notre bibliothèque : un in-quarto d'une belle typographie, imprimé à Madrid en 1775. Quelques jours plus tard, au cours d'un déjeuner au Lhardy en compagnie de mon ami l'amiral José González Carrión, directeur du Musée naval de Madrid, j'ai pu écouter celui-ci parler plus doctement du livre et de son auteur. L'ouvrage de Pedro Zárate, a-t-il confirmé, était un classique, incontournable à son époque, et surpassé seulement un demi-siècle plus tard, par celui, sur le même sujet, de Timoteo O'Scanlan, intitulé *Dictionnaire de la marine espagnole*.

– Avant cela, tout ce que nous savons, c'est que Zárate a collaboré avec Juan José Navarro, marquis de la Victoria, chef de l'escadre espagnole lors de la bataille navale de Toulon contre les Anglais… Navarro acheva en 1756 un extraordinaire album de grand format sur la science nautique, qui n'avait jamais été publié jusqu'à ce que nous le fassions, il n'y a pas longtemps, en fac-similé. Dans certains documents liés à cet ouvrage, on trouve des lettres et des documents annexes qui portent la signature de Pedro Zárate y Queralt. Presque tous relatifs au vocabulaire de la marine, auquel il s'intéressait beaucoup.

Il s'inclina vers le porte-documents qu'il avait appuyé contre un pied de sa chaise, et en sortit une chemise en plastique transparent qu'il posa devant moi sur la nappe. La chemise contenait diverses photocopies.

– Tu as là tout ce que j'ai pu trouver sur ton brigadier, ou ton Amiral, comme vous l'appelez à l'Académie, y compris la recommandation de le promouvoir lieutenant de frégate, de la main du marquis de la Victoria, et une de ses lettres personnelles sur les vertus et la concision du langage maritime… Elle permet de mieux cerner le personnage.

– L'Académie royale espagnole l'a nommé académicien en 1776, dis-je, au fauteuil du général Osorio, qui venait de l'armée de terre.

– Alors, les dates coïncident : le dictionnaire de Zárate avait été publié l'année précédente, d'où l'intérêt qu'on lui a porté. Sa grande contribution est d'avoir pour la première fois établi un précis systématique et bien ordonné de toute la terminologie navale… Et il a eu la bonne idée de donner pour chaque mot ses équivalents dans les langues des autres grandes marines de son temps, la française et l'anglaise. Son œuvre s'inscrivait tout à fait dans la droite ligne de cette marine espagnole éclairée, alors en plein renouveau, qui avait encore sa place parmi les plus importantes du monde en ce temps-là. Un travail honnête, hardi, méthodique, moderne… Une réussite scientifique et culturelle de premier ordre.

– Des marins qui lisaient, remarquai-je, provocateur. Et qui écrivaient des livres.

González Carrión se mit à rire et dit qu'il y en avait aussi de nos jours. Même s'ils étaient moins nombreux qu'alors. Il ajouta qu'indéniablement, dans cette seconde moitié du XVIIIe siècle, après la réforme du marquis de la Ensenada, notre marine progressait, élan que rien ne semblait pouvoir arrêter. Les colonies américaines fournissaient des matériaux qui permettaient de lancer d'excellents navires, avec des techniques de construction parmi les plus avancées et, grâce à l'École navale militaire de Cadix, les officiers avaient une formation scientifique et maritime de premier ordre, même si les équipages, recrutés de force, mal payés et démotivés par un système aristocratique injuste, n'étaient pas toujours à la hauteur. Le nombre d'œuvres importantes dues à des marins espagnols de cette époque que l'on trouvait à la bibliothèque du musée de la Marine était impressionnant : ordonnances, cartographie, portulans, manuels et traités de navigation. Une centaine de livres fondamentaux pour la navigation et les sciences.

– C'étaient des marins éclairés, en un temps où fleurissait

l'espoir, conclut mon interlocuteur. Des personnalités prestigieuses, y compris parmi nos ennemis d'alors... Quand Antonio de Ulloa fut fait prisonnier par les Anglais en revenant de mesurer le degré d'arc de méridien à l'équateur, on le reçut à Londres avec tous les honneurs, et il fut nommé membre de leurs sociétés scientifiques...

Sur ces mots, il s'interrompit et contempla son assiette d'un air mélancolique.

– Mais tout cela finit à Trafalgar, quelques années plus tard : les hommes, les navires, et les livres... Et puis vint ce qui vint.

Il remua légèrement sa fourchette dans son cassoulet aux pois chiches, mais ne la porta pas à sa bouche. Ses propres paroles semblaient lui avoir fait perdre l'appétit.

– Zárate, sur son modeste lopin, a été un de ces marins éclairés, ajouta-t-il après un instant de silence. Un de ceux qui ont œuvré avec ténacité pour mettre sur pied une marine de guerre moderne et honorable, à la hauteur du défi que devait relever l'empire espagnol, dont l'extension embrassait alors l'Atlantique et le Pacifique. Un homme cultivé et digne comme ceux, nombreux, qui ont trouvé leur fin, sans grande reconnaissance officielle, dans des batailles navales sans espoir, ou dans la misère, avec une demi-solde, dont certains n'ont même pas voulu... Parce que le pays dans lequel ils vivaient refusait tout changement. Trop de forces, dans l'ombre, tiraient dans l'autre sens...

Il s'interrompit de nouveau, la fourchette toujours immobile entre ses doigts. Il finit par la poser sur le côté de l'assiette et tendit la main vers son verre.

– Mais ils ont essayé, reprit-il avant de prendre une gorgée de vin et de me regarder, en ébauchant un triste sourire. Au moins, ces hommes formidables ont essayé.

Puisqu'il y a un Dictionnaire de l'Académie qui rallie la grandeur, la beauté et la fécondité de la langue castillane, et que la Marine et la navigation sont les moteurs du commerce et du progrès, j'ai voulu faire un dictionnaire beaucoup plus modeste qui, comme ceux que possèdent d'autres nations cultivées, rassemble et complète tout ce qui se rattache aux arts et aux sciences de la mer ; et ce non pour forger des mots nouveaux, mais pour rassembler avec fidélité et honnêteté ceux sanctionnés par l'autorité de nos écrivains classiques et par l'usage mesuré et éclairé, comme par celui, courant, des simples gens de mer, et contribuer ainsi à l'amélioration de la pratique et de la connaissance…

Don Pedro Zárate y Queralt, brigadier à la retraite des armées navales du roi, pose sa plume et relit les dernières lignes, conclusion du bref prologue qui accompagnera une nouvelle édition de son *Dictionnaire de la Marine*. La lumière de la lampe à huile posée sur la table de son cabinet lui suffit ; malgré son âge, il a une vue presque parfaite, qui le dispense de lunettes pour voir de près. Enfin, satisfait du texte, il agite le saupoudroir à sable au-dessus du papier pour absorber l'encre, plie la feuille avec quatre autres déjà couvertes de son écriture, et cachette le tout à la cire. Puis il plonge la plume dans l'encrier, écrit l'adresse – Imprimerie de l'École navale militaire de Cadix – et pose le paquet exactement au milieu de la table avant de se lever en jetant un regard autour de lui pour s'assurer que tout est en ordre. C'est une habitude qui, malgré les années, scande toujours ses routines. Indépendamment du souci de l'ordre acquis pendant sa formation de marin et au gré des aléas de ses premières années d'exercice, quand il doit partir en voyage sans savoir s'il en reviendra, l'Amiral observe cette discipline qui consiste à laisser ses affaires parfaitement en ordre ; toutes bien rangées, faciles à retrouver à son retour, ou à trouver par ceux qu'il laisserait derrière lui et qui, en l'absence de leur détenteur, devraient peut-être un jour s'en charger.

Le cabinet est petit, simple, comme il sied à une demeure digne et sans prétention. La lumière de la lampe à huile éclaire quelques meubles fonctionnels en acajou et noyer, un tapis de qualité courante, des bibliothèques en chêne aux nombreux livres, et une marine. Au milieu d'un des murs, il y a une cheminée que l'on n'allume jamais et sur le manteau de laquelle un modèle réduit de navire de guerre de soixante-quatorze canons, sous globe, est entouré de six grandes gravures en couleur, encadrées et accrochées ensemble, qui représentent la bataille navale de Toulon entre les escadres espagnole et anglaise. Don Pedro Zárate leur lance un bref regard, passe dans le couloir et se dirige lentement vers le vestibule ; les semelles de ses vieilles et confortables bottes anglaises de voyage, graissées et lustrées depuis peu, résonnent sur le plancher en bois. Ses sœurs, Amparo et Peligros, sont là dans leurs robes d'intérieur fermées par des nœuds et des lacets, leurs cheveux gris ramassés sous d'irréprochables coiffes empesées. Les sœurs Zárate ressemblent beaucoup à leur frère, par leur stature et leur minceur – surtout Amparo, l'aînée –, mais plus encore à cause des mêmes yeux aqueux d'un bleu si pâle qu'il semble s'estomper dans la lumière et leur donne une apparence peu espagnole, au point que certains voisins ne les appellent pas autrement que *les Anglaises*. Douces célibataires pétries d'abnégation, elles consacrent depuis trente ans leur vie au bien-être de l'Amiral. Elles ont veillé sur lui, quand il revenait à terre, comme elles l'avaient fait pour leur vieux père, et comme elles n'auraient pas manqué de le faire pour leur mère, que tous trois ont prématurément perdue. L'une et l'autre ne vivent que pour lui, vocation dont seules les distraient la pratique de leurs devoirs religieux, la messe quotidienne et la lecture de livres édifiants.

– Le cocher est monté chercher ton bagage, dit Amparo. La voiture t'attend dans la rue.

Elle semble émue, et sa sœur se retient de pleurer. Mais elles se tiennent droites, vaillantes, confortées par la fierté familiale. Il leur a appris la raison de son voyage, et même si à leurs yeux, avis qu'elles partagent, assises à la table du salon, les pieds sur la chaufferette, rien de ce qui vient de France ne peut être bon – les philosophes pernicieux et autres égarés ne bénéficient pas de l'absolution des confesseurs des deux vieilles filles –, l'orgueil de savoir leur frère membre de l'Académie royale espagnole et chargé par cette éminente institution d'une mission à l'étranger situe pour elles toute l'affaire ailleurs. Du moment qu'il s'en mêle, il n'y a pas grand mal à en attendre. Loin s'en faut. On ne peut rien objecter à l'éducation des peuples, bien au contraire. C'est justement de quoi il est question, et peu importe qu'il s'agisse de Paris ou de Constantinople. Même les confesseurs, pour aussi sacro-saints qu'ils soient, et en dépit de leur proximité de la grâce divine, peuvent parfois faire fausse route.

– Nous avons mis des salaisons et deux pains dans un panier, dit l'aînée en tendant à son frère un manteau aux larges revers, très bien coupé, en drap épais bleu sombre. Et aussi deux bouteilles de vin doux dans leur clisse d'osier… Ce sera suffisant ?

– Bien sûr, répond don Pedro en tirant sur les manches de son frac pour glisser les bras dans le manteau. Et dans les relais et les auberges, on trouve de tout.

– Première nouvelle, remarque Peligros, qui n'est jamais allée plus loin que Fuencarral.

L'Amiral caresse un instant les joues fanées de ses sœurs. Un doux effleurement pour chacune. Un double geste d'affection qui dévoile la tendresse.

– Ne vous inquiétez de rien. C'est un voyage confortable, et nous allons prendre la poste dans une voiture particulière, de la maison du directeur de l'Académie, qui nous la cède… De plus, don Hermógenes Molina est un brave homme, et le cocher quelqu'un sur qui on peut compter.

– Je ne sais pas, moi, dit l'aînée en faisant la grimace. Il m'a paru très désinvolte. Avec un petit quelque chose d'insolent.

– C'est justement ce qu'il faut, rétorque l'Amiral pour la tranquilliser. Pour un tel voyage, on ne peut trouver mieux qu'un cocher qui a l'usage du monde et a beaucoup voyagé.

– Je doute qu'il en ait vu autant que toi, dans ta jeunesse. Toi aussi tu es du monde.

L'Amiral sourit d'un air distrait, en boutonnant son manteau.

– Peut-être bien, Amparo… mais c'est si vieux que je l'ai oublié.

La cadette lui tend un tricorne noir dont le feutre, que l'on vient de brosser, est impeccable. Don Pedro remarque à l'intérieur, glissée dans la basane, une image de saint Christophe, le patron des voyageurs.

– Garde-toi bien, Pedrito.

Elles ne l'appellent ainsi, par son diminutif, comme du temps de leur enfance, que dans les circonstances extrêmes. La dernière fois qu'elles l'ont fait, c'était deux ans auparavant, quand leur frère avait passé trois semaines au lit avec une grave fluxion de poitrine, soigné avec des sangsues, des sirops et des emplâtres de chirurgien, et qu'elles s'étaient relayées à son chevet, nuit après nuit, rosaire à la main et *ave maria* aux lèvres.

– J'ai laissé un pli pour Cadix. Il faudra le faire expédier par la poste, s'il vous plaît.

– Ne t'inquiète pas.

Parmi sa douzaine de cannes, l'Amiral en choisit une d'acajou au pommeau d'argent, qui recèle, à l'intérieur, cinq empans de bon acier de Tolède. En se retournant vers ses sœurs, il surprend leur regard inquiet, même si elles ne disent rien ; elles l'ont souvent vu sortir avec une de ces armes discrètes, ce n'est rien de plus qu'une mesure de prudence par les temps qui courent. Et par tous les autres.

– Vous avez de l'argent dans le coffre de mon alcôve. S'il vous en fallait davantage…

– Il n'en sera rien, l'interrompt l'aînée avec un peu de hauteur. Cette maison a toujours été tenue avec les moyens disponibles.

– Je vous rapporterai quelque chose de Paris. Un chapeau pour chacune. Un châle en soie.

– Ils ne seront pas mieux que ceux d'ici, objecte Peligros, piquée dans son patriotisme, qui nous viennent des Philippines, des îles bien espagnoles… Dieu sait ce que valent ces châles français.

– Bon. Je trouverai bien.

– Il vaut mieux que tu ne dépenses pas ton argent en fanfreluches, le gronde Amparo. Ce que tu dois faire, c'est veiller sur toi.

– Don Hermógenes et moi allons seulement acheter quelques livres. Il ne s'agit pas d'un combat naval.

– Il n'empêche. Ne te fie à personne. Garde l'argent bien caché. Et fais attention à ce que tu manges. Là-bas, ils font la cuisine avec beaucoup de saindoux et beaucoup de beurre, ce qui ne doit pas être bon pour l'estomac…

– Ils se nourrissent même d'escargots, renchérit, critique, la cadette.

– Entendu, concède l'Amiral. Ni escargots, ni saindoux, ni beurre. Rien que de l'huile d'olive. C'est promis.

– Il y en aura à Paris ? s'inquiète Peligros. Et dans les auberges, en chemin ?

Don Pedro, affectueux et patient, sourit.

– J'en suis sûr, ne te fais pas de souci.

– Veille aussi à bien te couvrir, insiste Amparo. Et n'oublie pas de changer de bas chaque fois que tu auras les pieds mouillés… Nous en avons mis six paires dans la malle. Il paraît qu'il pleut beaucoup, en France.

– Je le ferai, dit l'Amiral, pour la rassurer une fois encore. Soyez sans inquiétude.

– Tu as pensé à prendre le sirop que t'a préparé l'apothicaire ? Oui ? Fais bien attention de ne pas casser le flacon. Et ne l'oublie pas ici ou là. Tu as toujours été fragile de la poitrine.

– Je vous promets de toujours l'avoir sous la main.

– Et prends bien garde aux Françaises, le prévient Peligros, la plus hardie.

Amparo sursaute, et lance à sa cadette un regard réprobateur.

– Je t'en prie, ma sœur.

– Eh bien, quoi ? réplique Peligros. Elles ne sont pas telles qu'on les a faites, peut-être ?

– Qu'en sais-tu, toi ? Et puis, parler comme ça, c'est manquer de charité chrétienne.

– Pas plus de charité que de beurre en broche. Elles ne valent pas grand-chose.

L'aînée se signe, scandalisée.

– Seigneur Jésus ! Enfin, Peligros…

– Ça suffit. Je sais de quoi je parle. Des philosophes, toutes autant qu'elles sont, de ces salons à la mode où elles s'entretiennent avec les hommes… Un de ces jours, elles vont finir par fréquenter les cafés. Je n'en dis pas plus.

L'Amiral rit, en coiffant son chapeau. Un ruban de taffetas noir, sur sa nuque, retient une courte queue de cheveux gris.

– Soyez tranquilles. J'ai passé l'âge des Françaises comme des Espagnoles.

– C'est ce que tu crois, objecte Peligros. Beaucoup de bourreaux des cœurs aimeraient être comme toi, n'est-ce pas, Amparo ? Avec toutes tes années. Avoir ton allure.

– Bien sûr, confirme sa sœur. Ils aimeraient bien.

Assis dans les premiers rayons de soleil à la porte de la taverne de San Miguel, jambes étendues sous la table, mains dans les poches et un pichet de vin à sa portée, Pascual Raposo observe les deux hommes qui conversent près d'une voiture à quatre chevaux rangée de l'autre côté de la rue, au coin de la placette de la Paja. Le plus grand des deux, qui est svelte – manteau sombre, tricorne, canne à la main –, vient de sortir d'un porche voisin et s'est arrêté pour adresser la parole à l'autre homme, petit et corpulent, qui porte la cape espagnole et un chapeau en castor. Un cocher range les derniers paquetages sur le toit de la voiture : c'est un individu barbu, à l'air bourru, couvert d'une ample casaque. L'œil exercé de Raposo, habitué à prendre garde à tout ce qui peut servir son activité – alors que d'autres, moins habiles ou aguerris, se lamentent après coup de n'en avoir rien vu –, n'a pas manqué de remarquer l'escopette glissée dans un fourreau sur le siège du cocher, ni le coffret de pistolets que celui-ci portait calé sous son bras en descendant les bagages de l'étage, et qu'il a mis à l'intérieur de la voiture avant de s'occuper des malles et des autres bagages.

Si, à quarante-trois ans, avec sa vie d'infortune et sa vieille cicatrice d'un coup de poignard porté au rein gauche, ce vétéran du pénitencier de Ceuta est encore en vie, c'est parce qu'il a l'œil pour s'assurer de ce genre de chose. Sept années passées sous les drapeaux et troquées il y a bien longtemps pour une existence d'un tout autre acabit ont fait de Raposo ce qu'il est ou, plus exactement, ont jeté les bases tactiques de ce qu'il est devenu ensuite. Une seconde nature et un bon œil. Pour cet ancien dragon, assurer sa subsistance, c'est aller d'un expédient à un autre, survivre en changeant sans cesse de pays et de métier, dont aucun n'est de tout repos. Tous sont rudes.

Les deux hommes sont montés dans la voiture et ont fermé les portières tandis que le cocher s'installe sur son siège. Le claquement du fouet se fait entendre et les bêtes se mettent en marche, doucement, au pas, en traînant le véhicule en direction du carrefour de San Luis. Après avoir laissé une pièce sur la table, Raposo se lève, ajuste posément sa veste brodée aux parements de velours et cale sur sa tête son chapeau de Calañas, très incliné d'un côté du front, pour la frime. Une femme jeune et belle aux cheveux de miel, avec une mantille sur un haut peigne, et dont le pas résonne sur le pavé, arrive d'une église proche.

Raposo la regarde dans les yeux avec une tranquille insolence et, galant, recule pour lui céder le passage.

– Béni soit le curé qui vous a baptisée, beauté.

La femme s'éloigne, en l'ignorant. Indifférent à son dédain, sans la lâcher des yeux il fait claquer sa langue puis prend la même direction que l'équipage, qu'il file de loin, dans la rue du Caballero de Gracia, ce qui n'est d'ailleurs même pas nécessaire : l'ancien dragon a déjà obtenu les informations adéquates et sait quel itinéraire la petite expédition des académiciens se propose de suivre pour quitter Madrid. Mais mieux vaut s'en assurer. Ils vont prendre la route de Burgos en passant par la porte de Fuencarral ou par celle de Santa Bárbara. Raposo connaît bien ce chemin, chacun de ses relais et de ses gîtes d'étape, si bien que, compte tenu du temps inhabituellement sec pour la saison qui va rendre possible un bon trajet de huit à dix heures, il estime que les voyageurs passeront par Somosierra le lendemain et s'arrêteront pour passer la nuit, comme cela se fait le plus souvent, à l'auberge Juanilla. C'est là qu'il pense les rejoindre, d'un pas mesuré, avant qu'ils ne se lancent vers leur troisième étape. Il voyagera à cheval, sur le dos d'une bonne bête qu'il a achetée il y a trois jours : un bai de hauteur moyenne au garrot, fort et sain, de quatre ans, capable d'affronter le long chemin qui l'attend ou, du moins, en grande partie. Il lui restera toujours, si nécessaire, le recours d'en acheter un autre ou de prendre la poste. Quant à son équipage pour un voyage de quatre semaines jusqu'à Paris, des habitudes depuis longtemps acquises permettent à Raposo de se déplacer avec l'indispensable : une mallette de cuir sanglée à la croupe de sa monture, une sacoche pour le fourniment, une capote cirée pour se protéger du froid et de la pluie, une couverture de Zamora roulée et nouée avec des courroies autour d'un vieux sabre de cavalerie. Tout cela est prêt dans la chambre de l'auberge de la rue de la Palma où il vit en honorant la fille de la patronne – laquelle nourrit l'espoir insensé de les marier un jour –, tandis que le cheval, bien repu, n'attend plus que d'être sellé dans une écurie proche de la porte de Fuencarral.

– Crédieu, Pascual ! Quelle surprise, et quel plaisir !

L'importune rencontre n'efface pas le sourire de Raposo. Dans son industrie périlleuse, sourire fait partie des règles à respecter jusqu'au moment propice où cette grimace se change en une autre, carnassière. Celui qui le salue ainsi est une connaissance des vils repaires du Barquillo et de Lavapiés : un barbier avec une tresse à la gitane et un filet dans les cheveux, qui tient boutique dans cette rue et qui, en plus de raser les barbes, sait se distinguer à la guitare, au fandango et à la seguidilla.

– Entre, que je te rase et te dise quelque chose, allez. C'est la maison qui invite.

– Il faut que je file, Pacorro, dit Raposo pour s'excuser. Je suis occupé.

– Rien qu'un instant. J'ai une affaire qui va te plaire, annonce-t-il en lui faisant un clin d'œil. Comme tu les aimes.

– J'en aime de très différentes.

– Celle-là est aux petits oignons et dit mange-moi… Tu vois qui est la María Fernanda ?

Raposo répond par l'affirmative et non sans gouaille.

– Comme la moitié de l'Espagne.

– Eh bien, il s'en trouve un pour lui tourner autour. On ne peut plus maniéré. Un nobliau, ou presque. Ou qui cherche à se donner pour tel.

– Et alors ?

– Le bec jaune aime se nipper en joli cœur et courir les tripots. C'est comme ça qu'on s'est rencontrés, lui et moi, et que m'est venue l'idée de lui jouer le tour de la vierge abusée.

À ces derniers mots, Raposo éclate d'un méchant petit rire.

– La María Fernanda n'était déjà plus vierge dans le ventre de sa mère.

Le barbier approuve, équanime.

– Oui, mais notre godelureau n'en sait rien. Et on peut lui soutirer quelques petits écus… Que dis-tu de jouer le frère offensé ?

– J'ai une autre affaire en cours.

– Dommage… Navaja en main, tu es très impressionnant. Tu l'es même sans navaja.

Raposo hausse les épaules et lui fait ses adieux.

– Une autre fois, Pacorro.

– Oui. À la prochaine.

Alors que Raposo s'éloigne de la maison du barbier, l'attelage des académiciens traverse le carrefour de San Luis. L'homme presse un peu le pas pour s'en rapprocher et constate que la voiture vient de tourner à droite. Il est clair qu'elle se dirige comme prévu vers la porte de Fuencarral. Le moment est venu pour lui d'aller à l'auberge, de prendre son bagage et, après avoir dit au revoir à la fille de la patronne, de sortir le cheval de l'écurie.

– La charité, pour l'amour de Dieu, lui demande un mendiant qui clopine en lui montrant le moignon de son bras mutilé.

– Fous le camp.

Devant son expression peu amène, l'éclopé disparaît aussitôt, avec une agilité miraculeuse : il était là, il n'y est plus. En regardant l'équipage s'éloigner, Raposo, absorbé en lui-même, se caresse les favoris. À ce moment-là, il a la tête remplie d'un calcul prévisionnel compliqué de lieues et de milles, de relais de poste, d'auberges et de gîtes. De chemins qui se suivent, se précèdent, se croisent. Il finit par sourire à sa seule adresse, en découvrant un peu les dents, presque avec férocité. Pour quelqu'un comme lui, dont l'exercice a consisté pendant un certain temps à voir des gens, se faire tuer, ou à les tuer de ses mains, la plupart des choses ont perdu leur importance originelle, et rares sont celles qui ont encore un sens. Parmi ces dernières, il en est deux qui ont la faveur de son entendement. À savoir, pour la première, que les hommes se divisent en deux grands groupes : ceux qui commettent des actes vils par bassesse naturelle, instinct de conservation ou lâcheté, et ceux qui, comme lui, exigent pour se livrer à ces bassesses d'être payés comptant. Et, pour la seconde, que dans le monde inique où il lui a été donné de vivre il n'y a que deux façons possibles de supporter l'injustice, divine ou humaine : se résigner à la subir, ou en faire son alliée.

3

Dialogues de chemins en relais

> C'est donc à la physique et à l'expérience que l'homme doit recourir dans toutes ses recherches : ce sont elles qu'il doit consulter dans sa religion, dans sa morale, dans sa législation, dans son gouvernement politique, dans les sciences et dans les arts, dans ses plaisirs, dans ses peines.
>
> BARON D'HOLBACH,
> *Système de la Nature*

Recréer le voyage de Madrid à Paris me posait quelques difficultés techniques. Les conditions dans lesquelles il avait dû se dérouler n'étaient pas ce qu'elles sont aujourd'hui : nos grands axes routiers et autoroutes n'étaient au XVIIIe siècle que de mauvais chemins tracés par les roues des voitures et les fers des chevaux, impraticables pendant les plus éprouvantes saisons de l'année. En ce temps-là, voyage était synonyme d'aventure. Même le système des gîtes, des auberges et des postes – ces relais où les calèches changeaient d'attelage – n'était pas aussi perfectionné qu'il put l'être au cours du siècle suivant. C'est justement pourquoi l'un des soucis des monarques éclairés, comme Charles III, a été la création de voies de communication sûres, afin d'améliorer les déplacements et le confort des voyageurs.

Il existait cependant depuis deux siècles des répertoires imprimés de ces chemins et, à l'époque où ce récit se déroule, avec l'engouement pour les voyages et la curiosité particulière à ce siècle, les guides de ce genre s'étaient popularisés, édités sous forme de petits manuels qui décrivaient les itinéraires entre les capitales européennes ou les parcours dans les provinces, avec les distances en lieues – cinq kilomètres et demi, ce que l'on couvrait habituellement en une heure – entre un relais de poste et le suivant, de sorte que le voyageur pourvu d'un de ces abrégés pouvait prévoir les étapes avec précision, en sachant que la traite à faire en une journée était généralement de six à dix lieues.

J'avais certains de ces guides à ma disposition dans ma bibliothèque, et je m'en procurai d'autres pour poursuivre ce récit. Concernant les étapes en Espagne, le plus utile à mon entreprise fut celui d'Escribano, publié en 1775 ; pour les chemins et les relais de poste en France, je les établis à partir de celui de Jaillot, imprimé à Paris en 1763. J'avais également besoin de cartes où figuraient les routes, les villages et les villes de ce temps-là. C'est ainsi que dans une vente aux enchères de livres anciens j'eus la chance de pouvoir acquérir un rare et épais volume, un grand in-folio, qui contenait l'œuvre complète de Tomás López, l'Espagnol qui a cartographié toute l'Espagne à la fin du XVIIIe siècle. En ce qui concerne la France, la solution me fut fournie par une vieille amie, la libraire d'ancien Michèle Polak qui, dans sa boutique de Paris consacrée à la navigation et aux voyages, me dénicha un exemplaire en très bon état de la *Nouvelle carte des postes de France*.

– J'ai quelque chose qui va t'intéresser, m'avait-elle annoncé au téléphone.

Quatre jours plus tard, j'étais à Paris. Tout prétexte m'est bon pour plonger dans sa grotte des merveilles bigarrée de la rue de l'Échaudé, où les livres s'empilent sur les étagères et sur le sol autour d'un radiateur électrique qui me fait toujours redouter un incendie.

– Alors, tu navigues à présent en terre ferme ? lança-t-elle sur un ton facétieux en me voyant arriver.

– Ce qui ne constitue pas un précédent, répondis-je.

C'était une vieille plaisanterie entre nous. Il y a quarante ans que j'achète dans cette librairie ancienne des livres de marine et des cartes des XVIIIe et XIXe siècles, jadis à son père – du temps où Michèle était une séduisante jeune fille –, et depuis à elle, qui a pris sa succession. Je dois à leurs bons offices, entre plusieurs traités de navigation, l'un de mes favoris : le *Cours élémentaire de tactique navale dédié à Bonaparte*, de Ramatuelle, que les marins français consultèrent pendant la bataille de Trafalgar, dont je me suis servi pour un roman publié en 2005 sur cet épisode historique.

– La voici, me dit-elle.

La carte qu'elle avait placée sur la table devait faire environ cinq empans sur quatre, elle était propre, en très bon état, marouflée sur toile moderne, et... *dédiée à son Altesse sérénissime monsieur le duc... Bernard Jaillot géographe ordinaire du roy*.

– L'impression est de 1738, précisa Michèle en me montrant le cartouche.

– Un peu prématuré pour ce qu'il me faut, non ?

– Je ne crois pas. Les choses changeaient alors plus lentement qu'à présent... Je doute qu'il y ait eu des modifications considérables en seulement cinquante ans.

Je pris la loupe qu'elle me tendait et cherchai le chemin qu'avaient dû suivre les académiciens à partir de Bayonne. On le voyait très nettement, tracé en pointillé : Bordeaux, Angoulême, Orléans, Paris. Chaque relais de poste était signalé par un petit cercle. C'était un travail minutieux.

– Magnifique, fis-je.

Elle hocha la tête.

– Oh, oui. Bien sûr qu'elle l'est... Tu la prends ?

Je posai la loupe sur la carte, avalai discrètement ma salive et la regardai dans les yeux.

– Ça dépend, dis-je.

Son sourire me donna le frisson. J'ai dit que nous nous connaissions depuis une quarantaine d'années. Elle s'était fait les dents dans ce métier, et je l'avais vue à l'ouvrage. À mes dépens, comme à ceux de beaucoup de ses clients de longue date.

– Combien ? demandai-je. Combien en veux-tu ?

De retour à Madrid, avec la carte, j'ai continué de suivre les pistes. J'avais également besoin de textes spécialisés, contemporains de mes personnages, qui me permettraient de me faire une idée des endroits par lesquels ils allaient passer. Par bonheur, de telles œuvres foisonnent, au XVIIIe siècle : les déplacements étaient à la mode dans le monde cultivé, et nombre de voyageurs éclairés avaient écrit des guides, des souvenirs, des mémoires. Je n'eus pas à chercher longtemps, je disposais des données exhaustives pour l'époque recueillies par Cruz, Ponz et Álvarez de Colmenar, de livres de voyage en Espagne et en France, en particulier deux mémoires : le *Voyage en Espagne fait dans les années 1786 et 1787* de Joseph Townsend, l'autre de 1787-1788, du marquis d'Ureña, *Le Voyage en Europe*, qui répondaient en partie à ce que je cherchais, et qui, comme j'allais bientôt le constater, se révéleraient précieux quant aux menus riens de la vie quotidienne :

> *Le chemin est large et bien tracé, sur des terres rouges argileuses. Ce sont en tout sept à huit lieues, avec un tronçon de mauvaise route, caillouteuse...*

Je pus ainsi me mettre à l'œuvre sur cette partie de la narration, une fois mes personnages situés hors de Madrid, calculer quels allaient être leurs itinéraires, les relais de poste, les gîtes où ils se reposeraient en chemin. Me transporter en imagination dans les contrées par lesquelles don Pedro Zárate et don Hermógenes Molina, suivis de près par le mercenaire Pascual Raposo, étaient passés pendant leur voyage vers la capitale de la France. Marcher sur leurs traces et mieux comprendre ce qu'avait été l'importance exacte de leur aventure. Et ce, alors même que décrire l'équipage dans lequel ils s'étaient déplacés nécessitait des recherches approfondies. Il me fallait une voiture couverte, résistante, capable de faire le voyage. Dans les mémoires d'Ureña, j'ai trouvé *berline*, terme auquel j'ai failli renoncer quand, dans l'édition du Dictionnaire de l'Académie royale, j'ai lu qu'il s'appliquait à une voiture à deux places, alors que, pour les besoins de l'histoire, il m'en fallait quatre. Finalement après avoir exploré ma bibliothèque et Internet, j'ai pu m'aviser que l'on appelait aussi « berlines » des voitures de plus grande capacité, et j'ai trouvé plusieurs illustrations à l'appui de cette acception. C'est ainsi que j'ai décidé de l'utiliser. Ce serait donc une berline de quatre places, peinte en noir et vert, équipée à l'anglaise pour être tirée par quatre chevaux, avec un dispositif sur le toit pour les bagages et un siège extérieur où le cocher mis à leur disposition par le marquis d'Oxinaga allait s'asseoir. Et, dans l'habitacle ballotté dont les vitres de la portière coulissaient pour pouvoir se protéger de la poussière des chemins, assis l'un en face de l'autre sur les coussins de cuir usés, s'entretenant de temps à autre, lisant, somnolant, regardant en silence l'austère paysage de la sierra, l'Amiral et le bibliothécaire.

– Ce que je viens d'entendre était bien le hurlement d'un loup ? demande don Hermógenes en levant la tête.

– C'est possible.

Les suspensions de la voiture font entendre un grincement monotone dans le balancement continu de la caisse qui, quand les roues rencontrent une pierre ou un autre accident de terrain, est secouée avec des craquements retentissants. Le bibliothécaire lit d'anciens numéros du *Mercurio Histórico y Político*, du *Censor Literario* ou de la *Gazeta de Madrid* pendant que don Pedro Zárate regarde par la fenêtre, captivé par les aigles et les vautours qui planent au-dessus des éboulis granitiques et des sapins qui assombrissent le paysage dans les ravins de Somosierra.

– Le jour décline, dit plaintivement le bibliothécaire.

L'Amiral écarte un peu plus les rideaux et les attache avec des cordons pour que son compagnon de voyage puisse disposer de davantage de clarté, mais au bout d'un petit moment, cette gentillesse se révèle inutile. Le soleil, bas sur l'horizon, se cache derrière les arbres qui bordent le chemin et colore d'un rouge éteint le ciel au-dessus du massif montagneux dont les cimes enneigées se profilent au loin. Fatigué de forcer sur sa vue, don Hermógenes vient de poser le journal sur la banquette. Il ôte ses lunettes, lève les yeux et croise le regard de don Pedro. Auquel il adresse alors un sourire bienveillant.

– C'est étrange, monsieur l'Amiral. C'est si curieux… Nous sommes depuis des années à l'Académie, nous n'avions jamais, vous et moi, échangé plus de quelques mots… Et nous voilà pourtant plongés tous les deux dans cette étrange aventure.

– C'est un plaisir pour moi, don Hermógenes, approuve son collègue, de profiter ainsi de votre compagnie.

Le bibliothécaire lève une main affectueuse.

– Je vous en prie, appelez-moi don Hermès, comme le font tous nos collègues.

– Je n'oserais jamais...

– S'il vous plaît, monsieur l'Amiral. J'y suis habitué. C'est une marque de familiarité sympathique, qui le sera d'autant plus venant de vous. Et puis, nous allons passer des semaines ensemble. Partager beaucoup de choses.

Don Pedro réfléchit comme si l'affaire était d'importance.

– Don Hermès, alors ?

– C'est cela.

– Très bien. À condition que vous me retourniez la politesse. Ce *monsieur l'Amiral* est vraiment de trop entre deux compagnons de voyage. J'aimerais que vous m'appeliez par mon prénom.

– Ça me gêne. Entre les académiciens, votre condition de militaire est quelque chose qui...

– Bon, répond don Pedro. Alors, ce sera Amiral tout court, s'il vous plaît.

– Entendu.

La voiture s'incline légèrement, s'arrête un instant, puis repart en force. Le chemin est maintenant une côte assez raide et, dehors, sur son siège, le cocher encourage les chevaux d'une voix que ponctuent des claquements de fouet. Don Pedro montre le *Censor Literario* que le bibliothécaire a posé à côté de lui.

– Vous y avez trouvé quelque chose d'intéressant ?

– Rien qui vaille la peine. Le tout-venant... Une défense enflammée des corridas et une attaque féroce contre cette œuvrette que le jeune Moratín a fait paraître sous un pseudonyme.

L'Amiral sourit, amer.

– Celle où il pourfend la rhétorique et la pédanterie des auteurs espagnols, propose des formules modernes, et pour laquelle nous lui avons accordé le prix de l'Académie ?

– Celle-là même.

L'Amiral dit qu'il l'a lue avec beaucoup de plaisir, en cette occasion. Il faisait justement partie du jury. Les idées de ce Moratín, observe-t-il, sont neuves et claires ; il est un de ces jeunes gens qui ont une culture du bon goût, voient d'un œil critique la barbarie des multitudes bornées, et ne peuvent admettre la sottise qui inonde les théâtres de pastiches semés des grossièretés des dames de la halle et des frimeurs, ou de tragédies farcies de prodiges, de tempêtes, de tueries, de grands ducs de Moscovie et de savetiers qui, au moment du dénouement, sont reconnus comme enfants perdus de leur père le roi.

– Et vous me dites qu'on l'attaque dans le *Censor* ? conclut-il.

– Impitoyablement... Vous savez bien de quoi est capable l'ami Higueruela.

– Avec quels arguments ?

– Les mêmes que d'habitude, répond le bibliothécaire d'un air résigné. Les vénérables valeurs de l'Espagne et tout ce qui va avec, la vieille rengaine : les modes venues de l'étranger corrompent l'essence même de notre peuple, ses traditions, la religion, etc.

– Quelle tristesse. Les Espagnols sont les plus grands ennemis d'eux-mêmes. Acharnés à éteindre les lumières partout où ils les voient briller.

– Ce voyage est la preuve du contraire.

– Ce voyage, sauf votre respect, est une goutte d'eau insignifiante dans l'océan de notre résignation nationale.

Le bibliothécaire regarde son collègue avec un véritable étonnement.

– N'avez-vous pas foi en l'avenir, Amiral ?

– À peine.

– Pourquoi avez-vous accepté, dans ce cas... Pourquoi participer à cette aventure ?

Un silence suit, que rompent les grincements de la voiture, le bruit des fers de l'attelage et celui du fouet, au-dehors. Don Pedro, absorbé en lui-même, esquisse enfin un étrange sourire.

– Un jour, dans ma jeunesse, j'ai combattu à bord d'un vaisseau... Nous étions encerclés par les Anglais et, à ce moment-là, il n'y avait plus le moindre espoir de victoire. Pourtant, nul n'a pensé à affaler le pavillon.

– Cela s'appelle de l'héroïsme ! s'exclame le bibliothécaire, admiratif.

Les yeux bleus aqueux le regardent quelques instants. L'Amiral ne dit rien.

– Non, répond-il enfin. Cela s'appelle de la ténacité. C'est la certitude que, vainqueur ou vaincu, on fera son devoir jusqu'au bout.

– Avec quelque orgueil, je suppose. Ou j'en ai peur.

– L'orgueil, don Hermès, quand un peu d'intelligence l'assaisonne, peut être une vertu aussi utile qu'une autre.

– Vous avez raison… J'en prends note.

L'Amiral regarde de nouveau par la fenêtre. Le jour faiblit toujours plus. Le chemin est maintenant droit, et il descend ; les chevaux s'animent, la voiture roule plus vite.

– Apathie et résignation, voilà les deux termes qui conviennent à notre nation, dit-il au bout d'un moment. Le désir de ne pas se compliquer la vie… Nous, Espagnols, nous trouvons commode de rester pareils à des enfants. Des mots tels que tolérance, raison, science, nature, troublent notre sieste… Il est honteux que tels des indigènes des Antilles ou de l'Afrique noire, nous soyons les derniers à accueillir les nouveautés et les lumières qui se sont déjà répandues dans tout le reste de l'Europe.

– Je partage votre avis.

– En outre, le peu qui nous soit propre, nous en faisons une arme d'exécration et de discorde : tel auteur est d'Estrémadure, tel autre est andalou, tel autre encore de Valence… Il s'en faut de beaucoup que nous soyons une nation civilisée dotée d'une unité nationale comme les autres, qui nous font à juste titre de l'ombre… Je crois qu'il n'est pas bon pour nous de rappeler sans cesse, comme nous le faisons, la région de chacun. Il conviendrait de l'avoir au préalable ensevelie dans l'oubli, et qu'aucune personne de mérite ne la considère autrement qu'espagnole.

– Vous n'avez pas tort non plus sur ce point, concède le bibliothécaire. Mais je crois que vous exagérez un peu.

– J'exagère ? Nous ne comptons pas, don Hermógenes, je veux dire don Hermès ; reconnaissez-le… Nous n'avons pas d'Érasme, pour ne pas dire de Voltaire. Nous n'allons pas plus loin que le père Feijoo[1].

1. Benito Jerónimo Feijoo y Montenegro (1616-1764) : représentant du rationalisme illustré, il a été l'un des esprits les plus universels de son temps.

– Ce n'est déjà pas si mal.

– Mais il n'a même pas abjuré sa foi catholique, et pas davantage renié sa dévotion monarchique. Il n'y a en Espagne ni penseurs ni philosophes originaux. L'omniprésente religion empêche leur épanouissement. Il n'y a pas de liberté... Quand elle nous vient de l'extérieur, c'est à peine si nous la touchons du doigt, de peur de nous brûler.

– Je vous redis que vous avez raison, Amiral. Mais vous venez de prononcer le mot *liberté,* qui est à double sens. Les gens du nord de l'Europe ne l'entendent pas comme nous. Ici, en terre d'Espagne, c'est une folie de suggérer à un peuple inculte et violent qu'il peut disposer de lui-même comme il l'entend. De telles extrémités menacent le sort des rois. Qui ne vont pas se lancer dans le vide des réformes s'ils creusent la terre sous leurs pieds.

– Vous n'allez pas maintenant en venir à la royauté de droit divin, don Hermès...

– Je n'en ai nullement l'intention. Mais, avec tout le respect que je vous dois, je trouve curieux de devoir soulever cette question avec vous, qui avez été brigadier des armées navales du roi.

L'Amiral fait entendre un léger rire, presque doux. Puis, s'inclinant, il tape amicalement sur le genou du bibliothécaire.

– Donner sa vie pour remplir son devoir, s'il le faut, c'est une chose ; c'en est une autre de se leurrer sur la nature des rois et des gouvernements... La loyauté est compatible avec la lucidité critique, cher ami. Je puis vous assurer que j'ai vu, à bord des navires du roi, des comportements aussi indignes que ceux dont nous pouvons être témoins sur la terre ferme.

Le soleil s'est couché depuis un moment, et il ne reste plus qu'un soupçon de jour. C'est une clarté mourante d'un gris bleuté, qui permet encore de deviner les contours du paysage et découpe sur l'ombre, à l'intérieur de la voiture, les masses des deux voyageurs.

– Je ne suis qu'un ancien officier qui lit des livres, poursuit l'Amiral. En langue castillane, j'en ai trouvé sur le bon goût, la culture, la science et la philosophie, mais jamais sur ce mot, *liberté*... Or, nous sommes dans un siècle où progrès et liberté vont main dans la main. Jamais, dans nul autre, les lumières n'ont été aussi vives et n'ont autant éclairé l'avenir, grâce à la vaillance des philosophes actuels... Et pourtant, il en est peu, en Espagne, qui osent franchir les limites du dogme catholique. Il se peut qu'ils le désirent, mais ils n'ont pas le courage de le déclarer publiquement.

– Cette prudence se comprend, objecte le bibliothécaire. Voyez ce qui est arrivé au pauvre Pablo de Olavide.

– Ne m'en parlez pas. Il y a de quoi pleurer. L'intendant le plus fidèle aux désirs de réforme de Charles III, lâchement abandonné en silence par le monarque et son gouvernement...

– Seigneur, Amiral ! Ce n'est pas ce que je voulais dire. Laissez le roi en dehors de tout ça.

– Pourquoi ? Tout y revient toujours, tôt ou tard. C'est le roi qui a réclamé les réformes à Olavide puis qui l'a livré aux mains de l'Inquisition. Sa condamnation nous a couverts de honte à la face des nations cultivées, avec cette subordination des autorités civiles à la suprématie ecclésiastique... Un roi éclairé comme le nôtre, en lequel tant d'espoirs reposent, ne peut s'en remettre pour un tourment de conscience aux mains du Saint-Office.

Ils ne distinguent plus, à présent, que la forme noire de leur interlocuteur dans l'ombre. Tout à coup, un craquement retentit et la voiture fait un petit saut et imprime à la caisse une secousse qui jette presque les voyageurs l'un contre l'autre. L'obscurité commence à rendre le chemin dangereux, et le bibliothécaire fait coulisser la vitre de la portière pour jeter au-dehors un regard d'appréhension.

– Vous êtes injuste, dit-il peu après. Le progrès ne s'obtient pas d'un coup ; il y a des stades intermédiaires. Nous sommes nombreux à pouvoir, par intime conviction, ne pas désirer la chute des rois ou la disparition de la religion... Je suis favorable aux Lumières, comme vous le savez ; mais je ne suis pas prêt pour autant à passer les bornes de la foi catholique. La lumière qui nous guide doit rester celle de la foi.

– La lumière doit être celle de la raison, rétorque l'Amiral sans ménagement. Le mystère et la révélation ne sont compatibles ni avec la science, ni avec la raison, de laquelle la liberté découle.

– Vous voilà encore avec votre liberté, fait le bibliothécaire en jetant un nouveau regard par la fenêtre… Vous êtes un homme entêté, mon cher ami.

– Cervantès l'a dit par la bouche de don Quichotte : la liberté est le don le plus précieux qui soit… *Il me semble difficile d'admettre que l'on asservisse ceux que Dieu et la nature ont faits libres…* Que regardez-vous avec autant d'attention ?

– Une lumière, si je ne me trompe. Peut-être celle de l'auberge où nous passerons la nuit.

– Espérons-le. J'ai les reins moulus par toutes ces secousses. Et ça ne fait que commencer.

Le lendemain, quand Pascual Raposo, après avoir confié son cheval au garçon d'écurie, prend son bagage et entre en époussetant ses vêtements dans l'auberge de la rive nord du Pirón, il y trouve, près de la grande cheminée qui flamboie, des gens en train de dîner, assis sur les bancs qui flanquent trois tables sans nappes. L'une, servie par la fille de salle de la maison, est occupée par deux cochers dont celui qui accompagne les académiciens. À une autre, il y a une demi-douzaine de muletiers – Raposo a vu leurs bêtes dans l'écurie, et les paquetages entassés dans la cour, gardés par un gars de la bande ; ils mangent et boivent en donnant de la voix. Autour de la troisième, à l'écart, sont attablés des gens un peu mieux nés : les deux voyageurs que suit le nouveau venu, et une femme auprès de laquelle s'assied un jeune gentilhomme. Cette table-là est servie par le patron de l'auberge qui, en voyant entrer Raposo, court à sa rencontre avec une expression peu hospitalière.

– Nous n'avons plus de chambre libre, lui annonce-t-il avec brusquerie. Tout est occupé.

Le voyageur sourit complaisamment, découvrant des dents blanches dans un visage encore couvert par la poussière du chemin.

– Ne vous inquiétez pas, l'ami. Je me tirerai d'affaire… Pour le moment, tout ce dont j'ai besoin, c'est de manger quelque chose.

Son côté en apparence si accommodant rassure l'aubergiste.

– Pour cela, il n'y a aucune difficulté, dit-il, radouci. Nous avons du ragoût à la hure et aux pieds de porc.

– Et le vin ?

– D'ici. Il se laisse boire.

– On s'en contentera.

Le patron se demande, en examinant de pied en cap la tenue vestimentaire du nouvel hôte, dans quelle classe le ranger, pour le diriger vers la bonne table : veste brodée, culotte de daim et guêtres. On pourrait le prendre pour un chasseur, mais l'aubergiste n'a pas manqué de voir la poignée du sabre enroulé dans la couverture que Raposo a laissée avec son bagage près de la porte, en entrant. Ce dernier tranche la question de sa propre initiative en allant s'asseoir à la table des muletiers, qui se taisent en le voyant arriver, mais lui font volontiers place.

– Bonsoir à tous.

Il sort le couteau à manche de corne qu'il porte glissé dans sa ceinture, de côté, en fait jouer le cran d'arrêt, et coupe une tranche du pain qui est sur la table. Puis, tendant la main pour prendre le pichet que lui présente un muletier, il se sert du vin. La servante a posé devant lui une platée de ragoût fumant, qui a l'air friand.

– Bon appétit, dit l'un des commensaux.

– Merci.

Il plonge la cuiller d'étain dans le plat creux et mange avec appétit, en mâchant lentement, pendant que les autres reprennent leur conversation. Certains fument, tous boivent. Ils parlent chevaux, péages aux ponts et octrois, puis commencent à discuter des qualités de deux toreros, Costillares et Pepe-Hillo. Raposo expédie son repas en silence, sans se mêler à la conversation, en observant discrètement les deux académiciens, la dame et le jeune homme qui dînent à la table la plus éloignée. Les deux derniers sont sans doute les occupants du coche de voyage qu'il a vu arrêté devant l'auberge. Leur conducteur doit être l'individu qui partage la table du cocher des académiciens. La femme, d'âge moyen, a belle apparence, et le jeune homme assis à son côté n'est pas sans ressemblance avec elle. Tous deux, surtout elle, s'entretiennent avec leurs compagnons de table, mais Raposo ne parvient pas à entendre ce qu'ils se disent.

– Ces gens occupent vraiment toutes les chambres ? demande-t-il à la servante qui apporte un pichet de vin.

Celle-ci répond que oui. Les deux messieurs âgés en partagent une, la dame et le jeune homme ont chacun la leur. Ces deux-là sont mère et fils, confirme-t-elle, et ils se rendent en Navarre. Dans la dernière chambre de l'auberge dormiront les deux cochers, et le grand dortoir, où il y a six paillasses, est occupé par les muletiers. Pour passer la nuit, il devra soit s'entendre avec ceux-ci pour qu'ils lui fassent une place, soit s'installer dans l'écurie.

– Merci, petite. Je vais m'arranger.

Tout en sauçant le fond de son plat avec un morceau de pain, le rapace étudie ses proies. Le plus petit et le plus enveloppé des académiciens, don Hermógenes Molina, s'entretient affablement avec la dame et le jeune homme, lesquels, la dame en particulier, semblent apprécier la compagnie que leur procure cette étape de leur voyage. Le bibliothécaire paraît sympathique, prévenant, inoffensif, doux ; c'est un de ces individus qui plaisent d'emblée. L'autre, le brigadier ou l'Amiral Zárate, intervient à peine dans la conversation, d'un hochement de tête ou d'une brève remarque quand ses commensaux s'adressent à lui. Grand, sec, avec le court catogan de marin qui replie ses cheveux gris sur le col de sa veste, il reste assis au bout du banc, les poignets appuyés sur le bord de la table, le corps rigide et droit comme à la parade, attentif à la conversation et n'intervenant que de temps à autre d'un air poli, un peu mélancolique, ou peut-être distant.

– Pouvez-vous me passer le bougeoir, mon ami ?

À cette demande de Raposo, l'un des muletiers lui tend l'ustensile en laiton sur lequel brûle une chandelle à demi consumée. Après l'avoir remercié, l'homme de main sort d'une poche de sa veste un paquet de quatre cigares, en glisse un entre ses lèvres et tend l'autre bout vers la flamme. Puis il se rejette en arrière et, soufflant une goulée de fumée, tourne son regard vers la table où se tiennent les deux cochers. Il sait que celui des académiciens s'appelle Zamarra et que, comme la berline, il appartient à la maison du marquis d'Oxinaga, qui l'a cédé à ses collègues pour qu'il les assiste. Avant de quitter Madrid, Raposo a tenté de se renseigner sur son compte : à quarante ans, analphabète, le visage marqué par la petite vérole, c'est un gueux dégingandé, habitué aux chemins et aux accidents de parcours, dont les mouvements sont un peu gauches quand il n'est pas juché sur son siège le fouet à la main, sans doute adroit à l'escopette, qu'il tient glissée à portée de main dans un fourreau.

– C'est dans la rouvraie avant le relais de Milagros et le gué de la Riaza. En montant.

– Là où il y a le pont en bois ?

– Non, juste avant… dans le vallon qui mène au gué.

L'un des muletiers raconte quelque chose qui attire l'attention de Raposo. Il parle de malandrins. Et la fille de salle vient à l'appui de ses dires : une bande rôde dans la région, sur le chemin d'Aranda de Duero. Il y a une semaine, ils ont détroussé des voyageurs, et l'on raconte qu'ils sont encore là, embusqués. Il faut prendre ses précautions.

– Ça impose de voyager en groupe, suggère un muletier. De se joindre à d'autres gens.

Raposo lance un dernier regard à la table des académiciens, qui conversent encore avec la dame et son fils. Puis il demande à la serveuse de lui remplir sa gourde d'eau et son outre de vin ; quand elle les lui apporte, il appelle le patron, demande combien il lui doit pour le repas, la paille et l'avoine pour le cheval, il paie deux pesetas pour le tout, souhaite une bonne nuit aux muletiers, ramasse ses affaires et sort ; dehors, il reste immobile, à fumer jusqu'à ce que le bout du cigare lui brûle les doigts. Alors, il le laisse tomber à terre, l'écrase sous sa semelle, puis se dirige vers l'écurie, jette un œil sur son cheval, dont il examine les bras, les jambes et les fers. Il cherche enfin un coin tranquille, loin des bêtes, et, après s'être fait un matelas de paille, y étend la couverture de Zamora et s'y couche.

Il fait froid, et un hibou pourrait presque se glisser dans les interstices de la fenêtre. De retour du cabinet d'aisances qui se trouve dans la cour de l'auberge, une fois assis sur le bord de sa couche – une méchante paillasse remplie de bourre de laine qui laisse sentir les planches du châlit –, don Hermógenes Molina marmotte sans presque desserrer les lèvres ses prières quotidiennes. Il est vêtu d'une chemise et d'un bonnet de nuit. À la lumière d'une petite lampe qui, en plus de laisser fuir son huile goutte à goutte, enfume le plafond de la chambre, le bibliothécaire peut voir son collègue, déjà couché à l'abri de la couverture, tourner les pages d'un livre qu'il lit par moments : les *Lettres à une princesse d'Allemagne*, d'Euler, trois volumes in-octavo. Bien que ce soit la deuxième nuit qu'ils partagent une chambre, l'intimité qu'imposent les circonstances est incommode pour tous les deux. Leur éducation et leur extrême courtoisie rendent tolérables les situations les plus embarrassantes du voyage : se déshabiller devant l'autre, entendre ses ronflements, se laver dans la cuvette, ou se servir du pot de chambre qui, avec son couvercle en bois, occupe un angle de la pièce.

– Des personnes bien aimables que cette dame et son fils, dit le bibliothécaire.

Don Pedro Zárate pose le livre sur son giron, en laissant un doigt dans le pli pour ne pas perdre la page.

– Le jeune homme a de l'éducation, approuve-t-il. Et elle est une femme agréable.

– Charmante, renchérit don Hermógenes.

Leur rencontre à l'auberge a été heureuse, estime-t-il, le repas plaisant et la conversation agréable. Il s'agit d'une dame de qualité, veuve du colonel d'artillerie Quiroga ; elle accompagne son fils, officier des Armées du roi, pour une visite de courtoisie à la famille de la promise du jeune homme, qui réside à Pampelune. Il y a une demande en mariage en perspective.

– Peut-être les rencontrerons-nous de nouveau en chemin, ajoute-t-il. Je ne serais pas fâché de partager un autre repas avec eux.

– Dans l'immédiat, nous irons en convoi jusqu'à Aranda de Duero.

Don Hermógenes sent poindre une inquiétude qu'il préférerait ne pas manifester.

– Croyez-vous que cette histoire de brigands présente un danger ?... Ces croix que l'on voit parfois sur le bord du chemin, dressées à la mémoire de voyageurs assassinés, ne sont point rassurantes.

L'Amiral réfléchit pendant quelques instants.

– Je ne crois pas qu'il arrive quoi que ce soit, conclut-il. Mais mieux vaut s'armer de précautions. L'idée de couvrir l'étape à deux voitures, demain, me semble bonne.

– En tout cas, nous pouvons compter sur les cochers, armés de leur escopette...

– Sans oublier le jeune Quiroga, qui sait sans doute se défendre. Et vous et moi avons mes pistolets. Nous les chargerons demain avant de partir.

La mention des armes inquiète plus encore le bibliothécaire.

– Je ne suis pas homme à tirer sur tout ce qui bouge, mon cher Amiral.

Don Pedro rit, rassurant.

– Moi non plus, si on doit en arriver là. Il y a trop longtemps que je n'ai pas appuyé sur une détente. Mais je vous assure que, en cas de nécessité, vous tirerez comme n'importe qui d'autre... En pareils cas, il en est peu qui n'en soient pas capables.

– Comptez que je n'y manquerai pas.

– Et moi non plus. Vous pouvez dormir tranquille.

Don Hermógenes se couche, en se couvrant jusqu'au menton.

– Pauvre Espagne, gémit-il, désolé. Il suffit de s'éloigner de quelques lieues d'une ville pour se trouver parmi des sauvages.

– Ils ne font pas défaut dans d'autres pays, don Hermès... C'est plus douloureux parce que ce sont les nôtres.

L'Amiral semble avoir renoncé, pour ce soir, à la lecture. Il a mis un signet à la page où il s'est arrêté et a placé le livre sur le chevet. Il pose la tête sur l'oreiller. Don Hermógenes est sur le point de souffler la mèche quand il suspend son mouvement.

– Me permettez-vous, mon cher Amiral, une observation un peu impertinente qu'autorise l'intimité forcée dans laquelle nous nous trouvons ?

Le regard de son compagnon, d'une apparence encore plus claire à cause de la proximité de la flamme qui souligne les capillaires rougeâtres de ses joues, le fixe avec attention. Et une légère surprise.

– Bien sûr que je vous la permets.

Don Hermógenes hésite un instant, puis finit par se décider.

– J'ai remarqué que vous n'étiez pas un homme fort en dévotions.

– Vous pensez aux pratiques religieuses ?

– Eh bien… Je ne sais pas. Je ne vous ai pas vu prier, vous semblez ne pas le faire. Je vous pose la question parce que je le fais, moi, et je ne voudrais pas que ces habitudes vous offensent.

– Ces superstitions, voulez-vous dire ?

– Ne vous moquez pas.

L'Amiral rit, de bon cœur, toute gravité dissipée.

– Je ne me moque pas. Pardonnez-moi. Je plaisante un peu, voilà tout.

Don Hermógenes hoche la tête ; tolérant, affectueux.

– Aujourd'hui, quand nous nous sommes arrêtés un moment pour nous dégourdir les jambes, nous parlions de certaines incompatibilités… raison et religion. Vous en souvenez-vous ?

– Je m'en souviens parfaitement.

– Bon, je ne voudrais pas pour autant que vous me preniez pour un enfant de chœur. Je reconnais que j'ai parfois des problèmes de conscience, parce que je me vois à la limite de ce que permet la doctrine chrétienne…

L'Amiral lève la main, sans doute prêt à opposer un argument de poids, mais il semble se raviser et la laisse retomber sur la couverture.

– Venant d'un autre que vous, de ceux qui proclament leur foi aveugle dans le dogme et lisent en cachette Rousseau, je parlerais d'hypocrisie, dit-il sur un ton affable. Mais je vous connais, don Hermès. Vous êtes un honnête homme.

– Je vous assure que ce n'est pas de l'hypocrisie. C'est un conflit douloureux.

– Dans d'autres nations, cultivées…

L'Amiral, avec un air résigné, laisse sa phrase en suspens. Mais le bibliothécaire est blessé dans son patriotisme.

– Parmi les élites cultivées, voulez-vous dire, objecte-t-il. Les éléments moteurs. Comme nous le disions tout à l'heure, il y a partout des rustres.

– C'est ce que j'avais en tête, dit l'Amiral en montrant le livre posé à son chevet. Seul un État organisé et fort, protecteur de ses artistes, de ses penseurs et de ses scientifiques est capable d'apporter le progrès matériel et moral à une nation… Nous en sommes loin.

En méditant cette vérité amère, les deux académiciens gardent le silence. À travers les persiennes, on entend l'aboiement solitaire d'un chien. Puis le silence retombe.

– J'éteins la lampe ? demande don Hermógenes.

– Comme vous voulez.

Après s'être un peu redressé, le bibliothécaire souffle la mèche. L'odeur de sa fumée, quand elle s'éteint, envahit la chambre plongée dans l'obscurité. La voix de l'Amiral s'y fait brusquement entendre.

– On dit de ces nations qui cultivent leur esprit qu'elles sont éclairées… et de celles qui ont des coutumes conformes à la raison qu'elles sont civilisées… À l'opposé, il y a les nations barbares, où prévalent les goûts du peuple fruste et vil, que l'on flatte et que l'on trompe.

Don Hermógenes approuve, dans l'obscurité.

– Je suis d'accord.

– Je m'en réjouis. Parce que la religion est la plus grande tromperie qu'ait inventée l'homme. En violentant le sens commun jusqu'à l'aberration. – Là-dessus, le ton de don Pedro se fait moqueur. – Que pensez-vous, par exemple, de la polémique sur les braguettes de nos culottes ? Croyez-vous vraiment qu'un prêtre ait son mot à dire sur le travail d'un tailleur ?

– Seigneur, Amiral ! Ne revenez pas sur cette affaire ridicule, je vous en prie… Vous me plongez dans l'angoisse.

Sur ce, tous deux rient de bon cœur, au point que le bibliothécaire en a une quinte de toux. La mode française du rabat unique pour les culottes d'homme, ou braguette, propagée par les gazettes étrangères, en substitution de la fermeture à pont dont le rabat doit s'ouvrir des deux côtés, rencontre en Espagne une violente opposition de la part de l'Église, qui la qualifie d'immorale et de contraire aux bons us et coutumes. Même l'Inquisition s'en est mêlée, en publiant des édits affichés dans les églises, qui menacent de châtiment les tailleurs et leurs clients qui adoptent cette mode.

– Bien qu'il y ait là un exemple de ce que nous sommes, ou de ce que l'on nous pousse à être, cette guerre des braguettes n'est qu'une anecdote, remarque l'Amiral. Autrement plus graves sont l'esclavage et les traites négrières, la vénalité des charges, la censure des livres, les mises à mort dans les arènes et les exécutions en place publique... Il nous faudrait moins de docteurs de Salamanque et plus d'agriculteurs, de commerçants et de marins. Une Espagne où l'on comprendrait enfin que l'aiguille à coudre a fait plus pour le bonheur du genre humain que la *Logique* d'Aristote ou l'œuvre complète de Thomas d'Aquin.

– C'est juste, convient le bibliothécaire. C'est indubitablement du substantiel que vient l'enseignement, et c'est l'enseignement qui sera le levier de l'homme nouveau.

– Voilà pourquoi nous sommes en voyage, vous et moi, don Hermès... Secoués dans cette maudite voiture et réduits à dormir dans ces lits, puisse Jupiter les confondre, dévorés des punaises, à gratter nos puces. Pour pouvoir ajouter un petit vérin à ce levier.

– Et nous acheter à Paris des culottes à la mode, avec leurs belles braguettes.

Ils rient de plus belle. Le bibliothécaire doit s'arrêter, comme il l'a déjà fait, quand la toux le suffoque. Il continue pourtant encore un peu, en étouffant son rire, les yeux ouverts dans l'ombre.

– Bonne nuit, Amiral.

– Bonne nuit, mon ami.

Madrid, Aranda de Duero, Burgos... Au cours des jours suivants, déjà familiarisé avec les cartes et les guides des postes du XVIIIe, je pus arrêter avec plus de précision l'itinéraire des deux académiciens, choisir les relais et les auberges en calculant en lieues les distances entre eux. Ensuite, je reportai tout sur la carte de Tomás López, et enfin sur un guide routier contemporain. La plupart des voies de communication modernes coïncident avec celles de jadis : les autoroutes et nationales à double sens ont remplacé les anciens chemins qu'empruntaient voitures et chevaux, mais leur tracé est le plus souvent resté le même. Je pus également constater que certains axes secondaires épousent exactement les itinéraires historiques et sont toujours jalonnés par les mêmes toponymes qui figurent sur les guides du XVIIIe : gîtes d'étape de Pedrezuela, de Cabanillas, ou du Foncioso... Ces voies moins fréquentées se révélaient utiles pour mes desseins, parce que, bien qu'asphaltées et avec leur signalisation moderne, elles conservaient la caractéristique des chemins d'antan, qui consistait souvent à chercher le terrain le plus plat et d'accès facile en bordure des cours d'eau, aux abords des ponts, aux gués, dans les défilés et les vallons. En comparant les cartes, je m'avisai que presque rien n'avait changé sur ces petits tronçons de route en deux siècles et demi. En les suivant, je pourrais voir ou recréer avec une exactitude suffisante les paysages que le bibliothécaire et l'Amiral avaient découverts au cours de leur voyage. C'est ainsi que je mis dans un sac quelques anciens guides des postes, une carte des routes actuelles, un appareil photo et un bloc-notes, en vue d'aller voir de mes yeux ces endroits, en empruntant la A-1 entre Madrid et la frontière française.

Auparavant, une tâche m'attendait encore : il me restait à faire certains recoupements. J'avais à ma disposition, sur le XVIIIe siècle, tout un secteur bien rempli de ma bibliothèque, qui incluait ouvrages contemporains, Mémoires, biographies et traités modernes. Un de ces livres, que m'avait recommandé don Gregorio Salvador, *L'Espagne du possible au temps de Charles III*, du philosophe Julián Marías, m'avait été particulièrement utile pour me donner une idée de ce qu'avait pu être la perception du monde de mes protagonistes en route pour Paris. Mes carnets étaient couverts de notes, le point de vue des personnages bien cerné, mais j'avais besoin d'un dernier appui pour m'assurer que mon approche du contexte historique était juste. C'est ainsi que j'ai appelé Carmen Iglesias et que je l'ai invitée à déjeuner.

– Fais-moi un résumé du règne de Charles III et de son échec, lui demandai-je.

– De quel niveau ?

– Comme si j'étais le plus bouché de tes étudiants.

Elle rit.

– Et tu me préférerais pessimiste ou optimiste ?

– Plutôt critique comme tu sais l'être.

– Eh bien, il y a eu beaucoup de bonnes choses, comme tu le sais.

– Oui, mais aujourd'hui, ce sont plutôt les mauvaises qui m'intéressent.

Elle me lança un regard futé.

– Un nouveau roman ?

– Peut-être.

Elle rit encore. Carmen et moi étions amis depuis environ douze ans. Petite, élégante, d'une lucidité démoniaque et comtesse de je ne sais où, elle avait été dans sa jeunesse la préceptrice du prince des Asturies. Elle était aussi l'auteur d'une demi-douzaine d'ouvrages importants sur les idées politiques, et la première femme à la tête de l'Académie royale d'histoire. Ce fut devant le vénérable édifice qui abrite cette institution, à deux pas du carrefour des rues Huertas et León, que je l'attendis un matin, suite à un entretien téléphonique. Il faisait beau, presque chaud. L'idée était de faire un petit tour dans le quartier avant de nous rendre à la taverne Viña Pe, sur la place Santa Ana.

– Charles III a été un bon roi, dans la limite de ce que l'on pouvait en attendre.

Nous marchions en direction de la rue du Prado, non loin de l'endroit où avait vécu le bibliothécaire don Hermógenes Molina. Le quartier, connu sous le nom de Las Letras, a ses particularités : on y trouve le couvent où Cervantès a été mis en terre et, à quelques pas de là, la maison qui hébergea Góngora et Quevedo. Un peu plus loin avait vécu et était mort l'auteur de *Don Quichotte*. Bien évidemment, il ne restait rien de ces anciens logis. Seul celui de Lope de Vega, lui aussi situé dans les environs immédiats, avait échappé à la démolition grâce à l'intercession de l'Académie royale d'Espagne.

– Peut-on, alors, parler de monarchie éclairée ? demandai-je, intéressé.

Carmen ne le confirma pas aussi vite que je m'y étais attendu.

– Seulement dans une certaine mesure, dit-elle après avoir un peu réfléchi. Il ne faut pas voir Charles III comme un roi progressiste au sens actuel du terme ; mais, venu de Naples avec son bagage culturel, il a su s'entourer de gens capables, de ministres compétents aux idées avancées… dont les interventions ont le plus souvent été le reflet fidèle de la philosophie de leur temps. C'est ainsi que le roi a promulgué quelques lois d'un progressisme extraordinaire, même plus avancé qu'en France.

Je commençais à saisir ses nuances d'historienne. Ses réserves.

– Dans certaines limites, bien entendu, conclus-je. « Et nous voilà rendus à l'Église, Sancho, et à tout ce qui va avec. »

Elle prit mon bras, en riant.

– Ce n'est pas tout d'en venir à l'Église. Charles III était un de ces rois aux intentions magnifiques, mais pétris des scrupules de la foi… en lesquels les éléments réactionnaires ont trouvé un terrain d'emprise fécond. À défaut de pouvoir arrêter le progrès, ils pouvaient mettre du sable dans l'engrenage.

– C'était tout de même une époque d'espoir, non ?

– Sans doute.

– Mon impression, c'est que la question de savoir si l'espoir doit venir de la foi ou de la raison est restée irrésolue.

Carmen tomba d'accord avec moi sur ce point. Dans l'Espagne du XVIIIe siècle, ajouta-t-elle, il fallait compter avec le poids de l'Église, et aussi avec celui des traditions et de l'apathie. De la société en elle-même. Dans un monde où les nobles étaient exemptés d'impôts, le travail considéré comme une malédiction, et où l'on se faisait gloire d'avoir des ancêtres qui n'avaient jamais exercé un métier contraignant, la pente habituelle était celle de l'indolence, du refus de tout ce qui pouvait porter atteinte à cet ordre des choses.

Je m'arrêtai pour la regarder. Il y avait derrière elle la vitrine d'une galerie où étaient exposées des gravures anciennes, des planches et de grandes cartes, dont l'une de l'Espagne, sur laquelle je ne pus m'empêcher de suivre, d'un regard distrait, le trajet de mes deux académiciens en direction de la frontière.

– Veux-tu dire que personne n'a sérieusement essayé de remettre ce régime en cause ? Et ce, autant par lâcheté morale que par indolence ? Je croyais que nous avions pourtant eu d'éminents esprits éclairés.

Après avoir lâché mon bras, elle haussa les épaules en plaquant son sac contre sa poitrine.

– Mais nous n'avons pas eu les Lumières, au sens que l'on a donné à ce mot dans divers endroits d'Europe, parce qu'il n'y a jamais eu chez nous un aréopage de philosophes et d'auteurs de traités politiques pour débattre librement des idées nouvelles. Chez nous, le mot *éclairé* a été supplanté par *illustré*, beaucoup plus tempéré. Voilà pourquoi l'Espagne ne figure pas dans l'Europe des Lumières de sa propre initiative, mais comme chambre d'écho. En toute honnêteté, même avec la meilleure volonté, on ne peut comparer Feijoo, Cadalso ou Jovellanos à Diderot, Rousseau, Kant, Hume ou Locke… En réalité, notre « Illustration » s'est arrêtée en cours de route.

– C'est curieux que tu dises ça. Il y a des semaines que je lis des textes de cette époque, de tous les genres, et je n'ai pas une seule fois trouvé le mot *liberté* employé dans un sens positif.

– Tu ne trouveras pas non plus une seule ligne qui remette en cause le pouvoir royal. Et cela alors que près d'un demi-siècle auparavant, le baron d'Holbach avait déjà écrit en France : *Nulle société sur la terre n'a pu ni voulu conférer irrévocablement à ses chefs le droit de lui nuire*.

– Je vois, dis-je avant de récapituler : Roi bien intentionné, ministres éclairés, mais interdiction de franchir les lignes rouges.

– La définition est bonne. De très rares Espagnols ont osé franchir celle du dogme catholique et de la monarchie traditionnelle. Certains le désiraient, mais, comme je te l'ai dit, peu ont osé.

Nous nous étions remis en marche. Sur la place Santa Ana, les tables des terrasses étaient bondées et un essaim d'enfants jouait dans le petit parc voisin. Un accordéoniste assis sous le monument à Calderón de la Barca jouait *Le Tango de la Vieille Garde*. De l'autre côté de la place, un García Lorca coulé dans le bronze, distrait par quelques moineaux, semblait attendre sereinement le prochain peloton d'exécution.

– L'Espagne « illustrée » s'est montrée très prudente, conclut Carmen. Presque anémique, comparée à la France.

J'arrêtais mon regard, que je promenais autour de nous, sur les enfants qui faisaient de la balançoire et sur les gens attablés.

– Il lui a manqué la guillotine, je suppose… je veux dire, ce que cette machine symbolise.

– Ne fais pas ta brute.

– Je dis ça sérieusement.

Elle me fixa d'un œil mi-amusé mi-scandalisé, puis elle sembla méditer la chose.

– Symboliquement, d'accord, acquiesça-t-elle enfin. Ici, il n'y a pas eu de révolution des idées pour ouvrir un passage à d'autres révolutions… Mets en balance l'enracinement profond de notre obscurantisme, le rôle d'étouffoir qu'il a joué sur notre XVIIIe siècle et ce que nous devons aujourd'hui à ceux qui ont alors relevé le défi, quand les conséquences n'étaient pas une page de journal ou un commentaire sur Internet, mais l'exil, le discrédit, la prison ou la mort.

C'est justement de cela qu'ils parlent : de l'Espagne du possible et de celle de l'impossible. Tandis que la berline cahote en roulant vers le nord, que le mauvais état des chemins fait grincer les suspensions et qu'ils reçoivent la poussière soulevée par la voiture qui les précède – ils couvrent cette étape de conserve avec le jeune officier et sa mère dont ils ont fait la connaissance la veille –, don Hermógenes Molina et don Pedro Zárate somnolent, lisent, regardent le paysage ou reprennent leur longue conversation.

– Vous vous grattez, don Hermès ?

– Oui, cher Amiral. Des bestioles minuscules, dont j'ignore la classification zoologique exacte, m'ont piqué toute la nuit.

– Ça alors, quelle malchance. Cette fois, j'ai été épargné.

– Elles ont dû me trouver plus sympathique.

Les deux hommes, qui au cours des années passées ensemble à l'Académie ont seulement échangé entre eux des concepts linguistiques et des formules de politesse conventionnelles, se rapprochent à présent l'un de l'autre, apprennent à mieux se connaître, deviennent plus intimes – si c'est là le mot juste – d'une manière qui confirme le respect mutuel qu'ils se portent et annonce l'amitié. C'est ainsi que se forge doucement, d'une façon encore imperceptible pour les intéressés, le lien solidaire, toujours plus étroit, qui est commun aux natures nobles quand elles se côtoient en partageant imprévus, devoirs ou aventures.

– À quoi pensez-vous, Amiral ?

L'interpellé met quelques instants à détacher son regard de la fenêtre. Sur ses genoux il a posé le livre d'Euler, ouvert, qu'il s'est arrêté de lire depuis un moment.

– Je pense à ce dont nous parlions la nuit dernière. Vous imaginez-vous un enseignement scientifique opposé à la scolastique qui règne dans nos universités, à de rares exceptions près ?... Une Espagne qui, au lieu d'un essaim de théologiens, d'avocats, d'écrivassiers et de latinistes, aurait des géomètres, des astronomes, des chimistes, des architectes et des hommes de science ?

Le bibliothécaire approuve, tout en réservant certaines nuances.

– Une nation dotée de penseurs, de philosophes et de scientifiques ne serait pas mieux gouvernée pour autant, objecte-t-il.

– Peut-être pas. Mais si ces savants pouvaient agir et se prononcer en toute liberté, le peuple serait à même de mieux se prémunir contre les mauvais gouvernements et l'Église.

– Et vous voilà revenu à la charge, dit don Hermógenes en levant une main préventive. Ne mêlez pas encore une fois l'Église à l'affaire, je vous en prie.

– Comment ne pas la mêler à l'affaire ? Les mathématiques, l'économie d'équité, la physique moderne et l'histoire naturelle toujours dénigrées par ceux qui savent énoncer trente-deux syllogismes sur la nature solide ou gazeuse du purgatoire…

– N'exagérez tout de même pas. L'Église aussi respecte la science. Je vous rappelle que Christophe Colomb a reçu son premier appui des moines astronomes et scientifiques du monastère de la Rábida.

– Une hirondelle ne fait pas le printemps, don Hermès, et vingt non plus, réplique l'Amiral qui pose son livre sur la banquette. Deux siècles et demi après Colomb, Jorge Juan, illustre marin que j'ai eu l'honneur de connaître assez bien, me racontait qu'à son retour du voyage en compagnie d'Antonio de Ulloa, parti mesurer le degré d'arc de méridien à Quito, ils furent forcés d'occulter dans leur récit de voyage certaines conclusions scientifiques, parce que la censure ecclésiastique considérait qu'elles allaient à l'encontre du dogme catholique, et furent même contraints de qualifier le système copernicien de *fausse hypothèse*… ce qui me paraît inadmissible. Depuis quand la science doit-elle se plier aux conditions de l'évêque en exercice ?

Le bibliothécaire fait entendre un rire bonhomme.

– Comme il s'agit de marins, je ne suis pas étonné que se manifeste en vous l'esprit de corps.

– La seule chose qui se manifeste, c'est le bon sens, don Hermès. Quand sur un navire il faut prendre la hauteur du soleil avec un octant et que le ciel est couvert, il ne sert à rien de dire un Notre Père… Ce qui au milieu de l'océan vous tire d'affaire, ce sont les cartes marines, les routes au compas et l'astronomie, pas les prières.

La voiture s'est arrêtée. Le bibliothécaire fait coulisser la vitre de la portière pour voir ce qui se passe à l'extérieur.

– Je ne nie pas que vous ayez en partie raison. Je l'admets... Mais je vous prierai de respecter aussi mes points de vue.

– Comme vous voudrez, convient l'Amiral, mais si nous écartions cette chape de superstitions qui nous écrase, nous pourrions dire de ce siècle qu'il est éclairé ou philosophe... un siècle qui avant sa fin, j'en suis sûr, verra l'abandon des subtilités péripatétiques et théologiques, et dont le temps sera mieux employé, en remplaçant leur étude par d'autres, sûres et utiles ; et à la place de la messe quotidienne, du théâtre caldéronien, de la tauromachie, des castagnettes, de l'ostentation et des vociférations nous aurions des observatoires astronomiques, des cabinets de physique, des jardins botaniques et des muséums d'histoire naturelle... Que regardez-vous ainsi ?

– Il est arrivé quelque chose. L'autre voiture est aussi arrêtée.

Ils ouvrent la portière. Le jeune Quiroga est descendu du coche et se dirige vers eux.

– Une de nos roues s'est brisée, leur apprend-il. Le cocher essaie de la réparer, avec l'aide du vôtre.

– Le dommage est grave ?

– On ne sait pas encore. Il est possible que l'essieu soit détérioré.

– Quel contretemps fâcheux. Madame votre mère se trouve-t-elle bien ?

– Tout à fait, merci.

Les académiciens descendent de la berline. L'Amiral met sa main en visière pour parcourir les alentours du regard, sous une lumière ardente. Le chemin court dans la rocaille avant de plonger dans un vallon couvert de chênes rouvres et de quelques saules et oliviers. Sur une hauteur qu'ils ont dépassée se dressent les vestiges d'un château en ruine, dont ne restent debout qu'une tour quasi évidée et un pan de mur.

– Nous en profiterons pour lui présenter nos respects, si vous le permettez.

Le jeune officier sourit, reconnaissant. Ses cheveux ne sont pas poudrés et, sous le tricorne galonné – seul détail de sa tenue civile qui signale le militaire, en fait le lieutenant du régiment des gardes espagnoles –, il a un visage aux traits agréables, tanné par le soleil et le grand air. Ils lui donnent entre vingt-trois et vingt-cinq ans.

– Certainement. Elle sera ravie de pouvoir s'entretenir un moment avec quelqu'un d'autre que moi.

Les académiciens mettent leur chapeau et ils se dirigent tous les trois vers l'autre voiture, pendant que le jeune Quiroga dévoile son inquiétude à propos de la roue : quelques boulons ont sauté, ce qui a entraîné une déformation du moyeu et l'éclatement d'un rayon. Or, le pont de bois sur la Riaza, en mauvais état, est impraticable aux voitures et, en pareille conjoncture, une pièce mal réparée peut entraîner des complications lors de la traversée du gué, en aval.

– Ce n'est pas la seule embûche à prendre en considération, remarque l'Amiral en scrutant encore les alentours.

Le jeune homme suit son regard et comprend aussitôt de quoi il retourne.

– L'endroit est dangereux, convient-il en baissant la voix. En pleine nature et à deux lieues d'Aranda… C'est la rouvraie qui vous inquiète ?

– Oui.

– Vous pensez à ces rumeurs que nous avons entendues au gîte ? demande le bibliothécaire, inquiet.

– Assurément, répond l'Amiral. Rappelez-vous, don Hermès, que c'est la raison pour laquelle nous faisons cette étape en compagnie du lieutenant et de madame sa mère. Pour mieux nous protéger.

– Diantre. Nous sommes cinq hommes, en comptant les cochers… c'est un nombre, non ?

– Tout dépend du nombre de pendards, s'ils rôdent dans le coin. Nous n'avons que les deux escopettes des cochers et mes pistolets de voyage.

– J'ai les miens moi aussi, signale le jeune Quiroga. Ainsi que mon sabre réglementaire.

L'Amiral pousse un soupir, inquiet.

– Avec madame votre mère sur le terrain, résister en cas

d'attaque peut présenter un trop grand risque... Ce serait la soumettre à des commotions désagréables.

Le jeune homme sourit.

– N'en croyez rien. La colonelle a un certain caractère. En tant qu'épouse de militaire, elle en a vu d'autres.

En conversant, ils sont arrivés au coche, près duquel s'échinent les deux conducteurs. C'est Zamarra qui les informe des dégâts : le moyeu d'une roue s'est déformé et a fait éclater le bois, comme ils le craignaient ; mais, de plus, l'essieu arrière a été endommagé. S'ils ne parviennent pas à le réparer, la voiture et son cocher devront rester sur place, et tous les voyageurs poursuivre leur route dans la berline jusqu'à Aranda de Duero, d'où ils pourront envoyer les outils nécessaires et une roue de remplacement. Si ces messieurs n'y voient pas d'inconvénient, bien entendu.

– Ma mère et moi n'aimerions pas vous retarder, ni vous importuner, dit le jeune officier, gêné.

– Pardieu, lieutenant, il ne manquerait plus que ça.

La veuve Quiroga, descendue de la voiture, fait quelques pas sur le bord du chemin où ont fleuri coquelicots et trèfles. Ses vêtements noirs, qui perpétuent son deuil, mettent dans le paysage une touche sombre que dément le sourire avec lequel elle accueille les académiciens.

– Un regrettable accident, remarque l'Amiral en se découvrant avec courtoisie, à l'instar du bibliothécaire.

La veuve les rassure. Elle accepte tout naturellement les incommodités du voyage, auxquelles elle s'est habituée du vivant de son mari.

– D'après ce que dit votre cocher, il faudrait aller tous ensemble jusqu'à Aranda...

– Ce sera un plaisir, madame, de vous offrir notre moyen de transport.

– Nous y serons un peu à l'étroit, peut-être, mais mon fils et moi auront ainsi l'agrément de votre conversation.

Tout en parlant, elle les observe l'un et l'autre, mais s'adresse à l'Amiral. Sous le chapeau de feutre, les dentelles et les rubans de la colonelle, il y a de grands yeux, très noirs et vifs. Elle doit avoir au moins quarante-cinq ans et n'est ni belle ni laide, mais elle a encore beaucoup d'allure et un certain charme. Don

Hermógenes considère tout cela d'un regard flegmatique, de même qu'il a remarqué le maintien vaguement compassé de son compagnon, sa façon d'ajuster sa cravate tandis qu'ils se rapprochaient d'elle, ainsi que la distinction avec laquelle il se tient maintenant droit, met d'une main chapeau bas et pose l'autre comme par inadvertance à la hauteur de sa taille sur le frac soigneusement coupé par ses sœurs d'après les revues de mode anglaises ; le vêtement impeccable, au goût du jour, sied au vieux marin et met en valeur l'allure gaillarde qu'il conserve malgré un âge qu'il n'avoue jamais – aimable et excusable coquetterie, au regard plein de bonté du bibliothécaire – alors qu'il doit avoir franchi le cap de la soixantaine.

– Peut-être pourrions-nous faire quelques pas dans le vallon, propose la veuve. La rivière est proche, et j'ai bien peur que nous ayons beaucoup de temps devant nous.

– Excellente suggestion, dit don Hermógenes pour appuyer la proposition, avant que son sourire d'encouragement s'estompe quand il surprend le regard inquiet que viennent d'échanger l'Amiral et le jeune Quiroga.

– Je ne sais pas si c'est une bonne idée, mère, dit ce dernier.

– Pourquoi ? Puisque nous sommes…

La colonelle s'interrompt, en portant une attention accrue à l'expression de son fils. Celui-ci observe sourcils froncés la rouvraie proche, à l'orée de laquelle vient d'apparaître une demi-douzaine de silhouettes humaines, encore distantes.

– Savez-vous tirer ? demande le jeune homme.

Don Hermógenes avale sa salive, visiblement accablé.

– Ma foi, pour ce qui est de tirer… enfin, de tirer vraiment…

– Mieux vaudrait, intervient l'Amiral, maître de lui, que madame retourne à la voiture, et que j'aille chercher mes pistolets.

Assis dos appuyé contre le pan du mur encore debout des ruines du château, à l'ombre de la tour découronnée et creuse au faîte de laquelle on aperçoit un nid de cigognes, Pascual Raposo chasse les mouches, mastique un morceau de fromage, dont il recrache la croûte, et pour finir boit quelques gorgées de vin et repose l'outre à côté de la selle. Il découpe ensuite au couteau un peu de tabac qu'il plie et presse avec soin dans une feuille de papier dont il ferme les deux bouts d'une torsion. Puis il prend un petit morceau d'amadou, le briquet en acier et la lame de silex, allume le cigare et fume indolemment tout en observant d'un regard détaché ce qui se passe deux cents verges plus avant au bas du versant. De cette hauteur, il peut voir commodément sans être vu le chemin où les deux équipages sont arrêtés, la rouvraie proche et le cours de la rivière, un peu plus loin. Il peut aussi distinguer la demi-douzaine d'hommes qui se rapprochent tout doucement du chemin, à la lisière du bois, en formant un ample demi-cercle dans la rocaille. Les gaillards sont trop loin pour qu'il puisse les étudier avec précision, mais son œil exercé ne manque pas de lui apprendre qu'ils tiennent dans leurs mains des escopettes et des tromblons. Quant aux voyageurs, ils se sont repliés près des voitures, et la dame est dans la berline. Les cochers, armés de leurs carabines, protègent le coche. Pour sa part, le jeune homme a son sabre dans une main et un pistolet dans l'autre. Raposo ne peut voir les académiciens, parce que la voiture les lui cache, mais ils doivent eux aussi être armés.

Les détrousseurs sont maintenant plus près des équipages, et l'un d'eux agite les bras, comme pour demander aux voyageurs de se faire une raison. Avec une curiosité flegmatique, l'ancien dragon sort de sa sacoche une longue-vue à tirages, qu'il déploie et approche de son œil droit après avoir rejeté son chapeau en arrière. Le cercle de l'oculaire lui permet de mieux voir le malandrin qui a levé le bras, et dont l'aspect est presque tel que le présentent les poncifs : chapeau en pointe, veste courte et chausses de cuir, court tromblon pendu à l'épaule. Ses complices, comme Raposo peut s'en rendre compte en déplaçant la lunette, sont eux aussi de véritables caricatures prises sur le vif : foulards, bonnets de drap à pointes et chapeaux calañes sur des visages basanés aux longues barbiches, courtes escopettes, navajas et pistolets glissés dans la ceinture. Ils n'ont rien à voir avec les villageois et les bergers qui, pendant les temps de disette, les plus nombreux, se dédommagent en mendiant ou en dévalisant les malheureux qu'ils croisent sur leur route. Ces énergumènes sortis du bois, beaucoup plus dangereux, sont du coriace gibier de potence.

Les deux voitures et les voyageurs se trouvent encore à une trentaine de verges des scélérats qui se rapprochent. Intéressé, Raposo braque la lunette sur les cochers, retranchés derrière le véhicule endommagé. À quinze pas, près de l'autre équipage, se tiennent les deux académiciens et le jeune gentilhomme. Celui-ci s'est posté devant la portière de la berline pour protéger sa mère, qui est à l'intérieur, et l'assurance avec laquelle il tient sabre et pistolet indique qu'il sait se servir de ses armes. Des deux académiciens, Raposo ne peut voir pour l'instant que le plus petit, bien en chair, qui ne semble pas à son aise en de pareilles circonstances : il a ôté sa veste et, en justaucorps et manches de chemise, appuyé contre une roue comme pour s'assurer plus fermement sur ses jambes, il braque un pistolet avec autant d'allure et de résolution que s'il tendait une carotte. Le second académicien a enfin fait un léger mouvement, et la longue-vue permet à Raposo de bien l'observer : figé, taciturne, grave, il protège l'autre portière de la berline avec un pistolet qu'il tient presque avec nonchalance, bras le long du corps, le canon pointé vers le sol. À ce moment-là, sa main libre boutonne avec un soin minutieux la veste du frac dont les larges pans tombent sur la culotte sombre et les bas gris, allongeant sa haute silhouette.

– Tiens, tiens, murmure Raposo, admiratif. On dirait que mes dindons ne vont pas se laisser plumer si facilement que ça.

Il a écarté la lunette pour tirer sur son cigare et une détonation retentit à cet instant précis dans le val. Raposo se précipite, colle son œil à la longue-vue, et la première chose qu'il voit, c'est un des brigands qui a mordu la poussière et agite le bras. D'autres coups de feu retentissent, dont les collines répercutent les échos, de petits nuages de fumée de poudre parsèment la rocaille et le chemin. Raposo déplace rapidement l'oculaire de l'un à l'autre des combattants, en saisissant de fugaces fragments de la scène : les bandouliers qui déchargent leurs escopettes et leurs tromblons, les cochers qui défendent la première voiture, le jeune gentilhomme qui tire, puis recharge avec beaucoup d'aplomb ses pistolets. Il peut aussi voir nettement dans le cercle de la lentille le plus grand des deux académiciens avancer de trois pas avec une fermeté et un sang-froid remarquables, tendre le bras comme pour un duel d'honneur, faire feu et, avec le même sang-froid apparent, reculer, aller vers l'autre académicien, s'emparer du pistolet que celui-ci braque toujours sans avoir encore appuyé sur la détente, puis refaire quelques pas vers les assaillants et tirer de nouveau, indifférent aux plombs qui sifflent près de lui.

Le sbire pose la longue-vue et, le cigare fumant entre les doigts, assiste avec plaisir à la fin du spectacle : le gredin qui était par terre s'est levé et, en sautillant parce qu'il boite bas, prend à la suite de ses compères la poudre d'escampette en direction du bois. Les cochers lancent des cris d'allégresse, le jeune gentilhomme et l'académicien potelé se penchent à l'intérieur de la berline pour porter assistance à la colonelle. À quelques mètres de là, immobile sur le talus, une arme déchargée à la main, l'académicien de haute taille regarde décamper les malfaiteurs.

La voiture roule sur un mauvais chemin étroit bordé de vignes et s'éloigne des rives et des ravins de la Riaza, qu'ils ont traversée un peu plus tôt. C'est le cocher Zamarra qui conduit l'attelage, juché sur son siège, et les quatre voyageurs sont installés à l'intérieur de la caisse. Par déférence envers leurs invités, l'Amiral et don Hermógenes ont pris place à l'opposé du sens de la marche ; la veuve Quiroga et son fils sont assis sur la banquette principale. Ils commentent encore les moindres circonstances de l'aventure. La dame ouvre et ferme son éventail tout en conversant avec une grande désinvolture et une admirable présence d'esprit malgré ce qui est arrivé, et le jeune officier apporte une bonne humeur bien de son âge et de son rang. Pour sa part, don Hermógenes confesse son admiration pour une telle conduite dans un affrontement dont il n'est pas encore revenu.

– Ce sont là les résultats de politiques désastreuses, dit-il : des lois que l'on n'applique pas, des impôts injustes, une insécurité qui nous fait honte devant les nations civilisées, le défaut d'une loi agraire qui réformerait l'Espagne des grands domaines tenus par une poignée de nobles… toutes ces choses jettent sur les routes des gens aux abois, bientôt contrebandiers et malfaiteurs, qui nous exposent à des dangers comme celui auquel nous venons d'échapper.

– La noblesse espagnole a acquis honorablement ses privilèges, objecte le jeune Quiroga. Huit siècles de lutte contre les Maures, les guerres d'Europe et d'Amérique ont plus que suffisamment démontré sa valeur… Elle a ses mérites, à mon avis.

– Ses mérites ? s'étonne aimablement don Hermógenes. Jadis, les nobles levaient à leurs frais des troupes pour servir le roi, alors qu'ils lèvent aujourd'hui des armées de laquais, de perruquiers et de tailleurs… Vous incarnez tout le contraire, cher lieutenant. Votre père a été un digne militaire, comme son fils, qui vient d'en faire une démonstration éclatante. Qu'ont-ils à voir, ces aristocrates actuels, avec les hauts faits accomplis au XIe siècle par un de leurs ancêtres ou tel Grand d'Espagne, et que doit-on à l'arrière-arrière-petit-fils de tel ou tel duc aujourd'hui détenteur de propriétés immenses qu'il ne fait même pas cultiver comme il se doit et desquelles il se désintéresse, si ce n'est quand il veut s'offrir des attelages à quatre mules, des loges au théâtre, fréquenter les palais royaux et flâner sur le Prado à l'heure de la sieste.

– Sur ce point, vous avez peut-être raison, remarque la veuve Quiroga.

Don Hermógenes sourit, mi-résigné, mi-mélancolique.

– Oui, il se peut. Malheureusement. Je préférerais qu'il n'en soit pas ainsi. Parce que tout cela, madame, se passe dans une Espagne qui continue à défricher les terrains avec des araires sans coutre, ni soc, ni versoir, ce qui augmente la friction et complique le travail des bœufs… Une Espagne où l'on dépend encore le plus souvent des vents pour vanner le blé, en ignorant l'existence de la batteuse inventée par Reiselius, que d'autres pays utilisent le plus normalement du monde.

– Et dont certains de nos ecclésiastiques condamnent l'usage par écrit, souligne don Pedro Zárate.

Tous le regardent. Il était resté quasi silencieux jusqu'alors, n'intervenant que de façon détachée dans la conversation.

– Ne commençons pas, cher ami, supplie le bibliothécaire. Je ne crois pas que devant madame…

– Au contraire, dit la veuve, dont l'attention s'est portée sur l'autre académicien, l'opinion de monsieur m'intéresse.

– Il n'y a pas grand-chose à dire, répond celui-ci, sinon que l'invention dont parle don Hermógenes a été critiquée par l'Église.

– Pour quelle raison ? demande le jeune Quiroga, surpris.

– Parce que, en ôtant la dépendance de la providence, celle d'un vent favorable, elle devient impie.

Le jeune homme éclate joyeusement de rire.

– Je vois. Il y a là un problème d'intercession, je suppose. De protection du monopole.

– Luis, je t'en prie, le tance sa mère.

– Votre fils a raison, chère madame, dit l'Amiral. Ne lui tirez pas les oreilles à cause de nous… C'est un jeune esprit vif, et il a vu juste. L'affaire est malheureusement vieille comme le monde.

Don Pedro examine attentivement le jeune officier, ses bottes en bonne peau d'Espagne, le foulard de soie violet du col de sa veste, la culotte et le baudrier de daim, le justaucorps fermé par sa douzaine de boutons d'argent. Rien à voir, conclut-il, avec les précieux aux atours féminins, leurs mouches sur le visage, leurs cheveux poudrés et leurs boucles en ailes de pigeon qui envahissent les salons et les loges des théâtres, et rien à voir non plus avec ces poseurs qui, cheveux en résille et peu regardants, se rassemblent au petit bonheur pour aller s'encanailler avec la pègre dans les tripots gitans, les tavernes de toreros et les bals populaires.

– Lisez-vous, jeune homme ?

– Peu. Pas autant que je le devrais.

– Souhaitons que vous ne négligiez pas la lecture. À votre âge, lire c'est l'avenir.

– Je ne suis pas sûre que tant de lectures soit une bonne chose, remarque la mère du jeune homme.

– Bannissez ces craintes, chère madame, répond don Hermógenes. L'abondance actuelle des lectures, que certains en Espagne considèrent toujours comme un vice, donne même aux femmes et au bas peuple accès aux lumières qui, hier encore, n'étaient répandues, quoique chichement, que parmi les gens cultivés, poursuit-il, puis il se tourne vers don Pedro pour chercher son approbation. N'est-il pas vrai, Amiral ?

– C'est là l'espoir, acquiesce celui-ci après une brève réflexion. Une jeunesse lucide et audacieuse comme notre lieutenant. Avec des lectures appropriées. Des gens qui déchirent le voile du temple.

À ces derniers mots, la mère du jeune homme se signe et sourit à son fils. Don Hermógenes s'agite de nouveau sur son coin de banquette, sentant venir un nouvel orage.

– Il y a des temples de toute sorte, Amiral…

Son collègue lui fait un clin d'œil vaguement narquois.

– Vous savez très bien auquel je pense.

– Grâce. Ne recommençons pas.

– Il ne faut nullement vous scandaliser si je parle de temples, chère madame, prie don Pedro en s'inclinant vers la veuve, qui cesse de s'éventer et le regarde dans les yeux. Je n'avais pas l'intention de m'aventurer dans cette voie. Quand je dis cela à votre fils, je pense aux jeunes Espagnols impatients de s'affranchir du monde de leurs aïeux… Aux militaires tels que lui, courageux mais aussi formés dans de doctes universités, qui lisent et connaissent la géométrie et l'histoire.

– Ou aux marins, ajoute avec une noblesse joviale le jeune Quiroga.

– Bien entendu. Je pense aussi aux hommes de mer éclairés qui développent le commerce, explorent les frontières de la planète et de la science. Qui ouvrent les portes de la raison et de l'avenir.

– Des gens d'esprit et des patriotes, renchérit don Hermógenes.

– C'est cela… Des jeunes gens capables d'éclairer leur siècle, résolus à ne mettre en lumière que les œuvres destinées à avoir pour leurs compatriotes une utilité physique ou morale.

– Vous entendre parler ainsi me touche, reconnaît le lieutenant Quiroga.

– Moi aussi, dit sa mère.

Don Pedro a une expression bienveillante de contentement.

– Tel est, à mes yeux, le patriotisme dont un jeune militaire doit faire preuve, poursuit-il. Et non pas celui de ces patins de salon qui croient qu'aimer leur pays consiste à en couvrir les défauts et à en épouser les bassesses, sans avoir vu d'autre feu que celui de leur cigare, qui traînent leur sabre dans les cafés, vocifèrent entre deux menuets comme si c'était à eux que l'on devait la prise de Port-Mahon, et n'ont que mépris envers ceux qui relèvent leurs manches pour apprendre comment déterminer en mer la longitude à l'aide d'une montre ou écrire un traité des techniques militaires.

– Peut-être ignorez-vous, intervient don Hermógenes, que l'on doit à monsieur Zárate y Queralt un dictionnaire de marine aussi admirable qu'utile. En sus de ses travaux à l'Académie royale espagnole.

– Oh là là ! s'exclame la veuve, admirative, en les regardant l'un et l'autre. Vous appartenez à une intéressante assemblée de savants, n'est-il pas vrai ? Une sorte de police de la langue castillane, me semble-t-il.

– De notaires plus que de policiers, précise le bibliothécaire. Ce que nous faisons, dans la mesure du possible, c'est enregistrer le sens que les locuteurs donnent aux mots, et leur signaler à l'aide de notre Dictionnaire, avec ses précis d'orthographe et de grammaire, les mauvais usages qui la défigurent… Toutefois, en dernière instance, le maître d'une langue est le peuple qui la parle. Les termes qui aujourd'hui nous paraissent d'emprunt et vulgaires peuvent finir, avec le temps, par entrer dans le fonds commun de la langue.

– Et quand cela arrive, que faites-vous, vous et vos collègues ?

– Nous attirons l'attention sur les emplois corrects, tels qu'on les trouve chez nos meilleurs auteurs. Nous nous référons au bon usage de la langue pour définir les critères. Mais si un emploi fautif se propage d'une façon irrémédiable, il ne nous reste plus qu'à accepter le fait accompli… Après tout, les langues sont des instruments vivants, en évolution constante.

Le jeune Quiroga intervient alors, intéressé.

– Donc, sans l'Académie, nous parlerions comme dans ce mauvais théâtre qui imite Lope de Vega et Calderón ?

– Voilà une remarque qui dénote votre bon goût, estime don Hermógenes, flatté. Et vous avez raison. Bien qu'il y ait plutôt là un mélange de sottises archaïques et de jargon vulgaire.

– Une langue abâtardie et brouillonne, précise l'Amiral.

– C'est pourquoi, poursuit le bibliothécaire, nous tâchons de débroussailler et de moderniser la langue castillane. De donner les références érudites pour la rendre plus exacte, plus belle et plus efficace.

– Votre voyage en France est-il lié à cela ? demanda la colonelle.

– En quelque sorte, oui. Nous allons consulter certains livres… Des sujets utiles pour notre Dictionnaire…

Don Hermógenes va poursuivre, mais il s'interrompt, se demande s'il peut en rester là et finit par se tourner vers l'Amiral pour réclamer son aide.

– Des étymologies françaises, tranche celui-ci.

– Oui, des étymologies.

La colonelle s'évente, fascinée par la conversation. Peut-être bien aussi par le sobre don Pedro Zárate, qui demeure l'objet de son attention.

– C'est extraordinaire, déclare-t-elle. Votre travail montre bien à quel point vous aimez notre langue… J'imagine que vous devez bénéficier de la protection de Sa Majesté le roi.

Les deux académiciens échangent un regard, celui de don Hermógenes est gêné, celui de don Pedro ironique.

– Nous bénéficions de la sympathie de Sa Majesté, commente ce dernier. Pour ce qui est des deniers royaux, c'est une autre affaire.

Le jeune Quiroga rit et, admiratif, tourne la tête d'un côté à l'autre.

– Voilà, il me semble, une digne façon de servir la patrie.

– Je suis heureux qu'un militaire voie l'affaire sous ce jour.

Le jeune homme se donne une légère tape sur le front, comme on le fait parfois quand une évidence se dévoile soudain à nous.

– Mais j'y suis, diable !

– Je t'en prie, Luis, le réprimande la veuve.

– Pardonnez-moi, mère… Je viens de me rappeler que je connais le dictionnaire de marine de monsieur Zárate y Queralt. J'ai eu l'occasion de le consulter à l'école militaire ; mais je n'avais pas encore fait le rapprochement avec le nom de son auteur.

Don Pedro a un geste évasif, d'indifférence élégante.

– Mon cher lieutenant, peu importe que tel ou tel livre soit de moi ou d'un autre… souligne-t-il. Votre agréable conversation suffit à m'apprendre qu'ils ne vous sont pas étrangers. Et, pour en revenir à ce dont nous parlions, nul ne peut être sage sans avoir lu au moins une heure par jour, sans s'être constitué une bibliothèque, aussi modeste qu'elle soit, sans maîtres à respecter, et sans être suffisamment humble pour poser des questions et tirer profit des réponses… Ce afin d'éviter que l'on puisse jamais lui prêter, comme on pourrait le faire avec nombre de nos compatriotes, les paroles que Socrate fit dire à Euthydème : *Je ne me suis pas mis en peine de prendre un précepteur habile : au contraire, j'ai toujours eu de la répugnance à recevoir des leçons ; j'ai même craint qu'on ne me soupçonnât du contraire.*

– Nous sommes d'accord. C'est exactement ce que m'a enseigné mon défunt père.

– Ce dont je puis faire foi, confirme, tranchante, la veuve Quiroga.

– Je m'en réjouis, parce que c'est là être véritablement éclairé. Il s'en trouve pour croire que cela consiste à dire du mal de l'Espagne au lieu de pointer du doigt les maux réels qui l'affligent ; pour lever les yeux au ciel, se moquer de nos aïeux et feindre d'oublier leur langue maternelle en truffant leur conversation d'un jargon franco-italien, à grand renfort de *toeleta,* de *petivú*, de *pitoyable* et de *troppo sdegno* qu'ils empruntent à leur perruquier, leur maître de danse, aux chanteuses d'opéra et aux cuisiniers qu'il est désormais de bon ton d'inviter à sa table… Et tout cela alors même que l'on persécute les scientifiques, que l'on dédaigne ceux qui les fréquentent et que l'on considère les philosophes, les mathématiciens et les poètes comme des bouffons ou des phénomènes de foire auxquels le premier gamin venu se croit autorisé à lancer des pierres.

– Il me semble que nous arrivons à Aranda de Duero, annonce don Hermógenes, qui a poussé la vitre de la portière, à la fenêtre de laquelle il se penche pour s'en assurer.

Tous font de même. Le bruit des roues de la berline devient plus sec en roulant sur le pavé d'une rue qui a l'air d'être l'artère principale de l'endroit ; le couchant, qui passe du rouge au noir, est oblitéré par d'épais nuages au-dessus des toits des maisons proches. La localité de moyenne importance compte deux ou trois mille foyers, deux couvents et quelques tours d'églises. Sur la place où la voiture fait halte, il y a un gîte d'étape et une auberge d'apparence correcte devant laquelle descendent les voyageurs qui s'étirent, pendant que le cocher décharge les bagages. Tandis que don Hermógenes accompagne la veuve Quiroga, le lieutenant et don Pedro se dirigent vers la mairie pour signaler la tentative de détroussement subie dans la rouvraie. Quand ils en ressortent, il fait nuit. Tout en marchant sous les arcades en direction de la lanterne qui signale la porte de l'auberge, seul éclairage des environs, le jeune officier et l'académicien croisent un cavalier solitaire, drapé d'ombre, qui traverse la place au pas en laissant flotter la rêne sur le cou de sa monture.

4
À propos de bateaux, de livres et de femmes

Il n'y a pas encore bien longtemps qu'on a reconnu que le terme de « hasard » n'exprimait que notre ignorance où nous sommes des causes de certains effets, et que ce hasard diminue à proportion que l'intelligence de l'homme augmente.

A. DE PARCIEUX,
Sur les probabilités de la vie humaine

Il faisait encore soleil quand, en début de soirée, je m'assis à une table d'une terrasse sur la grand-place d'Aranda de Duero. Je demandai du café, ouvris deux livres et une carte que j'avais mis dans mon sac de voyage, et m'assurai que tout concordait ici avec les guides des chemins du XVIIIe : les relais et les gîtes de Milagros et de Fuentespina, le vieux pont sur le Duero, les vignobles. Même la voie qui quittait l'autoroute A-1 pour rejoindre l'agglomération épousait exactement l'ancien chemin tracé par les roues des diligences et les fers des chevaux. Je restai un moment assis, à prendre des notes, en me remémorant la brève mention que le marquis d'Ureña dans son récit de voyage en Europe avait faite de l'endroit en 1787 :

Aranda compte deux paroisses, deux couvents de moines et deux de moniales. Le bourg, qui vaut un peu mieux que celui de Ségovie, a une auberge incommode et un autre gîte plus médiocre...

La grand-place d'Aranda avait beaucoup changé depuis le passage des académiciens, plus de deux siècles auparavant ; mais elle conservait sa disposition originelle, quelques édifices de l'époque et une grande partie des vieilles arcades sous lesquelles, cette nuit-là, en revenant de la mairie, marchaient don Pedro Zárate et le jeune Quiroga quand ils avaient croisé, sans l'avoir encore jamais vu, Pascual Raposo. Il me fallait maintenant concevoir l'atmosphère requise pour recréer une scène d'intérieur, un repas amical et une conversation agréable entre l'Amiral, le bibliothécaire, la veuve et son fils. N'importe lequel des bars ou des restaurants proches aurait pu se trouver à l'endroit occupé par le gîte *médiocre* et l'auberge *incommode*, termes qui, au XVIIIe siècle, étaient synonymes de mal aménagé, pauvre ou misérable. Pour ce dernier logement, l'auberge, je décidai de la situer dans l'un des plus anciens édifices à portiques ; je m'en approchai et il me parut idoine, avec sa grande porte qui, en un autre temps, avait dû donner sur une cour intérieure avec remise et écurie. De là, en regardant de l'autre côté de la place, je vis un bar dont l'emplacement aurait pu tout à fait convenir à celui du gîte mentionné par Ureña.

Quant à l'intérieur de l'auberge, le récit du marquis ne laissait aucune latitude au luxe. Ce devait être, sans doute, un de ces espaces où règne la plus grande incommodité. Les récits de voyages dans l'Espagne de ce temps abondent en descriptions appropriées, aussi était-il aisé d'imaginer dans la salle basse une seule et large table en bois de chêne brut, placée près d'une grande cheminée noire de suie, des chaises de roseau tressé avec leur dossier inconfortable, au plafond un lustre dont les bougies de cire jaune fusent, une cuisine où il vaut mieux ne pas mettre son nez, à côté de la porte de laquelle est pendue la guitare de l'aubergiste, et un escalier de bois grinçant qui conduit aux chambres, chaulées et mal pourvues de couvertures et de paillasses. Je décidai de réserver les puces et les punaises pour une autre occasion, un de ces gîtes fréquentés par les muletiers et les cavaliers de passage. Je supposai que quelque maritorne travailleuse aurait par bonheur aéré et lavé le jour même avec de la lessive de cendre – la *lexía* du *Dictionnaire de la langue castillane* de l'Académie royale espagnole – les chambres de l'auberge d'Aranda, et donné un peu d'allure au logement. Dans la cuisine, à trois réaux la livre d'agneau, cinq sous la miche de pain et huit sous le quart de vin, fricassait pour les nouveaux venus un plat de viande, de pois chiches et de lard.

– Ça sent divinement bon, dit don Hermógenes en nouant la serviette autour de son cou.

L'aubergiste pose devant eux une marmite généreusement garnie et fumante, tous se servent en remplissant leurs assiettes. Avant l'entrée en matière, la veuve Quiroga dit un court bénédicité, à la fin duquel tous se signent, excepté l'Amiral, qui se borne à garder respectueusement la tête baissée. Ils sont seuls dans la salle à manger, parce que Zamarra dîne à la cuisine, et que deux commerçants d'Estrémadure qui étaient attablés à leur arrivée se sont retirés depuis un moment. Les émotions de la journée leur ont ouvert l'appétit, et le repas se déroule agréablement, entre évocations cocasses des coups de feu échangés un peu plus tôt, marques de courtoisie et de déférence des académiciens envers la colonelle, qui se laisse choyer, satisfaite : son fils lui sert du vin coupé d'eau et don Hermógenes lui réserve les meilleurs morceaux d'agneau et tranche son pain. De son côté, l'Amiral mange presque tout le temps en silence, pensif, en écoutant avec courtoisie quand on l'inclut dans la conversation ; alors, il intervient de façon brève et opportune, conscient, par ailleurs, des regards d'intérêt que la veuve, assise en face de lui, lui adresse entre deux propos et deux bouchées.

Le dîner s'achève, on déplace les chaises pour les rapprocher du feu et converser encore un peu après le repas. L'aventure du matin alimente leur excitation, ce pourquoi le sommeil, supposent-ils, tardera à venir. Le jeune Quiroga demande à sa mère la permission de fumer, va chercher sa pipe et allume un peu de tabac, jambes étendues, pieds calés contre le socle de la cheminée. Entre deux goulées de fumée, en bon militaire qui s'y connaît, il fait l'éloge du sang-froid qu'a montré don Pedro Zárate lors de l'escarmouche avec les voleurs de grand chemin.

– Il saute aux yeux, monsieur, que vous êtes rompu au combat.

L'Amiral sourit vaguement en regardant se consumer les braises dans la cheminée.

– C'est vous qui avez été très gaillard et résolu, dit-il en retournant le compliment. Le premier venu pourrait dire que vous êtes déjà allé au feu.

– Je n'ai pas encore eu ce bonheur. Quoique, si vous parlez de ma connaissance des armes et du tir, c'est tout naturel, de par mon métier : être disponible pour ce que requiert le service du roi.

– Dieu veuille que le service de Sa Majesté te réclame pour autre chose, dit sa mère sur un ton de reproche. Il est terrible d'élever un enfant pour le voir conduit à la guerre… J'ai subi bien assez de bouleversements du vivant de ton pauvre père.

Le jeune homme rit, serein, en tirant sur sa pipe.

– Mère, je vous en prie, reprenez-vous… Je ne sais ce que vont penser ces messieurs.

– Ne vous inquiétez pas, lieutenant, intervient don Hermógenes. Nous ne doutons pas de vous, qui êtes un jeune homme de bon goût, un bel esprit dont la conversation est brillante. Mais une mère est toujours une mère.

Un court silence s'ensuit, comme si les paroles du bibliothécaire incitaient à la réflexion. Un tison isolé à moitié consumé émet de la fumée qui monte hors du manteau de la cheminée et fait larmoyer la veuve ; celle-ci s'évente pour ne pas suffoquer. En se penchant au-dessus du foyer, l'Amiral saisit le tisonnier et repousse le brûlot. En levant les yeux, il croise de nouveau le regard de la veuve Quiroga.

– Avez-vous combattu en mer, monsieur ? lui demande-t-elle.

Don Pedro met quelques instants à répondre.

– Un peu, oui.

– Il y a longtemps ?

L'éclat des braises proches rougit les visages, accentue la couleur des joues de l'Amiral, parcourues de minuscules veinules violettes.

– Très longtemps… Il y a plus de trente ans que je n'ai plus foulé le pont d'un navire. J'ai surtout été un marin théoricien... un marin d'eau douce.

– Pas si douce que ça, fait observer don Hermógenes. À mon avis, notre ami est modeste et se soustrait beaucoup de mérite. Avant de se consacrer à l'étude et à son dictionnaire de marine, il a participé à quelques exploits maritimes d'importance...

– Par exemple ? demande la veuve en cessant de s'éventer.

– Eh bien, pour le moins à la bataille de Toulon, que je sache, lui répond le bibliothécaire. Au cours de laquelle, c'est connu, les Anglais en ont pris pour leur grade... N'est-ce pas, cher ami ?

Pour toute réponse, l'Amiral se contente de sourire, toujours penché sur les braises, qu'il attise à l'aide du tisonnier. Le jeune Quiroga, qui a fini sa pipe, ôte ses pieds du socle de la cheminée et se dresse, avec une sorte d'avidité.

– Vous étiez à Toulon, monsieur ? En quarante-quatre ? Seigneur, ç'a été une rude affaire, d'après ce que j'ai entendu dire. Une journée glorieuse.

– Vous n'étiez pas encore né.

– Peu importe. Quel Espagnol n'en connaît pas les moindres épisodes ?... Vous deviez être très jeune, alors.

Impassible, l'Amiral ignore l'allusion à son âge. Au bout d'un moment, il se contente de hausser les épaules.

– J'étais enseigne de vaisseau à bord du *Real Felipe*, un bâtiment de cent quatorze canons.

Le jeune Quiroga lance un court sifflement d'admiration.

– Mais c'est le navire qui a essuyé le plus fort du combat, d'après ce que je sais.

– Un parmi d'autres... Don Juan José Navarro avait fait hisser son pavillon au grand mât, tout naturellement, les Anglais sont venus sur nous.

– Racontez-nous, demande la colonelle.

– Il n'y a pas grand-chose à raconter, dit don Pedro avec simplicité. En ce qui me concerne, du moins. Je commandais la seconde batterie ; descendu à mon poste dès le début du combat, vers une heure de l'après-midi, je ne suis remonté sur le pont que quand il a pris fin ; il faisait déjà nuit.

– Ça a dû être terrible, n'est-ce pas ? intervient le jeune Quiroga. Toutes ces heures en bas, au milieu de la fumée, des explosions et des éclatements… Pardonnez mon indiscrétion, mais la cicatrice que vous avez au front vient-elle de là ?

Les yeux aqueux de l'Amiral semblent devenir encore plus transparents quand ils regardent fixement le jeune officier.

– Vous plairait-il qu'il en soit ainsi ?

– Eh bien, fait le jeune homme en hésitant, déconcerté. Je ne sais trop que vous répondre… Le fait est qu'elle me semblerait alors honorable, bien sûr.

Il y a un bref silence.

– Honorable, dites-vous.

– Oui, je le dis.

– Mais enfin, cela s'impose, lance la colonelle, un peu scandalisée par le ton sceptique de don Pedro. C'est l'épouse et la mère d'un militaire qui vous l'assure.

Don Hermógenes, en observant attentivement son collègue, croit déceler sur les lèvres fines et sèches de celui-ci une ébauche de sourire. Mais peut-être n'est-ce là qu'un effet de la réverbération du feu sur son visage.

– L'affaire n'a pas été aisée, si c'est à cela que vous pensez, reconnaît-il. Et on peut dire que nous avons eu rudement chaud, ce jour-là : il y a eu jusqu'à trois vaisseaux anglais qui de conserve nous ont pris de travers en nous canonnant.

Sur ces mots, l'Amiral reste un moment silencieux, à regarder les braises.

– Je suppose que oui, ajoute-t-il enfin. Pour ce qui est de notre honneur, nous l'avons amplement défendu.

Le jeune Quiroga hoche la tête avec une vigueur enthousiaste, en imaginant la scène.

– J'ai toujours admiré les marins, confie-t-il. Formé pour faire la guerre en terre ferme, je m'étonne qu'ils soient capables d'endurer de telles épreuves, le froid et l'incertitude en pleine mer, en cherchant entre les nuages une étoile ou le soleil pour s'orienter… Et quand viennent s'ajouter aux tempêtes, aux déchaînements impitoyables de l'océan les dévastations de la guerre… Je n'ai jamais vu de bataille navale, sauf sur les gravures, et j'imagine que sur mer ce doit être un spectacle épouvantable.

– Toute guerre l'est, sur mer et sur terre. Et même le plus habile graveur ne peut rendre justice à la réalité.

– Oui, je comprends ce que vous voulez dire. Mais la gloire…
– Je puis vous assurer que pas la moindre étincelle de gloire n'est arrivée jusqu'à la seconde batterie du *Real Felipe*.

À monsieur don Manuel Higueruela, en sa maison de Madrid.

Suivant l'instruction que vous m'avez donnée de vous fournir périodiquement des informations, je vous écris cette lettre d'Aranda de Duero. Je suis arrivé ici ce soir en suivant les deux messieurs que vous savez. En prenant garde de me tenir toujours à prudente distance. Jusqu'à présent, le temps est beau et il n'y a ni pluies ni boue. Le voyage suit son cours normal avec quelques incidents qui pour le moment retardent un peu les voyageurs mais n'affectent pas leur santé. Je dois signaler une rencontre avec des brigands (qui ne doit rien à une intervention de ma part) aux abords de la Riaza. Vos deux amis, et les occupants d'une autre voiture avec lesquels ils faisaient la route, les ont résolument affrontés et mis en fuite (après un échange de coups de pistolet au cours duquel le plus grand des deux s'est comporté avec une surprenante assurance). Leurs compagnons sont une dame, veuve à ce que l'on dit, et son fils, un militaire. Ils se rendaient à Pampelune dans leur propre voiture, mais une roue brisée les a forcés à aller jusqu'à Aranda en compagnie de nos deux voyageurs. En ce moment, ils sont tous logés dans l'auberge où ils dînent. Par prudence, je suis venu passer la nuit dans un gîte, en face (où la nourriture est infecte et le logement encore pire). Selon le garçon d'écurie de l'auberge, la dame et son fils resteront à Aranda jusqu'à ce que leur voiture soit réparée. Nos deux messieurs reprennent demain la route, leur départ est prévu à huit heures. Je crois qu'ils suivront l'itinéraire prévu jusqu'à Bayonne, puis de là à Paris, comme vous me l'avez indiqué à Madrid.

Je continuerai de vous tenir informé tout au long du chemin (comme convenu). Plus particulièrement si des événements d'importance devaient survenir. Au cas où vous voudriez m'envoyer des instructions ou me faire parvenir une communication urgente de quelque nature qu'elle soit avant que je ne quitte l'Espagne, vous pourrez le faire par la poste aux chevaux (si la dépense vous paraît judicieuse) à l'un des relais par lesquels je ne manquerai pas de passer en chemin. À mon avis les plus sûrs sont l'auberge du Boiteux à Burgos (où l'on me connaît bien) et celles de Briviesca ou de Machín à Oyarzun (où l'on me connaît aussi). Cette dernière est pour ainsi dire à la frontière française. Si d'ici là je ne reçois pas de nouvelles instructions, je m'en tiendrai à celles que vous m'avez données.

Recevez mes salutations (que vous pouvez transmettre à l'autre monsieur de vos amis).

Croyez à l'assurance de ma considération

Pascual Raposo

L'ancien dragon plie la lettre, écrit l'adresse et, approchant la flamme d'une chandelle d'un bâton de cire d'Espagne, la cachette avec soin. Il a l'intention de la confier le lendemain matin au patron du gîte, avec un réal et demi, afin que l'homme la fasse partir pour Madrid par la première diligence. Puis il range le nécessaire à écrire et boit deux doigts du mauvais vin qui reste dans la carafe posée à portée de sa main sur la table. Comme il l'a fait savoir à Higueruela dans sa lettre, le repas qu'il a pris dans sa chambre il y a plus d'une heure – la servante du gîte qui le lui a monté, peu propre mais bien faite, pas laide et d'un âge acceptable, s'est laissé vaguement lutiner avant de redescendre – a été maigre et peu savoureux : une moitié de poule sèche, qui a dû être un poulet au temps du dernier roi wisigoth d'Hispanie, et des œufs sans doute pondus par cette même poule dans son très lointain âge tendre. Il y a encore deux croûtons de pain et un morceau de fromage dans une assiette. Raposo achève ces reliefs avec les dernières gouttes de vin. La vie aventureuse qu'il a sans cesse menée, d'abord comme soldat, puis comme homme de sac et de corde, a depuis longtemps fini de lui gâter l'estomac ; quand il reste un moment sans le remplir, de terribles brûlures le rendent tout dolent. Raposo glisse pour se masser le ventre la main sous sa chemise, lâchée par-dessus ses culottes – il a ôté ses bottes mais gardé ses bas de laine, le sol qu'aucune natte ne couvre est froid –, puis regarde la montre en argent avec couvercle et chaîne posée sur la table : à remontoir, d'un bon facturier français, c'est un trophée d'un ancien mauvais coup presque oublié, lors duquel celui à qui elle appartenait a pour toujours cessé d'en avoir besoin. Ensuite il se lève et va vers la fenêtre aux persiennes restées ouvertes. De là, à travers l'épaisse vitre, il jette un regard de l'autre côté de la place déserte et obscure. L'auberge où sont logés les autres voyageurs est dans l'ombre, excepté une petite lanterne à la porte, dont la flamme semble mourante. En se remémorant l'incident dont il a aujourd'hui été le témoin distant, et tandis qu'il caresse ses favoris, il a un sourire pensif et songe à ce grand académicien qui tire au pistolet avec tant d'assurance. Qui aurait pu imaginer une chose pareille de la part d'un membre de l'Académie royale d'Espagne, se dit-il. La vie, il est vrai, réserve de ces surprises, et l'habit ne fait pas le moine.

Un coup discret à la porte, presque un frôlement, change la nature du sourire de Raposo. C'est maintenant celui du plaisir anticipé, une affaire toute personnelle. Sans se soucier de son apparence, il va ouvrir. En chemise de nuit, tête découverte, un châle en laine sur les épaules et un bougeoir allumé à la main, la servante du gîte est là, fidèle à la promesse qu'elle lui a faite il y a une heure, aussi ponctuelle que le carillon de la mairie qui sonne alors les douze coups de minuit. L'homme se range de côté, elle entre silencieusement, en soufflant sa chandelle. Sans préambules, Raposo tend la main et lui caresse les seins, lourds et chauds sous la toile rude de la chemise. Puis il montre la table, où il y a deux pièces d'argent, posées l'une sur l'autre. La femme approuve, rit et se livre.

– Ne m'embrasse pas sur la bouche, lui dit-elle quand il se rapproche.

Elle sent la journée de travail, la sueur d'une femme lasse et malpropre. Cela excite Raposo, qui la pousse jusqu'au lit. Une fois là, elle lève complaisamment le tissu qui la couvre jusqu'à mi-cuisse, il se frotte contre les jambes nues et s'ouvre un passage, tout en dégrafant son pont.

– Ne jouis pas en moi, dit-elle.

Le sourire de Raposo s'élargit, retors et cruel.

– Ne t'inquiète pas, dit-il. Je ne rentrerais pas là même noir de vin.

La veillée s'est prolongée plus que prévu, parce que c'est une soirée d'adieux : il y a eu une discussion au coin du feu jusqu'à une heure tardive, le jeune Quiroga a demandé à l'aubergiste de lui prêter sa guitare et, à la surprise des académiciens, il leur a donné l'aubade pendant un moment avec assez de talent. Don Hermógenes et don Pedro sont fatigués quand ils montent dans leur chambre où, avec le peu d'intimité que leur laisse un paravent de canne dont la toile de coton est plutôt mal peinte, ils se déshabillent pour se coucher.

– Quels gens aimables que doña Ascensión et son fils, remarque don Hermógenes. Le garçon joue à merveille, ne trouvez-vous pas ? Ils vont me manquer.

L'Amiral ne fait aucun commentaire. Il ôte sa veste, la pend soigneusement sur le dossier d'une chaise, puis déboutonne son gilet et remonte sa montre. La faible lumière que répandent les deux bougies d'un chandelier de laiton éclaire une moitié de son visage et allonge les ombres sur ses joues empourprées.

– Je soupçonne, cher Amiral, dit don Hermógenes, que madame la colonelle va vous manquer, à vous aussi.

– Cessez ces enfantillages.

– Je parle sérieusement. Nous portons tous le poids de nos années, et nous savons tous interpréter les regards. Pour moi, vous avez fait une conquête.

Les ombres qui creusent le visage de don Pedro lui donnent une expression indécise.

– Vous devriez vous coucher, don Hermès. Il se fait tard.

Le bibliothécaire obtempère, passe derrière le paravent avec sa chemise de lit sur le bras, afin de s'y préparer pour la nuit.

– Il n'y a là rien de surprenant, insiste-t-il. La respectable veuve est encore en âge de convoler. Et vous avez encore bonne prestance pour votre…

Il s'interrompt un instant et lève le menton, s'attendant à ce que son collègue termine la phrase. Sans succès. Comme chaque fois que l'on aborde ce sujet, l'Amiral ne desserre pas les dents. Assis sur son lit, en culotte et manches de chemise, celui-ci dénoue le ruban de taffetas qui retient son catogan gris.

– De plus, reprend don Hermógenes en levant de nouveau le menton, votre façon d'être en impose.

À travers la toile du paravent lui parvient le rire de don Pedro.

– Ma façon d'être ?

– Oui, monsieur. Toujours si sérieux. Si circonspect.

– Je ne sais comment prendre ce que vous dites, monsieur le bibliothécaire.

Don Hermógenes sort de derrière le paravent vêtu d'une chemise qui lui tombe jusqu'aux genoux, vêtements en main, bonnet de nuit sur la tête.

– Oh, prenez-le le mieux du monde. Regardez-moi : petit, dodu, avec cette barbe que je dois raser deux fois par jour, c'est miracle que ma pauvre femme ait un jour accepté de m'accorder sa main. Et encore, je ne l'en ai pas convaincue à ma première demande. Maintenant, par là-dessus, je suis vieux, goutteux et affligé d'autres maux. Alors que vous…

L'Amiral l'observe d'un œil ironique, avec un intérêt amusé. Sans dire un mot, il prend dans sa malle une chemise de nuit et se dirige vers le paravent.

– Me permettez-vous de vous poser une question, cher ami ? demande le bibliothécaire. Une impertinence, qu'encourage l'intimité à laquelle nous sommes conduits.

Don Pedro s'est immobilisé à deux pas du paravent et le regarde avec curiosité.

– Bien entendu. Parlez librement.

– Avez-vous jamais pensé à vous marier ?

Tout s'arrête. L'Amiral semble y réfléchir, comme s'il essayait effectivement de rappeler ses souvenirs.

– Une fois, dit-il enfin. Quand j'étais jeune.

Don Hermógenes attend, comptant sans doute que son collègue en dise davantage. Mais celui-ci n'en fait rien. Il hausse seulement les épaules et disparaît derrière le paravent.

– La vie en mer, je suppose, hasarde le bibliothécaire en regardant ses pieds chaussés de pantoufles. J'imagine qu'envisager de prendre femme n'était guère compatible avec les voyages et tout ce qui faisait votre métier…

La voix de l'Amiral lui arrive de l'autre côté de la toile peinte.

– Je me suis éloigné de la vie en mer très tôt, et j'ai vécu presque tout le temps, depuis, à Cadix et à Madrid. Ce n'est pas ça.

Le silence retombe. L'Amiral se montre à son tour, en chemise. Laquelle, se dit don Hermógenes, le fait paraître encore plus grand et plus maigre.

– Je n'en ai jamais éprouvé le besoin, je suppose, ajoute l'Amiral. Et pour ce qui est du côté égoïste du mariage, je veux parler du confort personnel du train de maison, ce sont toujours mes sœurs qui l'ont assumé. Diverses circonstances ont fait qu'elles n'ont pas pu se marier, ou ne l'ont pas voulu. Elles ont fini par se résoudre à se consacrer à moi.

– Et vous à elles ?

– C'est un peu ça.

– Une question de fidélité, alors. Mutuelle.

L'Amiral hausse une nouvelle fois les épaules.

– Le mot est peut-être fort.

– Bon. Quoi qu'il en soit, un homme n'a pas besoin d'être marié pour…

Le bibliothécaire s'interrompt, intimidé par la fixité du regard que pose sur lui son collègue.

– Pardonnez-moi, dit-il un instant plus tard, je pousse trop loin la confidence.

– Ne vous frappez pas. Notre voyage est long. Il est normal que nous désirions mieux nous connaître.

Le sourire sincère de l'Amiral semble dissiper tout malentendu. Ce qui encourage don Hermógenes, lui donne une certaine audace.

– Je suppose que dans votre jeunesse, de port en port, les bonnes fortunes n'ont pas dû vous manquer.

L'Amiral a un rire sourd, et ne répond pas. Un rire plutôt d'entre les dents, qui paraît n'avoir aucun lien avec le sujet de leur conversation, estime le bibliothécaire.

– Vous deviez faire un fringant jeune officier, poursuit don Hermógenes. Avec votre permission, je dirais que vous êtes encore bel homme en dépit de hum… votre âge. J'en appelle une fois de plus au regard que posait sur vous la veuve Quiroga pendant que son fils, cet excellent garçon, jouait de la guitare. Depuis la fusillade de ce matin, la dame n'a eu d'yeux que pour vous. Je suis certain que…

Il se tait brusquement, surpris par lui-même, et bat un peu

des paupières, comme s'il venait de découvrir dans son propos quelque chose d'inhabituel, ou d'inattendu.

– C'est curieux, monsieur l'Amiral, dit-il après un temps de réflexion, je n'avais jamais encore parlé ainsi des femmes. Avec personne. Je suppose que le voyage et l'aventure me rendent loquace. Je vous prie de me pardonner. C'est vrai, ce n'est pas une conversation à tenir entre deux membres de l'Académie.

Maintenant son collègue sourit, encourageant, avec une visible affection.

– Pourquoi pas ?

– Eh bien, ce dont il est question…

L'Amiral lève la main et fait le geste de balayer tout nouveau malentendu.

– N'ayez aucune inquiétude à ce sujet. Il serait épouvantable de parcourir près de deux cents lieues en ne parlant que des mots, de leur sens et de leurs dérivations, par ordre alphabétique.

Tous les deux rient de bon cœur. Tandis que l'Amiral se met au lit – une mauvaise paillasse qui crisse sous son poids –, le bibliothécaire s'excuse, va chercher le pot de chambre posé dans un angle de la pièce et l'apporte derrière le paravent. Pendant un moment, on n'entend que le jet qui frappe la faïence.

– Il y a certaines choses que les femmes ont en elles, don Hermès, dit tout à coup l'Amiral. Et qui font partie de leur nature.

Don Hermógenes se montre, vase à la main. Intrigué.

– Certaines choses ? Quel genre de choses ?

– Vous avez été marié pendant de nombreuses années. Vous devez le savoir mieux que moi.

Le bibliothécaire pose le vase par terre et, en passant près de la malle ouverte de son collègue, il avise un des volumes d'Euler.

– Puis-je y jeter un coup d'œil ?

– Je vous en prie.

Don Hermógenes prend le livre, met ses lunettes et se couche. Il ouvre *Lettres à une princesse d'Allemagne*. Le livre a été imprimé à Saint-Pétersbourg en 1768.

– Je vous assure que jamais je ne me suis fait une telle idée des femmes, dit-il en tournant les pages, distrait. La mienne était une sainte.

– Ce n'est pas à cela que je pense, mon cher. Elle en était sans doute une.

– Ah.

– C'est autre chose. Il s'agit…

L'Amiral prend le temps de réfléchir. On dirait qu'il cherche ses mots, et que ce n'est pas une mince affaire.

– D'une sorte de mal dont nombre d'entre elles seraient frappées, lâche-t-il enfin. Un mal fait de lucidité, de tristesse profonde, de pressentiments… D'un je-ne-sais-quoi difficile à cerner.

– Ça alors. Je puis vous dire que je n'ai jamais rien remarqué de pareil chez ma pauvre femme. À part quelques jours un peu particuliers, chaque mois, vous me comprenez. Rien d'autre.

– Il se peut que vous n'en ayez rien vu. Trop de latin, don Hermès. Trop de livres.

– C'est possible, encore que *aliquando dormitat Homerus*… Et vous dites que toutes en sont affectées ?

– Les intelligentes, du moins, et même celles qui ne le sont pas, quoique ces dernières ne comprennent pas ce qui leur arrive. C'est comme une maladie bénigne.

Le bibliothécaire se palpe par-dessus le drap et la couverture, en jouant comiquement l'inquiétude.

– Une maladie, dites-vous ? Tudieu. J'espère qu'elle n'est pas contagieuse.

– C'est là qu'est le problème. Quand un homme s'approche d'elles de trop près, il est contaminé.

– Je ne vous savais pas misogyne, cher ami. Nonobstant votre célibat.

– Et je ne le suis pas. C'est d'autre chose qu'il est question… De ce pourquoi il faut rester sur ses gardes. Peu de mariages tiennent à un projet intelligent, longuement médité. Et c'est ce qui les rend telles ensuite.

Un long silence suit. L'Amiral veut moucher les bougies quand il s'aperçoit que don Hermógenes, le livre ouvert sur son giron, ne lit pas, mais le regarde avec attention.

– C'est pour cette raison que vous les tenez à distance, Amiral ?

– À distance ?… Je n'en ai pas moins de deux sous mon toit.

– Vous savez très bien de quoi je veux parler.

Le bibliothécaire ne reçoit pas de réponse. La tête sur l'oreiller, don Pedro regarde danser les ombres sur le plafond.

– La mienne me manque, reprend don Hermógenes. C'était une brave femme, que je regrette. Mais, maintenant que j'y songe, peut-être restait-elle trop longtemps muette. Comme si, alors même que je me trouvais à côté d'elle, elle avait été seule.

– Elles le font toutes, me semble-t-il... Quant au silence, je crois qu'elles s'y tiennent parce qu'elles n'ont de cesse de nous juger.

– Le silence du jugement ? se demande don Hermógenes en se redressant un peu, intéressé. Tiens, c'est une idée qui mérite qu'on s'y arrête.

– Même si la plupart de leurs verdicts, j'en ai bien peur, balancent entre la compassion et le mépris.

– Diantre. Je n'avais jamais vu la chose ainsi... Jamais.

Là-dessus, le bibliothécaire parcourt du regard les pages du livre qu'il tourne, distrait : *Il serait sans doute fort aisé à Dieu de faire mourir un tyran avant qu'il n'opprimât tant d'honnêtes gens*, lit-il. Puis il lève les yeux en gardant un doigt posé sur ces lignes.

– Notre siècle est particulier, conclut-il, pensif. Des temps nouveaux s'annoncent... Des lumières qui vont apporter beaucoup de changements. Y compris pour les femmes.

L'Amiral, qui a déjà tiré le drap sur son menton et lui a tourné le dos, semble endormi. Mais, au bout d'un moment, sa voix se fait entendre.

– Sans doute. Mais je me demande si cela fera disparaître leur mal ou l'aggravera.

À la hauteur de Briviesca je quittai l'autoroute, parce que, en comparant d'anciens guides des chemins et la carte routière contemporaine, j'avais constaté que la N-1 suivait à partir de là le tracé de l'ancienne grand-route qui reliait Burgos à Vitoria. Le ciel était couvert de gros nuages bas ; bientôt, ils déversèrent une pluie dense qui voila l'horizon et détrempa les champs. J'arrêtai la voiture devant une auberge pour prendre du café pendant que la pluie s'apaisait un peu, et je restai assis sous l'auvent, où je consultai la carte et les notes de mon carnet, en constatant à quel point est fascinant l'exercice qui, à mi-chemin entre littérature et vécu, consiste à visiter les endroits que l'on a découverts dans les livres et à projeter sur eux, en les enrichissant de réminiscences de lecture, des aventures réelles ou imaginaires, des personnages historiques ou de fiction qui les ont jadis hantés. Les villes, les hôtels, les paysages acquièrent un caractère particulier, quand on les aborde avec en tête un bagage de lectures. Les choses changent considérablement, en cela, quand on parcourt la Manche avec *Don Quichotte* en main, quand on visite Palerme après voir lu *Le Guépard*, que l'on se promène à Buenos Aires en se souvenant de Borges ou de Bioy Casares, ou que l'on marche dans Hisarlik en sachant que se dressait là une ville appelée Troie et que les chaussures du pèlerin s'y couvrent d'une poussière dans laquelle Achille traîna la dépouille d'Hector attachée à son char.

Or, le phénomène ne se produit pas seulement avec des livres déjà écrits, mais aussi avec des livres encore à écrire, quand c'est l'imagination personnelle du voyageur qui peuple de tels lieux. Cela m'arrive souvent, parce que je suis un de ces écrivains qui situent généralement les scènes de leurs romans dans des cadres réels. Je ne connais guère de sensation plus agréable que celle de s'aventurer en des coins pareils comme un chasseur, gibecière ouverte, pendant qu'une histoire se trame dans votre esprit ; d'entrer dans un édifice, de traverser une rue en se disant : cet endroit me convient, je vais le mettre dans mon histoire, et d'imaginer les personnages en train de se déplacer en ce lieu même, de s'asseoir où l'on est assis, ou de voir ce que l'on voit. Comparée à l'acte d'écrire, cette phase préparatoire est encore plus excitante et féconde, au point que certains moments de l'écriture même, la matérialisation en encre, papier ou écran de moniteur, peuvent apparaître par la suite comme une activité bureaucratique quasi ingrate. Rien ne peut être comparé à l'élan d'innocence originel, au commencement, à la genèse première d'un roman quand l'écrivain s'approche de l'histoire à raconter comme il le ferait de quelqu'un dont il viendrait de s'enticher.

Parfois, ou même souvent, de telles approches peuvent être indirectes. Ou accidentelles. C'est ce qui m'est arrivé ce matin-là devant cette auberge proche de Briviesca tandis que je regardais tomber la pluie. La lettre écrite par Pascual Raposo aux académiciens Higueruela et Sánchez Terrón pouvait conduire à une nouvelle rencontre des deux conspirateurs à Madrid, et je me demandais où j'allais la situer. Comme j'avais déjà recouru à un café et à une balade nocturne dans la ville pour les dialogues précédents entre ces deux personnages, j'envisageais de situer le suivant dans la Casa del Tesoro, où siégeait alors l'Académie, avant ou après une séance ordinaire du jeudi, ou peut-être sur la promenade du Prado. Toutefois, comme j'étais assis sous l'auvent de l'auberge, j'eus une autre idée. J'avais dû faire quelques pas sous la pluie, et mes chaussures étaient maculées de boue. C'étaient des chaussures de campagne en bon cuir de Valverde del Camino, un modèle que je porte depuis des années et que j'achète à un spécialiste de fournitures pour l'équitation et le cavalier qui tient boutique dans le Rastro, à Madrid. Je les regardais et me disais qu'il allait falloir les nettoyer convenablement, ce soir, quand je serais à l'abri d'une chambre d'hôtel, ce qui me fit penser que je devrais bientôt en acheter une nouvelle paire, toujours dans le même magasin du Rastro. Et je me souvins alors que ce quartier populaire où se trouve actuellement le marché aux puces, avec toutes ses boutiques de vente et d'achat d'objets anciens, était au XVIIIe siècle un quartier pittoresque très couru des Madrilènes. J'avais à ma disposition une abondante littérature sur les mœurs de l'époque, avec ses descriptions exhaustives susceptibles d'enrichir le texte, dans les gazettes et les ouvrages d'auteurs de ces années-là ou des suivantes, comme celles du dramaturge inventeur de saynètes Ramón de la Cruz, ou du chroniqueur Ramón de Mesonero Romanos qui fit au XIXe siècle un tableau de la petite place du Rastro – aujourd'hui appelée place de Cascorro – et de l'ancienne rue des tanneurs, la Rivera de Curtidores, encore parfaitement adéquat pour restituer ce qu'était l'aspect de l'endroit dans les années quatre-vingt du siècle précédent : *Marché central où vont s'échouer tous les ustensiles, meubles, vêtements et autres articles gâtés par le temps, affligés par la Fortune ou subtilisés par industrie à leurs légitimes propriétaires.* Je décidai donc que Higueruela et Sánchez Terrón se retrouveraient la fois suivante, pour ourdir leur machination contre l'acquisition de l'*Encyclopédie* par l'Académie royale d'Espagne, quelque part dans le Rastro. Et, bien entendu, un jour de pluie.

Il pleut à torrents sur la petite place. Les bâches tendues au-dessus des étalages sont bombées par l'eau qui, en s'accumulant, dégouline par les coutures, les rapiéçages et les déchirures. Un dégouttement constant, monotone, éclabousse le pavé en tambourinant. Toutefois, les habitués du lieu ne se laissent pas intimider : bien que la foule soit moins compacte que les dimanches de ciel bleu, des gens de tout rang et de toute apparence, des bourgeois respectables aux servantes, laquais et coquins, à l'abri de parapluies, de manteaux, de chapeaux, de capes et de capuchons de toile cirée déambulent entre les éventaires ou furètent sous les bannes des brocanteurs installés dans les bâtiments en bordure du marché.

Devant une librairie d'occasion en soubassement, à l'entrée de laquelle ils piétinent la sciure répandue sur le sol, se retrouvent Manuel Higueruela et Justo Sánchez Terrón. Ce dernier marchande un premier tome en piteux état de *L'Oracle des nouveaux philosophes*, pour lequel il offre quatre réaux au lieu des dix que lui en demande un revendeur bas de jambe, aux yeux de rapace et aux mains sales.

– Je ne donnerai pas plus de deux pesetas, tranche Sánchez Terrón avec la dernière rigueur.

– Et moi, je ne baisserai pas, c'est un douro, se rebiffe l'autre.

– Tenez, le voilà, votre douro, intervient spontanément Higueruela en lui mettant dans la main une pièce d'argent.

Sans s'émouvoir, le revendeur ignore le marchandeur et remet le livre au nouveau venu. C'est un exemplaire dont la couverture est abîmée et les feuillets très fatigués. Sánchez Terrón, visiblement fâché, pose sur Higueruela un regard d'amer reproche.

– J'ignorais votre présence dans mon dos.

– Je vous ai vu arrêté là, mais je n'ai pas voulu vous distraire. Votre marchandage m'a amusé.

Maintenant, Sánchez Terrón regarde avec rancune le livre que son collègue tient en main.

– Je vois comment vous vous en amusez, c'est bien bas de votre part.

Higueruela éclate de rire et lui tend le livre.

– C'est pour vous, monsieur. Un présent.

Sánchez Terrón le regarde, surpris, soupçonneux.

– Il ne vaut pas le douro que vous l'avez payé.

– Peu importe… Faites-moi la faveur de l'accepter.

Altier, l'autre hésite, en affichant un dédain outré.

– Ce n'était qu'un caprice, n'allez pas croire le contraire. Le conservatisme encroûté de son auteur…

– Je sais, monsieur. Prenez-le donc.

Don Justo finit par accepter, comme s'il lui faisait une faveur, et glisse le livre dans sa poche. Ils s'éloignent ensemble sous les auvents de toile des échoppes, pour rester à l'abri de la pluie. Higueruela porte une cape noire et un chapeau rond cirés, Sánchez Terrón, qui est nu-tête, tient un parapluie pour protéger de l'averse son élégante redingote à la française ajustée à la taille, avec de longues basques.

– Où en est notre affaire ?

– Vous pensez à Paris ? répond Higueruela comme en écho, malicieux.

Froissé, son collègue pince les lèvres.

– Je n'en vois aucune autre dans laquelle vos intérêts et les miens puissent coïncider.

Le journaliste ne répond pas aussitôt. Il fait encore quelques pas, riant en son for intérieur, amusé par le ton de son collègue.

– J'ai reçu des nouvelles de notre troisième voyageur.

– Et ?

– Et, jeudi dernier, je n'ai pas eu l'occasion de vous en faire part à l'Académie. Trop d'oreilles proches. Après la séance, j'ai dû partir rapidement.

– Ils poursuivent leur route sans encombre ?

– Aucun qui les ait retardés, en tout cas. Ils ont pourtant dû affronter une bande de malandrins.

– Crénom ! Une affaire sérieuse ?

– Il ne semble pas. Apparemment, l'Amiral a fait honneur à son rang et s'est montré à la hauteur des circonstances. Avec échange de coups de feu et tout le reste.

– Notre Amiral ?... C'est incroyable.

– Mais vrai. Un cœur brave ne faut jamais.

Les deux académiciens avancent entre les marchands d'étoffes, les fripiers, et évitent comme ils le peuvent les chalands qui tiennent à rester sous la protection des bâches tout en fourrageant entre les meubles disjoints, les bijoux de provenance douteuse, les fleurets rouillés, la vaisselle ébréchée ou dépareillée.

– J'ai un ami au Conseil de Castille, révèle Sánchez Terrón. Son nom n'entre pas en ligne de compte.

Higueruela le regarde avec intérêt.

– Et que dit votre ami ?

Sánchez Terrón le lui apprend en quelques mots. Le voyage à Paris en vue d'en rapporter l'*Encyclopédie* suscite de nombreux commentaires à la cour, et tous ne sont pas favorables. Certains estiment que c'est donner le mauvais exemple ; que l'Académie, parce qu'elle bénéficie du privilège royal, ne devrait pas s'aventurer dans les jardins de la philosophie. L'avant-veille, l'archevêque de Tolède a fait quelques remarques à ce sujet. Ce qui aurait conduit à une brève discussion entre Sa Majesté, l'archevêque et le marquis de Casa Prado, qui se trouvait là.

– Et ces deux derniers qui comme vous, don Manuel, sont de la vieille école, ont tenté à leurs risques et périls de circonvenir le roi en lui suggérant de rétracter l'autorisation accordée pour ce voyage...

– Ah. Qu'a-t-il dit ?

– Il ne s'est pas prononcé. Après avoir écouté attentivement, il est passé à autre chose.

– Notre roi est mal conseillé.

– Il se peut. Mais on en est là.

– Et l'Inquisition ?

– Vous avez entendu lors de cette séance plénière don Joseph Ontiveros, qui, tout secrétaire perpétuel du Conseil qu'il soit, a déclaré qu'il n'y voyait aucune objection : *nihil obstat*. C'est d'ailleurs lui qui s'est occupé d'obtenir l'autorisation de faire apporter de France cet ouvrage.

Higueruela fait claquer sa langue et secoue la tête.

– Quelle époque ! On ne peut même plus se fier au Saint-Office.

– Vous me permettrez de ne pas vous faire la réponse que vous méritez.

Le journaliste a un sourire canaille. Insolent.

– Voilà ce que j'attends de vous, don Justo, lance-t-il, ironique. Que vous m'épargniez ce que je mérite… Que vous soyez un gentil garçon et respectiez notre trêve.

L'air distrait, Sánchez Terrón scrute les profondeurs d'une échoppe de vieilles nippes dans laquelle sont empilés de vieilles casaques galonnées, des dentelles jaunies, des chapeaux mités ou passés de mode. Tout y sent le vieux, et l'humidité ambiante n'atténue pas l'exhalaison.

– Et ne pourriez-vous pas, dans votre *Censor Literario*…

Le regard caustique d'Higueruela lui fait abandonner sa phrase à mi-chemin.

– Ma feuille de chou que vos coreligionnaires taxent de porte-voix de l'obscurantisme le plus rétrograde ?… Cet organe auquel vous-même, je le sais de source sûre, avez l'autre jour donné le nom d'*infâme pamphlet*, lors d'une réunion au café de l'auberge de San Sebastián ?

– Oui, admet Sánchez Terrón, avec arrogance. C'est bien ce que je vous demande : pourriez-vous vous occuper de l'affaire et la dénoncer par la voix de personnages influents ?

Higueruela, toujours pragmatique, replie sans se contraindre sa rancune comme on réduit la voilure.

– Par exemple ?

– Eh bien, je ne sais pas. En publiant l'avis de quelque évêque, du duc d'Orán ou du marquis de Casa Prado lui-même… Des gens de grand crédit à la cour, proches de vous et de vos idées.

Le journaliste lève un doigt à l'ongle sale et l'agite en signe de dénégation.

– Je ne puis m'en mêler, objecte-t-il. Ma position d'éditeur n'est pas celle de l'académicien… S'il m'est loisible, au cours des séances plénières, de m'opposer à l'aberrante décision d'introduire cette encyclopédie à l'Académie, je ne saurais publiquement m'en prendre à l'honorable institution dont nous sommes membres, vous et moi. Fournir des armes à ceux qui l'attaquent.

Sánchez Terrón se redresse, guindé.

– Mais votre conscience doit bien…

Don Manuel l'interrompt, d'un rire caustique.

– Puisque vous faites appel à ma conscience, je me permettrai de vous rappeler la vôtre, monsieur le philosophe. Chargez-vous-en, dans ce cas, faites connaître votre opinion dans un journal ou un endroit public. Impliquez-vous. Dites que les lumières contemporaines doivent filtrer exclusivement à travers d'éminents personnages tels que vous. Et que les perles ne sont pas faites pour être jetées aux pourceaux.

– Ne dites pas de sottises.

– Tiens donc. Je me comprends et vous me comprenez très bien.

Ils sont interrompus par un individu au faciès gitan, de piètre apparence, drapé dans une cape brune mouillée, de laquelle il sort quatre couverts d'argent enveloppés dans un papier gris et qu'il leur propose pour vingt réaux. Sa femme est malade, leur assure-t-il et, pour pouvoir la soigner, il est forcé de se défaire de ces merveilles.

– Très malade ? demande Higueruela, gouailleur.

Le truand se signe sans la moindre vergogne.

– Je vous le jure sur la tête de ma mère.

– Allez, fiche le camp avant que j'appelle un gendarme.

L'autre cache l'argenterie, et lui jette un regard en coin.

– Nous sommes de pauvres bourriquiers, monsieur, grommelle-t-il.

– Va-t'en, t'ai-je dit.

Les académiciens poursuivent leur chemin, en évitant les flaques au débouché d'une rue. Sánchez Terrón, qui tient toujours son parapluie, se tourne vers son collègue.

– Pensez-vous qu'il y aura moyen d'entraver l'affaire à Paris ?

– Vous pensez à une initiative de Pascal Raposo ?... J'en suis sûr. Il connaît la ville, les possibilités qu'elle offre, et c'est un homme de ressources... ou plutôt de combines.

Ils se sont arrêtés sous une arcade, d'où commence à descendre la Rivera de Curtidores. Accoté à une boutique dans laquelle on aperçoit des châssis nus et des toiles peintes décolorées ou déchirées, il y a une autre librairie d'occasion. Higueruela secoue l'eau de son chapeau et de sa cape, son collègue ferme son parapluie qui goutte.

– Jeudi dernier, dit don Justo, il a été question du voyage, à l'Académie, et le directeur a dit quelque chose que j'ignorais : l'Amiral et le bibliothécaire sont munis d'une lettre de sa main pour notre ambassadeur à Paris, le comte d'Aranda.

L'information ne réjouit pas Higueruela.

– Fâcheuse nouvelle, annonce-t-il. Aranda est voltairien, c'est un impie favorable aux idées modernes.

– Comme moi, voudriez-vous dire.

Le journaliste le regarde de travers.

– Ne mélangez pas les torchons et les serviettes, don Justo… Nous ne parlions pas de ça.

– Je ne mélange rien de tel, rétorque Sánchez Terrón en bombant le torse, piqué par la comparaison. Je mets seulement l'affaire au clair : apprenez que le comte d'Aranda et moi nous entendons sur de nombreux points…

Higueruela lève impatiemment une main, pour revenir au sujet.

– C'est bon, passons… Le fait est que l'ambassadeur leur viendra sans doute en aide. Leur facilitera les choses. Et notre homme, Raposo, ne pourra pas accéder jusqu'à lui… Ce serait viser trop haut pour un tel ruffian…

Ils examinent les livres, jettent un regard à ce qu'annoncent les dos et les reliures abîmées. La plupart concernent la religion. Parmi les volumes dépareillés, sans valeur ou incomplets, il y a *Le Livre de Marc-Aurèle* d'Antonio de Guevara, très abîmé, rongé par les rats et la moisissure.

– Quelque chose joue pourtant en notre faveur, lâche Sánchez Terrón. Il y a une certaine familiarité entre Ignacio Heredia, le secrétaire particulier d'Aranda, et moi. Il m'envoie des livres et nous entretenons une correspondance.

Higueruela lui lance un nouveau regard intéressé.

– Pourrait-il nous servir à rendre la tâche de nos deux voyageurs plus difficile à Paris ?

Don Justo cesse de feuilleter le volume, auquel il manque près d'un tiers des pages, et il le remet dans le tas avec dépit.

– Je ne suis pas sûr que l'on puisse lui en demander autant, et je ne puis ni me compromettre à ce point, ni trop l'impliquer. On ne sait jamais en quelles mains peuvent tomber les lettres que l'on écrit.

– Mais une insinuation adéquate…

Sánchez Terrón semble vouloir y réfléchir à deux fois. Le voyant hésiter, Higueruela insiste.

– Il suffirait de quelques mots de vous dans une lettre quelconque. Une remarque faite comme par hasard, susceptible d'inspirer une certaine antipathie… De sorte qu'il ne leur facilite pas les choses quand ils se présenteront à l'ambassade, pour aussi recommandés qu'ils soient.

Don Justo opine enfin, convaincu.

– Oui. Je crois que c'est possible.

– Magnifique. Parce que, ainsi, entre le secrétaire d'ambassade et notre précieux Pascual Raposo, nous pourrons, vous et moi, mettre toutes les chances de notre côté… Autrement dit, donner une chandelle à Dieu et une au diable.

Silences, conversation, tête somnolente qui dodeline. Il y a à peine assez de lumière pour lire. La berline avance sous la pluie, le cocher à l'abri d'une capote en toile cirée, pendant que les roues creusent de profondes ornières dans la boue du chemin. Quand la zone est forestière, le vert devient plus intense et foncé entre les voiles de brume. En terrain découvert, le paysage boueux, dont les grandes flaques et les ruisseaux reflètent un ciel plombé et sombre, est par intermittences aspergé de rafales de pluie qui claquent comme la mitraille sur la capote de l'équipage.

L'Amiral regarde par la fenêtre, dont il efface de temps en temps la buée avec sa main. Depuis un moment, il se tient ainsi, absorbé dans ses pensées, le livre d'Euler fermé sur la couverture de voyage qui enveloppe ses jambes. Assis en face de lui, don Hermógenes sommeille, mains paisiblement croisées sur son giron et la cape qui le protège. Soudain il sursaute, se réveille, lève la tête et regarde son compagnon.

– Tout va bien ? demande-t-il en clignant des yeux, hébété.

– La pluie et la boue nous retardent. Les pauvres bêtes peinent à avancer.

– Croyez-vous que nous arriverons à Vitoria avant la nuit ?

– Je l'espère bien. Il doit nous rester deux lieues à parcourir, et le temps ne se prête guère à une nuit dans un de ces mauvais gîtes de muletiers.

– L'auberge de Briviesca était vraiment lamentable, n'est-ce pas ?

– Infecte.

Don Hermógenes jette un coup d'œil à l'extérieur. Il y a aux alentours quelques hauteurs boisées, et, sur l'une d'elles, à demi noyé dans le brouillard, un hameau lointain aux murs chaulés.

– Bien triste paysage, ne trouvez-vous pas ?… Quoique, par beau temps, l'endroit doit être beau, avec tous ces arbres.

– Sans doute. C'est une terre bénie. Fertile.

– Et pourtant, dit le bibliothécaire après s'être plongé un moment dans ses pensées, ce n'est pas seulement le paysage, la pluie et tout le reste qui me donnent cette impression de tristesse. Quand il fait beau, je l'éprouve tout autant. N'avez-vous pas ressenti quelque chose de semblable en traversant les bourgs que nous avons laissés derrière nous ? Habitués comme nous le sommes à l'effervescence de Madrid, on oublie que toute l'Espagne n'est pas ainsi… Contrairement à ce que l'on croit, les Espagnols sont un peuple triste, ne trouvez-vous pas ?

– Peut-être bien, dit l'Amiral, conciliant.

– Par exemple : il y a deux jours, au milieu d'une région prospère où abondent le bétail, les plaines maraîchères et les bois, à Briviesca, qui a tant de belles demeures, même si son auberge laisse à désirer… Vous rappelez-vous ?

– Bien sûr. Une belle ville : deux couvents, une collégiale, une paroisse. Mais une ville sans joie.

– C'était dimanche, se remémore don Hermógenes. Jour où ceux qui ont travaillé toute la semaine se divertissent honnêtement. Il ne pleuvait pourtant pas, mais les rues étaient désertes, silencieuses, et les rares personnes que nous avons croisées semblaient avoir été chassées de chez elles par le désintérêt ou par l'ennui… Sur la place, et devant le portail de l'église, les hommes enveloppés dans leurs capes, les femmes dans leurs manteaux, assis sans rien faire, avaient l'air d'effigies mortuaires. Ils ne manifestaient ni le moindre plaisir ni le moindre intérêt pour quoi que ce soit.

– J'ai vu qu'ils rentraient tous chez eux à la sonnerie du soir.

– C'est vrai. Et il semble en aller partout de même dans cette province. C'est pourquoi j'ai ce sentiment que nous sommes un peuple triste. Je me demande pour quel motif : nous avons du soleil, du bon vin, de belles femmes et de bonnes gens…

L'Amiral observe don Hermógenes avec un intérêt sarcastique.

– Pourquoi dites-vous qu'ils sont bons ?

– Je ne sais pas, s'inquiète le bibliothécaire. Bons, mauvais… Je veux croire que…

– Les gens ne sont ni bons, ni mauvais. Ils sont comme on les fait.

– Et qu'est-ce qui rend tristes les habitants de Briviesca, à votre avis ?

– De mauvaises lois, don Hermès, répond l'Amiral avec un sourire forcé, presque douloureux. La défiance des autorités et le zèle mal placé des magistrats, persuadés que seule compte la sujétion du peuple : il faut que l'on tremble devant la voix de la justice. Toute manifestation d'allégresse est considérée comme un trouble à l'ordre public et entraîne poursuites, prison et amendes dans un pays où la vénalité des fonctionnaires et la convoitise des juges font le reste… Me suivez-vous ?

– Parfaitement.

– Alors, je n'ai pas à vous expliquer plus longtemps ce qui intimide et attriste le peuple… auquel il n'est guère permis, en définitive, que d'aller à la messe le dimanche, en procession à la chapelle du saint patron et de festoyer un peu aux mariages et aux baptêmes.

Le bibliothécaire détourne le regard, mal à l'aise, et regarde les gouttes de pluie glisser sur les vitres embuées de la portière.

– Allez-y, monsieur… Vous n'avez que trop tardé à impliquer l'Église dans tout cela.

L'Amiral a un sourire chaleureux, qui chasse toute causticité. Il dit seulement, au bout d'un moment, que l'Église n'est pas l'unique responsable – elle ne fait que fournir un instrument coercitif de plus au système pervers qui gouverne certains peuples –, et qu'il ne s'agit pas de déterminer si la monarchie est ou n'est pas néfaste, puisque les Anglais sont là pour témoigner que tout peut être compatible, mais de savoir comment l'Espagne conçoit la paix publique.

– Nos règlements de police, poursuit-il, sont contraires au bonheur, et aussi à la prospérité. Dans de nombreux endroits, on interdit les concerts, les veillées et les bals ; dans d'autres, les habitants sont tenus de rester chez eux après le tintement de la cloche des complies, de ne pas sortir dans les rues sans lanterne et de ne pas faire cercle… Et l'on ne permet pas au paysan dont la sueur a arrosé la glèbe de donner librement de la voix le samedi soir sur la place du village, ni de danser à son gré avec sa femme ou sa voisine, ni de chanter la sérénade sous la fenêtre de sa promise.

– C'est une question de bienséance, vous le savez. Les coutumes…

– Pas plus de bienséance que de beurre en branche. Là n'est pas la question, vous le savez. Laissez lire et laissez danser, demande Voltaire. C'est justement à cela qu'il faut en venir : moins de messes et plus de musique.

Le bibliothécaire lève les mains, plutôt scandalisé.

– Vous exagérez, cher Amiral.

– J'exagère, dites-vous ?… Revenons aux fêtes patronales, que j'évoquais tout à l'heure. Qu'advient-il quand elles ont lieu ? Elles doivent être interrompues avant l'angélus du soir, et il n'est pas seulement interdit aux hommes de danser avec les femmes : l'Église a fait en sorte que les danses entre hommes soient également proscrites.

– Mais le peuple est patient, objecte don Hermógenes. Il endure tout.

– Et c'est bien le pire : qu'il subisse, mais malgré lui, avec un mauvais gré que sont chargées de corriger des mesures de police oublieuses de la propension des opprimés à tout bouleverser dans la violence, et ignorantes du fait que sans liberté il n'y a pas de prospérité… Ce que vous ne dénierez pas, je suppose.

– Assurément. Les Grecs le disaient déjà : un peuple libre et heureux sera spontanément laborieux.

– C'est juste. Il appartient aux bons gouvernements de ne pas exercer de contrainte, mais de garantir cette sorte de bonheur.

– En cela, vous avez raison, bien sûr. J'approuve et signe. Un peuple digne n'attend pas de son gouvernement qu'il l'amuse, mais plutôt qu'il le laisse s'amuser.

– Bien. Le divertissement et l'éducation font des citoyens travailleurs et responsables. Ce à quoi participent les réjouissances publiques, les cafés, les salons, les jeux de balle, les théâtres…

– Et les corridas, ajoute le bibliothécaire, qui est un amateur notable.

À ces mots, l'Amiral grimace, désapprobateur.

– Sur ce chapitre, je ne vous suis pas, rétorque-t-il sèchement, critique. On a bien fait d'interdire cette barbarie.

– Interdiction qui, heureusement, n'est pas appliquée au pied de la lettre. Parce que je les aime, savez-vous. Le courage des toreros, la bravoure des animaux…

– Vous en avez parfaitement le droit, don Hermès, admet don Pedro, en lui coupant la parole, légèrement hors de lui. Mais le spectacle d'une foule analphabète en train d'applaudir le martyre d'un animal nous fait honte devant les nations cultivées. Pour ce qui est de rendre nos mœurs plus amènes, le divertissement idéal est à mon avis le théâtre.

– Peut-être avez-vous raison, oui… Là-dessus, nous sommes certainement d'accord.

La berline encaisse une violente secousse, fait gicler la boue sur le côté et s'arrête brusquement. Sans doute s'agit-il d'un cassis en travers du chemin, masqué par l'eau trouble d'une flaque. Don Hermógenes est tenté de faire coulisser la vitre pour voir ce qu'il en est, mais la force de la pluie qui bat la portière finit par l'en dissuader. Pendant un moment, par-dessus le tambourinement de l'eau sur le toit, on entend le claquement du fouet et la voix rogue du cocher qui encourage les chevaux. Enfin, après un basculement de la caisse d'un côté à l'autre, la voiture est tirée en avant et se remet à rouler.

– Le théâtre, reprend l'Amiral, est un moyen éducatif de premier ordre. Mais on devrait chez nous le réformer de sorte à le purger de ses malséances, de toutes ces jouvencelles fugueuses, ces fanfaronnades, ces crimes, ces insolences de cabotins et ces domestiques qui se font gloire de leurs scélératesses d'entremetteurs… Ajoutez à cela, si vous le voulez bien, les interludes et les saynètes les plus viles et les plus grossières, avec leurs muscadins, ruffians et verdurières qui complètent le tableau de notre art dramatique.

Don Hermógenes manifeste avec vigueur son accord.

– Vous avez raison, surtout en ce qui concerne le clinquant et la vulgarité, qui passent de nos scènes dans nos rues... Sans doute le commun goûte-t-il partout les divertissements populaires ; l'ennui, c'est qu'en Espagne ce goût-là s'est propagé dans la noblesse et parmi les bonnes gens, au lieu de rester à sa place, comme en Angleterre ou en France, ne croyez-vous pas ? La plèbe est partout, dans tous les pays du monde, c'est dans l'ordre des choses. Mais ce qu'il y a chez nous, c'est le plébéianisme.

– Je ne saurais être davantage d'accord avec vous, don Hermès... Cette stérile et grossière bouffissure ne mène à rien d'autre qu'à faire croire à l'étranger qu'elle est un trait caractéristique de notre nation, et nous discrédite.

Un nouveau cassis manque de précipiter les académiciens l'un contre l'autre, et la voiture s'arrête. Cette fois, don Hermógenes se décide, jette un coup d'œil par la fenêtre, puis la referme, le visage aspergé de gouttes de pluie, au moment où retentit le claquement du fouet et où l'attelage, violemment arraché à la glaise, repart. Avec une expression résignée, le bibliothécaire masse ses reins endoloris.

– Tout de même, reprend-il, la religion et la bonne politique, main dans la main, réclament une réforme rigoureuse de cette grossièreté nationale. De ces coutumes.

À ces mots, don Pedro sourit.

– J'apprécierais bien davantage que la religion et la politique se lâchent la main et ne se la donnent jamais plus, objecte-t-il. Réformer en se fondant sur des lois au relent ecclésiastique, c'est prendre le mauvais chemin.

– Ne recommençons pas, je vous en prie.

– Je ne recommence ni n'arrête rien, don Hermès. À mon avis, une réforme des coutumes ne doit être inspirée que par la raison et le bon goût.

Avec sa candeur habituelle, le bibliothécaire proteste une nouvelle fois.

– Mon cher Amiral, un peuple pieux...

– Il n'est pas question de rendre les peuples pieux, mais de les rendre honnêtes, travailleurs, cultivés et prospères, tranche don Pedro. C'est pourquoi je vous parle d'un théâtre qui, en tant que principal divertissement national, encouragerait le patriotisme bien conçu, l'étude utile, le travail honnête, la culture, la vertu, en s'appuyant sur des exemples qui rehausseraient le prestige de la liberté et protégeraient l'innocence… Un théâtre enfin rendu au rayonnement et au sens commun que le bien public exige.

– Ah, mon cher Amiral, je crains que ce ne soit demander de la laine à un âne.

– Je sais, mais je ne vais pas moins continuer de demander de la laine à mon âne, pour voir si je n'en obtiens pas un brin. Et, d'une certaine manière, pour l'humble part qui nous revient, ce voyage en quête de livres interdits est une digne façon de le faire.

Le cheval avance doucement, plongeant les sabots dans la boue du chemin. La pluie drue, persistante, fait déborder les ornières jumelles creusées par les roues de l'équipage, un demi-mille plus loin ; elle force aussi Pascual Raposo, penché sur l'encolure de sa bête, à fermer presque les yeux pour les protéger des gouttes qui criblent de leurs coups d'épingle son visage, partiellement protégé par les bords difformes et ruisselants de son chapeau. Sous la capote qui l'abrite de l'intempérie, le cavalier solitaire frissonne, mouillé, embarrassé. Il donnerait n'importe quoi pour un bon feu auquel il resterait collé jusqu'à ce que fument ses vêtements, ou du moins pour le premier couvert sous lequel il pourrait se détendre, à l'abri de la pluie. Mais les environs ne lui présentent rien de semblable. Son passé de dragon l'a habitué à vivre à la dure, quoique, avec le temps, les ans qui filent sans recours, l'épreuve soit de plus en plus difficile à endurer. Un jour, se dit-il, marri, il n'aura plus les capacités nécessaires pour subvenir à ses besoins comme il le fait encore. Veuille le sort, conclut-il, qu'il dispose à ce moment-là de quoi vivre. De quoi avoir un toit, une femme et une marmite fumante assurés. Sous la pluie, ce triple souhait, ou l'évocation de ces trois bonheurs, suffit à le plonger aussitôt dans un désespoir étale. Une intense mélancolie.

Alors qu'il passe un pont de pierre au-dessous duquel une rivière aux eaux troubles court avec violence, le cheval se met à boiter. En grommelant une malédiction, Raposo tire sur les rênes, descend de sa monture et examine les pieds de l'animal, dont la chaleur contraste avec l'eau glaciale qui court et les recouvre. La malédiction se change en un atroce blasphème quand il s'aperçoit qu'un des fers a disparu. Se protégeant du mieux qu'il le peut avec sa capote, momentanément aveuglé par la pluie, il ouvre la sacoche, en sort un fer de rechange, une navaja, des clous et un marteau. Puis il cale entre ses jambes le pied du cheval et, chassant de temps à autre l'eau de son visage du revers de la main, il racle la corne, y pose le fer et le cloue du mieux qu'il peut. Les gouttes s'écrasent tout autour de lui, le criblent, s'infiltrent dans les coutures de la toile qui le couvre, courent, froides, de sa nuque à ses épaules et à son dos, lui donnent le frisson. Quand, après un long moment, il est venu à bout de la tâche, il a les jambes trempées jusqu'aux cuisses, les manches de sa veste dégoulinantes, et ses bottes ressuent l'eau. Alors, sans hâte, Raposo range les outils, saisit l'outre de vin et, renversant la tête en arrière, engloutit une très longue gorgée tandis que la pluie lui fouette le visage. Il se remet en selle et à peine le cheval sent-il l'homme sur son dos et la bride lâchée qu'il repart, laissant dans sa lancée le bruit de ses fers sur la pierre du pont.

Les ornières parallèles des roues de la berline serpentent dans la boue du chemin à perte de vue, réfléchissant dans leurs lits étroits le ciel couvert et le voile de brume de l'horizon. Raposo imagine les deux académiciens au sec et à l'abri à l'intérieur de la voiture, en train de consulter tranquillement leur montre en se demandant combien de lieues ils ont encore à couvrir jusqu'à Vitoria. Cette pensée lui inspire une âpre rancœur. Le moment viendra, se dit-il, où nous réglerons nos comptes. En ce qui le concerne, il y aura quelque chose à payer pour chaque pas que fait son cheval, chaque portion de chemin parcouru sous cette pluie. Pour la fatigue. Pour le froid. Et quand au-dessus d'une forêt lointaine un éclair déchire le ciel avant qu'un coup de tonnerre aussi assourdissant qu'une canonnade éclate entre les nuages noirs et bas, sa lueur éclaire la bouche du cavalier solitaire, tordue en une grimace féroce de vengeance remise à plus tard.

C'est jeudi et, à huit heures et demie du soir, à la Casa del Tesoro de Madrid, la séance de l'Académie royale d'Espagne est levée. Une lumière grasse de flambeaux de cire et de lampes à huile placées sur le tapis de basane de la table des réunions plénières éclaire à peine les étagères de livres et de dossiers jaunis, les classeurs de bois sombre, avec leurs cartons rangés par ordre alphabétique dans les casiers étiquetés. Les académiciens sont debout, le directeur, Vega de Sella, lit la prière habituelle, après quoi se font entendre un bruit de chaises, des toux qui éclaircissent les gorges, des graillonnements, des conversations. Palafox, le secrétaire, avec messieurs Echegárate – éminent glossateur du *Poème du Cid* – et Domínguez de Léon – auteur du *Discours sur la réforme des lois pénales*, entre autres textes notables –, disputent encore d'un mot qui vient d'être admis comme adjectif et figurera dans la prochaine édition du Dictionnaire. Tous ont abandonné leur fauteuil, quelques-uns tendent leurs mains vers le brasero qui arrive tout juste à tiédir la salle.

– Une possibilité intéressante se profile, concernant notre affaire, souffle Manuel Higueruela à Justo Sánchez Terrón.

Il l'entraîne à l'écart, à quelque distance du brasero dont se sont éloignés les autres académiciens et d'où vient l'odeur du charbon de bois calciné. Au-dessus d'eux, dans la pénombre du mur, on distingue les portraits du monarque défunt et du feu marquis fondateur de l'Académie, qui dominent les ombres de la salle des séances.

– Demain, l'archevêque de Tolède et le nonce apostolique assistent au repas du roi.

Sánchez Terrón hausse un sourcil dédaigneux bien dans son style.

– Et à quoi nous sont-ils bons ?

– À plus que vous ne croyez. Le marquis de Casa Prado sera également présent, et il est des nôtres.

– Il est des vôtres, voulez-vous dire.

Higueruela fait impatiemment claquer sa langue.

– Ne m'agacez pas, don Justo, vous n'allez pas m'apprendre à faire la grimace… Pour ce qui est du voyage à Paris, il n'y a ni nôtre ni vôtre qui tienne. Nous sommes dans le même bateau.

Ils échangent un regard entendu. Le journaliste baisse la voix.

– À trois, ils vont tenter de convaincre le roi de revenir sur son autorisation.

Sánchez Terrón opine du museau, intéressé malgré lui.

– N'est-il pas un peu tard pour ça ?

– Nullement, fait Higueruela avec un sourire canaille. Un courrier à cheval atteindra notre ambassade en une semaine.

– Vous oubliez, je le crains, que notre ambassadeur est le comte d'Aranda. Un éminent défenseur des Lumières.

– Il ne disputerait pas l'ordre du roi, s'il y en avait un.

Sánchez Terrón regarde prudemment autour de lui. Tous les académiciens sont maintenant près des patères du vestibule, pour prendre leurs chapeaux, leurs capes ou leurs manteaux.

– L'archevêque et le marquis s'y sont déjà employés il y a quelques jours, comme je vous l'ai signalé, rappelle-t-il au journaliste. Sans succès. Le roi a fait la sourde oreille.

– Il n'a pas non plus approuvé ni désapprouvé, que l'on sache. De plus, le nonce n'était pas avec eux, et monseigneur Ottaviani est connu pour sa force de caractère et pour savoir avancer des arguments convaincants... Enfin, le roi est un homme pieux. J'ai appris de source sûre que son confesseur travaille aussi dans ce sens.

– Le père Quílez ?

– Lui-même, qui prie et travaille.

– Je vois bien, fait Sánchez Terrón avec une moue amère, que vous pouvez déployer beaucoup d'énergie quand votre intérêt est en jeu.

– C'est aussi le vôtre. Ne jouez pas les prudes, monsieur.

– Allez au diable.

Sánchez Terrón époussette son frac à l'anglaise rehaussé d'une cravate guindée aux larges bandes qui lui donne l'apparence d'un précieux pisse-froid sur le retour. Ils passent dans le vestibule, où il ne reste plus que le directeur, le secrétaire et deux académiciens qui échangent des politesses. Vega de Sella, avec l'aide de l'huissier, met une cape par-dessus l'élégante veste où est brodée la croix de l'ordre de Saint-Jacques de l'Épée. Un peu plus tôt dans la soirée, au cours de la séance plénière, il a lu une lettre de l'Amiral et du bibliothécaire, confiée à la poste de

Vitoria, dans laquelle les deux hommes racontent les péripéties de leur voyage.

– Ah, don Justo, dit le directeur à Sánchez Terrón. J'oubliais de vous féliciter pour votre article de la semaine passée dans *El Mercurio de las Letras*… C'est très intelligemment exposé, bien entendu. Votre vision si profonde qui nous découvre quelles étaient les véritables intentions de Vélasquez quand il a peint sans rayons le rouet des *Fileuses* est impressionnante… Dynamique et subversif, je crois que ce sont là les qualificatifs originaux que vous avez employés. Rien de tel n'aurait pu nous venir à l'esprit, s'agissant de Vélasquez, n'est-ce pas ? Rien ne vous échappe.

Sánchez Terrón se pavane, à la fois flatté et troublé, parce que cette emphase ne lui dit rien qui vaille. Il croit y deviner un iota de subtile dérision.

– Merci, monsieur le directeur, bredouille-t-il. Ce que j'ai voulu, en fait…

Le sourire distant de Vega de Sella dissipe ses derniers doutes.

– Je ne sais ce que deviendraient la culture et la philosophie sans vous. Sérieusement. Je ne sais ce que nous deviendrions.

Sur ce, le directeur salue avec courtoisie d'une inclinaison de sa tête poudrée.

– Bonsoir, messieurs.

Higueruela et Sánchez Terrón le regardent partir.

– Quel imbécile, grommelle ce dernier. Il se doute de quelque chose.

– De quoi ? demande Higueruela, encore secrètement réjoui de l'échange qui vient d'avoir lieu.

– De nos conversations. De…

– Que voulez-vous qu'il en sache. Vous ne lui êtes pas sympathique, c'est tout.

– Il m'a tout de même élu à l'Académie.

Higueruela acquiesce, amusé.

– Vous n'aviez pas encore révélé au monde le peintre de génie qu'est Vélasquez, don Justo. Ni révélé aux Espagnols les vertus naturelles du bon sauvage des jungles et des prairies… Ce doit être ça.

Don Justo le regarde du coin de l'œil en tâchant de deviner le degré de sarcasme de la remarque. Mais tout fond sur le sourire niais du journaliste.

– Pensez-vous que Vega de Sella va contre-attaquer ? s'inquiète-t-il en changeant son fusil d'épaule.

– Malgré le nonce et les autres ? Auprès du roi ?

– Évidemment.

Higueruela fronce les lèvres, sceptique.

– Si Ottaviani arrive à convaincre Sa Majesté, notre directeur n'y pourra rien. *Monarchia locuta, causa finita...* Il ne restera plus à nos deux intrépides collègues qu'à revenir bredouilles.

– Avez-vous reçu des nouvelles de votre connaissance ? demande Sánchez Terrón en baissant davantage la voix. Du troisième voyageur ?

– Non. Mais, à l'heure qu'il est, ils doivent tous être sur le point de passer la frontière. Et avec le nonce ou sans lui, ils ont encore devant eux un long chemin hasardeux à faire.

Les conspirateurs prennent leurs manteaux et sortent ensemble dans la rue, où une unique lanterne éclaire la descente vers le palais royal. Une fois arrivés devant, sans un mot de politesse, ils s'éloignent l'un de l'autre d'un pas pressé. Presque furtif.

Charles III mange, avec toute la solennité requise, dans un coin d'une vaste salle du palais, entre deux hautes portes flanquées de tapisseries de la Fabrique royale où figurent des scènes mythologiques. Le roi a un grand nez, un visage hâlé par le soleil et la chasse, dont il est un grand amateur, et son teint paraît encore plus sombre en contraste avec sa perruque blanche frisée aux tempes. Il a revêtu une veste de velours vert, à son cou resplendit la Toison d'or, et sur sa poitrine la croix de l'ordre qui porte son nom et dont les membres s'engagent, par bulle papale, à défendre le dogme de l'Immaculée Conception. Au-dessus de sa tête, à vingt coudées du sol, un dais le couvre, peint d'allégories sur les grandeurs de la maison des Bourbons et les possessions de la couronne aux Amériques. Assis seul à table, dos au mur, il mâche lentement sans quitter son assiette des yeux, l'air pensif et, par intermittences, après avoir porté une serviette à ses lèvres, il tend la main vers le verre en cristal de La Granja rempli de vin, devant lui. Surveillés de près par le comte de Los Anzules, grand chambellan du palais, des serviteurs en livrée austère présentent chaque plat avec une inclinaison de tête. Près de la table deux lévriers somnolent sur le tapis ou lèvent le museau vers ce que leur maître, sans se départir de l'air absent avec lequel il mange, leur jette de temps à autre.

Le protocole est rigoureux et routinier : la vingtaine de personnes qui assistent au repas du monarque – rien que des hommes – se tient à distance respectueuse. Il y a aujourd'hui parmi eux les ambassadeurs de Naples et de Russie, le nonce du pape, l'archevêque de Tolède, quelques courtisans habituels et des invités particuliers qui font un ensemble bigarré de vestes, de soutanes, d'uniformes, de flots de dentelles, d'élégantes culottes et de perruques aux bandeaux ondulés. Le roi lève parfois les yeux, regarde et invite à s'approcher l'un d'eux, qui s'avance respectueusement, fait la révérence, écoute ce que Charles III a à lui dire, converse avec lui et se retire quand le monarque signifie en reportant le regard sur son assiette que l'entretien est terminé. Pendant ce temps, dans le reste de l'assistance des cercles se forment dans lesquels on parle à voix basse, on attend, ou l'on tend discrètement l'oreille pour essayer de suivre ce qui se dit à la table du roi.

– Regardez, mais regardez donc, marquis… Peñaflorida n'a obtenu du roi qu'une minute d'attention.

– C'est bien assez pour demander que son gendre soit promu au grade de colonel, je suppose.

– Sapristi ! Vous êtes drôlement fin, vous.

Les laquais desservent la table et apportent au monarque trois doigts de café dans de la porcelaine offerte par l'empereur de Chine. Charles III en boit quelques gouttes et par-dessus le rebord de la tasse pose son regard sur le cardinal Ottaviani, le nonce apostolique. Celui-ci vient vers lui avec un sourire diplomatique, les mains où luit l'anneau de sa dignité ecclésiastique croisées sur sa mozette cramoisie bordée de dentelle. Ils échangent des politesses, le cardinal transmet un message du pape, et ils passent à d'autres affaires. Le nonce demande dans un espagnol fleuri aux nuances toscanes la permission de faire entrer dans la conversation l'archevêque de Tolède et le marquis de Casa Prado ; le roi consent et les deux hommes s'approchent.

– Il y a là motif d'inquiétude, Votre Majesté, souligne le nonce après être entré dans le vif du sujet.

L'archevêque et le marquis s'introduisent délicatement dans la brèche ainsi ouverte, en argumentant à tour de rôle. Le monarque écoute, d'un air distrait, en regardant parfois ses chiens ; l'un d'eux s'est levé du tapis et lui lèche la main avec de sonores coups de langue. Bonhomme, le roi des deux mondes laisse faire.

– L'Académie royale d'Espagne, à cause de son prestige, ne peut s'abaisser à certains postulats de ces temps troublés, avance l'archevêque de Tolède. Ce voyage à Paris pour aller chercher l'*Encyclopédie* suscite bien des critiques.

– Bien des critiques, répète le marquis de Casa Prado sur un clignement de paupières éloquent du nonce.

– Envers qui ? demande le roi avec douceur.

Les trois hommes échangent entre eux des regards. C'est finalement le nonce qui se lance.

– Enfin, Sire… Il s'agit d'une compilation indigeste, très entachée de paradoxes et d'erreurs, avec toutes ces théories pernicieuses sur la loi naturelle. D'une œuvre contestée et contestable, qui a été mise à l'Index par l'Église.

Le monarque soutient le regard du nonce presque avec candeur.

– Nous l'avons dans notre bibliothèque royale.

Le silence se fait. Le marquis de Casa Prado, en tant que représentant de la société civile, devine l'avertissement et bat légèrement en retraite. Ce qui signifie qu'il va sourire, bouche cousue, et rester muet comme une carpe. L'aile ecclésiastique semble devoir se montrer plus courageuse.

– La bibliothèque de Votre Majesté, glisse l'archevêque, est au-dessus de tout…

Il s'en tient là, cherche ses mots, ou plutôt les garde pour lui. Charles III, patient, regarde la main que lèche le lévrier.

– Soupçon, conclut le nonce avec toute la cautèle cardinale.

Le roi prend la tasse de café et, l'approchant du museau du chien, laisse celui-ci la flairer avec précaution avant de remuer la queue et de la nettoyer à grands coups de langue.

– L'Académie royale d'Espagne l'est aussi, dit-il peu après, en reposant la tasse sur la table. Comme votre excellence le sait bien.

À son tour, l'archevêque de Tolède perçoit l'avertissement et se tient coi, à l'instar du marquis de Casa Prado, maintenant muet. Le nonce reste seul en première ligne.

– L'*Encyclopédie* est truffée de subterfuges, de traits d'ironie et de fausses affirmations d'orthodoxie, insiste-t-il. Tout y est jeté bas, et ne laisse sur pied que Locke et Newton… À mon avis, qui n'est autre que celui de Sa Sainteté, cette œuvre sape les fondements chrétiens de l'État.

– Mais l'article *Christianisme* est irréprochable, objecte le roi. Du moins autant qu'il m'en souvienne.

– Vous… Votre Majesté l'a lu ?

– En partie, oui. Les rois ne s'intéressent pas seulement à la chasse.

Le silence qui suit dure quelques instants, ceux que s'accorde le nonce avant de répondre.

– Dans ce cas, dit-il en reprenant enfin le fil, je suis sûr que Votre Majesté ne se sera pas laissé berner. Pour tromper la censure, les éditeurs ont eu la finesse d'introduire des mots à double entente et des hérésies voilées… Dans un article apparemment innocent, comme *Siako*, ils se moquent de Sa Sainteté en l'habillant de vêtements japonais et, à l'article *Ypaina*, ils décrivent la sainte eucharistie sous le déguisement d'un rituel païen extravagant… Pour ne rien dire d'*Autorité politique*, où ils soumettent le pouvoir des rois au consentement des peuples.

– Cet article-là, je ne l'ai pas encore lu, reconnaît le roi, intéressé. Comment dites-vous qu'il s'intitule ?

– *Autorité politique*, Votre Majesté. Et en tout cas…

Les doigts de Charles III se sont légèrement levés, à seulement deux pouces de la nappe, mais suffisamment pour faire taire le nonce.

– Puisque vous êtes si attaché à la lecture, permettez-moi de vous en recommander une, une œuvre qui n'a de pareille dans aucun autre pays d'Europe. Je veux parler du *Dictionnaire de la langue castillane*. Votre excellence le connaît-il ?

– Bien entendu, Sire.

– Alors, vous devez savoir toute la noble érudition qu'il renferme, et quel admirable travail font les académiciens qui, sans autre ambition que la pureté et la gloire de notre langue, en arrêtent les définitions, l'orthographe et la grammaire… toutes choses qui rejaillissent pour leur bien sur la nation et sur le trône. Et qui méritent tout mon soutien, comme elles ont mérité celui de mes prédécesseurs.

Le nonce avale sa salive.

– En résumé, Votre Majesté…

Charles III détourne le regard et caresse ses lévriers.

– En résumé, cher cardinal Ottaviani, il sied qu'au service du roi l'*Encyclopédie* soit à la bibliothèque de l'Académie royale d'Espagne.

Et, après un regard au grand chambellan, qui lui recule sa chaise quand il se lève, le roi des deux mondes met fin à l'entretien.

Tolosa, Oyarzun, Irún… Il continue de pleuvoir par intermittences quand au douzième jour de route, après avoir présenté de bonne heure leurs passeports et s'être soumis aux formalités de douane et de change, les académiciens franchissent la frontière dans leur berline sur le pont de la Bidassoa et s'aventurent dans un paysage de champs de maïs, de vignobles et de forêts où, entre les nappes grises de la brume du matin, les hameaux épars font dans la verdure des taches claires. Malgré la pluie on distingue dans la campagne une certaine animation : vaches que l'on mène aux pâtis, villageoises dont les sabots s'enfoncent dans la boue tandis qu'elles conduisent les mules et les chevaux, hommes couverts de sarraus de toile penchés sur leurs araires en bordure des bois ou dans les labours. En gagnant une hauteur par un chemin bordé de chênes, une trouée dans le feuillage leur découvre à leur droite la chaîne des Pyrénées, à leur gauche la lame argentée de la mer qu'un rayon de soleil oblique éclaire et fait resplendir de feux qui mettent de la joie au cœur des voyageurs.

– La France, mon ami, lance don Hermógenes. Nous y sommes enfin arrivés, dans la patrie de Corneille, de Molière, de Montaigne et de Descartes… Du vin et de la philosophie.

– Et aussi de ce que l'on appelle le mal français, ajoute l'Amiral, provocateur. Autrement dit de la syphilis.

– Allons, monsieur... Je vous en prie.

Comme un signe favorable, le temps change et le ciel se découvre. Des jours ensoleillés de bonne route vont suivre, sans incident notable ni autres incommodités que celles de tout déplacement en semblable équipage : un endommagement de la berline près de Bordeaux, un manque de chevaux au relais de Montlieu et une douloureuse attaque de gravelle qui force don Hermógenes à chercher une auberge confortable et à garder le lit durant quelques jours à Angoulême, sur le conseil d'un médecin qu'a fait mander l'Amiral. Pendant ce temps-là, ce dernier témoigne d'une sollicitude extraordinaire et veille sur le malade au chevet duquel il se tient jour et nuit.

– Allez dormir un peu, le prie l'Amiral chaque fois qu'il ouvre les yeux et le trouve assis à califourchon sur une chaise, en train de sommeiller, les bras et la tête appuyés sur le dossier.

– Pourquoi ? demande don Pedro. Je suis très bien ainsi.

Tout cela donne lieu à de nouvelles conversations et à une intimité qui renforce l'affection entre les deux voyageurs. Quand ils reprennent la route en direction de Tours et de la Loire, ils sont, on dirait bien, les meilleurs amis du monde, même si quelques nuances les distinguent l'un de l'autre : don Hermógenes est porté par sa bonté naturelle et le respect que lui inspire son compagnon à se livrer sans réserve à l'amitié, ce à quoi l'Amiral répond avec gentillesse bien qu'il garde, sur le chapitre de la confiance, une certaine distance qui ne se laisse pas aisément franchir. S'il n'omet aucun des devoirs de la plus exquise délicatesse, il se tient sur la réserve pour ce qui est des sentiments. Sobre par goût, courtois par éducation, retranché derrière un humour mordant, parfois austère, don Pedro Zárate paie de retour avec un brin de lésinerie les enthousiasmes et les confidences que, par contraste, don Hermógenes semble prodiguer. Il en apparaît quelque chose à Poitiers quand, une fois logés dans une bonne auberge proche de l'ancien amphithéâtre romain, ils vont faire un tour en attendant le dîner...

J'arrêtai d'écrire après ces points de suspension, alors que les deux académiciens se promènent dans Poitiers en début de soirée, parce que je sentis – j'eus l'intuition, plus exactement – que je pénétrais dans une zone dangereuse de la structure de ce récit. En m'aidant de quelques livres de voyage et d'une bonne loupe, je cherchais à situer sur le plan de la ville la rue où se trouvait l'auberge d'Artois – de bonne réputation, tout à fait convenable pour mes deux voyageurs – quand je découvris que se présentait une difficulté d'ordre technique. D'une part, pour le bon déroulement de l'histoire, je devais déplacer mes personnages sur la carte de France en donnant à la narration une longueur suffisante pour que le lecteur puisse sentir lui aussi la durée et la fatigue du voyage. D'autre part, cette description quasi géographique seulement animée par les menus incidents que pouvait réserver un long trajet par la route dans le dernier tiers du XVIIIe siècle allait être trop longue, couvrir des pages et des pages qui pouvaient lasser le lecteur et même manquer d'intérêt pour l'écrivain, parce qu'elles n'apportaient rien de particulier et ne permettaient pas d'imaginer des événements susceptibles d'égayer un peu ceux qui s'étaient réellement produits. Seuls de nouveaux dialogues entre le bibliothécaire et l'Amiral allaient peut-être donner quelque dynamique à ces pages ; mais sur ce point, à cette étape du récit, l'essentiel était déjà montré et ce qui devait suivre, dépendant des péripéties à venir, restait à construire. Il me semblait en avoir jusqu'ici suffisamment fait dire à mes personnages pour que le lecteur même le moins averti eût pu se faire une idée de l'Espagne si peu heureuse qu'ils évoquaient ; de ce qu'étaient les possibilités réelles de changement au cours de ces années décisives, et enfin de la noble détermination qui justifiait un voyage à Paris pour en rapporter cette *Encyclopédie* alors considérée comme la plus grande avancée intellectuelle des Lumières et du progrès ; en somme, de tout ce que désiraient pour leur patrie ces deux hommes de bien éclairés et ceux des membres de l'Académie royale d'Espagne qui les soutenaient. J'en arrivai ainsi à la conclusion que la narration devait conduire au plus vite les deux voyageurs non loin de Paris, ou dans la ville même, là où s'étaient effectivement produites assez de péripéties pour soutenir l'intérêt du lecteur.

Par conséquent, je décidai de recourir à une ellipse – celle dans laquelle nous sommes – qui allait me permettre de soulager le texte des quatre-vingt-cinq lieues suivantes – la longue semaine de route qui pour la berline des académiciens séparait alors Poitiers de la capitale de la France. En fait, c'est moi qui les parcourus à leur place, par l'autoroute jusqu'à Tours, où je pris la N-152 qui suit la rive droite de la Loire en passant parfois sur la départementale de la rive opposée, voyage agréable qui me permit de remonter le fleuve en quelques heures – ce que don Hermógenes et l'Amiral n'auraient pu rêver – et, pendant la halte d'un déjeuner au milieu des vignobles, de revenir à ce que le marquis d'Ureña raconte de son voyage en 1787, en comparant la carte Michelin avec celle des postes de France du XVIIIe que je m'étais procurée à la librairie Polak, et ce en vue de repérer les relais de poste par lesquels les deux académiciens espagnols avaient dû passer : Amboise, pont de Choisy, Blois, Cléry... tous étaient situés dans des régions fertiles, industrieuses et riches, à présent comme par le passé, mais du temps où nos protagonistes se rendaient à Paris, elles commençaient à être en proie à des troubles sociaux qui devaient conduire à la Révolution française. Toutefois, loin encore du moment où la tête de Louis XVI allait tomber sur l'échafaud, les signes du mécontentement populaire, la famine et les inégalités restaient au second plan pour le regard superficiel de nos voyageurs ; ils parcouraient la France en la contemplant avec les yeux de l'admiration que tout homme cultivé portait alors à la terre des grands penseurs et des philosophes modernes. Le récit de voyage du marquis m'offrait à cet égard tout un luxe de choses vues et des réflexions que je pouvais sans difficulté prêter aux deux voyageurs.

> *J'ai vu affiché dans un coin un décret d'enrôlement qui m'a semblé inspiré de Tacite ou de Tite-Live. Il n'est rien ici qui ne se puisse considérer comme une expression du génie de cette nation.*

En arrivant à Cléry, tout près d'Orléans, je me livrai à un petit rite personnel et traversai le pont pour aller passer un moment à Meung-sur-Loire, où commence le premier chapitre des *Trois Mousquetaires*, quand d'Artagnan rencontre pour la première fois devant l'auberge du Franc-Meunier ses ennemis mortels,

Milady et Rochefort. Le rite était double, parce que, justement sur la trace du roman d'Alexandre Dumas, je m'étais installé à Meung pour quelques jours, une vingtaine d'années plus tôt, avec l'intention d'y situer un épisode de mon roman *L'Ombre de Richelieu*, qui débute par ces mots : *C'était une nuit lugubre. La Loire filait, turbulente…* etc. Dans un bar du centre-ville, je bus un verre de vin d'Anjou en l'honneur des temps où j'étais un lecteur innocent – et même un romancier innocent –, en consultant quelques notes avant de reprendre la route de Paris, d'où la vue sur la capitale qu'avaient découverte l'Amiral et le bibliothécaire ne devait pas être très différente de celle que, deux décennies plus tard, Nicolás de la Cruz allait faire figurer dans la chronique de son voyage en France, Espagne et Italie :

> *On gravit une petite côte d'où l'on découvre parfaitement Paris ; la vue est superbe, et l'âme désire entrer au plus vite dans cette magnifique ville, si célébrée par toutes les nations.*

Je préférai pourtant, pour la vue qui se découvrait aux regards des académiciens, tempérer l'enthousiasme de De la Cruz en combinant son impression avec celle, moins agréable, que la ville avait faite sur Ureña un peu plus de dix ans auparavant :

> *Paris ne se découvre que de très près, parce qu'elle est située dans une vallée qu'elle occupe presque entièrement ; la plus grande partie de l'année noyée dans les brumes et entourée d'une enceinte, elle ne promettrait guère si n'émergeaient du rempart tant de dômes, de clochers et de cheminées ; par-dessus, les fumées et les toits d'ardoise font, de l'intérieur et de l'extérieur, un spectacle funèbre qui angoisse et trouble le cœur.*

Et c'est ainsi, don Hermógenes éperdu d'admiration devant la magnifique ville louée par tous les peuples, et l'Amiral enclin de son côté à la considérer avec une vague angoisse qui troublait son cœur comme un sombre pressentiment, que les deux académiciens entrèrent enfin, lassés d'un long voyage, dans la capitale du monde éclairé.

5

La ville des philosophes

> La ville entière agit comme un livre et les citadins y cheminent en le lisant et en s'imprégnant de leçons de civisme à chaque pas qu'ils font.
>
> R. DARNTON, *Les Best-sellers interdits de la France prérévolutionnaire*

– Son excellence vous recevra dans un moment. Ayez la bonté de l'attendre ici.

Le secrétaire d'ambassade vêtu de gris souris vient de se présenter comme Heredia, tout court. D'un geste négligent, il montre quelques chaises dans une pièce ornée de tapis, de miroirs et de moulures en stuc bleues et blanches, et il s'éloigne dans un couloir sans attendre que don Hermógenes et don Pedro se soient assis, ce qu'ils font en promenant autour d'eux un regard désappointé, parce qu'ils escomptaient plus de panache de l'endroit qui abrite la représentation diplomatique de l'Espagne. L'hôtel de Montmartel n'est pas tout à fait un palais, il est même d'apparence trop modeste pour la charge que le comte d'Aranda, son principal hôte, exerce auprès du roi Louis XVI. Les deux académiciens – longue veste de drap noir pour le bibliothécaire, frac bleu marine aux boutons d'acier poli pour l'Amiral – sont surpris par le côté mesquin de tout ce qu'ils ont pu voir en passant, d'une insuffisance flagrante, compte tenu de l'essaim de conseillers, de secrétaires, d'huissiers et de visiteurs en mouvement dans les cabinets et les couloirs. Néanmoins, vue de la rue, l'ambassade fait illusion : sa façade est belle, pourvue d'un pimpant garde suisse en veste rouge et culotte blanche à l'entrée, et elle se trouve rue Neuve-des-Petits-Champs, au cœur du Paris élégant, à deux pas du Louvre et du jardin des Tuileries.

– L'affectation d'un côté, la réalité de l'autre, remarque l'Amiral, railleur, une fois la porte franchie. C'est si espagnol que ça fait peur.

Inquiet, le bibliothécaire n'arrête pas de remuer sur son siège : on n'est pas tous les jours à Paris à attendre d'être reçu par le comte d'Aranda. De son côté, l'Amiral reste impassible ; il observe tout d'un air pensif et croise de temps en temps le regard du troisième homme qui est dans la pièce, et l'examine ouvertement : c'est un individu entre deux âges, mal rasé, coiffé d'une perruque hirsute, graisseuse, vêtu d'une veste qui laisse à peine deviner qu'elle a un jour dû être noire. L'individu négligé n'a pas de chapeau et tient sur ses genoux une canne rustique à poignée en corne. Ses longues jambes maigres sont couvertes de bas de laine grise reprisés, ses chaussures dépareraient même le réduit d'un savetier.

– Des compatriotes, je suppose, fait l'inconnu après avoir de son côté longuement regardé les académiciens.

Toujours aimable, don Hermógenes en convient, et l'homme affiche une expression de contentement. La seule chose remarquable dans son visage osseux et vulgaire, note le bibliothécaire, ce sont ses yeux : vifs, brillants et noirs comme de l'obsidienne polie. Ceux d'un homme de foi, de conviction, conclut-il ; ou quelqu'un dont l'éloquence est prête à rompre les digues. Certains prédicateurs, se dit encore l'académicien, montent en chaire avec ce regard-là.

– Il y a longtemps que vous êtes à Paris ?

– À peine deux jours, répond le courtois don Hermógenes.

– Et que dites-vous de votre logement ?

– Correct. Nous sommes à l'hôtel de la Cour de France.

– Ah. Je connais. C'est tout près d'ici. Un endroit passable, bien que la table laisse à désirer… Avez-vous visité la ville ?

Une brève discussion suit sur les logements à Paris, les divertissements, la modicité de la résidence dans laquelle ils se trouvent, peu appropriée à la légation d'une Espagne qui, malgré ces temps difficiles, est toujours une indéniable puissance mondiale, reconnaît le curieux bonhomme ; encore que le loyer seul coûte la bagatelle de cent mille réaux ; ce qui n'est pas exactement de la roupie de sansonnet.

– Je le sais de source sûre, conclut-il sur un ton acerbe inattendu. Imaginez-vous tout ce que cette insolente somme d'argent pourrait apporter d'utile à l'humanité ? Toutes les bouches affamées que l'on pourrait nourrir avec ? Les orphelines que l'on pourrait protéger ?

En se demandant s'il n'aurait pas affaire à un risque-tout ou à un provocateur, peut-être mis là exprès pour les sonder, don Hermógenes préfère garder le silence en s'intéressant aux motifs du tapis à ses pieds. De son côté, l'Amiral, qui pendant tout ce temps n'a pas ouvert la bouche mais étudié l'excentrique, détourne le regard pour le river sur un des miroirs, qui reflète les caissons du plafond. Quand il s'avise qu'on ne l'écoute plus, l'homme murmure entre ses dents quelque propos inintelligible, hausse les épaules avec indifférence, tire de sa poche un fascicule et se met à lire.

– Ah, les canailles, marmotte-t-il de temps en temps, sans doute indigné par ce qu'il y découvre. Ah, les infâmes…

Le secrétaire qui les a accueillis vient tirer les académiciens de cette mauvaise posture en leur demandant de l'accompagner. Monsieur l'ambassadeur, leur annonce-t-il, a un moment libre et va les recevoir immédiatement. Tous les deux se lèvent et le suivent, soulagés, sans même que l'homme qui continue de lire lève la tête. Ils empruntent un long couloir jusqu'à l'antichambre et le cabinet où, à contre-jour, devant une fenêtre qui donne sur un petit jardin à l'anglaise, près d'une cheminée où brûlent des bûches, se tient un homme en perruque poudrée avec trois boucles marteaux sur chaque tempe. Il est debout, mains croisées derrière le dos. Sa veste de velours bleu ciel brodée d'or sied impeccablement – et c'est tout à l'honneur de son tailleur – à ses épaules plutôt étroites et à son visage assez ingrat : l'ambassadeur a le teint citrin, la denture gâtée, l'œil un peu louche, et il doit aussi être légèrement sourd, estiment les académiciens en le voyant se pencher vers son secrétaire pour mieux entendre ce que dit celui-ci.

– Don Hermógenes Molina et l'ex-brigadier des armées navales du roi, don Pedro Zárate… de l'Académie royale d'Espagne, excellence.

Tous deux s'inclinent et serrent la main – plutôt molle et ornée d'une topaze énorme – que le diplomate leur tend sans les inviter à s'asseoir. L'air distrait, il leur dit sèchement qu'ils sont les bienvenus, puis il parle de la pluie, affirme brusquement qu'ils ont de la chance qu'il ne pleuve pas, en regardant le soleil qui éclaire le jardin comme si celui-ci lui faisait l'affront inouï de le contredire.

– Ici, savez-vous, il pleut pour ainsi dire sans discontinuer, et les rues deviennent impraticables.

Là-dessus, il se tourne et tend l'oreille vers le secrétaire.

– N'est-ce pas, Heredia ?

– C'est tout à fait exact, excellence.

– Et tous les cochers en profitent, pour une course d'une demi-heure ils n'exigent rien de moins que l'équivalent de douze réaux, figurez-vous… Alors, soyez prudents. Hum. Il ne faut pas compromettre la patrie en se laissant berner comme des imbéciles.

Les deux voyageurs passent du désarroi à la déception. Pedro Pablo Abarca de Bolea, comte d'Aranda, représentant de Sa Majesté catholique à la cour de France, ne correspond en rien, physiquement, à sa légende de Grand d'Espagne, ancien ambassadeur à Lisbonne et à Varsovie qui, avant de tomber en disgrâce – si l'on peut donner ce nom aux douze mille doublons que la couronne verse maintenant chaque année dans son escarcelle –, a détenu en Espagne le pouvoir absolu en tant que Premier ministre de Charles III ; au politique éclairé ami des encyclopédistes, à l'homme qui a présidé au Conseil de Castille après la révolte contre Esquilache, a expulsé d'Espagne les jésuites ; qui, encore à présent, de son ambassade à Paris, conduit avec intelligence la guerre de Minorque et de Gibraltar, et soutient les colonies américaines dans leur lutte contre la Grande-Bretagne. Et tout ce pouvoir, toute cette surabondance d'influence, de moyens et d'argent, vient de s'incarner pour nos académiciens en ce sexagénaire voûté, affligé de strabisme et édenté qui leur réserve un courtois mélange de lassitude et de tolérance tout en jetant des regards impatients à la pendule dont le balancier bat sa cadence sur le manteau de la cheminée ; la chaleur du feu tempère peut-être le sang froid de l'ambassadeur mais suffoque indiciblement ses visiteurs tout comme son secrétaire, lequel sort discrètement un mouchoir et, après avoir simulé un éternuement très maîtrisé, s'éponge le front.

– L'*Encyclopédie*, me dit-on, lâche enfin Aranda.

Il montre, sur ces mots, la lettre de recommandation dépliée sur le maroquin vert de sa table de travail. Puis, sans leur donner le temps de prendre la parole, plonge le menton dans les dentelles où brille le collier de l'ordre de la Toison d'or et adresse à ses visiteurs un bref discours, plutôt machinal, sur l'utilité de cette œuvre majeure, sa richesse conceptuelle et son apport décisif à la philosophie moderne, aux arts et aux sciences, etc.

– Je connais quelques-uns d'entre eux, hum, des rédacteurs originaux, bien sûr. Qui, vivant à Paris, ne les connaîtrait pas ? Hum. Et, pendant un certain temps, j'ai échangé quelques lettres avec Voltaire.

Il conclut en estimant que c'est une bonne idée d'en faire entrer un exemplaire à la bibliothèque de l'Académie, n'en déplaise aux fâcheux. Qui sont toujours les mêmes. Hum. Les lumières, les lumières. C'est ce dont l'Espagne a besoin. De lumières à la portée de tous, mais cependant dans un ordre établi. Pour le reste, que les récalcitrants aillent au diable. Et les imbéciles avec eux. Hum. Noble entreprise que celle de ce voyage. Ils ont toutes ses sympathies, bien entendu. Don Ignacio Heredia les mettra sur la bonne voie, pour ce dont ils peuvent avoir besoin. Hum, hum.

– … Ç'a été un véritable plaisir, messieurs. Profitez de Paris.

À ces mots, leur laissant à peine le temps de prononcer quelques formules de politesse, il les pousse presque vers la porte. Un instant plus tard, l'Amiral et le bibliothécaire se retrouvent dans un couloir, encore en sueur sous leurs vêtements, et regardent, déroutés, le secrétaire.

– Il est dans un de ses mauvais jours, dit celui-ci d'un air distrait. Beaucoup de correspondance à expédier, et il doit aller voir cet après-midi le ministre des Finances. Vous n'imaginez pas la vie qu'il mène. Ou que nous menons.

Avec sa bonté habituelle, don Hermógenes hoche la tête, compréhensif. L'Amiral, en revanche, pose successivement des regards revêches sur le secrétaire et sur la porte qui vient de se refermer derrière eux.

– Comte ou ambassadeur, lance-t-il, ce n'est pas là une...

Le secrétaire lève une main exaspérée pour réclamer un peu de patience. Il porte un classeur plein de papiers qu'il consulte avec une expression attentive, sans que les académiciens puissent deviner si ces documents ont ou pas un lien avec eux, tout en soupçonnant qu'ils n'en ont pas le moindre. Au bout d'un moment, l'homme lève les yeux et les regarde comme s'il avait oublié leur présence auprès de lui.

– Votre *Encyclopédie*, bien sûr, fait-il enfin. Ayez la bonté de me suivre.

Il les conduit dans un bureau où ils trouvent un employé aux écritures en plein travail à son pupitre, quelques meubles de rangement d'archives en bois sombre et une énorme table couverte de papiers. Par terre, contre les murs, des documents sont empilés en liasses épaisses tenues par des ficelles.

– Je vais vous résumer ce qu'il en est, dit le secrétaire en leur désignant deux chaises avant de s'asseoir lui aussi.

Et, en effet, il le résume. Malgré la lettre de recommandation reçue du marquis d'Oxinaga, l'ambassade d'Espagne ne peut intervenir directement dans l'affaire. L'*Encyclopédie* est un ouvrage mis à l'Index par le Saint-Office, et cette légation représente un souverain qui ne porte pas sans raison le titre de Majesté catholique. Bien entendu, l'Académie royale d'Espagne a toute licence de compter dans sa bibliothèque des livres interdits ; mais cette permission ne regarde que la détention et la lecture, pas le transport. Précision – et là-dessus Heredia sourit avec une froideur tranchante – dont il va leur falloir assumer toutes les conséquences. Le fond du problème tient au fait que l'ambassade d'Espagne, même si elle voit l'entreprise d'un bon œil, ne peut s'impliquer ni dans l'acquisition ni dans le transport des livres. Elle doit sur ce point rester en retrait.

– Ce qui veut dire ? demande don Hermógenes, déconfit.

– Que vous avez toute notre sympathie, mais que par voie officielle nous ne pouvons vous aider. Vous devrez vous charger directement des négociations avec les éditeurs ou les libraires.

Le bibliothécaire s'agite, inquiet.

– Et le transport ?... Pour faciliter le retour à Madrid, nous avions prévu de mettre les paquets sous protection diplomatique. De repartir avec un laissez-passer de l'ambassade.

– Par notre valise ? demande le secrétaire.

Il jette un rapide coup d'œil sur l'employé absorbé dans les écritures, à son pupitre, puis fronce les sourcils, scandalisé.

– C'est impossible. Une telle implication n'est pas envisageable.

L'inquiétude de don Hermógenes est devenue de l'angoisse flagrante. À côté de lui, l'Amiral écoute sans desserrer les lèvres. Grave et impassible comme il sait l'être.

– Vous pourriez au moins nous conseiller. Nous indiquer où...

– Cela dépasse largement nos prérogatives, j'en ai peur. Et je dois vous prévenir de certaines choses. En premier lieu, que l'*Encyclopédie* est interdite en France. Du moins officiellement.

– Mais elle s'imprime et se vend, du moins il en était encore ainsi dernièrement.

Maintenant, le secrétaire arbore un demi-sourire suffisant.

– Si l'on peut dire. Ce n'est pas aussi simple qu'il y paraît. L'histoire de ces volumes n'est qu'une succession d'autorisations et d'interdictions depuis la parution du premier. Déjà, à ce moment-là, le pape avait ordonné que tous les exemplaires soient brûlés, sous peine d'excommunication. En France, le Parlement a estimé que l'ouvrage était une conspiration destinée à anéantir la religion et à saper l'État, et il a révoqué le permis d'imprimer... Sans la protection de personnages influents, en accord avec les idées des rédacteurs, il aurait cessé d'être publié après la parution des premiers volumes. On a même introduit dans les suivants, pour respecter les formes, un pseudo-achevé d'imprimer indiquant qu'ils seraient sortis de presse à l'étranger.

– En Suisse, d'après ce que nous avons appris, dit don Hermógenes.

– Oui, à Neuchâtel. Tout cela place l'*Encyclopédie* dans de vagues...

– Limbes éditoriaux ?

– C'est cela : elle existe, bien qu'elle n'existe pas. Elle est imprimée, bien que nul ne l'imprime.

– Mais… Elle est toujours vendue ?

Le secrétaire jette un nouveau regard rapide sur l'employé qui, tête penchée sur sa plume, son encrier et sa feuille de papier, est tout à son affaire.

– Officiellement, non, répond Heredia. Ou, plutôt, d'une façon nébuleuse. En réalité, on n'imprime plus l'œuvre originale complète : elle est épuisée. Les deux derniers volumes sont sortis de presse il y a huit ou neuf ans, et il est rare qu'un libraire la propose.

– D'après nos sources, il y aurait des exemplaires en circulation. C'est pourquoi nous sommes venus.

Le secrétaire a une expression ambiguë, bouche pincée, et un geste de la main presque français qui marque la réserve.

– On peut trouver des éditions clandestines imprimées, sur la vague du succès éditorial, en Angleterre, en Italie ou en Suisse ; mais elles ne sont pas fiables, parce qu'elles ont été corrigées et remaniées. Ce que l'on trouve en France, ce sont des réimpressions, ou de nouvelles éditions auxquelles on ne peut se fier que jusqu'à un certain point. Je crois qu'il y en a une, in-quarto…

Don Hermógenes secoue la tête.

– C'est l'originale qui nous intéresse, in-folio.

– Il est bien difficile de se la procurer. Une réimpression s'obtiendrait plus facilement, et pour moins cher, bien entendu.

– Oui. Mais il s'agit de l'Académie royale d'Espagne, intervient l'Amiral avec la gravité qui le caractérise en se penchant en avant sur sa chaise… Pour laquelle un certain décorum se doit d'être respecté, comprenez-vous ?

Le secrétaire cligne des yeux devant la fixité du regard bleu.

– Bien sûr.

– Croyez-vous qu'il soit possible de trouver les vingt-huit volumes de la première édition complète ?

– Je suppose que l'on devrait finir par en trouver une… Si vous étiez prêts à payer ce que l'on en demande, évidemment.

– Ce qui revient à dire ?

– Il faut prévoir un minimum de soixante louis.

Don Hermógenes se met à compter sur ses doigts.

– Ce qui fait…

– Un peu plus de mille quatre cents livres, dit l'Amiral. En réaux d'Espagne, environ six mille.

– Cinq mille six cents, confirme le secrétaire.

Don Hermógenes adresse à son collègue un regard de soulagement. La dépense prévue pour l'acquisition des vingt-huit volumes peut aller jusqu'à huit mille réaux, ce qui fait près de deux mille livres. En principe, sauf complications et dépenses imprévues, ils disposent de la somme suffisante.

– C'est dans nos possibilités, conclut le bibliothécaire.

– Bien, fait le secrétaire en se levant, cela facilitera les choses.

Ils quittent la pièce sans que l'employé aux écritures ait levé les yeux de son pupitre. Le secrétaire les précède dans le couloir, visiblement soulagé de se débarrasser d'eux.

– Pouvez-vous au moins nous donner l'adresse d'un libraire de confiance ? demande l'Amiral.

Le secrétaire s'arrête, fronce les sourcils avec une expression de contrariété et les regarde, indécis.

– Comme je vous l'ai dit, ce n'est pas de la compétence de l'ambassade, répond-il, quand il prend tout à coup l'air de quelqu'un à qui une idée vient de traverser l'esprit. Mais il y a pourtant quelque chose que je peux faire, à titre personnel : c'est vous mettre en contact avec l'individu idoine.

Il les invite à l'accompagner, fait quelques pas en direction de l'antichambre dans laquelle ils ont attendu avant de pouvoir rencontrer l'ambassadeur, et s'arrête sur le seuil d'où il leur montre l'homme en noir négligé, encore plongé dans la lecture de son fascicule.

– Je crois que vous avez déjà vu ce monsieur. Je vous présente l'abbé Bringas.

L'irruption de Salas Bringas Ponzano dans cette histoire m'a pris au dépourvu. Son nom figure, me suis-je aperçu avec étonnement, dans deux des lettres que l'Amiral et le bibliothécaire avaient envoyées de Paris, dont les originaux se trouvent dans les documents conservés aux archives de l'Académie. Comme tous ceux qui se sont intéressés aux études centrées sur la fin du XVIIIe siècle, l'exil des hommes des Lumières espagnols et la Révolution française, j'avais déjà rencontré le nom de l'abbé Bringas. En le voyant lié au voyage des deux académiciens, j'ai désiré en apprendre davantage sur son compte. Quelques livres de ma bibliothèque le mentionnaient : la correspondance de Leandro Fernández de Moratín – *Cet imprudent Bringas, toujours fanatique et brillant* –, l'œuvre de Miguel S. Oliver, *Les Espagnols dans la Révolution française*, une biographie détaillée du comte d'Aranda écrite par Rafael Olaechea et José A. Ferrer Benimeli, *L'Histoire de la Révolution française* de Jules Michelet, et la non moins monumentale *Histoire des hétérodoxes espagnols* de Marcelino Menéndez y Pelayo. Francisco Rico lui a consacré tout un long chapitre dans *Les Aventuriers des Lumières*. C'était suffisant pour me permettre de cerner le personnage, mais j'ai pu l'étoffer davantage en recourant au *Dictionnaire biographique espagnol*, à une incursion dans diverses œuvres historiques conservées à la bibliothèque de l'Académie royale d'Espagne, et à quelques références intéressantes que j'ai obtenues un peu plus tard au cours d'une conversation avec le professeur Rico. Ainsi, j'ai pu déterminer le rôle que ce si curieux personnage avait joué dans l'acquisition aventureuse de l'*Encyclopédie*.

La vie du polémique abbé Bringas – il avait été reçu dans les ordres mineurs à Saragosse, où il étudiait la théologie et le droit – mériterait peut-être le roman que personne n'a encore jamais écrit sur lui. Il était né à Siétamo, dans la province de Huesca, vers 1740, ce qui permet d'établir qu'il devait avoir près de quarante ans au moment de sa rencontre à Paris avec don Pedro Zárate et don Hermógenes Molina. Salas Bringas était alors déjà lesté d'une biographie un peu accablante : en fuite après la condamnation de son poème *Tiranía* par l'Inquisition, il s'était rapproché des exilés espagnols de Bayonne, et n'avait pas tardé à connaître sa première prison française, à cause – c'était du moins ce qu'il affirmait – de la publication à Paris, sous pseudonyme, du pamphlet *De la nature des rois, des papes et autres tyrans*. Quelques années plus tard, il avait refait surface, venu d'Italie, d'où il rapportait des poèmes inédits de Sappho de Mytilène traduits en latin – *Furor vagina ministrat*, etc. – dont la publication provoqua un grand scandale, et qui pour finir furent reconnus comme des faux, de sa main. Il fut cette fois tiré de prison par le comte d'Aranda, né comme lui à Siétamo, alors déjà ambassadeur d'Espagne à Paris, qu'un ingénieux mémoire en vers de leur jeunesse à Huesca, écrit en prison à son intention, avait beaucoup amusé. La tolérance d'Aranda permit au pittoresque abbé de subvenir à ses besoins à Paris, où il se rapprocha des radicaux et des exilés avant la Révolution, en traduisant en espagnol Diderot et Rousseau, mais aussi en multipliant ses sources de revenus : il fut courtier de change et de galanterie, entremetteur et cicérone, marchand de bimbeloteries, de pornographies et de spécifiques d'officine abortifs, toutes choses qui ne lui fermaient nullement les portes de certains salons et maisons où sa canaillerie, son esprit et son impudence amusaient la bonne société. Le départ d'Aranda et la publication d'un nouveau pamphlet intitulé *L'Intolérance religieuse et les ennemis du peuple* le conduisirent derechef en prison, où il resta jusqu'à ce qu'un hasard favorable fasse de lui un des prisonniers libérés le 14 juillet 1789. À partir de là, on peut aisément suivre sa trace dans les livres qui retracent l'histoire de cette époque : naturalisé français, ami des contestataires espagnols Guzmán et Marchena – qu'il devait par la suite dénoncer lors de la chute de Danton et des Girondins –, jugé et gracié avec les honneurs par le tribunal révolutionnaire, collaborateur de *L'Ami du peuple* de Marat, Bringas l'incendiaire en vint à occuper un siège à la Convention, milita dans les factions les plus radicales, s'imposa comme l'un des orateurs particulièrement sanguinaires pendant la Terreur, finit guillotiné avec Robespierre et ses amis, en troisième position, juste après Saint-Just, et ses dernières paroles, avant que sa tête ne tombe sous la lame, furent : *Allez tous au diable*. Il suffit, pour se faire une idée du style de sa faconde idéologique, de jeter un regard aux premiers vers de son poème *Tiranía* :

Qui donc a fait les rois, les papes et les régents
Arbitres de la loi et tribunaux du monde ?
Qui oignit cet amas de gredins pestilents
De l'huile profanée par les mitres immondes ?

Tel fut, dans son essence et son esprit, l'abbé Bringas : poète, libelliste, révolutionnaire ; l'homme, encore inconnu de l'Amiral et du bibliothécaire, que le secrétaire d'ambassade Ignacio Heredia – dont les échanges épistolaires avec Justo Sánchez Terrón eurent peut-être quelque chose à voir dans l'affaire – leur recommanda, pour les aider à se procurer l'*Encyclopédie* ; le futur jacobin pourvoyeur insatiable de nouvelles têtes pour l'échafaud où il devait lui-même laisser la sienne, que Michelet allait qualifier de *scélérat déterminé*, Lamartine de *jacobin fou*, et Menéndez y Pelayo, qui avait lu l'un et l'autre, de *fou génial et impie*. Cette décision du secrétaire revenait à placer la mission académique en de très redoutables mains.

– Tenez, vous allez la voir, dit Bringas en se grattant l'oreille sous la perruque graisseuse. La voilà, la rue où se tient, derrière ces façades, le *Tout-Paris**... La Babylone du monde.

Ils ont traversé une chaussée, sont passés par le jardin public du Palais-Royal, alors en travaux, et débouchent rue Saint-Honoré. Là, en effet, le spectacle est fascinant. Habitués au charme paisible et quasi provincial de Madrid, l'Amiral et le bibliothécaire regardent autour d'eux, éblouis par l'animation ininterrompue de l'élégante avenue bordée de luxueux hôtels particuliers, où des milliers de personnes entrent dans les boutiques, en sortent, y vont et viennent. Leur étrange guide leur apprend que c'est l'endroit le plus couru de Paris, le non-plus-ultra du marché de l'élégance, où chacun peut trouver ce qui convient à ses goûts et à ses intérêts : librairies bien fournies, restaurants et cafés où se prélasser en regardant défiler les passants ou en lisant les gazettes, commerces innombrables avec toutes sortes d'articles raffinés, des instruments scientifiques aux tailleurs sélects, en passant par les marchandes de mode, les chapeliers, les gantiers, les canniers et les merciers aux mille accessoires. Les dames, surtout, sont là au paradis : tout père de famille sue sang et eau pour satisfaire les caprices d'une épouse ou de ses filles, captivées par ce qu'a porté dernièrement telle princesse ou telle duchesse livrée à la tyrannie de madame Baulard, de mademoiselle Alexandre ou d'une autre modiste célèbre. Un seul passage par cette rue peut ruiner un mari.

– La rumeur veut que cet endroit soit bientôt sérieusement concurrencé par un autre, au Palais-Royal, où vous avez pu voir cette armée de maçons et tous ces échafaudages. Il appartient au duc de Chartres, cousin du roi, qui l'a entouré de larges galeries couvertes où des emplacements seront loués à des négociants et des boutiquiers. C'est une opération immobilière qui fait polémique, très discutée, mais qui rapportera sans doute à ce ruffian de duc une fortune... Avez-vous envie de prendre un rafraîchissement ?

Sans attendre leur réponse, l'abbé s'assied sur une des chaises d'osier disposées autour des guéridons de marbre d'un café, au soleil. Les académiciens font de même, un serveur accourt, Bringas commande un chocolat à l'eau, la même chose pour ses compagnons et, ah, quelques biscuits pour lui.

– Avec cette précipitation et toutes ces affaires, j'ai quitté la maison sans déjeuner.

Pendant qu'ils attendent, il parle du faubourg Saint-Honoré, raconte comment l'endroit est devenu le chef-lieu incontournable de la mode et de l'élégance où l'on vient pour admirer et être admiré. Du bout de la canne, il désigne en les nommant quelques dames coiffées d'élégants chapeaux et les messieurs aux cheveux poudrés, avec deux montres pendues aux chaînes d'or de leur gilet, mouche à la joue – des crétins de freluquets, estime-t-il, en faisant mine de leur cracher dessus –, qui les accompagnent en portant servilement leurs chiens de manchon.

– Ici, le passe-temps des dames est la coquetterie. Tout est très léger, très français. Elles sont entourées de leurs maîtres de danse, perruquiers, modistes et cuisiniers... Détrompez-vous, messieurs, si vous croyiez que nul n'entre à Paris qui ne soit géomètre.

Puis Bringas se complaît avec un sourire féroce à décrire ce qui fait la journée de ces dames : douze heures passées au lit, quatre devant leur coiffeuse, cinq en visites et trois en promenade, ou au théâtre. Dans cette rue et celles d'alentour, où règnent le *monde** et ses grands prêtres, l'invention d'une nouvelle coiffure, d'un sorbet ou d'un parfum est considérée comme la démonstration mathématique des progrès de l'entendement humain. Pendant ce temps, dans les quartiers pauvres, les gens meurent de maladie et de faim, font le tour des marchés pour glaner quelque légume fané ou se prostituent pour apporter chez eux une miche de pain. Il y a à Paris trente mille filles publiques, précise-t-il. Ni plus, ni moins. Sans compter les femmes entretenues et les clandestines.

– Un jour, tout cela sera embrasé par le feu de l'Histoire, remarque-t-il avec un plaisir pervers. Mais pour le moment, nous en sommes là… Alors, vivons ce qui nous échoit.

Les deux académiciens se regardent en se demandant sans le dire si, indépendamment du ton doctoral de leur guide, l'homme est vraiment celui dont ils ont besoin. Le chocolat leur est alors servi, Bringas le goûte avec suspicion, y trempe un biscuit, échange quelques propos un peu vifs avec le serveur et lui commande du café.

– Ah. Et un bavarois, ajoute-t-il.

L'Amiral aperçoit un individu, assis à une table voisine, qui vient vers eux après les avoir observés pendant un moment. De loin, il avait une apparence respectable ; de près, sa veste et son chapeau se révèlent râpés et sales. En s'approchant, il dit quelques mots dans un français d'indigène que l'Amiral comprend à peine : il semble être question d'un besoin urgent de vendre un objet de valeur, un bijou ou quelque chose que l'homme évoque en palpant une de ses poches.

– Non, dit sèchement l'Amiral quand il a deviné l'intention.

L'individu soutient effrontément son regard, avant de faire demi-tour et d'aller se perdre dans la foule.

– Vous avez bien fait, monsieur, lui dit Bringas. Cette ville regorge de fripouilles telles que lui, dont il vaut mieux se garder… Permettez-moi pourtant de vous donner un conseil : à Paris, on ne dit jamais *non*, mot qui équivaut presque à une insulte. Ce serait un peu comme si, en Espagne, on disait à quelqu'un qu'il ment.

– Curieux, fait l'Amiral. Que dois-je alors répondre à une impertinence ?

– Un *pardon* résout élégamment le problème, et n'expose pas à une estocade non loin d'ici, sur les Champs-Élysées. Parce que vous devez savoir qu'à Paris les duels sont fréquents. Pas un jour ne passe, pour ainsi dire, sans que quelqu'un soit envoyé ad patres.

– Je croyais qu'ils étaient interdits, comme chez nous.

Bringas lui adresse un sourire retors, malin.

– Un autre jour, quand nous en aurons le loisir, nous reviendrons sur ce *chez nous*, dit-il en se curant le nez. Quant aux duels, ils sont effectivement interdits. Mais les Français, et plus particulièrement une déplorable classe sociale, sont très pointilleux en matière d'affront... Les duels sont ici aussi à la mode que peuvent l'être les perruques en ailes de pigeon, les bourses à cheveux en dentelle ou les bicornes.

L'Amiral sourit.

– J'en prends bonne note, et je vous remercie pour le conseil... Vous êtes-vous déjà battu ?

L'abbé lance un éclat de rire intempestif et fait un ample geste de la main droite, comme pour prendre à témoin toute la rue Saint-Honoré, puis il la porte à sa poitrine, juste sur une reprise de sa veste.

– Moi ? Le diable m'en garde. Jamais je ne risquerais le précieux don de la vie dans une de ces parodies stupides. Je défends mon honneur avec la raison, la culture et la parole. On n'en serait pas là si l'on recourait plus souvent à ces moyens.

– Ce que vous dites est tout à fait digne d'éloges, concède le débonnaire don Hermógenes.

On apporte la note, Bringas palpe ostensiblement ses poches et s'excuse, avec de grandes simagrées, d'avoir oublié sa bourse chez lui. L'Amiral, qui le voyait venir depuis le moment où ils se sont assis, paie. Ils se lèvent, reprennent leur promenade, l'abbé balance sa canne et commente tout ce qu'ils voient, en s'interrompant de temps à autre pour lancer un regard aux jeunes grisettes qui s'occupent des boutiques.

– Regardez cette Vénus, qui se tient à la porte de ce magasin avec la plus grande insolence et tous les attraits de sa légèreté tentatrice... Ou cette autre... Ah, ces filles. Elles s'acoquinent le plus souvent à des individus dont les moyens ne suffisent pas à l'entretien d'une cocotte de luxe ou d'une danseuse de l'Opéra. Et il leur arrive parfois d'en tomber amoureuses, les pauvres. Ainsi exposées en vitrine, elles sont de la chair à canon en devenir et, tôt ou tard, vous me comprenez… C'est scandaleux de voir tant de vertu à la merci de ce monde vénal. De ce siècle corrompu. Mais, bien entendu, si vous…

Il leur adresse un regard pénétrant, explicite, et se tait en n'obtenant pas de réponse, avant de changer avec désinvolture de sujet. L'Amiral et le bibliothécaire ont maintenant parfaitement saisi ce qu'est leur guide pittoresque, mais, ils en conviennent tacitement, Bringas reste un recours disponible dans une ville qui leur est inconnue. Et il est hors de doute qu'il la connaît sur le bout des doigts.

– Il y a un libraire que je fréquente, rue Jacob, sur l'autre rive, poursuit l'abbé. Il a quelques volumes dépareillés de l'*Encyclopédie*. Ou, du moins, il en avait certains. Nous pourrions commencer par là… Cela vous convient-il ?

– À merveille, répond don Hermógenes.

Ils se rangent de côté pour laisser passer une voiture.

– Ah, prenez garde aux fiacres, parce que les cochers sont sans âme ni conscience, capables de vous renverser à la moindre inattention. Et si nous en prenions un, plutôt… Qu'en dites-vous ? À cette heure, on n'a guère envie de marcher.

En moins de vingt minutes, la voiture de louage les conduit par le Louvre jusqu'au pont Royal – encombré d'attelages et tapissé de crottin – où les académiciens traversent la Seine ébahis devant le spectacle de son large lit et du paysage urbain déployé sur les rives.

– Là, sur le pont Neuf, c'est la statue équestre d'Henri le Béarnais, leur apprend Bringas, le menton sur ses mains croisées refermées sur la poignée de sa canne. Et derrière les toits de l'île entre les deux bras du fleuve, vous pouvez voir les tours tronquées de Notre-Dame, témoignage éminent du gâchis du talent et de la richesse des hommes pour des rites et des superstitions qui ne profitent qu'aux nantis. Si ces richesses d'infamie étaient mieux employées…

– Il me semble, monsieur l'abbé, l'interrompt don Pedro, qu'en dépit de votre titre, vous n'êtes pas exactement un homme pieux.

Bringas le regarde, visiblement contrarié.

– Non, en effet, puisque vous me le demandez. C'est une vieille et longue histoire… Quoi qu'il en soit, j'espère que mes commentaires ne vous offensent pas.

L'Amiral sourit, flegmatique.

– Nullement. Il n'y a là rien qui choque mes susceptibilités. Mais je n'en dirais pas autant de celles de mon collègue… Don Hermógenes est un homme patient, et même bon. Il n'empêche que certains concepts peuvent le blesser dans ses convictions et ses sentiments.

– Oh, pardon, s'excuse Bringas en forçant un peu sur la contrition. Je vous assure que ce n'était pas mon intention…

– Ne pensez plus à ce qu'a dit monsieur Zárate, intervient le bibliothécaire, conciliant. Vos propos ne m'incommodent pas du tout. Vous êtes libre de vous exprimer à votre guise ; d'autant plus que nous sommes dans la ville des philosophes.

– Voilà qui fait plaisir à entendre. J'ai le cœur sur la main et ne voudrais surtout pas me montrer impertinent.

En dépit de son sourire et de son air patelin, c'est avec de visibles pensées derrière la tête que Bringas, comme s'il se demandait s'il ne devrait pas lui répondre vertement, regarde l'Amiral de côté. Celui-ci, qui n'est pas dupe, croit déceler dans les yeux noirs et le regard dur de leur guide un éclat fugitif qui trahit la dangerosité, la canaillerie d'une menace voilée ou d'un désir de revanche. Mais il n'a pas le temps d'y songer davantage, parce que la voiture vient de s'arrêter à un carrefour très animé. L'atmosphère est ici nettement différente de celle de l'autre rive : il y a abondance de laquais, de bourgeois modestes, d'artisans, de portefaix et de gueux, et nul ne paraît oisif. Là, tout semble industrieux, en pleine activité.

– C'est la rue Jacob, annonce l'abbé sur un ton quasi triomphal.

Ils descendent du fiacre et, après que Bringas a refait le geste de palper en vain ses poches, l'Amiral donne vingt sous au cocher, qui proteste avec insolence jusqu'à ce que don Pedro lui adresse quelques courtes et rudes phrases dans un langage sabreur, si bien que l'homme grommelle, fait claquer son fouet et s'éloigne sur sa voiture.

– C'est là, signale Bringas : Lesueur, imprimeur et libraire, fournisseur attitré de Sa Majesté le roi… À supposer, bien sûr, que Louis XVI, ce patapouf à bésicles, soit capable de lire quoi que ce soit.

Sur ce, il s'assure que sa perruque est bien en place, crache par terre comme si le roi était là, à ses pieds, et tous les trois traversent la rue.

Le libraire Lesueur est maigre, dégingandé et a des cheveux blancs, d'insolites rouflaquettes à la tudesque et les moustaches qui vont avec, peu dans le ton des visages rasés dont la mode est dominante à Paris. Cela mis à part, son apparence – il est couvert d'un cache-poussière gris bien repassé et coiffé d'un bonnet en laine – est aussi nette que celle de son magasin. Une grande fenêtre aux rideaux ouverts laisse entrer la lumière de la rue et illumine les dorures et les ornements des dos des livres qui, alignés sur les rayonnages, attendent un acheteur. Règnent ici l'odeur du cuir ciré et du papier neuf, la propreté et la méthode. Sur le comptoir, il y a une pile de divers numéros du *Journal des Sçavans* et quelques exemplaires d'un livre broché – à peine déballés d'un paquet ouvert sur le sol, à moitié défait – dont les académiciens examinent le titre avec curiosité : *Mémoire sur la découverte du magnétisme animal, par M. Mesmer*.

– Je n'ai pas la première édition de l'*Encyclopédie*, déplore Lesueur. Je ne l'ai même pas complète en réédition. Je ne dispose que des onze premiers tomes de l'édition de Genève-Neuchâtel, un in-quarto, avec un classement par ordre des matières, en trente-neuf volumes… Qui n'est pas ce que vous cherchez.

Tout en parlant, il se tourne vers une étagère, de laquelle il sort un exemplaire d'une suite de livres reliés en cartonné gris avec un rembordement de papier sur le dos.

– Celle-ci, vous pourrez l'obtenir facilement, ajoute-t-il en leur montrant le volume ouvert. Si vous me donnez quinze jours, je m'engage à vous la procurer complète… Bien entendu, elle vous coûtera moins cher que la première édition, laquelle est devenue tellement rare que, si vous la trouviez, on ne vous en demanderait pas moins de deux mille livres.

– À l'ambassade, on nous a parlé d'environ mille quatre cents, objecte don Hermógenes.

– Eh bien, on vous a parlé sans savoir. De cette édition, on a tiré exactement quatre mille exemplaires, qui ont été mis en vente à deux cent quatre-vingts livres ; mais par la suite, avec le succès de l'œuvre, le prix a grimpé. Il y a quatre ans, j'en ai vendu une complète mille trois cents livres, ce qui, dans votre monnaie, doit faire…

– Cinq mille deux cents réaux, précise l'Amiral, toujours rapide dans ses calculs, tout en jetant un regard sur l'exemplaire que lui a tendu le libraire.

Il s'agit d'une belle édition, malgré son format plus réduit que celui de l'in-folio original :

Mis en ordre & publié par M. Diderot,
& quant à la partie mathématique par M. D'Alembert.
Troisième édition
Genève : Jean-Léonard Pellet
Neufchatel : Société Typographique

– Il faut compter à présent un tiers de plus, si on la trouve, annonce le libraire.

L'Amiral continue de feuilleter le livre pendant que don Hermógenes et l'abbé Bringas regardent par-dessus son épaule.

– Je crains que cela ne dépasse notre limite.

Les doigts du libraire tambourinent sur le comptoir.

– Eh bien, je vous souhaite bonne chance. Il va vous en falloir. Tenez compte du fait que sur ces premières encyclopédies imprimées, le nombre d'exemplaires proposés aux souscripteurs a dû être inférieur à quatre mille, parce qu'il y a toujours des plis défectueux et des volumes abîmés à rejeter. De plus, une bonne partie de ces exemplaires s'est vendue hors de France… Ce qui la rend très rare, et plus chère, bien sûr.

L'Amiral lève l'exemplaire qu'il a dans les mains.

– Et qu'en est-il de celle-ci ?

Lesueur regarde le livre, pensif, et au bout d'un moment hausse les épaules.

– Je ne vais pas vous raconter d'histoire : il s'agit d'une réédition présentée comme fidèle au texte original, mais, en vérité, elle contient des changements importants… Ce n'est évidemment pas ce que vous cherchez.

– Je vous remercie pour votre franchise, monsieur.

– Il n'y a pas de quoi. Ma maison est une maison sérieuse.

Le libraire reprend le volume des mains de l'Amiral et le remet à sa place dans les rayonnages.

– Quoi qu'il en soit, si vous changez d'avis, poursuit-il en alignant soigneusement le volume sur les autres, pour cette édition, je puis vous faire un prix, de deux cent trente livres... Et je vous assure que c'est une bonne affaire. Tout compte fait, je crois qu'il ne doit pas y avoir en France plus d'une cinquantaine d'éditions complètes disponibles.

– Nous sommes un peu perdus, admet don Hermógenes. Combien y a-t-il d'éditions de l'*Encyclopédie* ?

– À part la première, celle que vous cherchez, et sans compter les impressions non autorisées de ces dernières années, comme celle de Lucques, en Italie, il en circule davantage que ce que l'on croit : la réimpression in-folio de deux mille exemplaires faite à Genève entre 1771 et 1776 ; celle de Leghorn, autre in-folio dont l'impression est terminée depuis environ deux ans, et l'in-quarto que je vous propose...

– J'ai entendu dire qu'il y en avait une autre, de format plus petit, intervient l'abbé Bringas.

– Oui, un in-octavo. Une nouvelle édition en trente-six volumes de texte et trois de planches, que l'on imprime à Lausanne et à Berne. C'est une autre possibilité... En termes de dépense, et si vous n'êtes pas pressés d'avoir l'ensemble, je vous la propose en souscription à deux cent cinquante livres...

– Pourquoi dites-vous : si nous ne sommes pas pressés ?

– Parce que seuls les premiers volumes ont paru, le reste ne suivra que dans deux ans. Ces choses-là vont très lentement. Les œuvres importantes sont annoncées sur brochures, ensuite, on cherche des souscripteurs, et on ne met rien sous presse avant que les premiers fonds soient arrivés.

– Mais peut-on se fier au contenu des éditions dont vous parlez ?

– Difficile à dire. je vous ai prévenus pour celui de l'édition Genève-Neuchâtel. Il y a toujours des difficultés avec la censure, les interventions des uns et des autres...

– Même l'Assemblée du Clergé de France s'en est mêlée, précise Bringas avec rancœur.

– C'est tout à fait exact, confirme le libraire.

Il raconte que la plainte de cette assemblée a conduit la police à saisir six mille volumes de la réimpression de l'éditeur Panckoucke, et qu'il a fallu l'intervention du duc de Choiseul pour obtenir, au bout de six ans de chicanes, qu'ils soient restitués à l'éditeur. Mais l'affaire n'en est pas restée là. Diderot, instigateur de la première édition, insatisfait du résultat, a voulu modifier certaines choses, et a même exprimé le désir de tout réécrire. Des auteurs comme D'Alembert et Condorcet, qui avaient rédigé des articles de l'œuvre originale, sont intervenus dans les rééditions et réimpressions ultérieures, pour apporter des ajouts ou des remaniements, toutes modifications qui altèrent les textes originaux, parfois pour le meilleur, évidemment. C'est du moins l'avis de Lesueur. Mais il ne sait pas si l'on peut en dire autant pour l'ensemble de l'œuvre.

– En fait, conclut-il, tant pour la fidélité à l'esprit qui a présidé à la création de l'œuvre que pour l'exactitude et la rigueur de sa publication entre 1751 et 1772, soit les dix premiers volumes imprimés à Paris et les suivants avec le pseudo-achevé d'imprimer de Neuchâtel, on ne peut s'en tenir qu'à la première édition... Ce qui la rend si rare, naturellement, et si chère.

– Et croyez-vous qu'elle soit disponible chez un de vos collègues ? demande don Hermógenes.

– Je ne saurais vous dire. Je peux me renseigner et, si je la trouve, je vous demanderai la commission correspondante.

– Quelle commission ? s'enquiert Bringas, une certaine lueur dans le regard.

– Le cinq pour cent habituel.

L'abbé fronce les sourcils et fait ses calculs. Il ne lui manque plus que papier et crayon, se dit l'Amiral. Une centaine de livres n'est pas une maigre bouchée, à Paris, surtout pour un chevalier d'industrie comme Bringas.

– Et dans les librairies anciennes ? demande le bibliothécaire.

– C'est encore plus difficile. Vous tomberez peut-être sur quelques volumes dépareillés, guère plus. Ce n'est pas une œuvre d'occasion. Il y a aussi la possibilité de trouver quelqu'un qui la détienne et cherche à s'en défaire, mais dans ce cas, qui sait ce que l'on vous en demandera. Si vous me donnez l'adresse de votre logement...

– C'est inutile, intervient de nouveau Bringas avec une hâte suspecte. Je m'en charge. Nous resterons en contact.

– Comme vous voudrez, répond Lesueur en observant l'Amiral, qui regarde les livres posés sur le comptoir. Je vois que l'œuvre de Mesmer vous intéresse, monsieur.

L'Amiral le reconnaît d'un signe de tête ; il a pris un exemplaire et le feuillette avec plaisir : bon papier, impression parfaite. Il y a longtemps qu'il entend parler de ce professeur autrichien et de ses curieuses expériences hypnotiques fondées sur les plus modernes théories relatives aux courants physiques, électriques et cosmologiques défendues par des scientifiques comme Franklin et les Montgolfier.

– Certaines gazettes en parlent, en Espagne, dit-il.

– Oui, confirme don Hermógenes. Mais là-bas, on la rattache au jansénisme et à la maçonnerie, et c'est pourquoi elle est interdite à la vente.

Le libraire sourit avec suffisance, et un léger dédain, depuis qu'il a entendu le mot *Espagne*.

– Eh bien, ici, vous pouvez l'acheter librement, encore qu'il faille vous dépêcher. L'imprimerie Didot vient de me l'envoyer, et on se l'arrache… Je peux vous proposer cet exemplaire pour trois livres, ou cinq si vous le préférez relié en plein cuir, avec un dos gravé à l'or fin… Vous le voulez ?

L'Amiral hésite, mais le sourire de supériorité qui reste affiché sur les lèvres du libraire finit par le dissuader. À chacun son lot, songe-t-il. Être espagnol peut souvent être considéré comme une disgrâce, mais une chose en vaut bien une autre, à Madrid on a une Inquisition, à Paris une Bastille, et monsieur Lesueur et ses livres peuvent bien aller sourire à qui leur chante. Ou au diable.

– Non, merci beaucoup, répond-il sèchement. Peut-être une autre fois.

Et, coiffant brusquement son chapeau, sans autre forme de politesse, don Pedro Zárate sort de la librairie.

À monsieur don Manuel Higueruela, en sa maison de Madrid.

Suivant l'instruction de vous tenir informé, je porte à votre connaissance que les deux voyageurs sont logés dans un hôtel de la rue Vivienne (près de l'ambassade d'Espagne). D'après ce que j'ai pu apprendre, ils sont allés faire une visite au comte d'Aranda. Celui-ci ne leur a pas accordé grande attention et les a remis aux mains d'un Espagnol qui réside ici. L'individu répond au nom de Salas Bringas. C'est un lettré de peu d'envergure, sans occupation et sans rente. Il vivote en écrivant des libelles et en rendant les plus vils services aux uns et aux autres. J'ai pu établir qu'il est considéré comme un séditieux aux idées exaltées. Il a eu affaire au Saint-Office et à la justice en Espagne (où la police doit avoir fiché le personnage). L'homme est connu dans les cercles des exilés espagnols de Bayonne et de Paris. Ici, il a été emprisonné deux fois. Le fait d'être un pays du comte d'Aranda (ils sont nés dans le même village, il me semble) lui permet de fréquenter l'ambassade d'Espagne. On dit qu'il y tient un rôle de confident auquel on impartit de petites tâches. Il a aussi accès à quelques salons parisiens, où on le tolère parce que son côté pittoresque amuse la galerie. Il fréquente les cafés où l'on trouve philosophes et agitateurs politiques.

En ce qui concerne les deux voyageurs, ils ont fait quelques démarches en vue d'obtenir ce qu'ils sont venus chercher, mais jusqu'à présent sans succès. J'ai pu apprendre que l'édition qu'ils veulent acquérir n'est pas facile à trouver. Pour le reste, ils mènent une vie qui n'a rien de notable. Quand ils ne vont pas courir les libraires ils se promènent dans les rues du centre de la ville, s'asseyent dans les cafés où ils peuvent lire les gazettes françaises, espagnoles et anglaises. Bringas ne les lâche pas d'une semelle (il déjeune, dîne et court les estaminets à leurs frais). Aucun de leurs mouvements ne m'échappe, je m'en assure ponctuellement, et je vous en tiendrai informé comme nous en sommes convenus.

Quant à moi, j'examine les moyens les plus efficaces de venir à bout de l'affaire. Pour ce qui est de mes dépenses, j'ai peur qu'elles n'excèdent nos prévisions. À Paris tout est hors de prix, et les renseignements que je prends ne sont pas gratuits (ici, nul n'ouvre la bouche pour moins d'un louis). Nous devrons faire nos comptes à mon retour. Ou, si la situation se prolonge, il faudra me pourvoir de plus d'argent par lettre de change.

Croyez à l'assurance de ma considération

Pascual Raposo

Après avoir secoué la boîte à sable au-dessus du papier et soufflé sur celui-ci pour s'assurer que l'encre est sèche, Pascual Raposo enveloppe la feuille dans une autre, qu'il plie et cachette avant d'écrire l'adresse à l'avers. Puis il se lève, étire les bras et va jusqu'à la fenêtre, en faisant grincer les lattes du plancher détérioré. Il est en culotte, gilet et chemise, et son léger bagage est éparpillé dans la chambre qu'il occupe, au second étage de l'hôtel du Roi Henri, modeste établissement situé dans la rue de la Ferronnerie, où l'on entend à toute heure les cris des charretiers et des verdurières qui s'asticotent en bas, dans le labyrinthe des rues et des éventaires du marché voisin, accoté au mur de clôture du vieux cimetière des Innocents, comme l'hôtel de Raposo. Ce n'est pas la première fois qu'il loge là. Depuis que dans le passé ses occupations – dont la plus ingénue aurait pu le pendre au gibet – l'ont conduit à Paris, l'ancien dragon loge au même endroit, qui lui convient parce que, fréquenté par les voyageurs et les commerçants, on y passe facilement inaperçu ; et les trois louis que la chambre lui coûte par semaine incluent un déjeuner copieux. Il y a pourtant, cette fois, un inconvénient : l'endroit vient de changer de propriétaire. L'ancien hôtelier, un Breton taciturne et bourru, est reparti avec ses économies dans un petit village du Morbihan, et les nouveaux, un mari et sa femme d'âge moyen, mènent la barque avec l'aide de leur fille et d'une servante.

Après avoir jeté un regard par la fenêtre, Raposo va jusqu'à la porte, l'ouvre et appelle. C'est la fille des patrons qui monte, elle doit avoir une vingtaine d'années, est bien faite, mais elle a des yeux globuleux sous la coiffe qui retient ses cheveux. Raposo lui remet la lettre et cinq livres, en la chargeant d'aller la déposer à la poste. La jeune fille s'attarde à regarder le sabre de l'hôte, qui pend au mur, et ne se scandalise pas outre mesure lorsque celui-ci, pour voir ce qui est possible, palpe sa croupe saillante tandis qu'elle repart vers la porte. La chair est ferme et fraîche, et le sourire de la petite – qui s'appelle Henriette – lui laisse quelque espoir, ou du moins ne l'en prive pas. C'est ce qui est bien à Paris, estime Raposo, les mœurs y sont légères et les femmes n'y font pas la grimace si celui qui les accoste a du répondant, ou semble en avoir. Il en prend bonne note tout en consultant la montre qu'il a rangée dans le tiroir de la commode en pin avec un rouleau de pièces d'or et un pistolet à double canon court et à chien. Puis il glisse la montre dans la poche de son justaucorps, enfile sa veste de drap brun, prend son chapeau et, s'étant assuré que l'arme est amorcée et chargée, il l'enfonce dans sa poche droite, se munit du rouleau de louis, ferme la porte à clef, descend l'escalier, gagne la rue et salue au passage d'un signe de tête le patron qui fume sa pipe, assis sur le seuil.

Le mur du cimetière – où l'on n'enterre plus depuis quelques mois, mais où les ossements sont encore là – empeste les légumes et les fruits pourris, et au milieu du pavé court un ruisseau d'eau trouble et suspecte. Raposo va vers la Seine par la rue Saint-Denis, passe sous les sinistres murs médiévaux du Petit Châtelet, tourne à gauche et suit le quai jusqu'à la place de Grève. À quelque distance de l'Hôtel de Ville, au coin d'un édifice étroit qui se dresse près du fleuve, se trouve le vieux cabaret À l'Image Notre-Dame, qui à cette heure n'est guère animé que par quelques oisifs assis à la porte, pour profiter du soleil qui inonde la place. Raposo s'assied sur un banc en bois, dos appuyé contre le mur, demande une jarre d'eau fraîche et contemple l'île Saint-Louis proche, le pont Rouge et les tours blanches de la cathédrale qui se dressent au-dessus des toits d'ardoise, en se félicitant d'avoir cette fois du beau temps. Lors de ses séjours précédents, il a subi les pluies tenaces qui tombent sur Paris la plus grande partie de l'année et embourbent les rues au point de les rendre presque impraticables, malgré le pavement. Parce que si la ville, ainsi l'assurent ceux qui savent tout, est considérée comme la capitale des lumières qui éclairent l'Europe, elle n'est pas, et de loin, celle de la propreté.

– Te voilà de retour, Pascual... Quel mauvais vent t'amène ?

Raposo a vu du coin de l'œil s'approcher l'homme qui vient de le saluer. Du pied, il lui avance un tabouret pour qu'il puisse s'asseoir à côté de lui.

– Content de te revoir, Milot, lui répond-il. Je vois que tu as reçu mon message.

– Et me voilà, en train de saluer un ami. Ça fait combien de temps, depuis la dernière fois ? Un an ?

– Presque deux.

Milot, un chauve baraqué, ne porte pas de perruque, mais il est coiffé d'un tricorne, vêtu d'une redingote sombre qui tombe presque jusqu'à ses bottes crottées, et il sourit tout en se tapotant les genoux.

– Nom de dieu de nom de dieu... comme le temps passe.

D'un œil expert, Raposo examine le bâton noueux au pommeau de bronze que Milot tient entre ses jambes, attribut caractéristique des inspecteurs de police qui surveillent les quartiers de Paris, très pratique pour fendre un crâne d'un seul coup. Et Milot sait s'en servir, Raposo en a un jour été témoin, au cours d'une affaire qu'ils ont menée ensemble en ville.

– Alors, que te réserve la vie ? lui demande-t-il.

Le policier se gratte l'entrejambe sous la basque de son manteau.

– Je n'ai pas à me plaindre.

– Tu es toujours dans le quartier ?

– J'y ai toujours mon logis, non loin d'ici, mais je suis maintenant muté aux Tuileries, pour chasser les petites gourgandines et les bougres... C'est amusant, et on peut toujours récupérer quelques francs si on les laisse filer sans histoire au lieu de les conduire en prison. Et, tu sais, les filles savent y faire... elles sont reconnaissantes.

– Il va falloir que je t'accompagne un de ces jours dans ta ronde, pour voir ça.

– Aux pommes. Je te promets du divertissement et quelques pichets dans la taverne de la Rente, qui est bien pourvue.

– Bien. Et cette fois, ce sera du meilleur.

En entendant ces derniers mots, Milot le regarde, intrigué. Raposo devine sa pensée.

– Une affaire ? demande le policier.

– Ça se pourrait bien.

– À laquelle je serais mêlé ?

– Peut-être.

Milot se ronge l'ongle du pouce, pensif.

– De combien parlons-nous ?

– On verra. Ça dépend... Rien ne presse, pour le moment.

Le cabaretier vient prendre leur commande et Milot demande du vin rouge. Les yeux mi-clos, tout à son bien-être, Raposo profite de la tiédeur du soleil comme un chat pelotonné, contemple la place en pleine lumière, les passants, les innombrables voitures de toutes sortes qui passent le pont proche, et les gabarres de charbon, de bois et de fourrage amarrées le long du quai. Il est heureux de se savoir à Paris une nouvelle fois. Il aime beaucoup cette ville compliquée et énorme, quand il ne pleut pas.

– On exécute toujours des gens sur cette place ?

– Bien sûr, répond Milot avec un rire bref et sec qui n'a rien à voir avec l'humour. Le bourreau fréquente plus souvent la place de Grève que les ivrognes ce cabaret… La dernière fois, c'était il y a deux semaines : une jeune femme qui avait empoisonné ses maîtres avec de la mort-aux-rats. Apparemment, le mari l'avait mise enceinte, puis l'avait forcée à avorter et voulait la chasser. Elle était blonde, jeune, pas vraiment belle. Il aurait fallu que tu voies toutes les poissonnières et les verdurières du quartier qui, attendries, la prenaient en pitié pendant qu'on la montait sur l'échafaud… À la fin, elles se sont mises à caillasser le bourreau, et il a fallu les disperser à coups de sabre.

– L'atmosphère est tendue ?

Milot se rembrunit.

– Pas plus que d'habitude, dirais-je. Mais les gens deviennent de plus en plus éhontés et insolents. Ils perdent patience. On a jeté des pierres sur la voiture d'un noble, l'autre jour… Il y a eu quelques émeutes dans les bas quartiers, encore une fois à cause de la pénurie de pain, et parce que l'eau potable manque : des vitrines brisées, quelques marchands malmenés… On a jeté à la Seine un boulanger qui adultérait sa pâte avec du plâtre, et le type s'est noyé.

– Et les cafés ?

– Comme toujours. On conspire, on déblatère, on se chamaille, on brandit les gazettes, on lit des pamphlets, on profère des menaces… Le roi n'est pas trop insulté, il est toujours chéri par le peuple. C'est plutôt contre la reine que tous ces gens en ont : la chienne autrichienne, je ne t'en dis pas plus. On lui donne un nouvel amant toutes les quinzaines… Mais ça en reste là. De temps en temps, le ministre fait signer au roi quelques lettres de cachet, on enferme une demi-douzaine d'idiots à la Bastille, et tout rentre dans l'ordre jusqu'à la fois suivante.

Il se tait quand le patron s'approche avec un pichet et deux verres. Raposo fait honneur à son invité : il se verse deux doigts de vin, puis remplit le verre de Milot.

– Allez, raconte, le presse celui-ci.

L'ancien dragon s'accorde quelques instants pour réfléchir à la meilleure manière de présenter les choses.

– Je file deux de mes compatriotes, arrivés depuis peu, dit-il enfin, sa décision prise.

– Des exilés ?

– Non. Ces messieurs-là ont un passeport en règle.

– Et ils sont dangereux ?

Raposo dodeline de la tête, dubitatif, en revoyant le grand académicien maigre tirer sur les malandrins qui ont attaqué la voiture des voyageurs près d'Aranda de Duero.

– Ce sont des gens respectables, conclut-il, que l'on ne peut mener facilement en bateau.

– Ils ont de l'argent dont on pourrait les soulager ?

Raposo lève une main pour signifier que là n'est pas le fond de l'affaire.

– Ça n'a rien à voir. Il ne s'agit pas de ça.

– Entendu... Dans ce cas, nous avons les personnages, venons-en à la besogne.

– Elle est en deux étapes, obtempère Raposo. La première : surveiller leurs mouvements.

– Dans quel milieu ?

– Libraires, imprimeurs, ce genre-là...

Une nouvelle lueur d'intérêt s'allume dans les yeux de Milot, qui sont gris et durs.

– En marge de la loi ?

– Ma foi. Comme ci ou comme ça, c'est à voir.

– Bien. C'est facile à vérifier. Et la seconde étape ?

– Passer à l'action, s'il le fallait.

– Quelle action ? Violente ? Percutante ? demande Milot en tordant la bouche avec désinvolture. Mortelle, au besoin ?

Avec un geste vague, Raposo évite de répondre aussitôt. Il plonge la main gauche dans la poche opposée à celle où il a mis le pistolet.

– Diable ! Je t'ai dit que c'étaient des gens respectables. C'est une affaire où l'on doit y aller en douceur, tu saisis ? En tout cas, il faudra voir comment nous y prendre.

Tout en parlant, il sort le rouleau de pièces d'or et le tend discrètement à Milot.

– Tiens, c'est une avance, dix doubles louis pour améliorer l'ordinaire.

– Bigre, fait le policier en soupesant le rouleau dans la paume de sa main, tout heureux. Charmante attention… Bienvenue à Paris, vieux frère.

Et, levant son verre, il trinque à la santé de Pascual Raposo.

Déception. C'est le mot qu'emploie trois fois un don Hermógenes accablé tandis qu'ils viennent à bout d'un poulet fricassé et d'une bouteille de vin d'Anjou, à six francs par personne, après une matinée de recherches infructueuses. Ils sont au cabaret du traiteur Landelle, à l'hôtel de Buci, où les a conduits Bringas ; et comme il fait soleil, ils peuvent voir par une grande fenêtre ouverte le train des véhicules et des passants ; certains viennent d'acheter un bijou, une parure ou un vêtement dernier cri au Petit Dunkerque, à l'angle du quai de Conti et de la rue Dauphine. Le bibliothécaire observe les dames avec curiosité en songeant à sa défunte épouse, si différente de ces Parisiennes désinvoltes habituées des boutiques de mode. Près de lui, l'Amiral mange, imperturbable, en se servant sans bruit de sa fourchette, et contemple le défilé des drapés à la polonaise ou à la circassienne, toute la diversité des coiffures hautes, des rubans et des chapeaux sur les cheveux poudrés, postiches ou naturels. De son côté, Bringas mastique en toute hâte, en s'aidant de fréquentes gorgées de vin, aussi avide de ce qu'il a dans son assiette que de ce qu'il voit dans la rue.

– Ah, je vous jure, messieurs, fait-il en se léchant les babines d'une façon presque lubrique, afin de faire disparaître les traces de fricassée. Il n'y a pas de femmes comme celles de Paris.

Don Hermógenes et don Pedro laissent ces paroles se perdre dans le vide, parce que ni l'un ni l'autre n'apprécie ce genre de conversation. C'est ainsi que, après deux tentatives frustrées de revenir sur le sujet, l'étrange abbé finit par changer de refrain, non sans avoir auparavant jeté sur ses compagnons, par-dessus son verre de vin, un de ces regards calculateurs qui cherchent le défaut de la cuirasse où porter le coup, ce qui lui a jusqu'à présent réussi.

– Pour ce qui est de votre déception, dit-il en changeant de ton, je crois qu'il ne faut pas vous laisser abattre. Ces affaires-là traînent en longueur. Tout ne s'obtient pas toujours tout de suite.

– Nos moyens sont limités, comme vous le savez, dit don Hermógenes.

– Ayez foi, c'est une vertu théologale. L'affaire s'arrangera bientôt et, en attendant, commandons une autre bouteille. Tant qu'il y a vin sur table il y a espoir au cœur, lance-t-il, souriant. Que dites-vous de la sentence ?

– Elle n'est pas mal.

– Elle est de moi. D'un opuscule auquel je travaille, intitulé : *Traité d'hygiène et de philosophie sur l'onanisme en tant que bienfaiteur de l'humanité*.

– Allons, allons, fait don Hermógenes, qui cligne des yeux, mal à l'aise.

– Prometteur, estime l'Amiral, railleur.

Bringas sauce avec des morceaux de pain le fond de son assiette, qu'il laisse nette. Sous sa perruque en bataille, aux nœuds graisseux, la clarté de la fenêtre creuse son visage osseux, mal rasé.

– L'idée, explique-t-il, consiste à montrer combien de tyrans l'humanité se serait épargnés si…

L'Amiral lui coupe la parole avec une remarquable présence d'esprit.

– Ne prenez pas cette peine. Nous avons saisi le fond de l'affaire.

L'abbé regarde par la fenêtre, mâchant toujours, et observe les passants. Tout à coup, ses lèvres mesquines se crispent et lui donnent une expression féroce.

– Encore que chaque tyran ait toujours eu les esclaves qu'il mérite, dit-il avec un soudain mépris. Regardez ces pyramides capillaires dressées avec pommade, fer à friser et vanité… Qui songerait qu'à Paris un perruquier gagne plus qu'un artisan et que certains d'entre eux se vantent de connaître cent cinquante façons de tordre les boucles d'une dame ou d'un monsieur ? Et que dites-vous de ces vêtements ? De ces habits aux basques judaïques appelés lévites qui deviennent à la mode ? De cette manie du tissu rayé pour les vestes, les manteaux et les culottes, en vogue depuis que le zèbre du Cabinet du roi est devenu la source d'inspiration des maîtres tailleurs de l'élégance ? Que le diable nous emporte ! Presque personne ne s'endette pour acheter des livres, mais nul ne se prive d'arborer chaque dimanche une veste neuve, et beaucoup de ces suiveurs de mode doivent encore le prix de la leur à ceux qui l'ont faite… Il y aurait bien des surprises si la police obligeait tout ce monde à porter le reçu de son tailleur !

– À Madrid aussi la mode absurde fait des ravages, observe don Hermógenes.

– Mais ici, elle justifie et explique tout. Mode de l'éclipse, du globe d'air chaud, coiffure à la dauphine, à la Fanfan, à la petite crotte du chien de la Polignac… Et la stupidité est courtisée comme si elle était une règle à suivre sous peine de mort. C'est ainsi qu'est dilapidé l'argent, pendant qu'un travailleur gagne deux tristes sous et que le peuple a faim.

– Il n'empêche, intervient l'Amiral, qu'en Espagne, on a encore plus faim qu'ici.

Bringas lui adresse un sourire sardonique, insolent.

– Je vous mènerai, si vous le voulez, voir de vos yeux ce qu'est véritablement la faim, dit-il. Le visage du Paris famélique, bien différent de celui-ci, poursuit-il en montrant avec dédain les passants raffinés. La France réelle, à seulement quelques pâtés de maisons.

Son sourire s'éteint brusquement, effacé par une ombre obscure. Alors, avec une expression tout à fait différente, pareille à un masque qui se serait substitué à son visage, l'abbé pose un regard mélancolique sur son assiette vide. Puis il avale une longue gorgée de vin et s'essuie la bouche du revers d'une main dont les ongles sont trop longs. À ses poignets, sortant de son manteau, tout comme sous le foulard autour de son cou s'effiloche une chemise propre.

– La faim ignore les frontières, messieurs. Elle est partout pareille… C'est moi qui vous le dis, qui suis expert en la matière.

Par quelles indigences passe l'homme éclairé qui ne sait flatter ni le vulgaire ni le puissant ! La faim, j'en ai souffert ici comme en Espagne et en Italie. Une faim pire que celle de l'escargot sur une voile de navire... Ce qui n'est, bien sûr, qu'une figure de rhétorique.

– Pourquoi avez-vous quitté votre patrie ? s'enquiert l'Amiral.

L'abbé pose un coude sur la table pour se caresser le menton. En tragédien.

– C'est un mot ambigu, déclare-t-il. Ma patrie est là où j'obtiens un morceau de pain. Et du papier, une plume et de l'encre, si possible.

Don Pedro ne se laisse prendre ni à la pose ni aux paroles.

– Et à part ça ?

– J'ai besoin d'air pour respirer. De liberté, en un mot, et jamais je n'aurais imaginé que ce serait justement ici que je connaîtrais l'opprobre et la prison.

– Tiens donc... fait l'Amiral en prenant une bouchée de nourriture, qu'il mâche lentement, après quoi il s'essuie les lèvres avec la serviette et boit un peu de vin. Vous avez fait de la prison ? En France ?

Bringas lève fièrement la tête.

– Je n'ai pas honte de le dire : j'ai connu la Bastille. Où mon esprit, à quelque chose malheur est bon, s'est assagi dans la solidarité avec ceux qui souffrent. Là, j'ai appris à être patient et à attendre mon heure.

– L'heure de quoi ? demande don Hermógenes, dérouté.

– L'heure terrible qui ébranlera les trônes de la terre.

– Seigneur Jésus.

Un silence incommode suit, pendant lequel le bibliothécaire et l'Amiral imaginent Bringas en train d'affiler la hache tout en dressant par ordre alphabétique la liste de toutes les vengeances à assouvir. Ce qui, estime don Pedro, n'est pas une image si insolite, ni si improbable.

– Quant à ce que vous disiez tout à l'heure à propos de la France, je ne partage pas votre avis, objecte enfin le bibliothécaire. Je trouve ce pays très différent du nôtre... Le voyage depuis Bayonne nous a permis de découvrir un pays fertile, des cours d'eau abondants et de vertes campagnes. Toutes choses qui n'ont rien à voir avec nos étendues caillouteuses sèches et rudes, avec nos terres ravinées qui nous condamnent à tant de pauvreté.

L'abbé frappe sur la table du plat de la main.

– Ne vous laissez pas tromper par les apparences, dit-il avec dédain. Ce pays est riche, c'est un fait, il est gâté par la nature. Mais tout part à l'égout des vanités, de la convoitise et de l'injustice. Même s'il est vrai qu'ici, au moins, nous trouvons des libertés inexistantes sur l'autre versant des Pyrénées...

L'Amiral pose les couverts sur le côté de son assiette vide, dans la position des aiguilles d'une montre à cinq heures, et il se sert une dernière fois de sa serviette.

– Il y a les livres, indique-t-il laconiquement, comme si cela résumait tout.

– Exactement, fait Bringas, dont les yeux dardent les feux de la vengeance. Béni soit le caractère d'imprimerie qui un jour jettera à bas les fausses idoles. Qui finira par réveiller le peuple abruti.

– C'est encore une chose que j'admire et envie, dit don Hermógenes, tempérant : l'abondance de lectures. Mais pour ce qui est de réveiller le peuple...

– En France, l'interrompt l'abbé, l'État ruine la vie de nombreuses gens qui, comme moi, cultivent les lettres et les idées, et même celle des imprimeurs et des libraires, mais sans pouvoir pour autant déraciner la liberté ; et ce, justement grâce aux livres.

– Nous sommes d'accord, admet don Hermógenes, mais votre façon de parler du réveil du peuple m'inspire une certaine répugnance...

– Savez-vous quelle est la différence ? poursuit Bringas, soucieux de son seul discours. En Espagne, les livres sont considérés comme subversifs et dangereux. Un luxe dont on peut se passer, ou un privilège réservé à une élite.

– Et ici, comme un commerce, intervient l'Amiral.

– Lucratif, de surcroît. Et pour tout le monde. Il donne du travail de l'auteur à l'imprimeur, en passant par le compositeur et le distributeur, qui paient des impôts. C'est une activité qui rapporte et crée de la richesse.

– Mais les édits, objecte le bibliothécaire, les interdictions...

Bringas y va de son rire outré et se sert un autre verre de vin.

– Ah, tout est relatif. La prohibition absolue est préjudiciable aux finances, si bien que l'État, bien qu'il légifère et interdise, permet aussi au négoce de suivre sa pente naturelle, afin qu'il n'aille pas s'installer en Suisse, en Angleterre, en Hollande ou en Prusse… Voilà la véritable fertilité de la France ! Son pragmatisme. Le pouvoir sait que le livre le menace, mais aussi qu'il crée des richesses. C'est pourquoi il cherche des compromis.

– Admettons, mais en ce qui concerne notre *Encyclopédie*…

– Eh bien, que se passe-t-il ?

– Il se passe que nous ne l'avons pas encore trouvée.

L'abbé prend un air suffisant, en montrant la rue.

– Après le repas, nous irons voir un de mes amis, marchand de livres philosophiques.

– Quelle drôle de formulation, dit le bibliothécaire. J'ignorais l'existence de marchands spécialisés en philosophie. Je suppose qu'il doit s'agir d'œuvres de Voltaire, Rousseau et autres. Mais je croyais que la vente publique des livres de cette sorte était interdite.

L'abbé rit encore, cette fois avec dédain.

– Ils le sont, mais ne vous laissez pas abuser par les mots. *Livres philosophiques* est une expression convenue pour désigner, entre libraires, des œuvres dans lesquelles la philosophie brille plutôt par son absence. L'expression désigne les livres interdits… en général pornographiques.

Don Hermógenes sursaute.

– Comment cela, pornographiques ?

– Des romans grivois ou autres œuvres de petits maîtres du genre, précise l'abbé avec une grimace équivoque. Des œuvres mineures qui, selon la formule de Diderot, se lisent d'une seule main.

Don Hermógenes rougit.

– Seigneur… Qu'avons-nous à voir avec ceci ?

– Rien, d'après ce que je comprends, le tranquillise l'Amiral. Ce monsieur n'a pas dit que tous sont de ce genre-là.

D'un long trait, Bringas lampe ce qui reste de vin.

– Le sens de *livres philosophiques*, courant dans les cabinets de lecture, est large et embrasse tout, du *Christianisme dévoilé* à *La Fille de joie* (l'abbé a un clignement d'œil entendu en citant ce dernier titre). Les connaissez-vous ?

– Même pas de vue, répond l'Amiral. S'ils sont interdits ici, vous devez bien vous douter qu'en Espagne…

– Ces cochonneries n'entrent même pas, tranche dignement le bibliothécaire.

Bringas sourit, de toute sa hauteur.

– Ah, pour *La Fille de joie*, je ne dis pas. Mais l'autre est vraiment de la philosophie.

– Tout de même, avec un pareil titre, insiste don Hermógenes, il paraît encore plus cochon. Ce qu'il faut faire du christianisme, c'est le pratiquer, pas le dévoiler ni aller se fourrer dans des latrines qui ne conduisent jamais au bon chemin.

L'abbé le regarde, déconcerté.

– Je croyais que vous deux…

– Et vous aviez raison de le croire, intervient l'Amiral, qui semble beaucoup s'amuser. Mais, comme je l'ai déjà dit, mon collègue est de ces hommes des Lumières qui vont à la messe, variété plus fréquente en Espagne qu'on ne croit.

– Je vous en prie, mon cher Amiral, proteste don Hermógenes, ce n'est pas ça non plus. Je…

Don Pedro le fait taire en posant d'un geste affectueux la main sur son bras.

– Notre don Hermógenes, ajoute-t-il encore à l'intention de Bringas, estime que l'on peut mélanger choux et carottes… Alors, respectons son point de vue.

L'abbé les regarde l'un après l'autre, comme s'il s'efforçait de les situer, non sans peine, dans une des catégories qu'il connaît. Après quoi il affiche une expression magnanime.

– Comme vous voudrez.

– Nous en étions aux livres philosophiques, lui rappelle l'Amiral.

– Ah, oui. Eh bien… les œuvres auxquelles on donne ce nom sont en fait de divers genres, et elles circulent sous le manteau, plus ou moins bien tolérées selon le ministre en exercice… Le fait est que quelques libraires les vendent en sous-main, guettent les occasions et savent se garder des descentes de police et des condamnations aux galères. L'ami dont je vous parle connaît la musique. Il pourra peut-être vous aider.

Don Hermógenes le regarde d'un air scrutateur, plutôt inquiet. Il a sorti sa boîte de tabac à priser et un mouchoir, il prend une pincée de poudre, éternue, et en propose à Bringas.

– Ce libraire est-il un homme respectable ?

– Autant que moi.

Les deux académiciens échangent un coup d'œil rapide, qui n'échappe pas à l'abbé. Il n'échappe pas non plus à don Pedro que la chose n'échappe pas à Bringas.

– J'espère que cela ne nous créera pas de problèmes, dit-il.

Sur ce, son regard tranquille, pondéré, se rive sur Bringas et ne le lâche plus. L'abbé plonge deux doigts dans la poudre de tabac, en prend une bonne pincée qu'il pose sur le dos de sa main et approche de son nez.

– Des problèmes ? La vie de l'homme éclairé est déjà un problème, messieurs.

Cela dit, il cligne des yeux, content de lui, et retient son souffle avant d'éternuer à son tour, à grand bruit.

– Et maintenant, dit-il en tirant de sa poche un mouchoir tout froissé, ayez la bonté de m'accompagner. Je vais vous montrer un autre Paris… Celui dont on ne parle pas dans *L'Académie des dames*.

Il ne me fut pas facile, les premiers temps, de me déplacer dans le Paris de l'*Ancien Régime**, que don Pedro Zárate et don Hermógenes Molina avaient connu à la veille de la Révolution. Même ce Paris révolutionnaire, qui a fini par changer considérablement la physionomie de la ville, avec ses rues et ses noms – les Cordeliers, les Petits-Augustins – si étroitement liés à l'histoire de ces années de troubles, a été en grande partie effacé par la transformation urbaine réalisée à partir de 1852 par le baron Haussmann. Plus tard, pendant le dernier tiers du XXe siècle, le marché des Halles disparut, le Centre national d'art et de culture Georges-Pompidou fut construit, et les boutiques, les bars et les restaurants du quartier devinrent un endroit à la mode et une attraction touristique. La seule façon de restituer le cadre était de mettre d'anciens textes et tracés de la ville en regard des données contemporaines, de superposer le plan de la ville actuelle à celui du Paris de naguère, afin d'établir aussi précisément que possible la topographie des endroits où s'était déroulée l'aventure des académiciens.

Hormis certains plans et livres sur l'histoire de la ville, ma bibliothèque ne m'offrait pas beaucoup de ressources en matière d'urbanisme parisien, et l'utile mais insuffisant *Connaissance du vieux Paris* d'Hillairet, avec lequel j'avais longuement battu le pavé de la Ville Lumière en d'autres temps, ne me servit cette fois qu'à situer certaines des rues qui avaient depuis changé de nom. Le monumental *Paris à travers les âges* d'Hoffbauer me fut nettement plus propice. Et je découvris sur Internet deux précieux points de départ sur l'aspect exact de la ville dans les années quatre-vingt du XVIIIe siècle : l'*Atlas historique de Paris en 1790*, et une très pratique *Liste des rues de Paris et de ses faubourgs entre 1760 et 1771*, qui incluait les noms actuels. J'ai aussi trouvé une trentaine de gravures d'époque avec des vues de rues, de places et de jardins tels qu'ils étaient quelques années avant la Révolution. Mais ce que j'obtins de plus important, ce furent les références de deux plans que, quelques jours plus tard, de retour à Paris et grâce aux bons offices de la libraire Michèle Polak, je pus me procurer assez facilement. L'un était celui réalisé en 1775 par Jaillot, splendide et clair, que j'acquis en assez bon état. L'autre, qui s'est révélé fondamental pour planter le décor urbain de ces chapitres, fut le magnifique *Nouveau plan routier de la Ville et Faubourgs de Paris*, d'Alibert, Esnauts et Rapilly, qui en sus de l'image très détaillée de la ville présente des cartouches avec un minutieux répertoire des rues et leur localisation par coordonnées. Quant à la documentation à rattacher à ces plans, elle était depuis longtemps prête sous forme de notes prises sur les voies, les cafés, les hôtels, les commerces et autres endroits qui m'intéressaient, les unes extraites des lettres du bibliothécaire conservées aux archives de l'Académie royale d'Espagne, les autres de récits de voyages du XVIIIe siècle, de descriptions de la ville comme celles qui figurent dans l'excellent *Guide des amateurs et des étrangers voyageurs* de Thiéry, publié en 1787, et de journaux de l'époque, de la correspondance et des observations de divers auteurs, sans oublier le *Journal* de Leandro Fernández de Moratín – dont l'ombre, parmi d'autres, a constamment plané sur ce récit – et les *Mémoires* de Giacomo Casanova, qui décrit par le menu ses visites dans la capitale française, effectuées peu avant les faits ici relatés. Avec cela, je pus me mettre au travail.

C'est ainsi que je me suis trouvé un matin en train de déjeuner aux Deux Magots avec mon carnet de notes ouvert sur une photocopie tachée de café et couvertes d'indications du *Nouveau plan routier* de 1780, à essayer d'établir dans quel quartier excentrique de Paris don Pedro Zárate et don Hermógenes Molina s'étaient rendus, guidés par le singulier abbé, ainsi que le relatait la lettre – que j'avais pu consulter à l'Académie royale – écrite en termes étrangement prémonitoires par le bibliothécaire au directeur de l'Institut, Vega de Sella, à qui il racontait :

> *… la visite que nous avons faite hier, déconcertante par son côté inattendu, de quelques venelles de cette ville où le faste de la cité s'enténèbre, confronté à la sordidité de la vie des plus défavorisés, où l'on trouve nécessités de toute sorte et triste manifestation de tous les vices. Cela prouve que même dans les nations cultivées et dans les villes où la majesté et les lumières sont les plus apparentes, de malheureuses créatures subissent des injustices et accumulent une dangereuse rancœur. Ce dont devraient tenir compte, pour leur bien, ceux dont le devoir est d'œuvrer au bonheur des peuples que Dieu leur a confiés.*

Malheureusement, le nom de ce quartier n'apparaît pas dans la lettre de la main de don Hermógenes, aussi ai-je été forcé de l'imaginer. Peut-être s'agissait-il, ai-je conclu, d'une de ces rues proches de la Seine, dans l'ancien centre urbain – aujourd'hui presque entièrement reconstruit –, alors constituées de taudis et d'endroits misérables et auxquelles on donnait encore, à la fin du XVIIIe siècle, des noms tels que la rue des Rats, ou du Pied-de-Bœuf, ou du Pet-au-Diable. Mais il pouvait tout aussi bien s'agir d'un faubourg comme celui de Saint-Marcel, dans le sud de la ville, ou de quelque autre, dans le nord. Quoi qu'il en soit, l'abbé Bringas a dû conduire les académiciens dans un de ces endroits qui n'apparaissent ni dans les récits de voyages ni dans les gazettes distinguées de l'époque, mais où devaient s'allumer quelques années plus tard, avec l'exaspération populaire, l'étincelle révolutionnaire destinée à mettre la France à feu et à sang, renverser le trône et ébranler le monde.

– Le bas peuple de Paris n'a, pas plus qu'en Espagne, d'existence politique, dit l'abbé Bringas. Il n'a ni l'habitude ni la capacité d'exprimer sa haine et son mécontentement... Les Anglais connaissent leurs intérêts ; mais les Espagnols et les Français, sous ces néfastes Bourbons, sont dépourvus de l'instinct civique qui leur montrerait où est leur avantage.

– Tout est une question d'instruction, naturellement, remarque don Hermógenes qui, en entendant le mot *néfastes*, a regardé autour de lui avec appréhension.

– C'est évident. Ni ici ni en Espagne les gens ne savent lire.

– Mais la France...

L'abbé lève une main dédaigneuse.

– Il me semble, monsieur, que votre France est bien mythique. Ici, peu de gens sont conscients de ce qui les attend.

Ils sont descendus d'un fiacre de location au débouché de trois rues étroites, près d'une cour envahie de décombres et de mauvaises herbes. Certaines maisons d'aspect quasi médiéval, délabrées, sont soutenues par de grands étais croisés. Sur les toits d'ardoise flotte une brume grise, montée de cheminées noires et de fourneaux qui crachent de la suie.

– Ce Paris ne ressemble guère à l'autre, n'est-ce pas ?

Bringas s'est tourné pour les regarder, sarcastique, en guettant leur expression. Sa question n'en est pas une. Il ajoute qu'il y a plus d'argent dans une seule maison de la rue Saint-Honoré que dans tout ce quartier. Don Hermógenes et don Pedro regardent les enfants en haillons, pieds nus, qui ont cessé de jouer dans le ruisseau pour faire cercle autour d'eux, méfiants. Ils sont une demi-douzaine, et ils finissent par demander un sou. Il y a parmi eux deux fillettes.

– Ah, la promiscuité et la misère ! fait Bringas en écartant les gamins d'un geste de main. Ici, il n'y a d'autre bruit de semelles que celui de pauvres sabots de bois, quand on a la chance d'en avoir ; et ce n'est pas le cas de ces misérables créatures nues, bien entendu, qui dorment avec leurs parents dans la vile promiscuité de taudis infects... Et, c'est évident, à défaut de liberté de la presse et de toute instruction, le peuple restera encore longtemps impuissant, ignorant, sans que ses véritables intérêts et son patriotisme soient éclairés par la raison... Sa voix, qui est celle de la vérité, n'arrive jamais aux oreilles du souverain. Au contraire, toute voix qui s'élève, tout signe d'impatience sont présentés comme des attentats séditieux, des révoltes illégitimes.

– Mais, en France, les libertés sont respectées, objecte le bibliothécaire.

– Rien que formellement : il y a certes ici une presse plus hardie et des livres dont la publication est sans doute inimaginable en Espagne, mais qui ne sont destinés qu'aux élites, et souvent considérés comme un simple divertissement de salon... Le peuple n'a pas droit à la parole et n'est pas écouté, il est seulement spectateur et victime des opérations ministérielles... Son ignorance politique crasse n'est dépassée que par la nôtre : celle des Espagnols.

Les deux académiciens suivent l'abbé, qui avance d'un pas décidé en balançant sa canne. Devant les portes, sous les piquets d'étendage où des effets pendent aux fenêtres comme drapeaux en berne, des femmes bourrues à l'expression sombre, bras nus et mains rougies, battent le linge dans des bassines ou donnent le sein à des nourrissons souillés de morve.

– Vous voyez ? fait Bringas avec amertume. Ne me dites pas qu'il n'est pas honteux pour l'espèce humaine d'avoir mesuré la distance de la Terre au Soleil, d'avoir calculé la masse des planètes proches, et de ne pas avoir découvert les lois fécondes qui feraient le bonheur des peuples.

Assis sur la pierre de la margelle d'un puits, pieds nus, un vieil homme édenté vêtu d'une vieille capote militaire en lambeaux ôte la pipe de sa bouche et porte deux doigts à son front en les voyant passer. L'endroit pue la chair décomposée. Sur le sol sans pavement court un ruisseau d'eau brune, sanguinolente.

– Boucheries clandestines, leur apprend Bringas, quelques pas plus loin. Il y a là, tout près, un abattoir illégal, toléré par la police, évidemment, qui en tire profit, comme de tant d'autres choses.

Ils arrivent devant une maison qui a un jour dû être cossue, avec une porte cochère. La cour intérieure a été convertie en une sorte de halle aux bas morceaux, avec ses petites échoppes où l'on vend abattis, tripes, têtes et pieds de veau et de cochon. Au fond, il y a une taverne avec deux grands tonneaux en guise de tables. Bringas marche avec assurance entre les éventaires, suivi par les académiciens, auxquels vendeurs et acheteurs prêtent à peine attention. Pourtant, avec un rire insolent, une femme rondelette à la coiffe grise, le tablier maculé de sang, montre à l'Amiral, de la pointe du couteau qu'elle tient, une pâle tête d'agneau.

– Comme l'a dit Diderot, je crois bien, lance-t-elle à l'abbé en clignant de l'œil aux académiciens, chaque siècle a un esprit qui lui est propre, et celui du nôtre, c'est la liberté.

Puis elle se remet à rire, d'un rire sinistre, de mauvais augure, qui les suit jusqu'à ce qu'ils arrivent à un local contigu au débit de vin. Bringas affiche sa contrariété en le trouvant fermé, et demande ce qu'il en est au tavernier ; celui-ci lui répond dans un argot parisien indéchiffrable, d'une voix que semble étouffer la barbe qui couvre la moitié de son visage.

– Il faut attendre un peu, traduit l'abbé.

Il demande à boire, le tenancier sert le vin dans une cruche et des verres de terre cuite vernissée quand tous trois se sont assis autour d'un tonneau.

– Tous les lundis, les barriques vides de vin bon marché se comptent ici par douzaines, dit Bringas en s'essuyant la bouche du revers de la main. Ces gens n'ont que ça, quand ils peuvent se l'offrir : se multiplier comme des lapins et boire en un jour tout ce qu'ils pourraient boire en une semaine, un mois, ou une vie. Mais même l'ébriété est surveillée par la police, parce qu'elle conduit souvent à sortir le couteau… Ah, il est bien court, le chemin qui conduit de la taverne ou du cabaret à la prison. Même la fête du pauvre est placée sous surveillance.

Don Hermógenes trempe à peine les lèvres dans le vin, plus par courtoisie que pour toute autre raison. De son côté, don Pedro Zárate boit une prudente gorgée, trouve le gros rouge aigre et laisse son verre presque intact sur le tonneau. À ce moment-là,

Bringas a déjà éclusé deux verres sans broncher. Après un nouveau regard sur lui, l'Amiral achève de cerner l'énergumène qui les accompagne : exalté, misérable, cultivé et dangereux. Il ne lui semble plus étrange que l'abbé reste à l'écart de l'Espagne ; là-bas, il serait aussitôt considéré comme bon pour le cachot ou la potence.

– Ah, la tourmente ! murmure l'abbé, cryptique, entre deux gorgées. La tourmente qui s'annonce.

– Qu'attendons-nous ici ? demande l'Amiral.

Bringas fait la sourde oreille. Il boit encore et regarde le vin attentivement, comme s'il pouvait lire dans le liquide rougeâtre et baptisé.

– En France, les ministères sont despotiques, dit-il, levant enfin les yeux pour les regarder. On saigne le peuple avec des impôts qui vont dans la poche de quelques rapaces, et l'État est rongé par les dettes... Une bonne secousse est nécessaire. Pour changer tout ça. Tout mettre sens dessus dessous. Une révolution sanglante.

– Elle n'a pas à être aussi extrême, lance don Hermógenes, choqué. Il suffirait qu'elle soit morale et patriotique.

Bringas, qui à ce moment-là porte le verre à ses lèvres, lève un doigt à l'ongle trop long qu'il pointe sur le bibliothécaire.

– Vous êtes un peu ingénu, monsieur. Ni la noblesse ni le clergé, pour ne rien dire du roi et de sa famille, n'ont assez de générosité pour faire les quelques sacrifices qui rendraient leur pays honorable.

– Mais le roi Louis a la réputation d'être un homme bon...

– Bon ? Ne me faites pas rire, ça me donne un point de côté. Ce jeune gras à lard dont le seul talent est d'être cocu, d'aller chasser et de réparer les horloges déréglées ? C'est sa signature sur une *lettre de cachet** qui m'a conduit à la Bastille, accusé de faire des libelles.

Par-dessus son verre, sourcil rancunier, Bringas promène son regard sur la cour.

– Regardez ces gens, ajoute-t-il, ces imbéciles. La plupart d'entre eux croient encore que le roi est un homme bon, un père aimant fourvoyé par sa Jézabel autrichienne et ses ministres.

Avec un bruit sec qui résonne comme le coup donné par le

bourreau sur la nuque du condamné, l'abbé pose violemment son verre sur le tonneau.

– Ah, mais un jour ils se réveilleront. Ou on les réveillera. Et alors...

– Et alors quoi ? veut savoir don Hermógenes.

– Alors viendra l'heure de la féconde hécatombe révolutionnaire.

– Quelle horreur !

Sans broncher, Bringas pose sur le bibliothécaire un regard pénétrant.

– Vous vous trompez, monsieur. Toute révolution, avec ses excès, révèle, de même qu'une guerre civile, les talents les plus cachés. Elle fait surgir des hommes extraordinaires, qui mènent d'autres hommes... Ah, je vous assure, le remède est terrible, mais indispensable.

Ils sont – heureusement, pour don Hermógenes – interrompus par l'arrivée d'un individu à perruque rousse, vêtu de drap brun, qui ouvre la porte de la boutique et leur lance un regard inquisiteur, en reconnaissant Bringas ; celui-ci se lève et, laissant l'Amiral mettre la main à la poche et poser quelques pièces sur le tonneau, va à sa rencontre, lui serre la main et échange avec lui quelques mots à voix basse, en lui montrant ses compagnons. L'autre hoche la tête, consentant, les invite à entrer, et les académiciens se retrouvent dans un lieu inattendu : un magasin de papier, plein de paquets de brochures et de vieux journaux, avec une casse aux tiroirs entrouverts dont les caractères en plomb sont en désordre, et une vieille presse d'imprimeur qui semble encore en usage. Le seul éclairage de l'endroit, la lumière qui tombe d'une claire-voie presque au ras du toit, laisse voir quelques caisses de livres empilées dans le fond.

– Ce monsieur, dit Bringas en faisant les présentations, est un ami de toute confiance. Il s'appelle Vidal et il est ce que l'on appelle ici un *colporteur**. En Espagne, nous dirions un marchand ambulant de livres et imprimés. Et, en tant que tel, spécialiste – l'abbé accentue intentionnellement ce mot – en livres de toute sorte.

Le dénommé Vidal, qui parle un espagnol acceptable, a un sourire entendu qui découvre une denture sans doute plus opérante en des temps meilleurs. Son visage parcheminé est sillonné de rides, parsemé de taches, et il a l'air plus anglais que français.

– Ces messieurs s'intéressent aux livres philosophiques ?

– Ça dépend, répond prestement don Hermógenes.

– Ça dépend de quoi ?

Le bibliothécaire s'interroge, décontenancé ; puis il se souvient de la conversation avec l'abbé sur le sujet. L'Amiral, qui le voit dérouté, vient à son aide.

– De la sorte de philosophie qu'ils contiennent, précise-t-il.

– Dans ceux-là, c'est sûr, vous ne trouverez rien d'Aristote, lance Bringas, en riant.

Le libraire, d'un geste indifférent, montre les caisses de livres.

– Je viens de recevoir vingt exemplaires de *La Fille naturelle*. Il m'en reste quelques-uns de *L'Académie des dames*... J'ai aussi *Vénus dans le cloître* et l'édition de Londres des *Anecdotes sur Madame la comtesse Du Barry*, qui a toujours du succès.

– Oh là, Vidal, le prévient Bringas, souriant. Ce n'est pas ce que cherchent ces messieurs.

Le libraire le regarde, surpris.

– Ils veulent vraiment de la philosophie ?

– C'est ça.

– Bon, j'ai bien une chose... *L'An 2440*, de Mercier, qui a bel et bien été brûlé en Espagne, on se l'arrache. Et quelques autres d'Helvétius, de Raynal, de Diderot, et le *Dictionnaire philosophique* de Voltaire... Celui-ci coûte cher, contrairement à l'*Émile* de Rousseau, qui a tellement été réédité partout qu'il n'intéresse plus personne.

– C'est vrai ? s'étonne don Hermógenes.

– Tout à fait. Le Voltaire est celui qui est le plus confisqué par la police. Ce qui augmente beaucoup son prix.

– Ces messieurs cherchent l'*Encyclopédie*.

– Ça ne devrait pas poser de problème. Je n'en ai pas de disponible, mais je peux facilement l'obtenir. Laissez-moi prendre quelques renseignements.

– Ils voudraient la première édition.

Le libraire grimace.

– Hum, C'est plus difficile. On a cessé de l'imprimer, et les gens préfèrent les nouvelles. Une de celles qui sont faites à l'étranger vous conviendrait-elle ? Certaines d'entre elles améliorent le texte original, m'a-t-on dit, et d'autres sont identiques à la première. Je crois que je pourrais vous dénicher une bonne réimpression : celle de Livourne, dédiée à l'archiduc Léopold, par exemple, en dix-sept volumes d'articles et onze de planches… Je peux aussi essayer de trouver celle de Genève, faite par Cramer.

– J'ai bien peur que ces messieurs n'aient une idée fixe, intervient Bringas.

– Il faut que ce soit l'originale, confirme don Hermógenes. Les vingt-huit volumes parus entre 1751 et 1772… N'y a-t-il pas moyen d'en trouver une ?

– On peut essayer, mais il va me falloir quelques jours. Et je ne garantis rien.

L'Amiral s'est approché des caisses de livres, dont la plupart sont brochés, avec des couvertures bleues ou grises. Entre la puanteur qui vient de la cour, et l'odeur du papier neuf et de l'encre fraîche monte une sorte de parfum agréable qui, pour un moment, fait oublier tout le reste.

– Puis-je jeter un coup d'œil ?

– Je vous en prie, faites, répond Vidal. Mais écartez les livres du dessus. Je ne crois pas que vous soyez intéressé par la *Liturgie pour les protestants de France* ou les petits romans de madame Riccoboni.

Don Pedro ôte les livres placés en haut des caisses, et regarde ce qu'il y a dessous : *La Chandelle d'Arras*, *Le Parnasse libertin*, *La Putain errante*, *L'Académie des dames*… Ce dernier est relié en peau jaspée, c'est une belle édition grand in-octavo.

– C'est un bon livre ?

– Je ne saurais vous dire, répond Vidal en se grattant le nez. Dans mon métier, un bon livre c'est celui qui se vend.

L'Amiral le feuillette lentement, en s'arrêtant sur les illustrations très explicites. Sur l'une d'elles, une dame voluptueuse, le sein nu et la robe levée sur d'attirantes cuisses ouvertes en un angle d'environ cent quarante degrés, observe avec le plus vif intérêt le phallus dressé d'un jeune homme qui, à ses pieds, est prêt à passer aux derniers outrages. Un moment, amusé, l'Amiral est tenté de montrer l'illustration à don Hermógenes, pour voir ce que sera sa réaction, mais la compassion le fait renoncer à cette idée.

– Je suppose que ces ouvrages sont chers, dit-il au libraire.

– Leur prix n'est pas fixe, répond Vidal. Il fluctue selon leur nombre sur le marché, ou selon les descentes que fait la police pour s'en emparer. *L'Académie des dames*, par exemple, est un livre très recherché. La demande est forte, mais les éditions trop nombreuses. Celle-ci est récente, hollandaise, avec trente-sept illustrations. J'en voudrais vingt-quatre livres.

Curieux, don Hermógenes a fini par se rapprocher de l'Amiral et fait mine de jeter un coup d'œil au livre, toujours ouvert sur la page de l'illustration. Don Pedro la lui montre un instant, avec une maligne rapidité, et le bibliothécaire, scandalisé, recule comme s'il venait de voir le diable.

– C'est drôle, dit l'Amiral. Quand on pense à un livre interdit, on entend plutôt Voltaire, Rousseau ou D'Alembert…

Vidal hausse les épaules et rétorque que c'est là une simple étiquette. Un leurre. En réalité, le véritable livre philosophique n'occupe qu'une infime part du marché. Bien sûr, il y a une demande, et forte. Mais la grande partie du commerce des livres interdits est d'une tout autre sorte. Quoi qu'il en soit, tous arrivent de la même manière : imprimés en Suisse ou en Hollande, sans reliure, sous forme de discrets feuillets glissés entre ceux d'autres livres d'apparence innocente, ils arrivent en France, où ils sont complétés et distribués.

– D'autres sont introduits par des contrebandiers qui leur font passer la frontière, précise Bringas. J'ai une fois voulu tenter l'aventure, en les trimbalant de Suisse en Espagne, mais il m'a fallu y renoncer. Trop dangereux.

– C'est vrai, confirme le libraire, et c'est ce qui les rend si onéreux. Il arrive que douaniers et inspecteurs ne se laissent pas facilement suborner… Et quand ça tourne mal, ceux qui les transportent peuvent être marqués d'un signe d'infamie ou finir aux galères.

– Pourquoi êtes-vous installé dans ce quartier ? s'enquiert l'Amiral, intéressé.

– Avant, j'étais associé avec un compère, un certain Duluc,

qui avait un petit cabinet de lecture sur le quai des Grands-Augustins…

– J'ai connu Duluc, dit Bringas.

– Ce n'était pas un mauvais gars, tu t'en souviens ? dit Vidal avant de se tourner vers les académiciens. J'allais et venais, il se chargeait de la vente. Jusqu'au jour où un policier n'a pas touché autant qu'il l'espérait, on nous a confisqué pour cinq mille livres d'œuvres philosophiques trop bien illustrées, si vous voyez ce que je veux dire, et Duluc a été directement envoyé à la Bastille. C'est comme ça que j'ai échoué ici.

– Oh, ce n'est pas un mauvais coin, opine Bringas.

– Bien sûr que non… On y passe inaperçu, parce que chaque voisin est aveugle et muet ; ils vivent et laissent vivre. Les gens entrent et sortent des boucheries, et le mouvement est pour moi une assez bonne protection. Vient qui veut venir, je graisse la patte à l'argousin du quartier, et je ne fais de tort à personne…

– Et tous les mois, tu fermes boutique, remplis un chariot de livres clandestins, et tu vas faire un tour en province, pour distribuer les nouveautés.

– Plus ou moins.

L'Amiral remet *L'Académie des dames* dans la caisse.

– Intéressant, dit-il.

– Vous n'en voulez vraiment pas ? insiste le libraire. Je doute qu'en Espagne vous puissiez le trouver.

6
Les rancœurs de l'abbé Bringas

Bon nombre de nos compatriotes s'y sont donné rendez-vous, rebelles au joug de notre despotisme et de notre intolérance.

M. S. Oliver,
Les Espagnols
dans la Révolution française

Henriette, la fille des patrons, servante de l'hôtel du Roi Henri, est de celles qui savent mener leur barque, et Pascual Raposo ne tarde pas à en avoir la preuve par voie de faits. Chaque fois qu'elle monte à sa chambre sous un prétexte ou sous un autre : faire le lit, apporter des chandelles et de l'huile pour la lampe, l'ancien dragon explore plus en profondeur le terrain, en s'enfonçant dans l'épaisseur du fourré, sans que l'ennemi oppose une résistance excessive. Il est en ce moment deux heures de l'après-midi, et il vient de coincer contre le mur la mignonne, dont les yeux saillants disent oui pendant que la bouche dit non en même temps qu'elle rit, et les mains de Raposo montent avec audace sous le corsage de batiste, palpent avidement la peau blanche et tendue, les seins qui oscillent, chauds, entre ses doigts et attisent la violente érection qui se presse contre les cuisses d'Henriette, jusqu'à ce qu'elle se débatte et finisse par se dérober juste au moment où il décharge dans sa culotte avec un grognement animal, lequel provoque un éclat de rire effronté de la fille qui lisse sa robe, disparaît derrière la porte et dévale l'escalier, aussi vive qu'un écureuil.

Appuyé contre le mur, Raposo reprend son souffle, puis il va refermer la porte, palpe avec désagrément la zone humide de sa culotte et se dirige vers la fenêtre qui donne sur la rue de la Ferronnerie. Elle bouillonne d'animation. Dans un des appentis contigus au vieux cimetière des Innocents, sous un buste et une plaque de marbre qui commémorent l'assassinat à cet endroit, en 1610, du roi Henri IV par un fanatique appelé Ravaillac, un serrurier lime un morceau de métal sur un étau devant une porte ouverte dont les battants présentent un assortiment abondant de verrous et de cadenas. Et pendant qu'il regarde faire cet homme, un rayon de soleil éclaire son visage et accentue son reflet dans la vitre de la fenêtre : cheveux en bataille, barbe de deux jours, cernes de fatigue sous les yeux. Il a passé une grande partie de la nuit réveillé et n'a pu trouver le sommeil avant l'aube ; il s'est tourné et retourné dans les draps froissés, a astiqué ses bottes, son sabre, son pistolet, remonté sa montre ; il est ensuite allé s'asseoir près de la fenêtre pour contempler les ombres et les étoiles. C'est ce qui lui arrive quand il a mal à l'estomac, ce qui se produit de plus en plus fréquemment ; à chaque fois, le maudit demi-sommeil le plonge dans quelque chose de semblable à un océan épais et gris comme le mercure dans lequel flottent d'ingrats souvenirs et des spectres surgis de son imagination. Pendant de telles nuits, tout n'est plus que détresse, parce que la seule idée de s'endormir, d'oublier la douleur mais d'être livré aux monstres nés de ses rêves le terrifie.

Tout là-bas, dans la rue grouillante de monde, il voit venir Milot. Le policier marche le tricorne rejeté en arrière, les pans de sa redingote ouverte semblent battre autour de lui comme les ailes d'un oiseau de mauvais augure, il tient fermement son bâton de marche noueux au pommeau de bronze. Raposo va vers la table de toilette – placée sous une estampe colorée du vieux roi Louis XV dans son manteau d'hermine, collée au mur avec de la mie de pain –, verse de l'eau dans la bassine et se lave le visage. Puis il met son manteau et descend en le boutonnant au rez-de-chaussée, qu'il atteint au moment même où le policier franchit le seuil.

– Salut, l'ami ! lance Milot.

L'hôtelier – dont le nom est Barbou – est assis près de la porte, comme à l'accoutumée, en compagnie de sa femme et de sa fille qui vaguent non loin de lui. Raposo et Milot sortent faire quelques pas. Le policier a des nouvelles : sur son ordre, deux sbires ont surveillé pendant ces derniers jours les académiciens espagnols.

– Ils poursuivent leurs recherches, résume-t-il en consultant le petit carnet crasseux couvert de notes écrites au crayon qu'il a tiré de son manteau. Et ils sont en permanence accompagnés de ce drôle, Bringas... Hier, ils sont allés chez un vendeur de livres interdits appelé Vidal ; apparemment sans succès.

– Peut-on leur créer des ennuis à cause de ça ?

– Non, pas que je sache. Ils n'ont visiblement rien fait d'autre que converser. Le libraire vend des œuvres philosophiques et licencieuses, mais tes petits messieurs n'ont rien acheté qui puisse les compromettre.

– Et qu'ont-ils fait ensuite ?

Le policier consulte de nouveau ses notes.

– Peu de chose qui puisse t'intéresser... Ils sont allés fureter dans les librairies et chez les bouquinistes de la rive droite, puis ils ont fait quelques pas jusqu'à la rue Saint-Honoré, pour jeter un coup d'œil aux boutiques, et ils ont continué vers les boulevards, où ils sont entrés dans un cabinet de figures en cire... Ils ont dîné à l'hôtel de Bourbon, un endroit huppé. J'ai même le menu : jambon, huîtres, pâté et deux bouteilles de bourgogne, dont une et demie bue par le sieur Bringas.

Ils ont dépassé le marché voisin du cimetière, où à cette heure les marchands de fruits et de légumes sont fermés, et ils traversent la place voisine, entourée de boutiques de fripiers. Il n'y a pas de vent, la chaleur est moite, Milot sue sous sa redingote et passe la langue sur ses lèvres.

– Ce matin, je me suis chargé moi-même de les surveiller, ajoute-t-il. Ils sont allés se renseigner dans deux autres librairies, ont pris un rafraîchissement au café de la Grille et ont flâné sur les Champs-Élysées.

– Toujours avec l'abbé ?

– Il ne les lâche pas. On n'a jamais vu un type pareil : il mange et boit gratis, à profusion, et il les emmène dans des endroits toujours plus chers.

Les deux compères descendent en direction de la Seine par la rue des Lavandières, où il y a foule. D'un léger coup de bâton, Milot écarte un décrotteur de bottes qui gêne le passage avec sa boîte de brosses et de cirage.

– Le fait est que sur les Champs-Élysées, près de la barrière de la place Louis XV, ils ont fait une rencontre curieuse qui t'intéressera peut-être… Je les surveillais de loin, et je m'étais approché d'un officier des gardes suisses que je connais bien, un certain Federici. J'échangeais quelques mots avec lui et l'écoutais se plaindre des jeunes aristocrates qui passent par là à cheval malgré les ordonnances qui l'interdisent, quand j'ai remarqué que l'abbé s'approchait de quelques passants pour les saluer : deux dames de très belle apparence, l'une habillée de vert, l'autre de bleu, avec ombrelles et chapeaux à rubans, et deux messieurs qui leur tenaient compagnie, sur l'avenue… L'un des deux portait le ruban de l'ordre de Saint-Louis, ce qui a éveillé ma curiosité. J'ai demandé à Federici s'il savait de qui il s'agissait.

Raposo se tourne vers Milot pour le regarder, attentif. Le policier, qui s'est arrêté, ôte son chapeau et passe la main sur son crâne chauve, couvert de gouttes de sueur.

– L'homme au ruban est un certain Coëtlegon, ancien militaire, et l'autre un perruquier, Des Veuves, un personnage à la mode, que les dames de la haute société rendent riche à millions.

– Pourquoi ?

– Imagine-toi que les perruquiers et les modistes font la loi dans cette ville, avec toutes ces extravagances, ces tenues et ces coiffures en vogue. Aujourd'hui, la mode de Paris est celle de Des Veuves, et ce, à ce que l'on dit, parce qu'il aurait un jour coiffé la princesse de Lamballe, l'amie intime de la reine. Qu'en dis-tu ?

– Qu'à Madrid, il en va de même… Sauf que, là-bas, tout cela se fait six mois plus tard, quand arrivent vos fichues gazettes illustrées.

Milot rit, éponge avec un foulard chiffonné la basane de son chapeau.

– Une des dames, celle vêtue de vert, est l'artiste peintre Adélaïde Labille-Guiard. Et celle en bleu, madame Dancenis… Ça ne te dit rien ?

– Rien du tout. Pourquoi ?

– Parce que, mon gars, répond Milot en coiffant son chapeau et en se remettant en mouvement, c'est une de tes compatriotes.

– Une Espagnole ? Avec un nom pareil ?

– C'est celui de son mari, Pierre-Joseph Dancenis, qui a été intendant de justice, police et finances et a fait fortune dans les affaires immobilières. Il avait auparavant dirigé une mission commerciale française à Saint-Sébastien, où il a connu celle qui est devenue sa femme et qui l'a suivi en France. Ils ont une demeure magnifique rue Saint-Honoré, et une maison de campagne près de Versailles.

– Tu connais son nom espagnol ?

– Elle est née Echarri. Et s'appelle aujourd'hui Margarita Echarri de Dancenis. Elle est fille d'un financier de ton pays.

Raposo fait un effort de mémoire.

– Il y a eu un Echarri, me semble-t-il, lié à la banque de San Rafael, avant qu'elle ne fasse faillite.

– Ce doit être le bon. Bien évidemment, des gens très fortunés… Elle est habituée au luxe : élégante, riche, femme à la mode, elle tient un salon réputé, à la fois philosophique et littéraire, le mercredi.

– Et son âge ?

– La bonne trentaine. Ou plus. Les mauvaises langues lui donnent une quarantaine très bien portée. Peau blanche, grands yeux noirs, une de ces belles femmes qui savent pertinemment qu'elles le sont. Et qui en usent.

– Qu'a-t-elle à faire de l'abbé Bringas ? Pour moi, ils ne cadrent pas l'un avec l'autre.

– Ils vont cadrer quand je t'aurai appris certaines choses.

– Eh bien, vas-y.

Et Milot, qui n'est pas mauvais narrateur, se lance. Federici – le suisse dont il a parlé un peu plus tôt – est à la tête de la garde qui surveille les Champs-Élysées ; c'est un homme pointilleux et sérieux, sans grande imagination, le parfait suisse, et c'est justement pour ça que rien ne lui échappe : pas un nom, pas un visage, rien de ce qui se passe derrière la grille de son domaine. D'après lui, bien que cet abbé Bringas soit un sujet peu recommandable – il prétend s'être fait arrêter pour avoir publié des pamphlets politiques, alors qu'il l'a été en tant que revendeur de pornographie –, il est aussi un homme cultivé et amène. Du moins le dit-on. C'est ainsi que, en sus de jouer les fiers-à-bras dans les cafés fréquentés par les écrivains et les philosophes, il est bien considéré dans certains cercles de la bonne société parisienne, où son caractère exalté amuse, ainsi que dans les salons de quelques grandes maisons, comme celle de monsieur Dancenis, pour l'épouse duquel il tient avec plus ou moins de bonheur le rôle de bouffon.

– Est-ce clair, mon ami ?

– Tout à fait.

Ils sont arrivés quai de l'École, près du vieux Louvre. Milot va s'accouder au parapet de pierre, Raposo vient se planter à côté de lui. D'où ils sont, la vue est magnifique : le pont Neuf couvert de voitures qui passent d'une rive à l'autre, l'éperon de l'île Notre-Dame plongé dans le courant. Sur le fleuve, barques et gabarres naviguent ou sont amarrées le long des quais comme en grappes.

– Alors ne t'étonne pas, reprend Milot, si tes deux oiseaux et le bouffon débarquent un de ces mercredis chez les Dancenis. Parce que ce matin, Bringas les a présentés à madame sur les Champs-Élysées, et qu'ils sont allés tous ensemble, en s'entretenant avec animation, jusqu'à une voiture qui attendait sur la place Louis XV.

– Tous ensemble ?

– Comme je te l'ai dit. Je l'ai vu de mes yeux, avec Federici à mon côté tel un saint-bernard qui interprétait pour moi leurs moindres mouvements.

Raposo se retourne et, dos au fleuve, appuie ses coudes sur le parapet. Face à lui se dresse le clocher de Saint-Germain-L'Auxerrois. Devant cette église, croit-il savoir, on a beaucoup tué lors de la nuit de la Saint-Barthélemy, quand le peuple de Paris a fait une grande chasse aux protestants. Après quoi on dit pis que pendre des Espagnols et de leurs religieux. C'est ce qui s'appelle voir la paille dans l'œil du voisin et ne pas voir la poutre dans le sien.

– Il va falloir que je me renseigne sur les Dancenis, alors. On ne sait jamais.

– Je le ferais bien volontiers, pour que tu ne viennes pas dire, après, que je ne sais pas gagner les louis que tu m'as donnés l'autre jour… Et ceux qui restent à venir.

– Ils ont beaucoup d'argent ?

– Des masses. De quoi nous acheter, toi et moi, avec ce qu'ils dépensent pour un seul repas.

– Et elle ?

Milot lui lance un regard narquois.

– Eh bien, quoi ?

– Tu sais bien, dit Raposo en joignant le pouce et l'index d'une main et en plongeant un doigt de l'autre main dans le cercle. Elle a des amants ?

Le policier a un rire gras, qui découvre ses dents déchaussées.

– Nous sommes à Paris, nombril de la vie galante et de toute la saloperie qui l'accompagne… Même la reine donne l'exemple : les maris, le roi le premier, portent les cornes tout simplement, comme ils mettent leurs perruques poudrées… On attribue des aventures à la Dancenis, bien entendu. Pour le moins, on la courtise et elle se laisse adorer. Son époux est un homme tranquille, retiré des affaires, qui vit paisiblement. Il a une bonne bibliothèque, dans laquelle il passe la plus grande partie de son temps et, d'après ce que j'ai appris, il possède une *Encyclopédie*… lien éventuel avec tes deux voyageurs.

– Et a-t-on moyen de savoir à quoi s'en tenir ?

– Bien sûr. Là où il y a des laquais et des serviteurs, et les Dancenis n'en manquent pas, on obtient toujours des informations.

– Alors, je te confie l'affaire.

– Ne t'inquiète pas, mon gars. Tu peux te fier au vieux Milot… Il finira par tout savoir comme s'il était dans la place.

Le policier lui tape sur l'épaule, amicalement, et montre une taverne située en face du débouché du pont.

– J'ai faim, fait-il en se frottant la panse. Tu as déjà mangé ?

– Pas encore.

– Que dirais-tu d'un pied de cochon grillé et de quelques verres de rouge pour nous redonner du cœur au ventre ?

– D'accord… Allons-y gaiement.

– C'est toi qui régales, bien sûr. Je me remets entre tes mains.
– N'y songe même pas.
– Alors, jouons ça aux dés… D'accord ?

En chemin, ils croisent quelques belles femmes, que Raposo suit des yeux. Il aime les Françaises, constate-t-il de nouveau. Elles ne font pas des manières comme les Espagnoles toujours accrochées à leur missel et à leur rosaire et qui, même quand elles sourient à un homme, semblent lui faire une faveur.

– Comment va la bagatelle ? s'intéresse Milot, égrillard.
– Je me défends.
– Quand tu voudras, on ira faire une virée et je te mettrai entre les mains de quelqu'un de confiance, ajoute le policier avec un rire lubrique. Lors de ta dernière visite à Paris, tu t'es donné du bon temps, il me semble.
– J'en prends note.
– Tu as intérêt. Parce que je te déconseille d'aller en maison tout seul. Nous n'arrêtons pas d'envoyer des filles à Saint-Martin, et la plupart sont infectées… Ici, à la moindre inadvertance, on te dore la pilule pour pas grand-chose et tu passes le reste de ta vie à te gratter l'entrejambe.

Pendant ce temps, les deux académiciens et l'abbé Bringas sont tout à l'opposé – moralement parlant – du dialogue entre Raposo et son compère Milot. C'est jour de fête religieuse en Espagne, et don Hermógenes vient d'assister à la messe à Notre-Dame ; après l'*ite missa est*, il sort de la cathédrale pour aller retrouver l'Amiral et l'abbé, qui l'attendent devant le portail orné de saints et de rois. Avant le début de l'office, don Pedro a accompagné le bibliothécaire, le temps de faire avec une curiosité froide le tour de l'immense nef de la principale église de Paris ; mais quand la liturgie a commencé, il l'a quitté pour aller patienter dehors en compagnie de Bringas, resté sur le parvis avec un regard réprobateur et l'air renfrogné.

– Alors, comment était la messe ? s'enquiert avec courtoisie l'Amiral.
– Émouvante, dans ce cadre. Bien que la cathédrale de León, ou celle de Burgos, n'ait rien à lui envier… L'édifice est magni-

fique, mais j'ai été déçu par le manque de vitraux. J'avais lu qu'ils donnent à la cathédrale une lumière mystérieuse, quasi magique.

– Ils étaient bien ainsi, confirme Bringas. Mais il y a pas si longtemps ils ont été remplacés par du verre blanc.

– Quoi qu'il en soit, l'église est extraordinaire… ne trouvez-vous pas ?

L'abbé fronce les sourcils.

– Je la trouve exorbitante, puisque vous me demandez mon avis. Comme toutes les autres. Pour aussi fastueuses ou humbles qu'elles soient, elles n'en demeurent pas moins farcies de symboles néfastes pour l'humanité.

– Mais reconnaissez-le, mon brave, c'est un chef-d'œuvre de l'architecture.

Comme s'il avait été piqué par un serpent, Bringas fait volte-face, et montre d'un geste brusque l'édifice dont ils s'éloignent, semblable à un énorme navire envasé sur la rive du fleuve.

– Savez-vous combien d'ouvriers sont tombés des échafaudages pendant qu'on élevait ce monument à la superstition et à la bouffissure ? Des centaines, peut-être des milliers. Imaginez-vous le nombre d'affamés que l'on aurait pu secourir avec ce qu'a coûté cette aberration de pierre ?

– Une aberration irremplaçable, en tout cas, s'insurge don Hermógenes.

– Ah, moi, loin de songer à la remplacer par une autre, je la ferais démolir. À Paris comme dans le reste de l'Europe, pour ne pas parler de l'Espagne, il y a bien trop d'églises. Savez-vous combien de messes on dit chaque jour dans cette ville ?… Quatre mille. Ce qui signifie que, à quinze sous chacune, l'Église empoche quotidiennement… Ah… Ça…

Il se met à compter sur ses doigts, perplexe. L'Amiral vient à son secours.

– Trois mille livres, précise-t-il sèchement. Soit quatre millions par an…

Triomphal, Bringas donne du poing dans la paume de sa main.

– Vous y êtes. Belle rente, par ma foi ! Et ce, sans compter la quête pendant la messe et les troncs des chapelles de toutes ces Vierges et de tous ces saints.

– Il s'agit de dons gracieux, lui rappelle don Hermógenes. On a, à Paris, une liberté de culte enviable. Reconnaissez-le.

– Oh, je le reconnais, bien sûr. Si l'on ne veut pas de lui, le prêtre n'est pas trop embêtant. Et quand on est malade, il ne vient pas agiter sa clochette, à moins qu'on ne le réclame. Ou que l'on soit si célèbre que l'Église ne veuille pas demeurer en reste. Il n'est curé qui ne rêve d'administrer l'extrême-onction à un philosophe et de s'en faire gloire pendant son prêche dominical…

Bringas s'interrompt brusquement et lève le doigt, pour signaler qu'il vient d'avoir une idée qui mérite attention.

– N'auriez-vous pas envie de faire quelques pas ? Je voudrais vous montrer une autre sorte de temple, plus sinistre que celui que vous venez de voir.

Suivant leur guide, ils traversent le pont qui relie l'île à la rive droite. C'est en réalité un passage entre des maisons de plusieurs étages qui empêchent de voir la Seine, et dont les rez-de-chaussée sont occupés par des marchands de livres d'occasion et d'objets religieux.

– Quoi qu'il en soit, reprend Bringas en jetant un regard noir sur un étalage de crucifix, de rosaires et d'images pieuses, il ne faut pas oublier que ces bons religieux ont refusé il n'y a pas longtemps des funérailles chrétiennes à Voltaire…

Il a prononcé ce nom avec une familiarité telle que don Hermógenes le regarde, ingénument intéressé.

– Vous avez vu Voltaire ? Vous l'avez connu ?

L'abbé fait quelques pas, tête basse. Il rumine visiblement une rancœur qui semble grandir en son tréfonds. Puis il se redresse et, avec vigueur, ouvre les bras comme s'il voulait étreindre le monde.

– Ah, Voltaire ! s'exclame-t-il, ce grand traître à l'humanité !

– Ce que vous dites me sidère, reconnaît le bibliothécaire, surpris.

L'abbé le cloue de son regard fébrile.

– Ça vous sidère, dites-vous ? Eh bien, je l'ai été, sidéré, quand l'homme qui a donné à notre siècle un esprit nouveau a vendu sa postérité pour des nèfles à la table des puissants.

– Mais que dites-vous ?

– Ce que vous venez d'entendre. En vérité, le solitaire de Ferney n'aimait pas beaucoup la solitude, il lui préférait largement la flatterie, le pouvoir, l'argent, les tapes sur l'épaule des imbéciles qu'il prétendait fustiger dans ses écrits… Il n'avait pas son pareil quand il s'agissait de s'esquiver comme une anguille dans les polémiques dangereuses qui ont conduit ses fidèles en prison ou au gibet. Nul ne se montrait plus habile que lui à l'heure de se soustraire au danger… En prétendant toujours le contraire, c'est vrai, avec son immense talent, mais sans jamais aller jusqu'au bout. Voilà pourquoi sa puissante intelligence ne mérite pas le pardon des hommes.

– Diable. Mais qui trouve grâce à vos yeux, alors ?

– Qui ? Qui, demandez-vous ? Le grand, le noble, l'intègre, le seul pur de toute la clique. Le grand Jean-Jacques.

Bringas fait de nouveau quelques pas, s'arrête pour porter les mains à son visage et prend une pose très dramatique. Puis il se remet en marche.

– J'en pleure encore quand je me rappelle notre rencontre…

– Tiens, s'intéresse l'Amiral, vous avez connu Rousseau ?

– Tangentiellement, nuance l'abbé. Je l'ai reconnu quand il sortait de sa maison de la rue Plâtrière, son Gethsémani, la rue la plus humble, la plus incommode et la plus mesquine de cette ville, où il s'est retiré pour vivre obscurément, dans la pauvreté et la méfiance, après les poursuites et les mauvais traitements qu'il a dû subir, vilipendé par Voltaire, Hume, Mirabeau, et tous les encensés de même engeance. C'était le quatre mai de l'an soixante-dix-huit ; il lui restait seulement deux mois à vivre. J'ai marqué ce jour-là d'une pierre blanche dans la rubrique héroïque de l'éphéméride de mon existence. J'ai ôté mon chapeau, je me rappelle que ma perruque est tombée par terre, et que je me suis arrêté pour l'acclamer à grands cris. Il m'a jeté un coup d'œil en passant : deux regards, deux intelligences, une seule âme… Et tout fut dit.

– Tout ? répète don Hermógenes, visiblement déçu.

– Oui, tout, répond Bringas en le regardant de travers. Vous trouvez que ce n'est pas assez ?

– Vous n'avez pas pu lui adresser la parole ?

– Pourquoi l'aurais-je fait, dites-moi ? Pendant des années

nous avions dialogué dans ses écrits et, oui, j'ai aussitôt su que le grand philosophe, grâce à son intuition prodigieuse, avait reconnu en moi un frère jumeau, un ami loyal. Et alors, j'eus droit à un sourire de sa bouche si éloquente, si noble, si...

– Affamée ? suggère l'Amiral, sans pouvoir s'en empêcher.

Le regard torve de l'abbé ne se laisse pas prendre au sourire imperturbable, toujours courtois, de l'académicien.

– Seriez-vous en train de vous payer ma tête ? demande-t-il, piqué au vif.

– Nullement.

– Eh bien, il semblerait, pourtant.

– Pensez-vous... Pour rien au monde.

– Rousseau en personne ! reprend Bringas après un instant d'amère réflexion. Et il est toujours pointé du doigt et diffamé par ces ecclésiastiques dépourvus de conscience... Voyez son œuvre : charité pure. Et comprenez-le bien : les plus réactionnaires des clercs repoussent les lumières de la raison, ces chiens !

– Ah ça, mon beau monsieur, des chiens, des chiens... proteste don Hermógenes.

– Pas plus de beau monsieur que de beurre sur ma main, c'est comme je vous le dis... des chiens, du bout du nez à la queue en pointe.

Ils ont dépassé le pont et la place de Grève, et marchent sur l'esplanade qui longe le fleuve, pleine de barcasses à sec et de remises où est entreposé le foin pour les chevaux des milliers de voitures qui encombrent Paris.

– Mais ils ne sont pas les seuls, ajoute Bringas après avoir fait quelques pas. Excepté Rousseau, l'unique pur, il y a les autres, et quels autres... Les petits philosophes de salon qui, forts d'une autorité d'emprunt, n'ont d'autre vocation que de divertir et d'aduler les aristocrates poudrés et oisifs...

Le soleil semble amincir encore davantage l'ombre singulière de l'abbé, dont la veste étriquée et râpée, les bas de laine reprisés et la perruque graisseuse pleine de nœuds accentuent l'apparence malpropre et misérable. Parfois, quand il est pensif, il plonge le menton dans le foulard plein de faux plis noué à son cou, dont la soie jaunâtre crisse sous les poils d'un menton qui languit après le rasoir du barbier.

– Plus que jamais, dit-il enfin, l'humanité a besoin de nous, artilleurs téméraires et audacieux, incorruptibles, qui faisons pleuvoir les bombes sur la maison de Dieu.

Don Hermógenes s'éclaircit la gorge, mis mal à l'aise par l'idée fixe de l'abbé.

– Cher monsieur, avec tout le respect que je dois à vos idées comme à celles de tout le monde, je crois qu'être proche de Dieu à travers son œuvre… Enfin… de la religion…

Il ne va pas plus loin, parce que Bringas s'est arrêté pour lui faire face et lui jette un regard assassin.

– La religion ? Ne me faites pas rire, je n'ai pas encore déjeuné.

– Il fallait le dire, intervient l'Amiral en palpant la poche de sa veste.

Avec un dédain philosophique, quoique au terme d'un évident conflit intérieur, Bringas renvoie la suggestion à plus tard.

– Ça peut attendre… Laissez-moi d'abord dire devant vous à votre collègue qu'un sauvage qui vague dans les forêts du Nouveau Monde en contemplant le ciel et la nature et en se sentant ainsi seul maître de ce qu'il connaît, qui n'est autre que la loi naturelle, est plus près de l'idée de Dieu qu'un moine enfermé dans une cellule ou qu'une religieuse qui caresse les fantasmes de son ardente imagination… Et se caresse avec eux du même coup.

– Pardieu, monsieur, se scandalise don Hermógenes, je vous prie de laisser les sœurs…

Bringas lance un éclat de rire lugubre. Apocalyptique.

– On devrait faire de toutes ces moniales des mères, de gré ou de force.

– Seigneur Jésus, gémit le bibliothécaire en se tournant vers l'Amiral, pour chercher un soutien et un juste avis. Vous ne répondez rien à une telle barbarie ?

– Je ne me mêle pas des affaires de nonnes, rétorque l'interpellé, qui semble s'amuser beaucoup.

Faisant force de son indignation, don Hermógenes affronte de nouveau Bringas.

– Sur ce point, l'Amiral est comme vous, je le crains : il croit que les mots Dieu et raison sont incompatibles.

C'est maintenant Bringas qui se tourne vers l'Amiral, en l'examinant d'un œil bienveillant.

– Est-ce vrai, monsieur ? Qu'en dites-vous ?

Cette fois, don Pedro tarde à répondre, et il le fait avec une indifférence élégante.

– La polémique entre don Hermógenes et moi est de vieille date, et je n'ai pas de réponse… Je résumerai en disant que si Dieu est une erreur, il ne peut être utile au genre humain, et que s'il existait, il devrait en donner des preuves physiques suffisamment patentes.

– L'idée de Dieu peut être utile, quoi qu'il en soit, insiste le bibliothécaire. Reconnaissez-le.

– Même s'il en était ainsi, mon cher ami, l'utilité d'une opinion n'en fait pas pour autant une vérité.

Mais le bibliothécaire ne se donne pas pour vaincu.

– Pour ce qui est des dieux, oppose-t-il, les hommes s'accordent depuis des siècles à reconnaître leur existence. Et, puisqu'il est convenu que nous sommes destinés à chercher la vérité, ce sur quoi nous tombons universellement d'accord ne peut qu'en être une.

L'Amiral lui adresse un sourire sceptique.

– Que nous soyons faits pour chercher la vérité me paraît sujet à caution. Par ailleurs, le consentement général des hommes sur quelque chose que nul d'entre eux ne peut connaître ne prouve rien.

Après avoir tourné le dos au fleuve, ils sont montés en flânant dans la rue Saint-Antoine, entre les magasins de meubles, les ébénisteries et les miroitiers dont les devantures se succèdent sans interruption jusqu'à l'église des filles Sainte-Marie. Il y a là un café étroit et sombre dans lequel Bringas pénètre avec résolution, après avoir rappelé aux académiciens qu'il n'a encore rien mangé. Quand ils en ressortent, l'Amiral a payé deux cafés au lait, du pain beurré et de la viande séchée pour l'abbé, et ils reprennent leur promenade. Plus loin s'élèvent, sinistres, les murs sombres de la Bastille.

– J'y étais, crache presque Bringas, en les leur montrant. Embastillé à en mourir, dans ce temple laïque de la déraison et de la tyrannie.

– Définition bien tournée, commente l'Amiral. Digne d'un dictionnaire.

Le regard perdu, remettant en place sa perruque, Bringas se lance alors dans une longue tirade : les hommes en charge des affaires publiques, dit-il, du roi au ministre, redoutent, plus encore que l'éducation de leurs sujets, une seule chose : la plume des bons écrivains. La conscience des puissants se révulse chaque fois qu'un de ces héros du peuple – comme lui, sans aller chercher plus loin – dénonce ce que ces infâmes n'ont aucune honte de perpétrer. D'eux viennent la censure publique, l'incrimination de la prose qui les attaque, l'écrémage qui fait perdre aux textes ce qu'ils ont de meilleur et assujettit la plume du génie aux ciseaux impitoyables de la médiocrité fautive.

– Vous suivez mon raisonnement ?

– Jusqu'à sa moelle, répond l'Amiral.

– Eh bien, l'Église est complice de ce crime, quand elle n'en est pas l'instigatrice. Au moins, pour en revenir à ce que nous disions, le clergé français est-il perméable aux idées nouvelles et son pouvoir est-il plus fragmenté et contesté qu'en Espagne, où l'injustice s'intronise en chaire et dans les confessionnaux… Où, depuis les années noires du concile de Trente, on tourne le dos à l'avenir, on se trompe de Dieu et d'ennemi…

– Surtout d'ennemi, renchérit l'Amiral, et en particulier ces nations où l'imprimerie, plus développée que chez nous, répand des livres qui nous mettent plus bas que terre.

– Vous avez raison, admet don Hermógenes. Même sur ce chapitre, nous avons joué de malheur.

– Ça n'a pas grand-chose à voir avec la malchance, proteste l'Amiral, mais certainement plus avec l'aboulie et le désintérêt pour les arts, les sciences et l'éducation, tout ce qui fait les hommes libres.

– Voilà une grande vérité, reconnaît Bringas. Il y a une formule bien espagnole qui me brûle la langue, à laquelle on recourt souvent dans nos collèges et nos institutions : « C'est un enfant d'une grande humilité », ce qui est évidemment considéré comme un éloge et qui, traduit en langage clair, veut dire : « Dieu soit loué, il a contracté la maladie éminemment espagnole de la soumission, de l'hypocrisie et du silence. »

– Mais il y a aussi dans notre patrie des membres du clergé éclairés, proteste don Hermógenes, tout comme il y a des nobles, des bourgeois et même des ministres qui s'intéressent à la philosophie moderne. Ce qui, avec le temps, conduira à plus de liberté et à plus de culture. À des souverains prudents qui, au moins sur le plan terrestre, sépareront leur empire de celui de Dieu.

– Détrompez-vous, rétorque Bringas. Si éclate un jour une révolution…

– Je ne vous parle pas de révolution. Ce terme…

L'abbé regarde les sombres tours de la Bastille comme si cette contemplation ou les souvenirs du temps passé derrière ces murs lui insufflaient de l'énergie. Une rancune dialectique.

– Mais moi j'en parle, et sans m'en dédire. Je parle de ramener à la condition de simples citoyens ces monarques qui allèguent un droit divin pour établir leur prérogative sur le peuple… Et de le faire en recourant à la persuasion philosophique ou à la hache du bourreau.

Don Hermógenes sursaute, regarde autour de lui avec effroi.

– Quelle outrance. Dites quelque chose, Amiral. Je veux dire : quelque chose de sensé.

– N'y comptez pas, répond don Pedro, souriant. Je trouve la discussion très réjouissante.

– Seigneur.

Tout entier à son discours, Bringas ne leur prête pas attention. Revenant vers la Seine, ils ont quitté la rue Saint-Antoine pour s'engager dans d'autres rues d'assez humble apparence. Une chiffonnière ivre, assise près de son charreton de vieilles nippes, se querelle avec un cocher auquel elle barre le passage ; l'homme descend de son siège et lui donne deux taloches, à la grande joie des voisins qui observent la scène.

– Regardez-les, dit l'abbé en les leur montrant : abrutis dans leurs petites misères, ils ont la vue courte et ne devinent rien de l'aurore des idées qui les libéreront… Pas plus qu'ils ne s'intéressent à ce qui n'est pas mangeaille, beuverie, bagarre, ronflette et procréation.

Ils se remettent en marche. Un peu plus loin, deux ouvriers qui échangent des propos vifs se taisent et ôtent leurs bonnets quand passe près d'eux un cabriolet conduit par un individu qui a l'apparence d'un riche marchand.

– Les voilà tels qu'en eux-mêmes ! s'exclame Bringas en riant, caustique. Résignés, se contentant du peu qu'ils ont, prosternés devant les curés et les princes en suppliants qui leur baisent les mains, comme leurs parents, aussi stupides qu'eux, le leur ont appris... Ce ne sont pas les tyrans qui font les esclaves, mais les esclaves qui font les tyrans.

– Tout de même, parfois le peuple se soulève, fait remarquer don Hermógenes. C'est arrivé ici, il me semble, il y a cinq ou six ans. Quand a éclaté la guerre des farines, à Lyon et à Paris, avec la hausse du prix du pain, et tout ça...

– Je vois que vous êtes bien informé, monsieur.

– Il suffit de lire les gazettes, et à Madrid on en publie quelques-unes. L'Espagne n'est pas l'Afrique.

– Ouais... Mais cette révolte frumentaire n'a mené à rien. Le feu a pris et s'est bientôt éteint. Les agitateurs venaient de province, et le peuple de Paris est resté à les regarder sans rien faire. Peu après, la résignation s'est réinstallée. Comme s'il ne s'était rien produit.

– Mais à présent, il y a des incidents, non ?

– Mineurs. Isolés. Faciles à étouffer. Quelques affrontements sporadiques, des vers imprimés contre la reine qui se propagent toujours plus vite et mieux. Ici, il suffit de deux mille soldats des Gardes françaises, du régiment suisse de Versailles, de quelques policiers et mouchards pour maintenir l'ordre. Il n'y a pas encore dans le peuple de véritable élan. On grogne, mais un peu comme avec le marchand de tout à l'heure, le roi passe en carrosse et tous l'ovationnent parce qu'il a une tête de bon garçon. Ou parce que la reine attend un enfant. À croire que cela suffit à leur remplir la panse... ce qui me rappelle quelques-uns de mes vers, qui tombent à pic :

Avec moi vous découvririez
L'esclavage de carnaval,
Où vertu va à pied
Et vice à cheval.

– On n'acclame pas autant la reine, observe don Hermógenes.

– Et pourquoi l'applaudirait-on ? Le gaspillage ? Les amants ? Qui sait de qui est le petit dauphin qu'attend l'Autrichienne. Je crois, ou j'espère, que c'est de là que viendra la ruine fatale, plus que du despotisme, de l'enrichissement de quelques-uns et de l'état désastreux des finances… Les Jézabel, les Salomé, les femmes de Putiphar, les Pompadour et les Du Barry ont toujours bien mené la partie quand il s'est agi de perdre un roi ou un royaume… C'est par ce travers que l'Histoire mine les monarques dissolus, par là qu'ils pèchent le plus.

L'abbé fait encore quelques pas, les yeux injectés de colère.

– Endormis au bord d'un abîme que les courtisans et les opportunistes couvrent de fleurs, conclut-il, presque poétique.

Don Hermógenes croit que le moment est venu d'introduire dans la conversation un argument pondéré.

– Il me semble pourtant, commence-t-il, que ce roi, comme le nôtre en Espagne, est un prince connu pour son bon cœur, son équanimité d'esprit et la simplicité de ses habitudes… S'il arrivait à établir une autorité sereine, empreinte d'une bonté pondérée et juste, le peuple se montrerait reconnaissant…

– Ah ! Dessillez vos yeux ! se révolte de nouveau Bringas. Le peuple français, comme l'espagnol, est licencieux sans liberté, gaspilleur sans fortune, arrogant sans courage, chargé des chaînes et de l'opprobre de l'esclavage et de la misère… Tous deux s'enflamment dans les cafés et les tavernes pour la liberté des treize colonies américaines qui sont à mille deux cents lieues d'ici, mais sont incapables de défendre la leur. Ce sont des animaux paresseux auxquels il faut mettre des ajoncs épineux au cul.

– Seigneur !

Près du mur du cimetière Saint-Jean, ils passent devant quelques fleuristes. L'Amiral voit comment Bringas, en dépit de son discours indigné, conserve assez d'attention pour l'une d'elles, jeune et robuste sous la chemise et le châle bien remplis, qui les regarde effrontément.

– Et les femmes ? s'interroge l'abbé un peu plus loin. Pour grand nombre d'entre elles, les idées qu'elles ont le matin sont celles de l'homme avec lequel elles ont passé la nuit… Toutes cessent d'être elles-mêmes à quinze ou seize ans, et après s'apparient avec des serfs, prêtes à mettre au monde de nouveaux petits esclaves.

– Mais le bonheur des peuples... dit don Hermógenes.

– Je ne veux pas le bonheur des peuples, l'interrompt brusquement l'abbé. Je veux leur liberté. Quand ils l'auront, qu'ils soient heureux ou malheureux, ce sera leur affaire.

– La nouvelle philosophie s'en chargera sans doute.

– Oui, mais en leur administrant de bonnes claques. Le peuple est trop mal dégrossi pour comprendre. Voilà pourquoi il est impératif qu'il cesse de respecter l'autorité opprimante... Il faut frapper l'esprit de l'homme vil pour lui faire honte de son esclavage. Ces essaims de gamins qui dévorent des yeux les mets exposés dans les vitrines des magasins sélects, ces époux qui se démènent pour rapporter chez eux quelques francs et s'enivrent pour oublier leur misère, le pain, le bois, les chandelles qu'ils ne peuvent s'offrir, ces mères qui se privent de nourriture pour que leurs marmots puissent manger à leur faim, et prostituent leurs filles dès que la nature le permet afin de faire entrer un peu d'argent dans le foyer... C'est cela, le Paris réel, pas celui de la rue Saint-Honoré et des boulevards que vantent tellement les guides du voyageur.

Ils sont revenus sur les quais de la Seine. La vieille ville s'amoncelle en face derrière les murs qui épousent la courbe de la rive : bigarrée, sale, couverte d'un nuage de suie qui semble peser sur les toits et les cheminées.

– S'il y a une révolution en France, en Espagne, dans le monde pourri où nous vivons, poursuit Bringas en mastiquant ses paroles comme si elles avaient un goût amer, elle ne viendra ni des salons du beau monde éclairé, ni du peuple analphabète et résigné, ni des marchands et des artisans qui ne lisent pas l'*Encyclopédie* et ne la liront jamais... Elle viendra des imprimeurs, des journalistes, des écrivains comme moi, capables de transformer la théorie philosophique en prose vibrante. En vagues d'une implacable violence qui écrouleront autels et trônes...

L'abbé donne par deux fois du plat de la main un coup violent sur le parapet, avant d'y prendre appui. Puis son regard passe de l'Amiral à don Hermógenes et va se perdre dans la contemplation de l'autre rive.

– Il n'est de meilleur allié des tyrans, dit-il au bout d'un long moment de silence, qu'un peuple soumis parce qu'il veut garder espoir en une chose ou en l'autre : le progrès matériel, la vie éternelle… Le devoir de ceux qui manient la plume, notre devoir philosophique, est de démontrer qu'il n'y a pas le moindre espoir. De mettre l'être humain face à sa désolation. C'est alors seulement qu'il se lèvera pour demander justice et vengeance…

Il s'arrête sur ces mots, un instant, le temps qu'il faut pour lancer un sonore et épais crachat dans l'eau vert-de-gris qui emporte branches, détritus et cadavres de rats.

– L'heure approche où ce siècle va dresser des échafauds et aiguiser ses armes, conclut-il. Et il n'y a pas de meilleure meule à aiguiser que l'écriture.

– L'abbé Bringas est le parfait exemple de la rancœur prérévolutionnaire, dit le professeur Rico en allumant sa énième cigarette. Qui illustre comment l'échec et la frustration intellectuelle engendrent, elles aussi, leurs propres monstres.

La rencontre avait pour moi été heureuse. En appelant Francisco Rico pour lui poser quelques questions sur le personnage, il m'avait dit qu'il était lui aussi à Paris, pour y participer à quelques conférences. Sur Érasme, Antonio de Nebrija ou un autre penseur de cette envergure. Nous nous étions donné rendez-vous pour déjeuner chez Lipp, où il m'avait parlé d'un projet extravagant qu'il nourrissait : chercher les empreintes digitales de Quevedo, Lope de Vega et Calderón dans les manuscrits originaux que nous avons à l'Académie, idée qui l'amusait beaucoup par son côté gratuit, et nous empruntions maintenant la rue Bonaparte au pas de promenade ; je l'écoutais avec attention ; aussi maigre, élégant et rogue que d'habitude, avec son crâne dégarni bien luisant, Francisco Rico arborait ses lunettes de Méphistophélès de bibliothèque, et sa large bouche sensuelle était aussi dédaigneuse du reste du monde que sa cravate bleu saphir au gros nœud et la pochette de dandy jaune impossible qui sortait de la poche de poitrine de sa veste italienne à la coupe irréprochable. Je crois avoir mentionné qu'il est l'auteur des *Aventuriers des Lumières*, une étude très intéressante – ennemi opiniâtre de toute fausse modestie, il la qualifie d'indispensable – sur les intellectuels espagnols pendant la Révolution française.

– As-tu lu ma futile œuvrette ? voulut-il savoir.

– Évidemment.

– Et les livres de Robert Darnton et de Philipp Blom ? Ceux des encyclopédistes, les titres interdits et autre attirail ?

– Élémentaire, mon cher Paco. Mais il me manque la touche du maître. C'est pourquoi, puisque je t'ai sous la main, je recours à toi.

La touche du maître manquante lui plut beaucoup. Il le montra en faisant un rond de fumée, lèvres froncées – un rond comme lui seul les fait, exquis, presque parfait –, et, de toute sa hauteur, en passant devant lui, fit tomber la cendre dans le gobelet en plastique que tendait un mendiant roumain.

– Eh bien, entre les uns et les autres, nous avons tout dit, mon cher. Ou presque. Darnton, qui a piqué l'idée à Gerbier, et à moi, qui ne l'ai prise à personne parce que j'ai lu plus de livres qu'eux deux réunis, explique – pardon, je dois dire : *nous expliquons* – très bien ce que sont les personnages comme notre très radical abbé… Tu me suis ?

– Jusqu'au bout du monde, monsieur le professeur.

– Et tu ne fais que ton devoir. Tout de même. Parce que nous sommes en train de parler des parias de l'intellectualité, et tiens, regarde, fit-il en montrant de sa cigarette la rue, comme si tous ces esprits rebelles faisaient un petit tour dans le coin. D'un côté, tu as le *grand monde**, ceux qui avaient réussi à se hisser au sommet : les hommes illustres comme Voltaire, Diderot, D'Alembert, toutes gens qui, de plus, gagnaient de l'argent… Reçus dans les salons et respectés par leurs lecteurs. Les champions des courants idéologiques à la mode… De l'autre, les *je voudrais mais je n'y arrive pas*, les médiocres, les infortunés, qui rêvaient de la splendeur de ce grand monde mais restaient en route. Tu imagines ? Toute cette rancœur accumulée par tous ces jouvenceaux qui, croyant avoir du talent, arrivaient à Paris en s'attendant à coudoyer Rousseau et vieillissaient dans l'inconfort d'une mansarde en écrivant des libelles à deux sous et de la pornographie pour gagner au moins de quoi ne pas mourir de faim... Ils n'avaient même pas assez pour se payer une *fille de joie**.

Nous nous arrêtâmes pour regarder la devanture du marchand d'autographes et libraire de la rue Bonaparte. C'était pour ainsi dire là qu'était né un de mes romans, *L'Ombre de Richelieu*, dans lequel le propriétaire de cette boutique, aujourd'hui défunt, faisait le titre d'un des chapitres. Le professeur Rico émit un doute sur l'authenticité d'une lettre autographe de Victor Hugo exposée en vitrine, et cita en italien deux vers, que j'estimai apocryphes, de *La Légende des siècles* – « Ça perd beaucoup en français », précisa-t-il. Ensuite il laissa tomber le mégot sur le paillasson de l'entrée et le regarda se consumer avec une curiosité scientifique dépassionnée – « Cette moquette n'est pas ignifugée », dit-il en conclusion de l'examen –, puis il alluma une nouvelle cigarette et nous nous remîmes en marche.

– Pas plus au XVIIIe siècle qu'à présent, reprit-il peu après, on ne trouverait quelqu'un prêt à admettre que son échec est dû à un manque de talent ; on préfère voir injustices, conspirations et dédains de toute part... Bringas était un de ces pseudo-philosophes frustrés et radicaux qui dans leurs libelles et leurs pamphlets montraient plus de haine envers ceux qui, croyaient-ils, les privaient de la reconnaissance dont ils s'estimaient dignes qu'envers les aristocrates et les rois qu'ils prétendaient abhorrer. Ils nourrissaient la plus féroce rancune contre les brillants esprits qui s'étaient rendus maîtres de la république des lettres et ne leur cédaient rien, pas un éclat de gloire. C'est là ce qui, plus tard, a fait des gens comme Bringas des révolutionnaires impitoyables... Et ce n'est pas propre à ce temps-là, il en va toujours de même à chaque bouleversement historique. Te rappelles-tu les délations entre artistes et intellectuels au cours de la Guerre civile espagnole et des années de franquisme ?

– Et comment... Il y a eu pléthore de dénonciations et d'exécutions des deux côtés : García Lorca, Muñoz Seca... Et la diffamation qui, onze jours après la fin de la guerre, a failli conduire au peloton d'exécution le philosophe Julián Marías, le père de Javier.

– Ne parlons pas de tout ce que l'on colporte sur mon compte, souligna le professeur Rico en regardant de côté, d'un œil critique, son profil dans le reflet d'une vitrine. C'est dur d'être toujours au sommet, tu sais. Je ne crois pas que tu puisses t'en faire une idée... En réalité, ajouta-t-il peu après, ce sont les Bringas et leur rancune sociale qui ont précipité la Révolution en France. Les Lumières auraient pu rester une affaire de salons, d'entretiens entre aristocrates, de cafés élégants fréquentés par les théoriciens de la philosophie nouvelle. C'est le désespoir des pauvres diables aigris qui, en retentissant dans les couches sociales les plus basses, a fini par enflammer le peuple. En fait, plus que tous les encyclopédistes réunis, ce sont les fanatiques rancuniers comme notre abbé fou de frustration et de haine qui ont jeté les gens dans la rue.

Il fit une pause, puis poursuivit :

– Quand la Révolution a éclaté, elle a envoyé en première ligne, comme toujours, ceux qui n'avaient rien à perdre. Puis elle les a portés au sommet, où, en se frottant les mains, ils se sont hâtés de régler leurs comptes... Des acteurs et des dramaturges frustrés comme Collot d'Herbois et Fabre d'Églantine ont envoyé à la guillotine autant qu'ils ont pu de leurs anciens collègues... Durant sa période jacobine, Bringas n'a laissé sa tête à aucun des philosophes remarquables de son temps, jusqu'à ce qu'il perde la sienne en compagnie de Robespierre et de ses acolytes... Le meilleur exemple en est Bertenval, un encyclopédiste que ton abbé adulait en public mais haïssait de toute son âme, qu'il a dénoncé et envoyé à l'échafaud pendant la Terreur... Moi, bien sûr, si j'avais été là, on m'aurait réservé une place dans la première charrette. Ne va pas croire qu'à cette époque, il n'y avait pas déjà des cervantistes médiocres... Plus exactement, il n'y en avait pas un pour sauver l'autre. Mais, que veux-tu, ajouta-t-il en paraissant le regretter, je n'y étais pas.

Nous avons pris sur la gauche au carrefour avec la rue Jacob, pour nous arrêter de nouveau devant une librairie, celle-ci spécialisée dans les ouvrages scientifiques. Dans la vitrine était exposée une magnifique édition de *La Méthode des fluxions* de Newton, traduite par Buffon. Je suis entré me renseigner, pensant que je pourrais peut-être l'offrir à José Manuel Sánchez Ron, à mon retour à Madrid, parce que Newton était son idole. Mais le livre était atrocement cher. Quand je ressortis, le professeur

Rico qui m'avait attendu dehors en faisant d'autres ronds de fumée parut se rappeler quelque chose.

– Il y a des *Mémoires* très intéressants, dit-il. Ceux de Lenoir. Presque aussi intéressants que s'ils étaient de moi.

Je regardai la vitrine avant de m'aviser qu'il parlait d'autre chose.

– Celui qui a été lieutenant général de police avant la Révolution ?

Le professeur fit un nouveau rond de fumée, jeta sa cigarette et ôta ses lunettes pour les nettoyer avec sa spectaculaire pochette de soie jaune.

– Celui-là même.

– Je les ai, oui. J'ai trouvé ce livre dans la collection Bouquins, il me semble, mais je ne l'ai pas encore lu.

– Eh bien, fais-le. Il y a un passage délicieux dans lequel Lenoir dresse une liste de quidams qui par la suite sont devenus des députés radicaux, ont voté la mort du roi et occupé des charges importantes pendant la Terreur… Quelques années auparavant, dans les rapports de police, ils étaient tous considérés comme de la racaille, des médiocres, des laissés-pour-compte, des gens vils. Et la liste est amusante : tu y trouveras Fabre d'Églantine, ton ami Bringas, et aussi Marat, l'ami du peuple… Le commentaire sur le dernier est magnifique, je le cite de mémoire : *Éhonté charlatan, exerce la médecine sans être docteur, a été dénoncé parce que de nombreux malades sont morts de sa main*.

Il regarda ses lunettes à contre-jour, les chaussa, et remit le carré de soie dans sa poche de poitrine avec une élégante fioriture du poignet, en laissant pendre les pointes, languides.

– J'espère, fit-il, revêche, que tu ne vas pas suivre l'exemple de ce petit salaud de Javier Marías, ne t'avise pas de faire de moi un personnage de ton prochain roman.

– C'est hors de question, répondis-je. Ne t'inquiète pas.

Dehors, le vent souffle, comme l'Amiral l'a prévu vers la fin de l'après-midi, quand les nuages et les nappes de suie ont commencé à se déchirer en lambeaux au-dessus de la ville. Maintenant, les rafales retentissent dans les creux de l'édifice, les avant-toits et les gouttières, font battre les volets des maisons voisines qui ne sont pas calés. Le changement de temps semble avoir plongé don Hermógenes dans un certain malaise, il a de la fièvre, et un pouls rapide qu'il attribue à sa discussion avec l'abbé à propos de la religion. Assis sur son lit à la lueur d'une veilleuse à huile, avec sa chemise et son bonnet de nuit, il s'adresse à l'Amiral qui, en chemise et justaucorps, attise le feu sous une nouvelle pelletée de charbon.

– Les yeux de cet homme, de ce Bringas, lance le bibliothécaire.

– Eh bien, qu'ont-ils de particulier ?

– Ils ne connaissent pas le repos. Avez-vous remarqué ? Ils vont d'un côté à l'autre, avec une sorte de férocité, comme s'ils voulaient tout noter dans je ne sais quelle archive secrète et sinistre. L'œil a sept muscles, comme vous devez le savoir...

– Huit, ai-je cru comprendre.

– Bon, peu importe. Le fait est que ceux de notre abbé, ou quoi que cet individu soit à l'heure actuelle, travaillent à une vitesse effrayante.

Don Pedro sourit, se tourne vers son ami après avoir fermé la trappe du poêle, et s'assied sur une chaise près du lit.

– Ce qu'il faut que vous fassiez, maintenant, c'est fermer les yeux et vous reposer. Trop de marche, j'en ai peur. Trop de courants d'air.

Don Hermógenes l'admet d'un hochement de tête, reste un moment pensif, puis fronce les sourcils d'un air censeur.

– Une chose est sûre, cher Amiral : je ne me suis pas senti du tout soutenu quand l'affaire de la religion est venue sur le tapis. Quelle hargne que celle de cet homme ! Quelle agressivité et quelle rancune ! Je sais que vous partagez certaines de ses idées, heureusement encore, le Ciel en soit loué, pas les plus exaltées.

Le sourire de don Pedro s'élargit. Il a pris la main du bibliothécaire pour contrôler son pouls.

– La monstruosité réside dans la forme sous laquelle il les présente, pas dans le fond. Les idées de Bringas, bien qu'elles soient épouvantables, ne me paraissent pas fausses.

– Il ne manquait plus que ça !

L'Amiral lui lâche le poignet et cale son dos contre le dossier de sa chaise.

– Je suis navré, don Hermès... Mais en ce qui concerne les religions, Bringas a raison. Sur les neuf mille lieues du périmètre de notre monde, il n'y a pas un endroit où les ordres supposés d'un dieu ou d'un autre n'aient pas consacré quelque crime.

– Parce que ce sont des dieux brutaux que l'on nous dépeint, propres aux créatures bornées. C'est justement pour cela que sont faits nos missionnaires, à la fois lucides et éclairés : pour propager par la persuasion la véritable et nécessaire foi, compatible avec la véritable et nécessaire raison.

L'Amiral pose sur son compagnon un regard taquin. Il a sorti sa montre de sa poche, consulte l'heure, et la porte à son oreille pour s'assurer qu'elle marche.

– Des missionnaires, maintenant, don Hermès ? Des missionnaires, et moi qui n'en sais rien ?

– Ne commençons pas, cher ami.

Le bibliothécaire prend son Horace posé sur la table de nuit et fait mine de le feuilleter, bien qu'il n'y prête pas attention, avant de le poser sur l'édredon.

– Et l'évangélisation est encore plus nécessaire, en ce siècle de progrès et d'évolution, dit-il tout à coup, pour tous ces peuples récemment découverts en Afrique ou dans le Pacifique... Tout d'abord, leur inculquer la notion d'un dieu juste, puis la civilisation et, pour finir, l'organisation des idées. Rien de plus naturel. Rien de plus positif.

L'Amiral hoche la tête en signe de dénégation, avec courtoisie et fermeté.

– Aux peuples récemment découverts, dit-il avec le plus grand calme en remontant sa montre, on devrait envoyer, avant le missionnaire, un géomètre. Quelqu'un qui pour commencer les convertirait aux principes fondamentaux. De sorte à leur apprendre d'abord à combiner les mesures et ensuite les idées. C'est à la physique et à l'expérience, à la preuve et à l'erreur que l'homme libre doit rendre un culte.

Le vent fait claquer le volet de la fenêtre, mal fermé. L'Amiral incline la tête, l'air absent, absorbé dans des images, des souvenirs. Puis il la secoue avec violence, comme s'il luttait pour revenir au présent.

– Si l'on mêle de la limaille de fer avec du soufre et qu'on ajoute de l'eau, on obtient du feu, dit-il au bout d'un moment ; si un objet tombe et en heurte d'autres dans la chute, il leur communique un mouvement dont la rapidité est proportionnelle à leur densité... Si un navire va de A à B, il maintient son cap selon le facteur C, qui intègre vent et courant... Tel est le catéchisme réel. Le seul qui serve à quelque chose.

– Mais l'idée de Dieu...

Le vent ulule et continue de faire claquer le volet. Don Pedro se lève brusquement et va en trois enjambées jusqu'à la fenêtre.

– Ne sert qu'à camoufler la partie du catéchisme naturel que l'homme ne connaît pas encore... Le pire de tout, c'est l'erreur déifiée.

Tout en disant cela, il ouvre la fenêtre et ferme le volet d'un coup sec. De son lit, don Hermógenes le regarde, étonné.

– Bigre, Amiral ! On dirait que vous êtes furieux. Je ne comprends pas...

– C'est vrai, pardonnez-moi. Ce n'est pas contre vous.

Il retourne lentement vers sa chaise, mais ne s'assied pas. Il reste debout, les mains posées sur le dossier. Son expression est sombre.

– L'homme est malheureux parce qu'il ne connaît pas la nature. Il est incapable de l'interroger de façon scientifique, il ne perçoit pas que, dépourvue de bonté ou de méchanceté intrinsèque, elle se borne à suivre les lois immuables et nécessaires... Autrement dit, elle ne peut agir autrement qu'elle le fait. C'est pourquoi les hommes, dans leur ignorance, se soumettent à d'autres hommes qui sont leurs égaux : rois, sorciers et prêtres, que leur stupidité leur présente comme des dieux sur terre. Et ceux-là en profitent pour les réduire en esclavage, les corrompre, les rendre vicieux et misérables.

– Je pourrais partager votre point de vue, dit d'un ton très mesuré don Hermógenes, mais seulement en partie, et avec des nuances. Aujourd'hui, Bringas a dit une chose à laquelle j'adhère : ce ne sont pas les tyrans qui font les esclaves, mais les esclaves qui font les tyrans.

– C'est d'autant plus grave, cher ami, que dans les temps obscurs, l'ignorance de l'homme était excusable. Au siècle des Lumières, elle est impardonnable.

Sur ces mots, l'Amiral se tait et reste un moment immobile. La lumière de la veilleuse creuse les ombres et les rides de son visage sec, qu'elle vieillit, tout en intensifiant l'éclat liquide de ses yeux.

– J'ai passé l'âge où la méchanceté me rendait furieux, finit-il par ajouter. Maintenant, c'est la stupidité qui me met hors de moi.

– Je ne sais comment prendre ça.

– Ce n'est pas non plus après vous que j'en ai.

Une longue rafale de vent se fait entendre derrière le volet clos. Tout à coup, don Hermógenes devine ce qui arrive à son collègue. Il se rappelle la mer. La fureur aveugle de la nature, qui opère selon ses propres règles. Indifférente à la vertu ou à la malignité des hommes qu'elle ballotte et tue.

– Croyez-vous vraiment, don Hermès, que parce qu'un homme échange à voix basse quelques mots avec un autre il va effacer de sa conscience ou ne plus payer dans une autre vie le mal qu'il a fait dans celle-ci ?

L'Amiral demeure immobile, les mains appuyées sur le dossier de la chaise, et regarde son ami. Lequel éprouve le besoin d'appliquer quelque émollient sur cet étrange calme. Sur la résignation glacée du collègue qu'il admire.

– Mon Dieu, s'écrie-t-il avec son honnêteté impulsive, n'aimeriez-vous pas, au moins, commencer une nouvelle vie, repartir de zéro avec la conscience pure ? C'est ce qu'il y a de beau dans la contrition chrétienne. Il suffit de s'humilier devant Dieu pour obtenir l'immortalité de l'âme. Un passage par le purgatoire, et c'est fait.

– Et combien de temps m'y laisseriez-vous languir, mon ami ?

– Vous êtes impossible.

Maintenant, l'Amiral sourit enfin. Il a fait un léger mouvement, et les ombres ont cessé de tourmenter son visage.

– Si l'on m'accordait l'immortalité en échange d'un seul jour de purgatoire, je n'accepterais pas ce marché. Quelle paresse, ensuite, tout ce temps à jouer de la harpe dans les nuages, vêtu d'une ridicule chemise de nuit blanche... Le mieux, c'est de cesser d'exister.

– Je crains fort que vous ne parliez sérieusement, ce qui m'horrifie.

– Bien sûr que je parle sérieusement. Quand on a vécu une vie digne de ce nom, il n'y a rien de préférable à un long repos bien mérité.

– Bon. Au moins, vous aurez tout ce qu'il faut pour ça, quand votre heure sera venue. Parce que vous n'avez rien à vous reprocher : militaire, vous vous êtes battu pour votre roi et votre patrie ; homme de science, vous laissez derrière vous vos travaux et votre magnifique dictionnaire de marine ; académicien, homme accompli, vous êtes respecté par vos amis, au nombre desquels je crois pouvoir me compter... Il y a de quoi être fier.

L'Amiral garde les yeux fixés sur lui, sans répondre aussitôt. Il finit par détacher ses mains du dossier de la chaise et par se redresser avec une sorte de dignité désolée, mélancolique. Exactement comme il devait le faire, songe le bibliothécaire, au temps de sa jeunesse sur le pont d'un navire, quand retentissaient les salves des vaisseaux ennemis.

– Je ne sais pas, don Hermès... En réalité, je suis moins orgueilleux de ce que je suis que de ce que j'ai réussi à ne pas être.

Les deux voyageurs ne peuvent le savoir : au même moment, à deux cent soixante-cinq lieues de là, à la lumière de la lampe Argand offerte trois jours auparavant par le roi à l'Académie royale d'Espagne – seul élément de confort moderne dans la poussiéreuse salle de réunion –, les académiciens en séance plénière ont une discussion assez semblable à la leur. Tout a commencé quand, une fois expédiées les affaires courantes, on a discuté du cas épineux de l'entrée *Être* : celle-ci, sur la proposition de certains académiciens, doit être modifiée dans la prochaine édition du Dictionnaire, de telle sorte que la définition qui figure dans le tome correspondant du Dictionnaire de 1732, et qui a été maintenue pendant près d'un demi-siècle, soit raccourcie. Ou rationnellement mise à jour, formule qui doit figurer dans les actes, à la demande de Justo Sánchez Terrón, venu fermement à l'appui de la proposition de changement. Ainsi, la définition originelle : *Se dit de tout ce qui existe réellement. De Dieu, par antonomase, puisqu'il est l'Être incréé et indépendant qui subsiste par lui-même, ainsi que de toutes les choses créées qui en dépendent* devait être réduite, selon les critères de la modernité, au premier paragraphe, ou, tout au plus, à : *Tout ce qui a une existence réelle*, en laissant en tout cas, quant aux êtres et aux entités, Dieu et sa création de côté. Cela a suscité un vif débat qui dure encore, bien qu'en termes plus rudes que ceux de nos deux voyageurs à Paris : pas tous les académiciens qui ont la foi, ou assurent l'avoir, montrent autant de délicatesse que don Hermógenes, ni tous ceux qui vouent un culte à la raison ne sont aussi courtois ou tempérés que l'Amiral.

– Pendant qu'à l'étranger progressent la physique, l'anatomie, la botanique, la géographie, l'histoire naturelle, dit Sánchez Terrón avec de nombreuses pauses, s'écoutant lui-même avec délices, par habitude, nous débattons ici pour savoir si l'être est univoque ou analogue, si les différences se transcendent ou si la relation entre les choses se distingue de ces choses et de l'unité qu'elles constituent… Voilà où en sont les universités espagnoles, messieurs. Où en est l'éducation nationale.

Il y a des protestations autour du tapis de basane élimé qui couvre la table, des mains qui se lèvent, des expressions d'approbation ou de désaccord. Lançant de rapides regards alentour, Palafox, le secrétaire, prend note de tout tandis que Vega de Sella, le directeur, donne la parole aux uns et aux autres.

– Il est intolérable, lance don Nicolás Carvajal, mathématicien et auteur du *Traité d'architecture civile*, venant à l'appui de l'académicien qui l'a précédé, que l'enseignement et l'université soient encore aux mains des défenseurs de la doctrine aristotélico-thomiste, opposés aux partisans de la science moderne, alors que nous sommes au siècle de l'éducation, de la diplomatie et de la science.

La parole est ensuite donnée à don Antonio Murguía, archiviste de Sa Majesté et membre de l'Académie d'histoire. C'est un homme laid, petit et énergique, coiffé d'une perruque grise frisée, auteur d'une célèbre biographie de Philippe V et de divers traités sur la décadence des Habsbourg et la guerre de Succession d'Espagne.

– Les messages des *novatores* du siècle dernier, argumente-t-il, étaient déjà, malgré leur timidité, considérés par les théologiens et les moralistes retranchés dans la scolastique et l'aristotélisme comme une menace… Les pressions exercées par ces mêmes théologiens et moralistes ont confiné bien des savants dans un silence prudent, et nous en faisons encore les frais aujourd'hui. Cette docte maison ne peut continuer à se rendre complice de tels silences.

Préoccupé par le tour que prend le débat, le directeur regarde l'horloge murale, s'assure qu'elle est à l'heure en comparant les chiffres qu'elle indique – huit heures et quart – avec ceux de la montre qu'il sort discrètement d'un étui en cuir, et rappelle aux académiciens qu'il est seulement question de discuter une acception du Dictionnaire, pas de diagnostiquer les maux intellectuels de la nation.

– Il s'agit de réviser une définition, messieurs. De la langue castillane, ou espagnole. Et dans les termes adéquats… Je veux dire que nous ne sommes pas en train de polémiquer dans un café sur le contenu d'une gazette.

Les uns approuvent, les autres haussent les épaules ; puis court autour de la table un murmure disparate d'approbation et de désapprobation. Il s'éteint quand Manuel Higueruela, visage grimaçant, prend la parole. En des propos aigres, à son habitude, et en lançant de dessous sa perruque des regards malicieux à ceux de ses collègues dont il ne partage pas le point de vue, il se déclare opposé au newtonisme et au rationalisme, parce que les scientifiques doivent, souligne-t-il, apprendre à connaître et à assimiler la sagesse divine, et non pas découvrir de supposées lois de la nature dont le contrôle ne leur appartient pas, et dont la recherche est inepte et perverse. Prétendre rationaliser le monde au moyen de l'observation et de l'expérience signifie annuler la nécessité d'une explication divine, et considérer comme vaine la digne fonction ecclésiastique.

Le groupe le plus ultramontain des académiciens – deux des cinq ecclésiastiques de l'Institut, le haut fonctionnaire du Trésor et le duc du Nuevo Extremo – acquiesce avec vigueur et en silence à son propos. De son côté, le secrétaire perpétuel du Conseil de l'Inquisition, don Joseph Ontiveros, qui ne s'est pas encore prononcé, finit par lever sa tête grise et, un sourire distant aux lèvres, prend la parole.

– Il va sans dire que je ne crois pas qu'il faille toucher à la définition d'*Être*, telle qu'elle est ; au moins dans la prochaine édition du Dictionnaire. Mais il est certain qu'à la longue nous ne pourrons tourner le dos à l'effervescence qui se répand de toute part… Que cela nous plaise ou pas, de nos jours, tout est analysé, discuté, remanié, des principes mêmes de la science aux fondements de la foi religieuse, de la métaphysique au bon goût, de la théologie à l'économie et au commerce… Refuser de le voir nuit à la religion encore plus qu'à la raison, parce qu'elle en fait l'ennemie des Lumières.

Levant sa main potelée où luisent des anneaux d'or et pointant un doigt accusateur sur le radical Sánchez Terrón, qui sourit avec mépris de l'autre côté de la table – en réalité, au-dessus du tapis de basane et au-delà des affinités tactiques, ce sont de grands espaces et des siècles qui séparent les deux hommes –, Higueruela reprend la parole.

– Je ne veux nullement remettre en question l'autorité du révérend père Ontiveros, dit-il en regardant son complice, mais cette mesure et cette compréhension chrétienne ne font que donner du grain à moudre aux incroyants. Le sanhédrin philosophique, suivi par certains de nos collègues ici présents, prétend faire réciter aux gens, à la place du Notre Père, *e* multiplié par π plus un égale zéro, nous faire quitter les villes pour revenir à notre état de nature, aux prairies et aux forêts en compagnie des Hottentots, des Patagons et des Iroquois… et adresser nos prières à saint Euler à et saint Voltaire, ou ne plus prier personne et ne plus respecter ni rois, ni soutanes, ni toges… Ce qui n'est rien d'autre qu'aberration et orgueil.

Le discours d'Higueruela – qui d'ici une semaine sera imprimé mot pour mot dans le *Censor Literario* qu'édite le journaliste – est mal accueilli autour de la table, au point que Vega de Sella, qui lance des regards fréquents et désespérés en direction de l'horloge, se voit forcé de lancer un appel au calme, sans toutefois pouvoir éviter que par allusions, bien qu'indirectes, Sánchez

Terrón réclame de nouveau la parole et critique en termes assez durs – qui figureront tels quels dans les actes du diligent Palafox – « l'absurde cosmologie aristotélico-ptolémaïque de certains académiciens, leur scolasticisme outrancier, et leur défense de l'autorité des Saintes Écritures ».

– L'Espagne, conclut-il, doit cesser de s'opposer à la science et à la raison, apprendre à penser et à lire, parce qu'elle est dans le pétrin, et en a vraiment besoin.

– Que nous apprenions à lire ? tonne Higueruela qui, exaspéré, ne fait qu'un bond, sans attendre qu'on lui ait donné la parole. Monsieur l'académicien serait-il en train de nous traiter d'analphabètes à notre nez et à notre barbe ?

– Absolument pas, nie Sánchez Terrón, avec une morgue et un sourire cynique tels qu'ils démentent son propos.

Higueruela semble cracher du venin sur le tapis de table.

– Ces réflexions ont déjà été faites dans toute l'Europe, et avec des résultats néfastes : il n'y a plus un royaume, hormis l'Espagne, qui pour son malheur ne soit newtonien, et subséquemment copernicien, et conséquemment offensant pour les Saintes Écritures que nous devons vénérer avec ferveur… ou encore pour le simple bon sens. Parce qu'il n'y a pas longtemps, j'ai lu quelque chose de monsieur Sánchez Terrón, et, depuis, je ne peux plus fermer l'œil : quand je croque une fraise, j'avale des myriades de petits animaux sensibles, quand je sens une rose, je peux presque converser avec elle d'être à être, et quand je cueille une fleur, je m'expose pratiquement à être poursuivi pour homicide… Où allons-nous avec de telles folies ?

– Tout ce que je recommande, insiste froidement Sánchez Terrón, toujours avec la même hauteur, c'est que vous appreniez à vous laisser guider par les Lumières.

– Par les lumières perdues, voulez-vous dire… Ou étrangères, insinue Higueruela avec les plus sombres intentions. Je veux parler de cet entêtement frivole à faire beaucoup d'effet avec beaucoup d'obscurité et de licence en claironnant des idées venues de l'étranger que l'on se contente d'effleurer, sans s'inquiéter de ce qu'elles peuvent recéler de vrai ou pas… Ce n'est pas par la singerie que l'on exerce la raison, mais en se montrant capable de discernement et, avant tout, espagnol.

– Je ne vous permets pas…

– Peu me chaut que vous me permettiez ou pas.

L'horloge fait enfin entendre son carillon, et Vega de Sella la quitte des yeux avec un soulagement évident.

– La séance est levée, messieurs les académiciens. *Agimus tibi gratias…*

Higueruela drapé dans sa cape espagnole et Sánchez Terrón dans son manteau de drap coupé à la dernière mode se rencontrent à la sortie de l'Académie. Ils le font sans s'adresser un regard, hautains, et chacun prend un côté du pavé de la rue du Tesoro. Au bout de quelques pas, l'un ralentit pour permettre à l'autre de le rattraper et reste à sa hauteur.

– Vous êtes un impertinent, grommelle Sánchez Terrón.

Higueruela hausse les épaules et se maintient près de lui, en réglant son pas sur celui de son collègue. Il porte son tricorne sous le bras, et la perruque donne à sa tête ronde, sur un cou trop court qui semble vissé sur le torse, un aspect grotesque.

– Vous n'avez pas à vous plaindre. Dans la diatribe antiphilosophique du prochain numéro de mon *Censor*, vous êtes épargné. Je suis un homme qui sait respecter les trêves.

– Je n'ai aucune trêve à respecter avec vous.

– Donnez-lui le nom qui vous plaira : accord tactique, communauté d'intérêts, plaisir d'asticoter… Le fait est que nous avons une petite affaire en commun. Ce qui, que vous le vouliez ou pas, crée des liens. Une exquise complicité.

Sánchez Terrón hésite, mal à l'aise.

– Je veux qu'il soit bien clair que moi, à aucun moment…

– Mais oui, mais oui. C'est tout naturel. N'ayez crainte. Je m'en charge.

– Je crains fort que vous ne compreniez rien.

– Et moi je crois que je vous comprends on ne peut mieux. Vous aimez que l'on fasse à votre place le sale travail, mais vous voulez pouvoir vous vanter d'avoir les mains propres.

– Bonsoir, monsieur.

Altier, plongeant les mains dans les poches de son manteau, Sánchez Terrón fait demi-tour et s'éloigne à grands pas en direction de la place du palais royal. Sans s'émouvoir pour autant, le journaliste le suit, patiemment, en silence, pendant un moment. Il le rattrape et le tire par la manche.

– Eh là, vous, regardez-moi en face... Vous n'allez pas descendre en marche de cette diligence, je vous le garantis.

– Cette affaire est allée trop loin.

Higueruela a un petit rire rusé.

– C'est ce qui me fascine chez vous, les rédempteurs du peuple : votre facilité à vous défiler quand les choses tournent au concret. Quand il vous faut régler les comptes moraux de certains de vos désirs réalisés par d'autres.

Ils se sont arrêtés dans la lumière d'une des lanternes de la place. De l'autre côté, parmi les ombres, sous un ciel parsemé d'étoiles, blanchoie la masse de pierre blanche du palais royal. Higueruela lève sa main baguée, pointe un doigt sur la poitrine de Sánchez Terrón, puis sur la sienne.

– Vous êtes dans cette affaire mon semblable.

– C'est vous qui en avez eu l'idée.

– Et elle vous a paru excellente.

– Mais maintenant, je ne la trouve plus aussi bonne.

– Il est trop tard. L'intervention de notre homme à Paris suit son cours, et il faudra en assumer les conséquences... Je viens justement de recevoir, ce matin, une lettre de lui.

L'éveil de l'intérêt balaie la vaine gravité de Sánchez Terrón, malgré lui.

– Et que dit-il ?

– Que les voyageurs ont des difficultés à trouver ce qu'ils cherchent, et qu'il se prépare à leur compliquer encore la tâche. Ils seraient entre les mains d'un individu auquel on ne peut guère se fier, et l'ambassade s'en désintéresserait... Tout va bien et, comme vous le voyez, tourne nettement à l'avantage de nos plans.

Sánchez Terrón se cabre de nouveau, indigné. Arrogant.

– Je vous répète que je...

– Ne prenez pas cette peine. Ce Raposo vient justement de demander un peu plus d'argent. Les dépenses s'accumulent, semble-t-il. Ou prétend-il.

– Je vous ai déjà donné trois mille réaux.

– Oui. Bien sûr, je ne crois pas tout ce que raconte notre

homme. Cependant, pour être tranquilles, je pense que nous pourrions lui envoyer quelque chose de plus.

– De combien parlez-vous ?

– Mille cinq cents réaux.

– En tout ?

– Chacun. J'ai pris la liberté de lui envoyer la totalité aujourd'hui, de ma poche, en souscrivant un billet à ordre à la Banque royale de change, payable à la Sartorius de Paris... Je vous serai donc très reconnaissant de me faire tenir votre part dès que vous le pourrez.

Ils se sont remis à marcher, cette fois le long de la façade du palais. Devant le corps de garde, sous la lumière d'une lanterne, une sentinelle les regarde, indifférente, à l'abri de sa guérite.

– Je devine votre pensée, reprend Higueruela. Vous vous dites que j'aurais pu faire face seul à ces frais, évidemment. Mais je ne peux résister à la tentation de violenter un peu votre vénérable conscience éclairée.

– Vous êtes un sale type.

– Certains jours, oui. Un tantinet... C'est pour ça que mon *Censor Literario* se vend si bien.

Sánchez Terrón lâche un rire désagréable, aigre, sans trace de bonne humeur.

– Naturellement... vulgarité et insolence, corridas et folklore, satires injurieuses et libelles diffamatoires contre les figures les plus méritoires de nos lettres modernes n'y sont jamais oubliés. Mais l'éloge des savants, les mentions de leurs œuvres et la réflexion sur les progrès de la science sont la portion congrue de votre caqueteur... Et pour couronner le tout, les fonctionnaires de la censure sont de votre bord. Vos complices.

– Monsieur, la liberté de la presse, et c'est quelqu'un qui imprime des organes publics depuis plus de vingt ans qui vous le dit, a ses limites. Le choc de certaines intelligences ou de certaines matières produit de la lumière, c'est vrai. Mais sur des chapitres tels que la religion et la monarchie, de semblables chocs provoquent des incendies qu'il convient d'éviter avec la plus grande prudence. Dites-moi : dans un système que gouverneraient les gens de votre parti, la liberté de la presse serait-elle garantie ?

– Sans aucun doute.

– Et l'on me permettrait d'aussi bon gré de publier ma gazette ?

Sánchez Terrón hésite un instant.

– Je suppose.

– Vous savez bien que non. – C'est maintenant au tour du journaliste de rire. – En dépit des belles paroles dont vous vous gargarisez, la première chose que feraient les sectateurs de vos opinions serait d'interdire les publications comme la mienne.

– C'est faux.

– Vous le dites bien bas. Déshabiller Pierre n'est pas la même chose qu'habiller Paul. Confronter des idées et affronter les faits non plus... Et comme c'est moi qui ai le bonheur de tenir la queue de la poêle, je préfère prévenir le danger et m'assurer que ce moment ne vienne jamais.

– Ventrebleu... Comment diable avez-vous fait pour entrer à l'Académie ?

– Hormis mon amour des lettres, par relations et ambition... À peu près comme vous. Moi, je leur fais peur, et vous, vous êtes un pédant moderne paré de lumières d'emprunt.

– Un temps viendra où l'on aura peur d'hommes comme moi, et pas de ceux de votre engeance.

Le journaliste siffle doucement, ironique.

– Dans ce contexte, dit-il après quelques instants de réflexion, et après votre *sale type*, cette *engeance* passe les bornes entre des membres de l'Académie royale d'Espagne. Rappelez-moi d'en chercher la définition dans le Dictionnaire jeudi prochain, pendant la séance plénière.

– Je peux vous la donner : similitude, dans ce cas avec quelque chose de vile nature. Et *sale type* est synonyme de *canaille* : gens vils et abjects.

– Diantre. Ce ne sont pas des mots à échanger entre gentilshommes.

– Vous n'êtes pas un gentilhomme.

– Ah. Et vous en êtes un, bien sûr. Vous si pur, toujours si noble, dans votre arrogante raison éclairée.

Ils s'éloignent de concert du corps de garde, précédés par leurs ombres qu'allonge le fanal, derrière eux. Pensifs et unis dans la haine qu'ils se portent mutuellement. Après avoir fait quelques pas, Higueruela hausse les épaules, disposé à temporiser.

– Pour cette fois, nous laisserons passer. J'entends les deux définitions académiques. Quant à l'avenir… Eh bien, nous ferons en sorte que l'heure où l'on vous craindra, vous et les vôtres, ne vienne pas de sitôt. De toute façon, ce sera dans un temps où notre petite alliance tactique aura été dissoute.

– Je l'espère bien.

– Mais ne vous faites pas d'illusions, d'autres auront alors été conclues. Et ce, pour une bonne raison : ce vitriol entre nous mis à part, et malgré nos intérêts opposés, il y a une certaine nécessité commune qu'elles ne disparaissent jamais… Parce que, malgré cette impérieuse nécessité si espagnole non pas de vaincre ou de convaincre, mais d'exterminer l'adversaire, dans le fond, vous avez autant besoin de moi que moi de vous.

– Ne dites pas d'idioties.

– Ah, ce sont là pour vous des idioties ? Réfléchissez un peu, vous qui prônez si fort cet exercice. Nous sommes vous et moi des organismes parasites qui vivent l'un de l'autre et justifient ainsi leur rôle aux deux extrêmes opposés d'un peuple gourd et brutal, aux vils instincts, qui n'aura jamais grand chance d'être un jour rédimé… Même si nous nous entre-tuions à coups de gourdin, le besoin de nous ressusciter l'un l'autre finirait toujours par resurgir. Les peuples, et en particulier l'espagnol, vivent de rêve, d'appétits, de haine et de peur, toutes choses que les gens comme vous et moi, chacun à sa manière, régissent comme personne. Ne croyez-vous pas ? Et puis, rappelez-vous le vieux dicton : tôt ou tard, les extrêmes se touchent.

– Qu'est-ce que c'est que ce tumulte ? demande don Hermógenes.

– Les putes, répond l'abbé Bringas. On les conduit à la Salpêtrière.

Ils se sont arrêtés au coin de la rue Saint-Martin, où s'attroupent une multitude de curieux, passants et chalands qui sortent des magasins proches pour voir ce qui se passe. Il y a aussi des gens du voisinage penchés aux fenêtres. Par-dessus les têtes et les chapeaux on voit approcher une charrette pleine de femmes : elles sont une douzaine, de tous les âges, décoiffées, mal vêtues, entassées à découvert dans la voiture, surveillées par une douzaine de gardes en uniforme bleu armés de fusils, baïonnette au canon.

– Quel curieux spectacle, dit l'Amiral.

– Il n'a rien de si curieux, lui apprend l'abbé. Il y a à Paris trente mille prostituées, déclarées et clandestines, et on procède toutes les semaines à des rafles nocturnes, avec un zèle sans doute excessif... On les emmène d'abord toutes là-haut, à la prison de Saint-Martin. Une fois par mois, elles comparaissent devant les juges, écoutent leur sentence à genoux et sont conduites en prison de cette manière, publiquement, pour l'exemple.

Ils se sont arrêtés tous les trois et observent le passage de la charrette. Il y a dans la foule ceux qui assistent à la scène avec de la simple curiosité, mais aussi ceux qui se moquent des détenues ou les insultent, comme il y a dans la voiture de vieilles dures à cuire et des tendrons d'apparence innocente. Les unes, surtout parmi ces dernières, gardent la tête basse, honteuses et en larmes. Les autres soutiennent effrontément les regards posés sur elles, répondent avec insolence aux injures ou humilient leurs gardiens en leur lançant toutes sortes d'obscénités.

– C'est désolant, dit don Hermógenes. Et choquant. Même ces malheureuses ne méritent pas d'être traitées ainsi.

L'abbé prend une expression d'impuissance.

– Tel est pourtant leur sort. Voilà encore un exemple de ce qu'est cette ville hypocrite, cette cité mère des philosophes, que vous admirez tant. Les miséreux n'ont ni procureur ni avocat... On les enferme sous n'importe quel prétexte, sans le moindre recours. Sans le moindre droit.

– Et où dites-vous qu'elles sont conduites ?

– À la Salpêtrière, nom que nul ne prononce sans effroi, un endroit épouvantable où les mots de compassion et d'espérance brillent par leur absence... Un enfer où s'entassent quatre à cinq mille femmes, et d'où ne ressortent que quelques rares malheureuses, consumées par le vice et les maladies... Les hommes, eux, sont envoyés à une lieue de Paris, à Bicêtre, réceptacle de ce qu'il y a de plus immonde dans la société, où sont mêlés délinquants, mendiants, épaves, fous, malades de toute sorte. C'est ce que cette ville a de plus outrageant, et qui est la honte de l'humanité.

– Quelle horreur, dit don Hermógenes, le regard rivé sur une jeune détenue qui porte un enfant de quelques mois enveloppé dans un châle. Certaines font vraiment pitié.

Bringas partage cet avis. Le pire, ajoute-t-il, c'est encore l'injustice qui régit tout cela ; c'est savoir que la conscience de quelques marquises ou libertines qui abondent dans Paris est plus chargée de vices et de fautes que celle de ces pauvres femmes. Sur cette charrette de l'opprobre montent les infortunées qui ne jouissent pas d'une protection, ne sont pas soutenues par un policier, une autorité, un puissant. Les plus délaissées.

– Quand on pense, renchérit l'abbé, amer, à toutes les putains camouflées sous une apparence de respectabilité qui pullulent dans cette ville, les filles de l'Opéra, les maîtresses entretenues, les mouchardes de la police et celles qui ont le bras long, et qu'on les compare avec ces infortunées, on mesure toute l'ampleur de cette injustice… Et il n'y a pas davantage d'équité entre ces malheureuses. Celles qui ont des moyens, des amis, de l'argent peuvent être transportées en chariot couvert et à une autre heure, pour échapper à cette flétrissure publique.

Parmi ceux qui assistent au passage de la charrette, quelques hommes et femmes semblent bien connaître une détenue et lui lancent des plaisanteries ordurières auxquelles celle-ci, avec beaucoup d'aplomb et de désinvolture, répond par de terribles obscénités, jusqu'à ce qu'un garde la menace de sa baïonnette et lui intime l'ordre de se taire.

– Voyez ces gueux, ces infâmes, dit Bringas. Ceux qui se moquent d'elles sont ceux-là mêmes qui hier encore en tiraient profit… On estime qu'une cinquantaine de millions passent chaque année par les mains des filles publiques et finissent dans celles des modistes, des bijoutiers, des loueurs de voitures, des restaurateurs et des hôtes des maisons de rendez-vous. Un marché énorme, comme vous pouvez l'imaginer. Et c'est la même ville qui bénéficie de la besogne des péripatéticiennes, passez-moi l'euphémisme, et les châtie et les humilie de cette manière. *Ibi virtus laudatur et auget dum vitia coronantur...* Il y a de quoi vomir.

Alors que la charrette passe devant l'abbé et les académiciens, l'enfant que la jeune mère tient dans ses bras éclate en larmes. Les pleurs déchirants du bambin dominent les voix de la foule.

– C'est épouvantable, dit don Hermógenes, bouleversé.

Il n'est pas le seul qui le soit. Portées comme lui à la compassion, plusieurs femmes, verdurières du marché proche, élèvent la voix en faveur de la mère et de l'enfant et insultent, indignées, les gardes. Leurs cris semblent faire changer de ton la multitude, dont les vociférations et les plaisanteries cessent soudain pour être remplacées par une clameur de pitié et de rejet de ce spectacle. Avec un air satisfait, Bringas promène longuement son regard autour de lui, un sourire mordant aux lèvres.

– Ah, écoutez-la, la foule versatile, dit-il, superbe. Tout n'est pas perdu. Il lui reste un peu de sentiments et de décence... Il en est que l'injustice et le malheur continuent à émouvoir. Qui lèvent le poing sous un ciel sans dieux... Un poing encore nu, mais qui un jour tiendra le glaive rédempteur. Le brandon purificateur.

Le tollé se renforce. Comme une traînée de poudre, les cris de réprobation montent de la multitude, qui maintenant se soulève et injurie les gardes. Heureux, Bringas joint sa voix à celles des autres.

– À bas l'injustice ! hurle-t-il avec l'énergie de l'enthousiasme. Mort au gouvernement corrompu et à la répression infâme !

– Je vous en prie, monsieur l'abbé, lui reproche don Hermógenes, éperdu, en le tirant par la manche de la veste. Calmez-vous.

– Que je me calme, dites-vous ? Que je me calme en présence de ce spectacle d'opprobre et de bassesse ? Au diable le calme ! À bas l'injustice et les baïonnettes !

Ce sont justement les baïonnettes qui commencent à entrer en action face au soulèvement. Quelques verdurières demandent grâce aux gardes pour la mère, et ceux-ci les repoussent avec violence, épaulent leurs fusils ; le geste rend plus acrimonieux encore les cris de la foule qui, indignée, ondoie comme les blés dans le vent. Des insultes sont lancées contre les gardes, vers lesquels volent aussi quelques objets. L'officier dégaine son sabre.

– Il faudrait s'éloigner d'ici, dit l'Amiral.

– Jamais ! crie Bringas, déchaîné. Grâce pour cette mère et son enfant ! Grâce pour ces malheureuses !

Il vocifère en français, à l'adresse de ceux qui l'entourent, exalté, en pointant son bâton sur la charrette. Quelques garçons en haillons et des individus patibulaires se sont joints aux verdurières et malmènent les gardes pour essayer d'atteindre le tombereau de l'infamie et de libérer les femmes. Les premiers horions et les premiers coups de crosse sont échangés.

– Canailles ! crie Bringas, en se débattant parmi ceux qui le poussent et le bousculent. Mercenaires sans conscience ! Esclaves des tyrans ! Philistins !

Réagissant avec beaucoup de présence d'esprit, l'Amiral l'empoigne par le bras et l'entraîne en arrière dans la foule, en tirant de l'autre main don Hermógenes, désemparé. Tout n'est plus que confusion et hurlements. Les baïonnettes luisent face à la foule, soudain, un coup de fusil claque. La panique provoque une débandade générale. Tout le monde prend ses jambes à son cou, se disperse dans les rues adjacentes. Avec les autres, Bringas et les deux académiciens fuient comme ils le peuvent par la rue des Lombards, le bibliothécaire épouvanté, don Pedro toute promptitude, Bringas en se retournant de temps en temps pour invectiver ceux qui le talonnent, si bien que l'Amiral se voit forcé de l'agripper à plusieurs reprises pour l'obliger à les suivre. Ils courent ainsi assez longtemps, éreintés par l'effort et haletants, jusqu'à ce que, après avoir tourné un coin de rue, ils s'arrêtent tous les trois à l'abri d'une porte cochère, essoufflés.

– Vous êtes fou ! lance à Bringas un don Hermógenes hors de lui, dès qu'il a recouvré son souffle et l'usage de la parole.

– À lier, ajoute don Pedro, appuyé contre le mur, épuisé par la course.

S'épongeant le front avec un mouchoir, le bibliothécaire respire péniblement, avec des sifflements asthmatiques.

– Imaginez que l'on nous ait vus comme ça à Madrid. Que nos amis et connaissances aient pu assister à cette émeute. Vous et moi, Amiral, deux membres respectables de l'Académie royale d'Espagne, en train de détaler comme de vulgaires insurgés... Et à notre âge, par le Ciel ! Regardez-nous...

En guise de réponse, l'Amiral émet un son étrange, étouffé. Don Hermógenes le regarde attentivement et s'aperçoit, avec stupéfaction, qu'il rit. Cette découverte choque encore davantage le bibliothécaire, qui lui lance un regard de reproche.

– Alors, ça ! Je me demande ce qui vous semble si drôle. Mon Dieu. C'est... horrible.

– Eh oui, c'est la vie réelle qui frappe à la porte. Et elle est la bienvenue, lance Bringas, de son ton apocalyptique.

Don Hermógenes se tourne vers l'abbé avec un mélange de stupeur et de sévérité. La perruque de Bringas a glissé pendant la course. Il la remet en place en hochant la tête, couvert de sueur, heureux comme un enfant qui vient de commettre une magnifique espièglerie.

– Ça, c'est aussi Paris, messieurs, ajoute-t-il avec beaucoup d'aplomb. Des étincelles qui, un jour pas très lointain, mettront le feu aux poudres.

Sur quoi, il éclate d'un rire diabolique.

7
L'entretien de la rue Saint-Honoré

Elle recevait rue Saint-Honoré. Nul ne pouvait rêver de faire une carrière littéraire sans son approbation, et une invitation à lire un manuscrit dans sa maison n'était pas seulement un signe de reconnaissance, c'était aussi une garantie de succès.

PHILIPP BLOM, *Une piètre assemblée*

– Margarita Dancenis était une des femmes qui donnaient le ton dans les salons avant la Révolution, pendant les dernières années de l'Ancien Régime, me dit Chantal Keraudren. Elle et une autre Espagnole, Teresa Cabarrús, chacune à sa manière, ont brillé dans le monde et été les arbitres de la mode et des mondanités… Mais, à la différence de la Cabarrús, dont l'ascension a été possible grâce à un enchaînement de hasards heureux, tout fut facile pour la Dancenis dès le commencement.

– Elle était belle, ai-je cru comprendre.

Chantal pencha sa tête rousse pour regarder ses mains parsemées de taches de son, puis elle leva son visage, souriant. Nous étions assis sur des chaises pliantes, près de sa boîte de livres adossée au parapet du quai de Conti, sur la rive gauche de la Seine. Devant nous, la circulation automobile était intense, mais le soleil – Paris avait droit à une de ses exceptionnelles journées sans pluie – illuminait l'endroit et le rendait très agréable.

– Elle était bien des choses : belle, intelligente, d'une famille du nord de l'Espagne très bien nantie... Et elle est passée de la grande vie bourgeoise de Saint-Sébastien au cœur de celle, élégante et intellectuelle, du Paris de l'époque. En faisant, bien entendu, quelques concessions au climat libertin alors régnant.

J'écoutais attentivement, un carnet de notes ouvert sur mes genoux, dont je me servais à peine – j'ai depuis longtemps appris que noter ce que dit votre interlocuteur le prive de toute aisance et de tout naturel quand on l'interroge. Chantal Keraudren, professeur d'histoire dans un collège de la rue Saint-Benoît, est fille et petite-fille de bouquinistes des quais de la Seine, et elle m'avait été recommandée par deux de mes amis français, les écrivains Philippe Nourry et Étienne de Montety, en tant que spécialiste des grandes figures féminines des XVIIIe et XIXe siècles – c'est sur madame de Staël qu'elle avait centré sa thèse de doctorat. Sa boîte à livres, dont elle s'occupait encore deux fois par semaine, contenait, soigneusement protégés par une enveloppe de Cellophane, sur laquelle figurait le prix demandé écrit au marqueur, une intéressante diversité de titres sur le sujet : *Désirée et Julie Clary*, *Pauline Bonaparte*, *Vie de l'impératrice Joséphine*, *Un hiver à Majorque*, *Dix années d'exil*, *La Captivité et la Mort de Marie-Antoinette*, entre autres ; et également des romancières du XXe siècle comme Virginia Woolf, Patricia Highsmith ou Carson McCullers. Je me rappelais avoir acheté là, jadis, quand je n'appelais pas encore Chantal par son prénom, les trois tomes de la *Correspondance* de madame de Sévigné dans la collection de la Pléiade.

– Elle a eu des amants ?

La bouquiniste se mit à rire, ce qui dessina d'innombrables rides autour de ses paupières et, paradoxalement, la rajeunit. Je lui donnais dans les cinquante-cinq ans et me souvins d'elle, telle qu'elle était bien des années auparavant, assise aux beaux jours devant sa boîte : une attirante rousse, jeune et intéressante, avec tous ses livres derrière elle et sa bicyclette appuyée contre le parapet en pierre au-dessus du fleuve. Jusqu'ici, nous n'avions jamais échangé plus d'une douzaine de phrases.

– Qui n'en avait pas, dans le Paris de ce temps-là ? Elle a été, pour employer un terme actuel, une femme libre. Les préjugés avaient été réduits en miettes par le talent caustique de Voltaire, la logique éloquente de Rousseau, l'érudition époustouflante de l'*Encyclopédie*... Mais pendant que ces idées dont on débattait librement dans les salons changeaient la France, l'ancien ordre social conservait son prestige. Le trône cessait peu à peu d'être respecté, mais on en gardait encore les usages, et le grand monde recevait aussi bien les philosophes que les aristocrates et les financiers. Et dans la rue Saint-Honoré, qui était alors au centre de tout cela, il y avait le salon de madame Dancenis...

– Comment était son mari ?

– Plus âgé qu'elle, dit Chantal, comme si tout tenait en ces termes.

– De beaucoup ?

– Suffisamment pour ne pas être une gêne. Avec du flair pour les affaires et le sens de l'humour, semble-t-il. Certains de ses contemporains ont parlé de lui avec sympathie, comme d'un homme bon et cultivé, à cette époque absorbé dans ses lectures, intelligent, bibliophile, pondéré...

– Riche ?

– Immensément. Pierre-Joseph Dancenis avait été rien de moins que l'intendant de justice, police et finances du roi, et l'associé du duc d'Orléans dans des affaires immobilières qui l'avaient enrichi, entre autres l'opération commerciale du Palais-Royal.

Je regardai la rive opposée du fleuve, en direction du Louvre et des édifices qu'il cachait, de l'autre côté de la rue de Rivoli.

– À cette date, ai-je demandé pour en avoir confirmation, on était bien en train de l'aménager pour en faire une grande galerie marchande ?

– C'est exact. Les travaux étaient en cours, avec tous leurs échafaudages et leurs maçons. Les boutiques élégantes étaient encore rue Saint-Honoré et dans les rues adjacentes. Dans le Palais, il y avait le café très fréquenté du passage Richelieu, qui a ensuite été agrandi... Tu devrais lire ce qu'a écrit Louis-Sébastien Mercier sur le Paris de ce temps-là.

Je continuais de regarder la Seine. Les ponts proches, me disais-je, étaient les mêmes qu'au XVIIIe, hormis le pont des Arts, construit plus tard, qui avait été mon endroit de prédilection, quand j'y avais situé, vingt ans plus tôt, une des scènes du *Chasseur de livres*. Maintenant, me dis-je avec amertume, il me serait impossible de la rendre vraisemblable, avec ces garde-fous lestés de stupides cadenas sentimentaux à la Federico Moccia, et tous les vendeurs à la sauvette qui s'y tiennent. La veille au soir, je m'étais offert le sinistre plaisir d'acheter à un Pakistanais un de ces cadenas et de le jeter directement dans le fleuve, avec sa clef.

Je montrai la boîte à livres en revenant à la conversation :

– As-tu ici le livre de Mercier ?

– Non, répondit Chantal avec un nouveau sourire. C'est bien trop sélect pour mon humble affaire.

– J'ai justement aperçu hier une version abrégée, en format de poche.

– Ça ne va pas te suffire… Le texte intégral est quasi encyclopédique, formidable pour connaître le Paris qui t'intéresse. Le problème, comme je le disais, c'est qu'il est très cher. Encore faut-il le trouver… J'ai vu un exemplaire complet il y a quelques mois à la librairie Clavreuil-Teissèdre, rue Saint-André-des-Arts.

– Je la connais.

– Tu pourrais essayer là. Ou chez Michèle Polak, qui en a eu un, elle aussi… Quoi qu'il en soit, il me semble qu'il y a une édition bon marché, dans la collection Bouquins, avec Mercier et Restif de La Bretonne en un seul volume, mais je n'en suis pas sûre.

Cette fois, je pris note de tout. Puis je lui demandai de revenir à madame Dancenis.

– Elle a fait la connaissance de Dancenis quand celui-ci était à la tête d'une mission commerciale française en Espagne, répondit-elle. Ils se sont mariés, il est revenu avec elle à Paris. À l'époque qui t'intéresse, il devait pour ainsi dire être retiré des affaires et avoir la bonne cinquantaine, et elle entre trente et quarante ans. Il la laissait régner sur la petite cour de son salon, l'accompagnait parfois quand elle sortait, assistait à tout avec un sourire condescendant, ou distrait…

– Ils ont eu des enfants ?

– Pas que je sache.

– Il existe des portraits d'eux ?

Chantal réfléchit, puis fit un geste vague. Elle ne connaissait que le tableau d'Adélaïde Labille-Guiard, et me conseilla de chercher sur Internet, parce que l'artiste donnait une interprétation juste du couple Dancenis : l'épouse y figurait dans une tenue champêtre à l'anglaise, avec une veste de chasse et un chapeau, sûre d'elle, les cheveux bruns sans poudre, de grands yeux noirs, et tenant sur sa robe, ce qui n'était sans doute pas un hasard, mais de la coquetterie, les *Confessions* de Rousseau. Son époux est debout à côté d'elle, en veste d'intérieur de soie brodée, avec une perruque grise, une expression paisible, et à ses pieds un chat qui lui lèche les bottes. Il n'a rien dans les mains, mais derrière lui s'ouvre la porte d'une bibliothèque où l'on devine des centaines de volumes.

– Ils recevaient le mercredi dans leur hôtel de la rue Saint-Honoré, aujourd'hui disparu, que Dancenis avait acheté au marquis de Thibouville et magnifiquement rénové pour sa femme.

– Comment était-on admis dans ces réunions ? demandai-je, intéressé.

– Il était indispensable d'avoir du talent, de l'élégance, de connaître des anecdotes sur la cour, de parler aussi bien de philosophie que de physique ou des mille petites choses légères et spirituelles qui faisaient la conversation cultivée de l'époque... Cet art, exercé avec esprit, était essentiel et très caractéristique du souffle de liberté que l'on respirait en ce temps-là, où l'on parlait de démocratie au bal, de philosophie au théâtre et de littérature dans les cabinets de toilette, et où un éloge de Buffon et de Diderot était plus apprécié que la faveur d'un prince.

– C'était donc un salon réputé ?

– Assez, oui. Le jour de Margarita Dancenis, que son mari et les habitués de la maison appelaient Margot, a été un temps aussi couru que ceux de madame de Montesson, de la comtesse de Beauharnais ou d'Émilie de Sainte-Amaranthe... Elle a reçu, entre autres, Buffon, D'Alembert, Bertenval, Mirabeau, d'Holbach, le comte de Ségur, Benjamin Franklin...

– Et, dans une autre catégorie, intervins-je, amusé, l'abbé Bringas.

Elle me regarda, tout d'abord un peu déroutée.

– Qui ?... Ah, oui, fit-elle après avoir récapitulé, cet Espagnol radical et sanguinaire qui a fait partie de la bande de Robespierre quand elle envoyait au bourreau des têtes à couper, et a fini avec elle sur l'échafaud...

– Lui-même. Et je suis surpris qu'on ait pu l'admettre dans un endroit pareil.

– Ce n'est pas si extraordinaire que ça. Je ne sais pas grand-chose à son sujet, mais je me rappelle avoir lu qu'il était un peu timbré, pourtant non dépourvu d'esprit et de talent, et qu'il faisait rire. D'après ce que raconte Ségur dans ses mémoires, si je ne me trompe, madame Dancenis se montrait envers lui d'une tolérance qui lui a coûté cher, parce qu'il a été un de ceux qui l'ont dénoncée aux tribunaux révolutionnaires... Mais Bringas n'était pas le seul personnage pittoresque de ces réunions. Avec les personnalités de premier ordre, il y avait dans l'assistance des habitués de moindre grandeur : le perruquier Des Veuves, qui coiffait la princesse de Lamballe, le dramaturge La Touche, le libertin Coëtlegon, l'écrivain Restif de La Bretonne... On y voyait aussi Laclos, qui n'était alors qu'un simple militaire aux aspirations littéraires...

– L'auteur des *Liaisons dangereuses* ?

– Lui-même.

– Est-il vrai qu'il a par la suite occupé un poste dans le gouvernement révolutionnaire ? Il me semble avoir lu ça dans Thiers.

– Oui, commissaire du pouvoir exécutif, je crois bien. Il a été un homme de Danton, qui est beaucoup intervenu en sa faveur, ce qui a failli entraîner Laclos sur l'échafaud avec son protecteur... Et devine qui l'a dénoncé à plusieurs reprises et l'a fait emprisonner ?

– Tu me souffles la réponse, il me semble. Mon bon abbé Bringas ?

– Oui, ton bon abbé. Comme tu le vois, la liste des comptes à régler de cet individu était longue.

Une nouvelle fois, je regardai le fleuve, sur les eaux duquel s'étaient penchés, deux cent trente-trois ans auparavant, les protagonistes de mon histoire. Pas mal de gens déambulaient le long du quai, devant les marchands de livres et d'estampes. Depuis des années je n'achetais plus rien aux bouquinistes – ma dernière acquisition avait justement été la correspondance de madame de Sévigné – mais je prenais toujours un moment, quand j'étais à

Paris, pour faire un tour sur les quais, et j'avais parfois l'impression de me reconnaître, par-delà le temps, dans un des jeunes garçons qui, avec leur sac à dos, venaient fureter de leurs doigts de chasseurs encore inexperts dans l'une ou l'autre de ces boîtes où ceux qui cherchent, lisent et rêvent trouvent toujours quelque chose. Malheureusement, la majorité des bouquinistes de la Seine s'adaptent aux goûts du jour et les revues, les gravures et les livres anciens cèdent toujours plus d'espace aux reproductions grossières, aux cartes postales et aux souvenirs pour touristes.

– Voilà, conclut Chantal. Tels étaient les gens qui fréquentaient le salon de ta compatriote : de toute sorte, la plupart intéressants, en ces temps annonciateurs de la débâcle, qui ont duré encore une décennie, jusqu'à ce que ce monde s'écroule.

Je pensais au mari de Margarita.

– Qu'est-il advenu de Pierre-Joseph Dancenis ?

– Il est mort assassiné au cours des massacres de septembre, à Saint-Germain.

– Et elle ?

– Elle s'en est tirée de justesse. Condamnée à mort par le tribunal révolutionnaire, elle a échappé à la guillotine à la chute de Robespierre.

– Eh bien... Elle a eu de la chance.

Chantal fait une grimace de doute et regarde de nouveau ses mains couvertes de taches de son.

– Ça dépend de comment on voit les choses, dit-elle au bout d'un moment. Pauvre et malade, Margarita Dancenis s'est suicidée trois ans plus tard en avalant cinquante grains d'opium dans un logis mal famé de la place Maubert. Elle s'est éteinte – comme tout ce monde brillant naguère élevé si haut et alors immigré, dispersé ou disparu dans les brouillards de Londres, sur les rives du Rhin, ou sous la lame de la guillotine – dans le regret, je suppose, des jours passés rue Saint-Honoré, où philosophes et littérateurs, mêlés aux perruquiers et aux libertins, discutaient la régénération du monde une coupe de champagne à la main, adossés au manteau d'une cheminée... Là où tu me dis qu'elle reçut la visite de ces deux académiciens de ton pays.

Il est sept heures et demie du soir – une superbe pendule sur une console vient de faire entendre son double carillon – et trois serviteurs qui se déplacent aussi silencieusement que des chats mouchent les bougies des chandeliers qui éclairent tableaux et miroirs, multiplient les halos de lumière dorée dans le salon d'apparat de l'hôtel. Entre les invités on parle d'air *déphlogistifié,* selon le terme scientifique à la mode. On l'obtient, affirme quelqu'un, en chauffant de l'oxyde de mercure, et l'air qui en résulte est non seulement plus riche et plus vivace que l'air ordinaire, mais il augmente l'intensité de la flamme d'une bougie, et rend même la respiration plus légère et plus facile pendant un certain temps.

– Ce serait une affaire en or, conclut monsieur Mouchy, un physicien notable, professeur à l'université et membre de l'Académie des sciences, si l'on pouvait l'embouteiller et le vendre comme article de luxe... Qui n'aimerait pas respirer mieux, par les temps qui courent ?

Quelques rires courtois suivent, avec des commentaires saupoudrés d'esprit. Quelqu'un mentionne Lavoisier, son air vital et son air nitreux, et la conversation se poursuit sur le sujet. Assis dans le cercle de chaises et de fauteuils négligemment disposés sur un magnifique tapis turc, vêtu de très correctes couleurs sombres, don Hermógenes Molina, dont le français laisse à désirer, opine du chef avec un bon sourire quand il ne comprend pas quelque chose. Près du bibliothécaire, don Pedro Zárate, dans son frac bleu aux boutons d'acier et sa culotte de nankin blanche, se tient un peu à l'écart sur sa chaise, un rien compassé, et s'intéresse à l'atmosphère et aux personnes plus qu'à la conversation. Ou, plus exactement, à l'une des conversations, parce que trois groupes se sont formés dans le vaste salon des Dancenis, mêlant les dames coiffées et vêtues pour le dîner, les hommes en veste avec justaucorps ou gilet, dans des tonalités calmes et sombres, à quelques rares exceptions près : un frac par-ci, un uniforme par-là.

Le groupe le plus éloigné d'eux est celui des joueurs. Ils sont dans un petit salon adjacent, de l'autre côté de deux grands rideaux ouverts qui ménagent ainsi une enfilade ; il y a autour de la table de jeu le maître de maison et trois de ses invités, tous masculins, qui jouent au pharaon, et un autre, debout, qui les regarde : c'est l'abbé Bringas, qui ce soir a brossé sa vieille veste et un peu peigné sa perruque ; il va d'un groupe à un autre en laissant tomber un commentaire qui est immanquablement accueilli avec des plaisanteries ou une tolérance ironique. L'Amiral a retenu le nom d'un des joueurs, rencontré il y a quelques jours sur les Champs-Élysées, quand don Hermógenes et lui ont été présentés à madame Dancenis, que ce même homme accompagnait. Il s'appelle Coëtlegon, porte le ruban rouge de l'ordre de Saint-Louis et ressemble à ce que l'on appellerait en Espagne avec une certaine inexactitude un *petimetre*, un petit-maître à la mode : la quarantaine fringante, exquisement vêtu, coiffé en cheveux frisés sur les tempes, avec une queue simple dans la nuque, poudrés avec soin. D'après Bringas, c'est un noble de province qui a servi dans un régiment d'élite et qui dissipe au jeu et en femmes tout l'argent qu'il a ou semble avoir, ce qui lui vaut une réputation d'audacieux et de libertin. Tout à l'heure, l'Amiral l'a regardé tailler la banque et il a vu à qui il avait affaire : c'est un de ceux qui risquent des sommes folles sans desserrer les lèvres, perdent sans se plaindre et lancent leurs cartes avec un froid dédain quand ils gagnent. Bringas prétend qu'il ne fait pas autrement la cour à la maîtresse de maison, laquelle se laisse aimer sans trop le cacher. Ce sont là les manières du *monde**, comme le lui a soufflé l'abbé, il y a un moment, en éclairant sa lanterne avec une moue sardonique.

– Et le mari, regardez-le… Il taille le pharaon, impassible… Il faut reconnaître que personne ne sait porter les cornes comme un Français.

Le deuxième groupe, plus proche, occupe un canapé et des chaises près d'un poêle russe, et il est constitué de Des Veuves, le célèbre perruquier qui coiffe la princesse de Lamballe et la maîtresse de maison, de l'aquarelliste Emma Tancredi, amie intime des Dancenis – très maigre, éthérée, aux longs cils et à l'air tragique –, et de madame de Chavannes, tout en soie, dentelles, rides et finesse d'esprit : une veuve septuagénaire élégante, loquace et amusante, une habituée des mercredis, qui a connu des amours célèbres dans sa jeunesse et n'ignore rien des rumeurs d'alcôve du temps de Louis XV. À ce moment-là, tous trois parlent des dernières coiffures à la mode et le perruquier – nerveux, maniéré, avec trop de rubans de couleur et de dentelles sur sa veste, un haut toupet et deux boucles poudrées de part et d'autre de son visage orné d'une mouche – se lance avec une précision technique malveillante dans la critique de la coiffure *pouf au sentiment** avec tire-bouchons, de deux paumes de haut, que la duchesse de Chartres a arborée il y a trois jours à l'Opéra. Divinement inadéquate, en somme.

– En outre, couverte comme elle l'était de poudre d'iris, elle paraissait encore plus blonde et plus pâle… Un artifice dans toute sa splendeur… Une véritable poupée de carton peint, là, dans sa loge, avec son amant d'un côté et son mari de l'autre.

– Il est arrivé une fois, à Versailles, que la Du Barry… commence à dire madame de Chavannes, avant de chuchoter quelque chose à l'oreille de Des Veuves et de l'aquarelliste qui ont penché leur tête vers elle.

Des rires éclatent. Don Pedro porte son regard sur le groupe dont il fait partie, déployé autour du fauteuil qu'occupe madame Dancenis. Dans la cheminée, dont la tablette est ornée de porcelaines espagnoles et portugaises, brûle un feu discret qui tiédit ce coin du salon. Près de l'Amiral est assis Mouchy, membre de l'Académie des sciences, qui s'est révélé aimable causeur et maintenant expose à ses interlocuteurs les vertus des pastilles de ciguë pour les maladies obstructives comme les kystes et les tumeurs. Il y a encore, dans ce groupe, le chevalier de Saint-Gilbert, un bon vivant assez âgé, sympathique et inconsistant, qui ne se présente jamais dans le monde sans un arsenal de rumeurs et de cancans qu'il essaie de placer comme il le peut, et qui en a toujours deux ou trois en réserve quand il s'en va ; et il y a enfin Simon La Motte, un quinquagénaire guindé, maître de ballet à l'Opéra, et sa maîtresse, mademoiselle Terray, une actrice de théâtre blonde, jeune, spécialisée dans les rôles d'ingénue, ce qui ne manque jamais de provoquer l'hilarité parmi ceux qui connaissent sa carrière.

– On a toujours considéré l'eau comme un corps simple, et les anciens en faisaient un élément, dit madame Dancenis, réagissant à quelque chose qu'a dit Mouchy. Mais elle n'échappe pas non plus à l'implacable dissection de la chimie moderne.

C'est Margarita Dancenis qui occupe le centre géographique du salon – ou le point fixe, se dit l'Amiral, intéressé – et même des deux autres groupes, comme si une force magnétique discrète les rattachait étroitement à sa personne. Il saute aux yeux que c'est elle qui, telle une déesse olympienne, répandant le don de sa conversation et de ses sourires, encourageant l'un, flattant l'autre, sans rien perdre de vue, régit tout autour d'elle la dynamique sociale, les attitudes et les discours.

– Le jour où l'on arrivera à faire de même avec l'esprit des femmes, le monde sera étonné de se découvrir lui-même, dans sa redoutable candeur.

L'Amiral voit bien que madame Dancenis est une femme cultivée, vive d'esprit ; peut-être une partie de son ascendant mondain tient-elle au fait que son apparence correspond à l'idée que les Français se font de la noble espagnole : peau très blanche, dents parfaites, grands yeux noirs au regard intelligent sous une chevelure aujourd'hui bouclée et sans poudre, couverte seulement d'une coiffe de soie aux gracieux rubans assortis à sa robe mauve, ajustée par un de ces caracos à la mode que l'on appelle des pierrots. La maturité dans laquelle elle s'engage peu à peu ne cause pas encore de ravages sur sa peau, toujours lisse sur le front, le cou et les joues, douce sur ses mains soignées qui ouvrent et ferment l'éventail dont elle a fait un prolongement d'elle-même, avec lequel elle désigne, admoneste ou congratule ses invités.

– Qu'en dites-vous, monsieur l'Amiral ? En tant qu'Espagnol, vous devez avoir votre idée là-dessus.

– S'agissant de dames, en tant qu'invité et à Paris, doña Margarita, mes idées s'en tiennent à la plus rigoureuse prudence.

– Oh, vous pouvez m'appeler Margot, comme les autres.

– Je vous en sais gré.

Don Pedro a droit à un sourire curieux, pour sa réponse. Raide sur le bord de son siège, mains sur les genoux, il sent le regard de madame Dancenis qui l'examine attentivement.

– Vous n'avez pas des yeux d'Espagnol.

– La mer me les aura sans doute décolorés, madame, dit-il en souriant avec courtoisie. Secondée par de nombreuses années.

– Ne soyez pas coquet, monsieur… Vous portez parfaitement votre âge, quel qu'il soit.

– Si seulement il en était ainsi, soupire don Pedro, mélancolique. Vous, en revanche, vous êtes très joliment espagnole. En tant que compatriote, je ne puis que m'en enorgueillir.

– Ah, ça ! fait-elle, flattée, avant de se tourner vers don Hermógenes. Tous les membres de l'Académie seraient-ils aussi galants ?

– Tous, madame, répond l'interpellé, rougissant, en cherchant désespérément ses mots en français. Même si nous n'avons pas l'aisance avec laquelle s'exprime mon confrère.

De son éventail fermé, madame Dancenis montre la table de jeu.

– Cet incroyable abbé m'a raconté que vous étiez venus à Paris pour y chercher l'*Encyclopédie*.

– C'est bien ça.

– Peut-être mon mari pourrait-il vous conseiller, quand il aura encore perdu quelques louis. Les livres sont sa vie, et sa bibliothèque son donjon. – Elle se tourne vers le professeur de physique, interrompant la conversation à mi-voix que celui-ci tient avec La Motte. – N'est-ce pas, mon cher Mouchy ?

– C'est tout à fait vrai, répond prestement ce dernier, et je me mets moi aussi à la disposition de ces messieurs.

Ils sont distraits par l'arrivée de deux autres invités. L'un est un homme âgé, avec une perruque blanche et une veste brodée très élégante, un peu à l'ancienne ; l'autre, vêtu d'une simple tenue bourgeoise de bon drap, a passé la cinquantaine et ses cheveux sont poudrés de gris. Ils arrivent bras dessus, bras dessous, avec l'aplomb d'habitués de la maison. Don Hermógenes et don Pedro se sont levés, madame Dancenis fait les présentations.

– Ces messieurs, arrivés depuis peu à Paris, sont membres de l'Académie royale d'Espagne : don Hermógenes Molina, et don Pedro Zárate, brigadier des armées navales du roi. Le comte de Buffon, membre des deux Académies, éminent naturaliste et gloire de la science française… Monsieur Bertenval, professeur de littérature au Collège royal, académicien, philosophe, et ami de notre maison… Il est l'auteur d'une demi-douzaine d'articles de l'*Encyclopédie* que vous cherchez.

L'Amiral les salue en inclinant légèrement la tête avec respect et une formule de politesse, sans commentaire ; mais, en entendant ces noms, don Hermógenes s'est étranglé d'enthousiasme, incrédule.

– Mon Dieu, messieurs, balbutie-t-il en s'adressant au plus âgé, suis-je vraiment en présence de Georges Leclerc de Buffon, l'éminent auteur de l'*Histoire naturelle* ?

Le vieil homme sourit, avec hauteur. Condescendant, habitué à la flatterie.

– Oui, bien sûr. C'est moi.

– Quel plaisir, mon Dieu. – Sur ce, don Hermógenes se tourne vers l'autre homme. – Et de Guy Bertenval, qui fut l'ami de Voltaire ? L'éminent philosophe et homme de lettres, auteur de l'*Essai sur l'intolérance*, qui s'est battu héroïquement contre ce que la Sorbonne comptait de plus réactionnaire ?

Bertenval le confirme en souriant et, en tant qu'académicien, se met à la disposition des Espagnols – formule qui par ailleurs, à Paris, n'engage personne –, tout en serrant la main du bibliothécaire.

– Seigneur, dit encore celui-ci comme pour lui-même, cette rencontre vaut bien à elle seule le voyage à Paris.

Les derniers arrivés prennent place près de la cheminée, et la conversation s'oriente sur le travail des Académies de Paris et de Madrid. En faisant l'éloge de l'Académie royale d'Espagne et de ses magnifiques dictionnaires, avec le débat constant entre la langue, la science et la religion, Buffon rappelle que lui aussi, malgré son âge et la distance prudente qu'il a toujours gardée vis-à-vis des encyclopédistes et des philosophes les plus radicaux, a été dénoncé il y a maintenant deux ans par un docteur en théologie de l'Université de Paris.

– Ce qui démontre, conclut-il en s'adressant avec beaucoup de courtoisie à don Pedro et don Hermógenes, que ce n'est pas seulement en Espagne que les corbeaux noirs tournoient au-dessus des idées nouvelles ou anciennes.

– J'échange volontiers nos corbeaux contre les vôtres, relève l'Amiral.

On se réjouit du mot d'esprit. En apprenant qu'il a été brigadier de marine, Bertenval interroge don Pedro sur certains aspects de la construction navale à Cuba et des sciences appliquées de la navigation. Ils en viennent à parler de Locke et de Newton et, à la surprise de l'encyclopédiste – et de don Hermógenes, qui suit, fasciné, les propos mesurés et policés de son collègue –, l'Amiral se dit grand admirateur de leurs œuvres. Là-dessus, à une question que lui pose madame Dancenis, il se reconnaît, avec la plus courtoise fermeté, anglophile en matière de science. Puis, en termes mesurés, il félicite Buffon d'avoir appuyé Newton dans la polémique qui a opposé celui-ci à l'Allemand Leibniz sur l'invention du calcul infinitésimal, et il finit par mentionner, avec pertinence et une certaine fierté patriotique, le nom de Jorge Juan. À la satisfaction des deux académiciens, aussi bien Bertenval que Buffon louent la personnalité de ce scientifique et marin espagnol, dont ils semblent bien connaître l'œuvre.

– Quel dommage que cet homme remarquable n'ait pas été estimé dans sa patrie ni reconnu en Europe comme il le mérite, constate Buffon. Le connaissez-vous ?

– J'ai eu ce bonheur.

– Vous avez eu ? Qu'est-il devenu ?

– Il est mort. Dans l'indifférence générale.

– C'est affligeant… De pareils hommes honorent ceux qui les écoutent et déshonorent ceux qui les négligent. Et réellement, ses *Observations astronomiques et physiques*…

– Allons maintenant voir comment la table est mise, les interrompt madame Dancenis en apercevant le signe discret d'un serviteur.

Une autre invitée se présente encore : l'artiste-peintre Adélaïde Labille-Guiard, amie intime des Dancenis. C'est une belle femme aux formes délicieuses, au visage rond et sympathique. À son entrée, tous se lèvent pour se rendre à la salle à manger, rejoints au milieu du salon par les joueurs. Pierre-Joseph Dancenis est un homme qui a près de soixante ans, le front dégarni et les cheveux poivre et sel non poudrés. Il est vêtu d'un frac couleur marron, d'une culotte noire et porte des chaussures sans boucle, avec le négligé de qui est chez soi entouré d'amis de confiance. Son apparence casanière et tranquille est appuyée par le sourire aimable, plutôt absent, qu'il promène sur les invités de sa femme.

Avec le groupe vient l'abbé Bringas qui, apercevant Bertenval dans le salon, va vers lui pour le saluer, et l'Amiral, qui est à côté du philosophe, remarque que celui-ci détourne la tête avec dégoût.

– Je voulais seulement vous présenter mes respects, dit Bringas, rabroué.

– Vous feriez mieux de le faire par écrit, au lieu de salir mon nom en m'attaquant dans ces factums anonymes que vous publiez.

– Je vous assure, monsieur...

– Épargnez-moi vos contes. Dans cette ville, on se connaît bien.

Don Pedro est le témoin involontaire de cet échange, auquel Bertenval coupe court en tournant le dos à l'abbé et, après s'être incliné devant madame Dancenis, lui dit à voix basse, alors qu'ils entrent dans la salle à manger :

– Je vois que vous continuez à inviter ce misérable.

– Il m'amuse, répond-elle avec désinvolture.

– Bon. Vous êtes chez vous, chère madame... Il nous faut à tous une petite extravagance de temps à autre. Et il n'y eut jamais cour de reine sans scélérat malsonnant.

Ils prennent place autour d'une table splendide, dressée avec de la vaisselle de Sèvres pour dix-huit convives, caractéristique d'une maison qui, comme Bringas l'a appris aux académiciens tandis qu'ils arrivaient en se promenant, a coûté huit cent mille livres, croit-on savoir, et dont le train compte sept valets et femmes de chambre, en plus des cuisiniers, du cocher, du page et du portier suisse.

– Hier, au Petit Dunkerque, j'ai vu madame de Luynes, raconte le chevalier de Saint-Gilbert. Vous savez tous ce que l'on dit d'elle... Elle est si rondelette que ses amants peuvent la couvrir de baisers pendant toute une nuit sans jamais poser leurs lèvres au même endroit...

Le repas est divertissant, les propos plaisants et très spirituels, la conversation passe avec naturel d'un sujet à l'autre, des anecdotes amusantes de madame de Chavannes et du chevalier de Saint-Gilbert aux incursions dans la politique, la morale et l'histoire. Au grand plaisir du bibliothécaire et de l'Amiral, tout se déroule dans une atmosphère de tolérance mutuelle et de bonne humeur qui séduit facilement. Tous émettent des opinions diverses – l'Amiral est surpris, sans le manifester, de constater que le vieux Buffon n'expose aucune idée avancée, comme il s'y attendait –, mais à aucun moment les divergences entre anciens et nouveaux courants ne tournent à la confrontation ; ils se présentent comme des théories ouvertes dans lesquelles entre en jeu la plus extrême courtoisie. Seul Bringas, qui a visiblement du mal à se contenir, lance à Bertenval des regards féroces de son bout de table, où il est assis à côté de Des Veuves, et pousse de temps en temps de caustiques soupirs, ou intervient avec aigreur dans la conversation, comme au moment où l'écrivain et philosophe, avec éminemment d'esprit, parle de ses quatre séjours à la Bastille et des ordres d'incarcération ou *lettres de cachet** – qu'il appelle avec humour « ma correspondance avec le roi » –, ce que Bringas, un verre de bordeaux dans une main et levant de l'autre sa fourchette sur laquelle est piqué un morceau de faisan dégouttant de sauce, condamne.

– Il y a Bastille et Bastille… Certains y entrent frivolement, sachant qu'ils vont en sortir parce qu'ils peuvent compter sur les amis qu'ils ont à la cour, d'autres y sont ensevelis sans espoir.

– Mais vous, je ne vous rencontre malheureusement que dehors, remarque Bertenval avec un sourire méprisant.

Bringas avale la nourriture, boit le vin et pointe sa fourchette en direction du philosophe.

– Un jour viendra où lessive sera faite.

– La colère de Dieu ? s'enquiert le chevalier de Saint-Gilbert, intéressé et souriant comme il sait l'être.

– De qui ? Redites-moi un peu ça, monsieur. Le grondement des temps, des trônes et des autels qui vont bientôt s'effondrer me rend sourd.

– Laissons les trônes en paix pour le moment, mon cher abbé, dit madame Dancenis, assise entre Bertenval et Buffon, sur un ton apaisant. Et Dieu aussi, si possible, ajoute-t-elle en lançant un coup d'œil sévère à Saint-Gilbert.

Bringas pique sa fourchette dans un autre morceau.

– J'obéis, madame, à la beauté et à l'intelligence, seules choses à sauver de cette hypocrite Babylone. Je me soumets et j'obéis.

– Voilà qui me plaît.

De temps en temps, le regard de la maîtresse de maison rencontre celui de l'Amiral, assis en face d'elle, et il le soutient avec une courtoisie sans fard, ce qui chaque fois lui vaut en retour un léger sourire qui fait apparaître de charmantes fossettes sur les joues de Margot Dancenis. Un peu plus tôt, alors qu'ils se dirigeaient vers la salle à manger, don Pedro l'a vue marcher avec une élégante assurance sur des chaussures de satin à talons de trois pouces, qui donnaient à son corps un balancement attrayant. Pour le vêtement, un drapé à la française au décolleté généreux, à peine voilé de mousseline, découvre la peau douce et blanche de la naissance des seins. Les yeux de l'Amiral s'y attachent un instant, involontairement, mais c'est suffisant pour que, quand il les lève, il croise de nouveau le regard de la femme qui maintenant l'observe avec un air avenant de plaisir, ou de surprise. Prudent, don Pedro se dérobe et boit un peu de vin. En reposant le verre sur la nappe brodée, il observe ce qui l'entoure et avise l'expression froide et hostile que Coëtlegon lui réserve : l'homme, d'après ce que dit Bringas, fait la cour à Margot Dancenis, et a le bonheur d'être payé de retour. L'Amiral l'ignore et prête attention à sa voisine, madame de Chavannes, qui raconte un épisode de sa vie à la cour du défunt Louis XV, quand le maréchal de Brissac avait cherché à prendre des privautés alors que tous les deux s'étaient perdus, lors d'une chasse royale au sanglier, à Saint-Germain.

– … Alors, plaçant ma main entre mes charmes et son désir, je lui ai dit : « Monsieur, imaginez que votre épouse ou le sanglier nous surprenne. » Là-dessus, le bon maréchal a répondu avec beaucoup de présence d'esprit : « Croyez-m'en, madame, je préfère nous imaginer surpris par le sanglier. »

On rit, et la conversation s'oriente sur les coutumes françaises et espagnoles, les libertins et le libertinage.

– Il m'arrive souvent, quand je regarde autour de moi dans cette magnifique ville, avoue madame Dancenis, de ne plus me reconnaître dans la jeune fille que je fus, élevée dans un pensionnat cagot de Fuenterrabía.

– Votre saint Georges vous a tirée des griffes du dragon, intervient La Motte, le maître de ballet.

Tous regardent monsieur Dancenis qui, assis à la gauche de

don Hermógenes, découpe avec sang-froid le faisan dans son assiette.

– J'ai fait des choses beaucoup plus osées, dit Dancenis en souriant. Par exemple, il y a deux ans, j'ai obtenu de monsieur le comte de Buffon qu'il honore ma bibliothèque de son *Époques de la Nature* dédicacé, sans devoir débourser un louis, ce qui relève de l'exploit...

On rit derechef, même le vieux naturaliste, qui a une réputation d'avare. Puis le thème des libertins est remis sur le tapis par un des partenaires au pharaon de Dancenis et Coëtlegon, un homme encore jeune, sympathique, au visage intelligent qui, bien que vêtu en civil, les cheveux poudrés noués dans la nuque, et portant un frac marron avec une double boutonnière, a été présenté aux académiciens comme monsieur de Laclos, capitaine d'artillerie.

– Je m'occupe justement, en ce moment, fait-il sur un ton léger, d'un petit roman qui en est à la moitié et dont le sujet est la séduction, l'honnêteté et le portrait du libertin en chasseur sans scrupule...

– Et il sera publié ? s'intéresse la maîtresse de maison.

– Je l'espère.

– Il y a des méchants ?

– Des méchantes, plutôt.

– Bravo. Qu'en serait-il, sinon ? Et des scènes osées ?

– Quelques-unes, oui. Mais pas autant que dans ces romans que vous lisez pour soulager vos maux de tête.

Il y a autour de la table des sourires réjouis. Quelqu'un a dit peu auparavant, sur un ton mi-léger mi-sérieux, que madame Dancenis a, après les réunions du mercredi, des vapeurs dues à l'excès de transcendance, qu'elle soulage en lisant des livres philosophiques.

– Ne faites pas le vilain, Laclos.

Celui-ci fait un geste pour signifier qu'il ne faut pas le prendre trop au sérieux.

– En réalité, et en deux mots, mon roman est une histoire sur l'édification de l'innocence.

– Il a un titre ?

– Pas encore.

– Je serais ravie de le lire… On y trouve monsieur Coëtlegon ?

Des éclats de rire se font entendre pendant que la personne visée incline la tête en un salut ironique.

– Je dis cela, ajoute Margot Dancenis avec une fausse sévérité, parce qu'il ne voit aucun inconvénient à séduire les innocentes, dès qu'une occasion se présente.

Scandalisé par cette licence dans la conversation, qu'il trouve choquante entre des gens cultivés et en présence de dames, lesquelles ont de surcroît le sans-gêne de s'en mêler – seule madame Tancredi, l'aquarelliste, garde languissamment le silence –, don Hermógenes se tourne souvent vers l'Amiral, sans en croire ses oreilles. Il est aussi intrigué par l'attitude de monsieur Dancenis, qui continue de manger avec le plus grand flegme, comme si tout cela n'avait rien à voir avec lui ; il joue avec aisance le rôle du mari tolérant dont la participation au jeu de ses invités est mesurée, et persuadé que la porte toujours ouverte de sa bibliothèque lui offre un refuge commode et proche, un bastion dans lequel se retrancher, si nécessaire, sans que l'on remarque son absence.

Les convives poursuivent leur conversation sur le libertinage, ses causes et ses effets. Sur ce point, Bertenval, resté un peu en marge de la conversation, regagne du terrain.

– Ce qui porte préjudice aux beautés morales renforce les beautés poétiques, estime-t-il, sérieux.

– Il s'agit plutôt de combiner le doux et l'amer, rétorque Buffon qui, en dépit de son âge, ne veut pas demeurer en reste.

Bertenval fronce les sourcils, cherche une réplique digne de son adversaire.

– De conjuguer, conclut-il, classique, rigueur et plaisir.

– C'est juste, dit madame Dancenis en ignorant, comme tous les autres, les applaudissements sardoniques avec lesquels Bringas, déjà bien éméché, salue les propos de Bertenval et de Buffon. La vertu ne donne jamais que des tableaux froids et mornes… En définitive, ce sont la passion et le vice qui animent les compositions du peintre, du poète et du musicien.

– Je partage tout à fait cet avis, affirme La Motte en serrant discrètement la main de mademoiselle Terray.

– Les libertins, déclare Mouchy, réclamant sa part d'attention, sont bien reçus dans le monde parce qu'ils sont désinvoltes, joyeux, dépensiers, amis de tous les plaisirs.

– Et souvent attirants, ajoute mademoiselle Terray.

– Ce sont les meilleurs connaisseurs du cœur humain, estime Adélaïde Labille-Guiard.

Laclos, de bonne humeur, plaisante.

– De nos jours, à Paris, toute dame qui se respecte doit avoir dans son entourage au moins un libertin et un géomètre, comme jadis on avait des pages.

La trouvaille est très louée. Mouchy et Des Veuves demandent intentionnellement à Coëtlegon ce qu'il en pense. Celui-ci, qui vient de boire une gorgée de vin, s'essuie les lèvres avec une serviette, jette un bref regard à madame Dancenis et prend un air détaché.

– Sur la géométrie, je ne me prononce pas… Quant au reste, j'en connais qui préfèrent les vices qui amusent aux vertus qui ennuient.

– Développez-nous un peu ça, Coëtlegon, demande quelqu'un.

L'interpellé regarde autour de lui, avec un sourire glacé. L'Amiral trouve que l'homme, avec son profil à la fois délicat et viril, son élégance un peu dédaigneuse et son expression sereine de suffisance et de dépit est attirant. On lui a dit qu'il avait été officier des grenadiers du roi, ce qui explique peut-être en partie son aplomb, sa vanité pudibonde, raffinée.

– Laissons plutôt cela pour le prochain repas, dit le libertin au ruban rouge. Ce soir, le vice semble être en minorité.

– Vous pouvez compter sur mon soutien, monsieur, dit Laclos en riant.

On apporte le dessert. Don Hermógenes se dit que le repas a été fameux ; c'est à peine s'il a goûté aux vins, mais il sent les deux gorgées qu'il a bues lui monter à la tête et lui procurer un engageant bien-être. De l'autre côté de madame de Chavannes, l'Amiral veille à tout avec son égalité d'humeur habituelle, en conversant aimablement et posément, et le bibliothécaire se sent fier de l'aisance avec laquelle se conduit son ami, un homme qui a couru le monde, somme toute, et de son éducation rigoureuse d'officier de la Marine royale ; il en est si loin, lui qui a passé sa vie à s'user la vue sur Plutarque à la lumière d'une chandelle. *Parmi les Grecs, parler revient aux sages et juger aux sots*...

– Y a-t-il des libertins en Espagne ? demanda Adélaïde Labille-Guiard aux académiciens.

– Comme partout, jette Bringas, mais nul n'y prête attention.

Tous les yeux sont braqués sur don Hermógenes et l'Amiral. Intimidé, le premier se renverse sur sa chaise, pose ses couverts dans son assiette, et regarde son compagnon en se déchargeant sur lui de toute responsabilité.

– Il y en a, mais d'un tout autre style, dit ce dernier avec pondération. Ce que l'on appelle ici un libertin est là-bas un personnage mal considéré, ou n'existe pas dans cette acception.

– Le poids de la religion, observe Margot Dancenis.

Don Pedro la regarde droit dans les yeux, avec gratitude.

– C'est exact. On y connaît un autre genre de séducteur. Plus proche de l'ostentation, de l'effronterie, des coutumes populaires. On le trouve dans les auberges, les gargotes de gitans où l'on joue de la guitare en frappant des talons. Le plus souvent en compagnie de femmes de peu. Aucune dame...

Il s'interrompt, laisse sa phrase en suspens. Les fossettes des joues de Margot Dancenis se creusent.

– Notre académicien veut dire que, à la différence des Françaises, aucune Espagnole ne badine en présence de son mari.

– Je vous en prie, s'insurge don Pedro, il ne me viendrait jamais à l'idée...

Mais madame Dancenis se penche un peu en avant en appuyant les coudes sur la table, et le regarde fixement.

– Quel est, à votre avis, l'attrait que celui que l'on considère en France comme un libertin exerce sur les femmes ?

– L'interdit, répond l'Amiral sans hésitation.

Elle ouvre de grands yeux, surprise.

– Pardon ?

– L'inconnu.

– Oh, oh. – Les fossettes se creusent de nouveau. – Quelle clairvoyance, cher monsieur. On dirait que vous parlez d'expérience.

– Non, absolument pas...

Au soulagement de l'Amiral, Bringas, à qui le vin commence à empâter la bouche, les interrompt.

– Les femmes aiment les hommes de ce genre parce qu'elles sont libertines de nature, déclare-t-il.

– Lumineux, monsieur l'abbé, répond Margot Dancenis avec le plus grand calme. *In vino veritas*... Êtes-vous d'accord, monsieur Zárate ?

– Sur l'effet du vin ?

Elle lui adresse un sourire qui s'attarde délibérément sur ses lèvres, presque reconnaissante.

– Ne faites pas l'âne, monsieur. Sur la nature des femmes.

Du coin de l'œil, don Pedro surprend le regard froid de Coëtlegon, posé sur lui. Quelle façon absurde, songe-t-il, de se faire un ennemi. Sans nécessité.

– Comme Diderot, dit-il enfin, je ne suis pas sûr qu'il leur déplaise qu'on les fasse rougir.

Margot Dancenis, sûre d'elle, fait entendre un éclat de rire cristallin. L'Amiral se dit avec mélancolie qu'elle est diablement attirante, mais seulement en lui-même et, bientôt, après avoir soutenu son regard, il se sent forcé de détourner le sien. C'est Bringas qui, à l'autre bout de la table, réagit le premier.

– Ah, bien dit, monsieur. Le libertin occupe dans le monde la place que de nombreux hommes n'osent pas ou ne peuvent pas briguer... Il leur manque, ou il nous manque ce qu'il faut pour cela...

Il s'interrompt, boit et s'étouffe à demi. Sa perruque est encore plus de guingois que d'habitude, et ses yeux ont un reflet vague, imprécis, comme s'ils avaient cessé de voir, ou de s'intéresser à ce qui les entoure.

– Les temps qui viennent vont aussi changer ça, bougonne-t-il.

– Quels temps ? demande Des Veuves pour le piquer, en clignant de l'œil au reste de la compagnie.

– Ceux des terreurs et de la grande prostituée de l'Apocalypse.

– La femme, c'est ça, fait Mouchy. Le cinquième cavalier.

– Ah. Il y en a quatre autres ?

Une discussion animée s'ensuit, de nouveau sur les hommes, les femmes, les libertins et les chastetés suspectes. Et c'est madame Dancenis qui, avant de se lever de table, résume avec la plus grande franchise son point de vue sur l'affaire.

– Dans le fond, dit-elle, une femme du monde aime savoir

qu'il y a des hommes supérieurs, plus audacieux et plus élégants que d'autres, qui ne déçoivent pas sa vanité, ne sont pas arrêtés par sa prétendue vertu et qui prennent l'initiative en recourant même à la violence adéquate, qui sert d'excuse à la femme… Suis-je claire ?

– Comme Cicéron, madame, dit Bertenval.

– Eh bien, retournons au salon, prendre le café.

À minuit, au moment où se font entendre les douze coups de cloche de Saint-Roch, les deux académiciens sont près de l'église et cherchent un fiacre pour ramener Bringas chez lui. L'abbé chancelle, copieusement ivre, et égrène un chapelet de menaces contre le monde en général et les invités de madame Dancenis en particulier. Il a déjà fait tomber trois fois sa canne par terre.

– Ah, le temps viendra, sans doute, répète-t-il d'une langue hésitante. Le temps viendra, croyez-moi…

Il se retourne pour regarder derrière lui, comme s'il voulait graver l'endroit dans sa mémoire.

– La colère du peuple, hic, saura où vous trouver…

Ils aperçoivent une voiture près de la place Vendôme, réussissent à obtenir de Bringas qu'il donne son adresse – rive gauche, confirme le cocher – et s'installent sur le siège abîmé, chacun d'un côté de l'abbé, le soutenant presque. Don Hermógenes a dans la main la perruque que l'abbé a laissée tomber, et celui-ci appuie sa tête aux cheveux coupés à grands coups de ciseaux sur l'épaule de l'Amiral.

– La colère, reprend-il, la colère du peuple.

Ils passent devant l'Opéra, qui vient de fermer ses portes et dont les lumières s'éteignent. S'attardent encore quelques cabriolets et des spectateurs dans les rues voisines. Plus loin, malgré l'heure tardive, la ville n'est pas déserte. Le vent est tombé, la nuit est calme et pas trop froide, dans les rues marchent des passants couverts de manteaux et de capes, certains d'entre eux accompagnés de porteurs de torche que l'on peut louer pour de courtes distances. Quelques locaux sont encore ouverts, comme le cabaret élégant à l'angle de la rue de l'Arbre-Sec, où il y a des voitures, de la lumière et de l'animation devant la porte. Les principaux quartiers de Paris, les académiciens en ont fait l'expérience, sont aussi sûrs de nuit que de jour. Bien plus sûrs que Madrid, avec ses malandrins aux épais favoris qui leur mangent la moitié du visage, ses passages sombres et ses tavernes où l'on peut faire de mauvaises rencontres et s'exposer à un coup de couteau. Ici, il y a des réverbères tous les quelques pas, une police secrète et ses sbires qui parcourent les rues et çà et là sont postées des sentinelles des Gardes françaises. Telles sont les réflexions que se font les académiciens en regardant défiler les lumières et les ombres de l'autre côté des vitres du fiacre, quand Bringas, qui n'est pas aussi endormi qu'il y paraît, murmure d'une voix pâteuse :

– Un esprit... C'est ça. Un esprit libre préfère le désordre, messieurs... Il est regrettable que la sécurité d'un sujet... hic... dépende de la tyrannie d'un monarque.

– Bien dit, fait l'Amiral, souriant, en lui donnant de petites tapes encourageantes.

– Hic !

Ils traversent le pont Royal. À la pâle clarté d'une lune en son premier quartier, le fleuve est une large bande noire bordée d'autres ombres encore plus épaisses et plus hautes, sur laquelle serpente le reflet d'une fenêtre éclairée et pointent les éclats de lanternes lointaines. Le pont, pendant le jour couvert de voitures, est à cette heure désert. Au poste de garde, ils sont arrêtés par une escouade. Un sergent de nuit mal rasé, tricorne de travers, se montre au guichet. Derrière lui, un fanal fait luire des visages gras de fatigue, des uniformes bleus et de miroitantes baïonnettes. L'Amiral se dit que tout Paris n'est pas aussi calme qu'il y paraît. Pour peu que l'on y prête attention, il y a anguille sous roche.

– Portez-vous des armes à feu, des épées ou des couteaux ?

– Pas du tout.

Le militaire désigne la canne que don Pedro tient entre ses jambes.

– Est-ce une canne à épée ?

– Oui, pour mon usage personnel.

L'homme remarque l'accent.

– Étrangers ?

– Espagnols, monsieur.
– Ah, bien. Circulez.

De l'autre côté de la Seine, après les quais, la voiture s'engage dans des rues étroites et chaotiques, comme s'ils entraient dans un autre monde. Les maisons pressées les unes contre les autres ne laissent pas la faible lumière lunaire descendre jusqu'au pavé. Les réverbères rares et peu pourvus en huile, languissants ou presque éteints, donnent une lueur orangée qui n'atteint qu'à deux pas à leur entour. Don Hermógenes ne peut que constater le contraste entre ce cadre sombre et celui de l'autre rive et l'hôtel des Dancenis, avec son éclairage graduel discret à la porte, atténué dans les couloirs, brillant dans le salon et la salle à manger, et le splendide lustre en cristal de Venise qui magnifiait l'éclat des chandelles de cire, illuminait les invités en train de converser avec cette affable insouciance que la bonne société française sait comme nulle autre associer aux conventions, même quand il est question d'inconvenances.

La soirée avec les Dancenis, après le dîner, a été tout aussi agréable. De retour au salon, les invités se sont lancés dans une discussion générale ; Buffon, Mouchy, Laclos et Des Veuves ont pris congé après le café ; Bertenval a parlé à madame Dancenis des nouvelles candidatures à l'Académie française – le philosophe a l'oreille de D'Alembert, secrétaire perpétuel de l'Institut, et elle lui a fait promettre de présenter le célèbre encyclopédiste aux académiciens espagnols ; le chevalier de Saint-Gilbert a épuisé sa réserve de bons mots ; l'abbé Bringas a continué de passer du vin aux vaticinations apocalyptiques qui ont été reçues dans la bonne humeur, puis il y a eu controverse entre La Motte et Adelaïde Labille-Guiard sur le talent de Beaumarchais et le contraste qu'il fait avec la médiocrité de son œuvre, le mauvais goût qui l'entraîne à abuser des concetti et des poncifs sur l'Espagne dans *Le Barbier de Séville*.

– Peut-être ne savez-vous pas, a dit don Hermógenes en les entendant, que les sœurs de monsieur Beaumarchais ont vécu à Madrid, rue Montera, près de chez moi, et que leur frère est souvent venu les voir… Voilà d'où ce monsieur tient sa connaissance, certes superficielle, de mon pays.

– Et que faisaient-elles là ? s'est enquise madame Dancenis.

– Elles étaient modistes, que je sache.

– Modistes ? C'est exquis.

L'anecdote a été appréciée de tous, au grand plaisir du bon don Hermógenes, qui en est devenu écarlate. Un peu plus tard, madame Tancredi, l'aquarelliste, toujours aussi éthérée, a joué au clavecin une pièce de Scarlatti, et a été exagérément applaudie ; ils ont fini, divertissement à la mode, par découper des silhouettes projetées sur un mur par la lumière d'une chandelle – tous sauf Bringas, qui a continué de boire en qualifiant de ridicule cet amusement ; la plus réussie a été celle que madame Dancenis a faite de l'Amiral ; elle a été louée par tous, comme la plus fidèle. Ensuite, pendant que mademoiselle Terray régalait tout le monde d'un extrait de *La Rosaida* de Dorat, don Pedro a découvert, rivé sur lui, le regard aimable de madame Dancenis, accompagné d'un léger sourire, et il n'a pas eu besoin de se tourner du côté de monsieur Coëtlegon pour sentir que celui-ci le considérait à chaque fois avec moins de sympathie.

Alors, le maître de maison, qui avait assisté à tout cela avec son habituelle courtoisie un peu distante, s'est excusé en prétextant qu'il avait à faire dans sa bibliothèque et, en se levant, il a invité les académiciens espagnols à l'accompagner. Ceux-ci l'ont suivi avec grand plaisir, et après avoir longé un couloir orné de splendides tableaux – « Un Greuze, un Watteau, un Fragonard… Ici, un Labille-Guiard… toutes choses choisies par ma femme », leur indiquait Dancenis au passage, avec une indifférence tranquille – ils sont entrés dans une salle spacieuse, aux quatre murs couverts de livres, avec au milieu une table sur laquelle étaient posés des volumes de grand format, aux pages ornées de gravures et d'estampes.

– Stupéfiant ! s'est exclamé don Hermógenes, en promenant partout un regard avide.

Ils s'étaient arrêtés pour lire quelques titres sur de magnifiques dos frappés à l'or fin, à la lumière d'un chandelier que monsieur Dancenis avait allumé avec ce qu'il présenta comme une nouvelle invention : de pratiques allumettes soufrées qui, introduites dans un flacon de phosphore, s'enflammaient telles des mèches de lumière.

– C'est mon refuge, a expliqué celui-ci en couvrant d'un geste l'ensemble de la bibliothèque. La retraite et la paix de mon désert, comme dit un de vos poètes, Quevedo, qui plaît tellement à ma femme, et dont la formule définit si bien cet endroit.

Les deux académiciens, extasiés, ne pouvaient plus lâcher des yeux ce qui les entourait. La bibliothèque était classée par matières : philosophie ancienne et moderne, histoire, botanique, sciences, voyages et navigation... Dancenis sortait certaines œuvres des rayonnages et les présentait à ses invités.

– Tenez, voici un de vos compatriotes, le père Feijoo. Son *Théâtre critique* en huit tomes. Bonne édition, n'est-ce pas ? Elle est de l'Imprimerie royale de Madrid... Et j'ai aussi ce superbe *Don Quichotte* réalisé par l'atelier de Joachim Ibarra, un in-folio que vous, l'Académie royale d'Espagne, avez publié l'an passé... Une œuvre maîtresse, si je puis dire, à l'impression parfaite. Extraordinaire.

– Cet ouvrage fait notre fierté, a reconnu, flatté, don Hermógenes.

– Et il fait aussi la mienne. C'est un joyau de ma bibliothèque.

– Vous lisez l'espagnol ?

– Non sans peine. Mais un beau livre reste un beau livre, en quelque langue qu'il soit imprimé. Et votre *Quichotte* est très beau, bien que j'en aie d'autres, regardez... Vous avez là l'édition Verdussen, imprimée à Anvers, et aussi la magnifique édition française d'Armand, de 1741. Quant à vous, monsieur, dit-il en se tournant vers l'Amiral, peut-être serez-vous plus particulièrement intéressé par ces livres-là.

Don Pedro s'est approché, pour regarder ce que lui montrait Dancenis et il a découvert, admiratif, les titres sur les dos : *Voyage autour du monde* de George Anson ; le *Journal du voyage* de La Condamine... Il a été grandement surpris de voir aussi, traduit, en deux volumes, le *Voyage historique de l'Amérique méridionale* de don George Juan et don Antoine de Ulloa.

– Des affaires heureuses m'ont donné le privilège de faire retraite ici, dit Dancenis. Et vous le voyez, j'ai de quoi remplir ma vie, ou ce qu'il m'en reste.

– Il vous en reste beaucoup, sans doute.

– On ne sait jamais… Quoi qu'il en soit, d'ici, je peux voir Margot, aller vers ses intérêts et revenir tranquillement aux miens quand s'éteignent les lumières.

Don Pedro, qui feuilletait un des volumes, lui a souri chaleureusement.

– Vous êtes un bibliophile admirable.

– L'épithète est un peu forte, protesta Dancenis. Je suis seulement un de ceux qui tâchent de meubler leur monde de livres.

L'Amiral a remis le volume à sa place et continué de lire les titres : *Lettres sur l'origine des sciences* de Bailly, le *Tableau méthodique de minéraux* de Daubenton… Il était impossible, devant un tel trésor, de ne pas éprouver une raisonnable envie.

– Une bibliothèque est plus une compagnie qu'un moyen de lecture, dit-il après avoir fait quelques pas. Un remède et une consolation.

Dancenis sourit, presque avec reconnaissance.

– Vous savez de quoi vous parlez, monsieur. Une bibliothèque est un endroit où l'on trouve ce qu'il nous faut au moment opportun.

– C'est à mon avis bien davantage… Quand nous sommes tentés de trop mépriser nos semblables, il suffit, pour nous réconcilier avec eux, de contempler une bibliothèque comme celle-ci, riche en monuments dressés à la grandeur de l'homme.

– C'est là, monsieur, une grande vérité.

Sur une petite table d'appoint, il y avait une douzaine de publications récentes : *Le Journal des sçavans*, *Le Courier de l'Europe*, *Le Journal de Politique et de Littérature*… Don Pedro les a feuilletées avec curiosité. Aucune d'entre elles n'arrive à Madrid. Comme tant d'autres, les nouvelles de la *Gazeta* officielle sont tailladées et filtrées par la censure.

– Avez-vous les dernières nouveautés ? Tenez-vous tout cela à jour ?

– Très relativement, a répondu Dancenis en souriant. Seulement certains livres et certains hommes entrent ici.

Il souriait encore en montrant le bout du couloir comme il l'aurait fait d'un monde étrange, lointain, d'un endroit qu'il valait mieux tenir à distance. Jadis, en mer, l'Amiral avait vu des hommes signaler ainsi une côte sous le vent.

– Ce serait, a repris Dancenis un instant plus tard, comme si l'Europe se laissait coloniser par les sauvages des forêts et des prairies d'Amérique, vous me comprenez ?

– Parfaitement.

Ils sont allés rejoindre don Hermógenes, qui suivait leur conversation de loin, en furetant les rayonnages de philosophie et de littérature. Dancenis a alors fait la remarque qu'en France on publiait trop de livres. Lire était à la mode. N'importe quel abbé famélique ou militaire à la retraite, n'importe quelle vieille fille qui s'ennuyait se mettait à écrire, et les libraires achetaient le résultat, aussi médiocre qu'il pût être, parce qu'il y avait des lecteurs pour tout et n'importe quoi, et toutes ces œuvres publiées, parce que c'était au goût du jour ou parce qu'on les estimait vraiment, circulaient partout. Ce qui donnait une broussaille de chroniqueurs, de compilateurs, de poètes, de mémorialistes, de romanciers et autres bipèdes plus ou moins déplumés qui se prenaient à la fois pour Voltaire et pour madame Riccoboni. Ou, autrement dit, prétendaient vivre de leur philosophie, évidemment pour le malheur de cette pauvre discipline.

Il s'était arrêté, un livre à la main – un splendide Xénophon en grec et latin –, tête baissée, comme s'il méditait ses derniers propos.

– Oui, conclut-il au bout d'un moment. Vous comprenez ce que je veux dire… Vous êtes des hommes de lettres.

Ils sont arrivés devant vingt-huit volumes grand in-folio, reliés en peau marron, aux dos frappés de belles dorures. Aucun des deux académiciens n'a pu réprimer un tressaillement.

– C'est… ? a demandé don Hermógenes.

– Oui, a répondu Dancenis, souriant.

– Pouvons-nous la toucher ?

– Je vous en prie.

Elle était là, en effet, et ils la voyaient pour la première fois : *Encyclopédie, ou Dictionnaire raisonné des sciences, des arts et des métiers*. Telle quelle, avec son papier superbe, ses amples marges et sa belle typographie, elle les impressionnait plus que tout ce qu'ils avaient pu entendre ou lire à son sujet.

– C'est une grande œuvre. Connaissez-vous son prologue ? Il a été écrit par D'Alembert, et il est magistral.

Don Hermógenes avait pris le premier des lourds volumes, et il le porta jusqu'à la grande table. Là, avec un soin délicat, il chaussa ses lunettes, l'ouvrit à la page huit du discours préliminaire, et lut à haute voix, ému :

> *Ce n'est donc point par des hypothèses vagues et arbitraires que nous pouvons espérer de connaître la Nature ; c'est par l'étude réfléchie des phénomènes, par la comparaison que nous ferons des uns avec les autres, par l'art de réduire, autant qu'il sera possible, un grand nombre de phénomènes à un seul qui puisse en être regardé comme le principe...*

Il ne put aller plus loin. Sa voix se brisa, il regarda don Pedro et s'avisa que son collègue avait les yeux rougis et mouillés de bonheur.

– Elle est là, monsieur l'Amiral...

– Oui, confirma celui-ci, en souriant, une main sur l'épaule de son ami. Elle est enfin là.

Dancenis les observait avec curiosité.

– Même en France, observa-t-il, il en est qui considèrent encore cette œuvre comme une compilation indigeste semée de paradoxes et d'erreurs ; mais d'autres voient en elle un trésor fabuleux.

L'Amiral avait hoché la tête, approbatif.

– C'est aussi l'opinion de l'Académie royale d'Espagne. C'est pour cela que nous sommes à Paris.

– Ah oui, bien sûr. J'ai entendu ce Bringas dire que vous vouliez vous procurer une *Encyclopédie*.

– C'est cela. Dans sa première édition. Comme celle-ci.

– L'originale est difficile à trouver. Il y a eu trop de rééditions et de copies, j'en ai peur...

Dancenis réfléchit pendant un instant, regarda autour de lui et, toujours affable, eut un geste d'impuissance.

– Malheureusement, je ne peux me défaire de la mienne. Peut-être monsieur Bertenval, avec toutes ses relations, pourra-t-il vous en trouver une. Je peux vous donner l'adresse de quelques libraires de confiance. Mais une première édition complète...

Il resta un moment silencieux, pour laisser aux académiciens le temps de feuilleter quelques volumes de l'œuvre, dont ils admiraient en particulier les gravures des suppléments.

– J'aurais aimé connaître votre Académie, à Madrid, finit-il par dire, mélancolique.

– Quand il vous plaira, monsieur, vous y serez bien reçu, s'empressa de proposer don Hermógenes. Mais nous avons peur de vous décevoir. C'est une institution modeste, sans grands moyens.

Les lèvres de Dancenis s'étaient alors froncées, en une grimace très française.

– Je crois que cela ne se fera jamais. Je veux parler des voyages. J'en ai perdu le goût. Je vogue dans ces livres, ce qui me suffit.

Il les aida à remettre les volumes à leur place.

– Modeste ou pas, ajouta-t-il, je crois que votre Institut est sérieux, il a publié des dictionnaires, des précis de grammaire et d'orthographe d'un usage aisé… Votre Académie est, me semble-t-il, très différente de la nôtre qui, depuis que Richelieu l'a fondée, est devenue un tissu d'ambitions, de faveurs et de vanités… Les académiciens français se sont eux-mêmes qualifiés d'*Immortels*, ce qui résume tout.

– Mais messieurs Bertenval et Buffon sont d'un commerce agréable, fit remarquer don Hermógenes.

– Oui. Avec D'Alembert et quelques autres, ils sont les seuls fréquentables. Et puis, Margot sait assez bien les mater… Elle n'a pas sa pareille pour accorder l'aigre au doux, le frivole au sérieux.

– Une femme admirable, reconnut l'Amiral.

– Oui, fit alors Dancenis qui, après un silence songeur, ajouta : Elle l'est.

Ils étaient sur le point de se retirer quand don Hermógenes découvrit un livre de Bertenval, *De l'état de la philosophie en Europe*, et s'arrêta pour l'examiner. Peut-être à cause de son français imparfait, le début lui sembla plutôt prétentieux.

– Les académiciens français pratiquent une sorte de despotisme des lettres, qui ouvre ou ferme la porte de leurs faveurs, leur apprit Dancenis, comme s'il avait deviné la pensée du bibliothécaire. Ce que le peuple récolte de leurs travaux est bien peu de chose.

Il prit le livre des mains de don Hermógenes et sourit légèrement en le remettant à sa place.

– Alors qu'entre vous, messieurs les académiciens espagnols, ce ne sont pas tant les personnes qui comptent que leur œuvre commune… Vous faites un travail d'éducation patriotique très important, et ce que je dis inclut les possessions d'Amérique.

Il alla jusqu'au chandelier, souffla les bougies, et la bibliothèque ne fut plus éclairée que par la lumière venue du couloir.

– Ce n'est pas un sort dédaignable, dit l'Amiral, que celui de vivre avec une épouse aussi splendide que madame Dancenis.

Le maître de maison s'arrêta avec une brusquerie qui, de sa part, parut singulière. La lumière indécise semblait renforcer son air détaché et absent. Don Pedro ne pouvait voir son visage, mais il savait le regard de Dancenis posé sur lui.

– Le meilleur que je connaisse. Tout le reste demeure de l'autre côté de cette porte, m'entendez-vous ?

– Parfaitement, monsieur.

Un doute parut retenir encore un instant Dancenis.

– Elle a sa bibliothèque personnelle, ajouta-t-il. D'un autre genre.

– Rue des Poitevins ! crie le cocher, du haut de son siège.

Le fiacre s'est arrêté sous l'unique lanterne de l'endroit, à un coin de la rue, qui est courte, défoncée et misérable, avec un sol rendu boueux par les eaux usées que l'on y déverse des maisons. L'Amiral constate, en respirant avec dégoût, que l'air sent l'ammoniaque et le soufre. La lumière mourante de la lanterne ne chasse pas les ombres, elle les rend seulement plus profondes. Une tour médiévale décrépite se devine au loin, coiffée d'un cône sombre.

– Où est votre maison, cher ami ?

– Là.

Appuyé d'une main contre un mur, l'abbé soulage bruyamment sa vessie.

– Ici demeurent, dit-il en faisant zigzaguer le jet dans l'obscurité, les hommes justes et ruinés... les misanthropes géniaux... les alchimistes de l'idée et de la plume...

– Il y a de pires endroits, estime don Hermógenes, mal inspiré par sa bonne volonté.

– Vous vous trompez, monsieur... Mais le jour viendra...

Ils demandent au cocher d'attendre, et ils soutiennent l'abbé, chacun d'un côté. L'entrée est en fait une porte cochère à demi condamnée par des briques et des planches, contiguë à un atelier de reliure fermé à cette heure, sur la devanture duquel la lumière de la lanterne éclaire à peine l'enseigne peinte : *Antoine et fils, relieurs*.

– Ah, ne vous dérangez pas, je vous assure que je peux me débrouiller tout seul.

– Ça ne nous dérange pas.

Don Pedro et don Hermógenes aident Bringas à monter dans le noir des marches en bois qui grincent et semblent menacer de rompre sous leur poids et, une fois arrivés au dernier étage, ils l'aident aussi à ouvrir la porte de sa mansarde. En tâtonnant près de l'entrée, l'Amiral réussit à mettre la main sur le briquet et le silex et à allumer une chandelle, devant la lumière de laquelle s'enfuient, épouvantés, six ou sept cancrelats. Il fait froid. Dans l'appartement, deux pièces d'aspect misérable, il y a une bassine, une table avec des morceaux de pain sous une serviette, un lit rudimentaire, un poêle éteint, un placard penderie et une table avec le nécessaire pour écrire, où sont empilés une cinquantaine de livres et de brochures. Il y en a encore autant sur le sol, pour la plupart en piteux état et tachés. Tout sent l'eau croupie et le renfermé, le pain rassis, le jeûne, la solitude et la misère. Cependant, les livres sont bien rangés, et dans une corbeille qui est près du lit, avec du linge blanc et repassé, deux chemises et deux paires de bas, quoique reprisés et rapiécés, sont d'une propreté immaculée.

– Laissez... Je vous dis que je peux me débrouiller seul.

Bringas ferme les yeux et tombe de tout son poids sur le lit, qu'il fait grincer. Pendant que don Hermógenes pend la perruque de l'abbé à une boule de laiton de la tête de lit, lui enlève les chaussures et le couvre, l'Amiral jette un coup d'œil à la chambre et aux titres de quelques livres : *La Chandelle d'Arras*, *Histoire philosophique et politique des établissements des Européens dans les deux Indes*... De nombreux paragraphes sont soulignés à l'encre. Il y a là de tout, sans critère apparent, de la littérature libertine à des œuvres philosophiques ou théologiques, de Raynal à l'Arétin, ou à Montesquieu, en passant par Helvétius, Diderot ou Rousseau. Et sur le mur, au-dessus de cette bibliothèque éclectique, trois estampes en couleur forment une insolite combinaison d'effigies : Voltaire, Catherine de Russie et Frédéric de Prusse. À tous les trois Bringas a peint des moustaches, des cornes et autres attributs grotesques.

– Il dort, murmure don Hermógenes.

Il aurait pu s'épargner de l'annoncer, constate l'Amiral. Les ronflements de l'abbé font trembler les murs.

– Eh bien, allons-y.

Avant d'éteindre la lumière, don Pedro remarque sur la table un texte écrit à la main, sans doute celle de l'abbé. Ses scrupules l'empêchent d'y toucher, mais la curiosité l'emporte, et il se penche et approche sa chandelle pour lire quelques lignes d'une écriture fine et brisée, aiguë, en pointe de couteau :

> *Un auteur de génie qui sait manier sa plume peut grandement servir la liberté des peuples par le biais du public qui vient au théâtre, en disant là avec une ferme et élégante éloquence, par des exemples et des personnages artificieusement empruntés à l'Histoire, ce que le plus ardent patriote ne peut ou n'ose pas dire à un prince, à un ministre ou à un puissant. Voilà pourquoi le théâtre, principale source de bonheur public et meilleure école d'enseignement général, peut devenir une arme très effilée aux mains d'hommes audacieux qui n'ont d'autre limite que leur courage et leur talent...*

– C'est de lui ? s'intéresse don Hermógenes.

– On dirait bien.

Les deux académiciens se préparent à sortir.

– Et il écrit bien ?

– Pas mal, sans doute. J'ai l'impression que notre abbé n'est pas aussi déraisonnable qu'il paraît l'être.

Devant la porte, au moment d'éteindre la chandelle et de la

remettre où elle était, l'Amiral jette un dernier coup d'œil à la masse immobile entre les ombres du lit. Les ronflements de l'abbé continuent de retentir. Le vin des autres et la misère *sui generis*. Le bref repos du guerrier.

Une heure plus tard, rue Vivienne, en levant les yeux sous le bord retourné de son chapeau calañes, Pascual Raposo regarde s'éteindre les lumières des chambres des académiciens dans l'hôtel de la Cour de France. Après avoir laissé tomber le bout de son cigare et l'avoir écrasé sous le talon de sa botte, il s'éloigne lentement, enveloppé dans sa cape. En fait, la surveillance à laquelle il s'est livré lui-même aujourd'hui n'était pas nécessaire ; peu le sont, parce que Milot et son réseau d'indicateurs le tiennent informé de tout ce que l'Amiral et le bibliothécaire font en ville. Mais l'ancien dragon sait que, comme les nuits précédentes, il va avoir de la peine à s'endormir, qu'il va passer des heures tenu en éveil par ses brûlures d'estomac, à faire sans but les cent pas dans sa chambre, ou à fumer, accoudé à la fenêtre. C'est pour cela qu'il retarde le moment où il va se mettre au lit, jusqu'à ce que le sommeil l'accable, plutôt que de voir venir l'aube au terme d'une somnolence agitée qui trouble ses idées, lui laisse une bouche comme du carton et des yeux injectés de sang.

Même les attraits d'Henriette Barbou, la fille des patrons de l'hôtel, ne suffisent pas à le soulager. À cette heure, se dit-il, elle aurait pu venir le rejoindre dans sa chambre, déchaussée pour ne pas faire de bruit, en chemise de nuit et une bougie allumée à la main, prête à coucher avec lui – pensée qui déclenche une violente et inopportune érection. Le soir même il a obtenu un avantage substantiel quand il l'a trouvée à genoux par terre, en train de frotter le palier avec un seau et une serpillière, et elle a accepté une brève escarmouche qui s'est terminée sur la promesse de tout lui accorder la prochaine fois. Pourtant, même cette perspective ne suffit plus, maintenant, à appâter Raposo. C'est trop tôt, sinon pour lui – encore que les ravages d'une vie d'aventures commencent à lui coûter et que la fatigue, à défaut de sommeil, se fasse sentir toujours plus vite –, du moins pour son estomac, sa tête inquiète et les spectres qu'elle réveille en lui ou lui crée. C'est ainsi que, d'un pas mesuré, Raposo se rend à l'endroit où son compère policier termine sa journée de travail, un des cabarets qui abondent autour des halles, le cœur des marchés parisiens.

Il est plus d'une heure du matin. Dans les rues mal éclairées l'animation grandit à mesure que Raposo se rapproche de sa destination. À ce moment-là, chaque nuit, quatre ou cinq mille paysans arrivent de différentes directions dans le centre de la ville, avec leurs mules et leurs charrettes, apportant de plusieurs lieues de là verdure, légumes, fruits, poisson, œufs, tout ce qui le matin approvisionnera les éventaires qui nourrissent l'énorme ventre de la ville. C'est pourquoi cet endroit de la rive droite est plus populeux la nuit que le jour. Des chariots et des animaux engorgent toutes les rues, et dans celle de Grenelle, plus éclairée que les autres, il y a plusieurs tavernes ouvertes, comme il y a, dans les étroites ruelles latérales plongées dans l'ombre, des formes féminines qui guettent les passants en claquant la langue pour les attirer.

– *Coño,* Pascual ! Quel plaisir de te voir par ici !

En réalité, Minot n'a pas dit « coño », mais « parbleu », qui est une façon de dire « pardiez » à la française. Mais les jurons et les blasphèmes de ce côté des Pyrénées ont toujours semblé trop sucrés à Raposo ; pour lui, ils ne soulagent guère, sont bien loin des très claironnants *voto a Dios* et *me cisco en Cristo* dont se régale l'Espagnol à langue bien pendue, toujours heureux de tout envoyer au diable. C'est ainsi qu'il préfère adapter, en traduction libre, les jurons français dans la langue plus relevée qui est la sienne.

– J'avais soif, répond-il.

– Tu ne t'es pas trompé d'endroit, mon vieux, dans ce cas, dit le policier en montrant du bout de son bâton l'entrée du cabaret. Rouge ou blanc ?

– Arrête tes bougreries, fait Raposo. À cette heure, de la gnôle.

Il sait que l'alcool ne fera qu'empirer ses brûlures d'estomac, mais il n'en a cure. Dans son français de chevalier d'industrie, il a utilisé le mot *emproseries** qui, comparé à ses équivalents dans la rude langue espagnole, est à peine coloré : *arrête tes* *emproseries**, lui a-t-il dit. Cela a fait rire Milot, qui le conduit au cabaret, où ils entrent en fendant la fumée de tabac et la puanteur humaine. Dès qu'il voit apparaître le policier, le tavernier va libérer une table et deux tabourets dans un coin, où les compères s'installent.

– De *l'eau-de-vie** ? demande le patron.

– Rien à foutre de l'eau-de-vie, lance Raposo, qui en est à charrier tout le monde, en ôtant sa capote et son chapeau. Apporte-nous plutôt de *l'eau-qui-brûle**, mon gars, avec quelques grains de poivre, si possible.

– Elle te faisait dormir ou rager, remarque Milot quand il s'est arrêté de rire.

– Chaque chose en son temps.

– Tu as filé tes oiseaux ? Je t'ai dit que ce n'était pas la peine. Mes hommes s'en chargent.

– Peu importe. J'aime jeter moi-même un coup d'œil, de temps en temps.

– J'appelle ça le point d'honneur professionnel.

– Appelle-le précaution tout court. Personne n'est encore mort de rester sur ses gardes.

On apporte la carafe d'eau-de-vie et les verres. Prudent, Raposo sent la boisson, puis la goûte avec plaisir. Elle est forte, et le poivre l'aide à monter au nez. Il se rince la bouche avec une gorgée avant de l'avaler. Sans douleur, pour le moment.

– D'après ce que l'on m'apprend, raconte Milot, ils n'ont pas encore obtenu l'*Encyclopédie*. Il y a au Louvre un libraire, un certain Cugnet, qui leur a promis de leur en chercher une, mais je vais me charger de le convaincre de n'en rien faire…

– De toute manière, lui oppose Raposo, pour autant que nous les en empêchions, on ne peut écarter la possibilité qu'ils finissent par en trouver une. Et j'ai quelques idées là-dessus.

– Dis toujours.

– Ils auront besoin d'argent pour l'acheter, et l'argent se vole. La ville est infestée de gens qui n'ont pas froid aux yeux.

Milot passe une main sur son crâne nu et fait un clin d'œil à Raposo.

– Il paraît.

– Il faudra aussi qu'ils la transportent sur le chemin du retour et, à supposer qu'ils mettent la main dessus, ça fera un gros tas de livres, c'est-à-dire plusieurs paquets, et lourds. Or, mille accidents peuvent arriver en cours de route.

– Oui, mille accidents.

– Mais ici aussi peuvent se présenter mille imprévus.

– Et comment. Si tu me permets de te donner un conseil de policier, je te suggérerais une dénonciation.

– De quel genre ? Possession de livres interdits ?

– Non. Au point où nous en sommes, l'*Encyclopédie* n'inquiète plus personne. Même le ministre de la Police en a une. Il faut quelque chose de plus grave.

Un pêcheur ivre, qui répand l'odeur de son métier, bouscule Raposo en passant. Celui-ci le repousse avec violence, et l'homme se retourne, furieux. Milot, prêt à intervenir, empoigne son bâton, mais un échange de regards est suffisant. Après les avoir brièvement examinés l'un et l'autre, le pêcheur baisse la tête et s'éloigne. Milot remarque alors d'un œil professionnel la bosse dans la poche de la veste de son compère.

– Tu as toujours avec toi ce pistolet à double canon ?

Raposo hausse les épaules.

– Parfois.

– Tu sais que c'est interdit dans cette ville.

– Oui, admet l'ancien dragon avec indifférence. Je sais.

Ils se taisent et boivent en regardant les gens qui autour d'eux fument, discutent ou somnolent sous l'effet du vin.

– Il est encore possible, dit Raposo au bout d'un moment, de compromettre mes voyageurs dans une embrouille avec cet abbé qui les guide... Qu'en dis-tu ?

– C'est envisageable.

– Quelque chose qui les occupe pendant un certain temps. Qui permette de confisquer leurs livres, leurs papiers et leurs bagages.

– Par exemple ?

Un pli barre le front de Raposo, qui se creuse la tête, s'aide d'une gorgée de gnôle et s'y remet.

– Une affaire d'espionnage, conclut-il. Au profit d'une puissance étrangère.

Milot examine si le projet est réalisable.

– Dis donc, fait-il en souriant, c'est une très bonne idée.

– Peut-être. Mais il y a un inconvénient : la France et l'Espagne sont des alliées.

– Et alors ? On les dénonce en tant qu'espions anglais, et le tour est joué.

Raposo y réfléchit encore un peu.

– Je pourrai compter sur toi ?

– Mais bien sûr. C'est ma spécialité, mon gars. Il suffit d'y mettre le prix.

Ils trinquent et Raposo se replonge dans ses calculs. Moments favorables, opportunités. Avantages et inconvénients. L'idée de voir les honorables académiciens accusés d'espionnage fait venir à ses lèvres un sourire malveillant.

– Combien de temps pourrais-je gagner de cette manière ? demande-t-il enfin.

Milot a une expression mi-figue mi-raisin.

– Tout dépend de comment ils réagiront. De l'intérêt que leur portera votre ambassade.

– Hum, ce sont des membres de l'Académie royale d'Espagne, des gens respectables... Et ils ont été munis de lettres de recommandation par le comte d'Aranda.

– Dans ce cas, il vaudrait mieux les piéger ailleurs... Deux espions anglais, tu imagines l'effet que ça ferait dans n'importe quel village sur leur chemin. Entre le commissaire qui prévient le maire, ou le contraire, et les instructions que l'on demande à Paris, et les interrogatoires... Et pendant ce temps, l'équipage saisi et sans surveillance...

– Aux mains d'un quelconque scélérat qui pourra en faire ce qu'il voudra ou le détruire, ajoute Raposo, suivant cette idée.

– Tu y es, mon gars.

– Ça te paraît faisable ?

– Oui, plutôt. La guerre avec l'Angleterre facilite ce genre de chose... Je redemande un peu d'eau-qui-brûle ?

Ils n'y manquent pas. On apporte une deuxième carafe, et ils se remettent à boire. L'estomac de Raposo continue de ne donner aucun signe de protestation. Il sort sa montre de son gilet et regarde l'heure. Il est encore trop tôt, constate-t-il, pour dormir comme il le désire. Après tout, le cabaret n'est pas si mal. Milot est un bon camarade, la boisson est bonne. Et pour le moment indolore.

– Depuis combien de temps as-tu quitté l'armée ? s'intéresse le policier, qui l'observe avec curiosité.

– Dix-huit ans.

– Et ta dernière campagne ?

– Contre les Anglais, au Portugal.

La bouche de Milot se tord.

– Pourquoi l'as-tu quittée ? Ce n'était pas la belle vie que la vie de dragon ?

– Ce n'était pas mal.

Le visage de Raposo s'est assombri, et Milot s'en rend compte.

– Désolé, mon gars. Tu n'as peut-être pas envie de parler de ça.

– Peu m'importe d'en parler ou pas.

Raposo, renversant le buste, s'adosse au mur. Il regarde le verre d'eau-de-vie et boit une nouvelle gorgée. Alors, il remarque qu'elle lui tord l'estomac. Légèrement.

– Tu as entendu parler des gorges de La Guarda ?

– Jamais de ma foutue vie.

– Eh bien, ça s'est passé là, sur la route de Lisbonne... Les Anglais et les Portugais se défendaient bien, nous étions épuisés et nous avions perdu pas mal d'hommes. On nous a tenus un bon moment en formation, à attendre sans bouger et à découvert, exposés au feu de l'artillerie ennemie pendant je ne sais combien de temps...

– Il y a eu beaucoup de morts ?

– Suffisamment pour conchier ses braies, Dieu et celle qui l'a mis au monde.

– Je vois.

Raposo égrène maintenant ses mots avec lenteur, d'une voix éteinte, ou peut-être indifférente.

– On nous a laissés comme ça pendant deux heures, poursuit-il après un bref silence, puis on nous a donné l'ordre de passer à l'attaque... Une grenade avait réglé son compte à notre chef d'escadron, et c'est le lieutenant qui a pris le commandement, un type âgé, *chusquero*... comment dit-on, ici ?

– Un *ancien** ? Un *vétéran** ? Sorti des rangs ?

– Oui, c'est ça. Sorti des rangs avec beaucoup de malchance à chaque échelon, moustaches grises, l'air de n'en plus pouvoir… Il venait d'avaler avec nous toute cette merde, sur son cheval, à la tête de la formation. Il nous avait entendus protester et blasphémer… Il savait où en était notre courage.

Raposo se tait et se masse l'estomac. Il est resté un moment le regard perdu dans le vide, comme si se déroulaient devant ses yeux les événements qu'il se remémore. Puis il regarde de nouveau Milot, presque par surprise, ou avec une expression de perplexité. On dirait qu'il est tout à coup surpris de le trouver là, en face de lui, dans la fumée et le brouhaha de la taverne.

– Enfin, un éclaireur est arrivé, avec l'ordre. Le lieutenant a levé son sabre et a dit : « Préparez-vous à charger », sur quoi il a mis sa monture au pas. Nous avons suivi, bride lâchée, à contrecœur. Il pleuvait encore des grenades. Quand il a crié : « Au trot ! », nous nous sommes arrêtés. Et quand il a donné l'ordre de charger, pas un de ceux qui formaient le bataillon n'a bougé. Nous sommes restés immobiles en tirant les rênes, pendant que le lieutenant se lançait au galop, le sabre pointé vers le défilé… Il savait que nous ne le suivions pas, mais il a galopé jusqu'à ce que nous le perdions de vue. Il ne s'est même pas retourné pour nous regarder… Seul est parti derrière lui un jeune cornette d'une quinzaine d'années, qui soufflait dans son clairon, et la dernière chose que nous avons vue a été le nuage de poussière que soulevaient les deux chevaux, puis les absurdes sonneries de clairon se sont éloignées et ont brusquement cessé.

– C'est tout ? demande le policier au bout d'un moment de silence.

Bien qu'il acquiesce doucement, Raposo ne répond pas aussitôt. Son estomac commence à le faire sérieusement souffrir.

– C'est tout, dit-il enfin. Nous ne les avons jamais revus. L'escadron a été dissous, les sergents fusillés, et j'ai été envoyé avec les autres au bagne de Ceuta pour quatre ans.

– Merde. – Milot reste bouche bée de stupeur. – Je ne savais pas ça, mon gars.

Raposo se lève.

– Eh bien, maintenant tu le sais.

Un peu plus tard, Pascual Raposo longe la rue de la Chaussetterie. L'huile de l'éclairage public tire sur sa fin et la lumière artificielle est réduite à un éclat orangé autour des mèches qui fument derrière les vitres des lanternes pendues à leurs poulies. D'un pas légèrement vacillant, engoncé dans sa capote et son chapeau enfoncé jusqu'aux yeux, l'ancien dragon marche dans l'ombre des maisons, comme un criminel. Le ciel noir pèse sur lui et ajoute des ombres étranges à la nuit même. L'eau-de-vie et la conversation d'un peu plus tôt ont laissé dans sa tête de vieilles images, des souvenirs qui maintenant se font désagréablement sentir. L'un d'entre eux, flottant, le tourmente particulièrement, celui du visage las et des moustaches grises du lieutenant dont il a oublié le nom et qui, il y a dix-huit ans, a chargé, seulement suivi d'un cornette, dans le défilé de La Guarda.

Non, plus exactement, ce n'est pas le remords qui tracasse l'esprit de Raposo. Ce serait trop pittoresque, s'agissant de lui. Comme la plupart des êtres humains, les individus de sa sorte trouvent facilement des justifications pour chacun des actes qu'ils ont pu commettre, aussi cruels et misérables qu'ils aient été, et rares sont ceux qui traînent avec eux d'insupportables ombres. Celle qui cette nuit l'accable est plutôt un souvenir mélancolique : un indéniable manquement du temps passé que la distance rend irréparable, et peut-être aussi celui d'occasions à jamais perdues. En se rappelant le visage de cet officier qui tirait le sabre de son fourreau et lançait des ordres en sachant que nul n'allait les suivre, puis piquait des deux sans se retourner pour regarder en arrière, Raposo est plus attristé par ce qu'il aurait un jour pu être et n'a pas été que par tout autre chose. En fait, ce qui l'attriste, c'est lui-même. L'homme qui en lui a cessé d'exister, ou d'être en devenir, dès l'instant où il a tiré les rênes de son cheval et s'est arrêté comme tous les autres devant l'entrée de ce défilé portugais poussiéreux. Sa nostalgie est celle de sa jeunesse, du temps passé ; de ceux qu'il avait croisés sur sa route sans pouvoir en retenir ce qui aurait peut-être pu l'aider à trouver le sommeil à de pareilles heures.

Une masse sort de l'obscurité. Un claquement de langue arrête la main qui se glissait, sous la capote, dans la poche de la veste pour y prendre le pistolet. La putain est sortie de l'ombre, et se détache à contre-jour dans l'éclat moribond de la lanterne, derrière elle. Elle porte un caraco aux rayures rouges et blanches, son visage est à peine visible, et ses formes semblent acceptables.

– Venez passer un bon moment, monsieur, dit-elle avec l'aplomb de sa profession.

– Où ? veut savoir Raposo.

– J'ai un coin, à deux pas d'ici : cinq francs pour moi, six sous pour le lit, draps compris… Ça vous va ?

– Je suis pressé.

La femme montre une ruelle obscure. Elle paraît lasse.

– Alors, faisons-le ici même.

Raposo hésite, en frottant son estomac endolori. Rapporter une syphilis comme souvenir de Paris n'est pas l'enjeu de sa vie.

– Tu as des protections ?

– Comment ?

– Des étuis protecteurs. Des préservatifs… Des boyaux de brebis, tu saisis.

– Je n'en ai plus.

– Je vois.

La pute s'approche encore. Elle n'a pas de chapeau, et Raposo peut la voir un peu mieux. Elle a l'air jeune. Elle pue la sueur et le vin mêlés à un parfum violent de peu de prix. Les hommes qui ce soir sont déjà passés par là.

– Vous pouvez me le faire par-derrière, si vous préférez, monsieur.

– Sans étui de protection, peu m'importe que ce soit par-devant ou par-derrière.

– Et avec la bouche ?

Raposo considère pendant un moment cette possibilité. Avec un certain intérêt. Compte tenu du fait que ce n'est pas le genre de service que rendent les putains d'Espagne – elles sont plus croyantes que ces Françaises, et leurs confesseurs le leur interdisent – la proposition paraît tentante. Mais pour finir il secoue la tête.

– Non, laisse tomber.

– Trois francs.

– Je t'ai dit non.

Tandis qu'il s'éloigne, il entend la femme l'insulter entre ses dents. *Salaud de merde** dit-elle, ou quelque chose de semblable. Le ton est le même dans toutes les langues. Un peu plus loin, il ouvre sa capote et soulage sa vessie en urinant sur un tas de briques en morceaux, dans une ruelle courte et étroite où un éclat de la lune qui monte au-dessus des maisons et plonge entre deux avant-toits atténue les ombres et lui permet de distinguer des monceaux d'ordures et aussi, alors qu'il boutonne sa culotte, les yeux rougeâtres, brillants et malins d'un rat qui le guette. Presque aussi grand qu'un chat, immobile, l'animal le regarde fixement, tassé sur lui-même, pour essayer de passer inaperçu. Raposo l'observe, puis se baisse doucement pour ramasser un morceau de brique. Le rat semble deviner son intention, émet un couinement de peur et de menace qui dessine un sourire cruel sur les lèvres de l'homme, tandis qu'il lève la main dans laquelle il tient la brique. Un rat coincé dans une ruelle, au milieu des ordures. Parfaite image du monde, se dit Raposo en lançant le projectile.

8

Les gentilshommes du Procope

> Le temps n'est plus où l'injustice me rendait furieux.
>
> DENIS DIDEROT,
> *Lettres à Sophie Volland*

Ils n'ont pas de chance avec cette *Encyclopédie*. Malgré la bonne volonté de l'abbé Bringas et les renseignements d'amis et de connaissances, y compris une recommandation de monsieur Dancenis pour l'un de ses fournisseurs habituels, la première édition continue d'échapper à leurs recherches. On dirait qu'il ne reste plus à Paris une seule impression originale complète – le philosophe Bertenval a confirmé que sur les 4 225 exemplaires du premier tirage, les trois quarts ont été vendus à l'étranger –, et les visites de don Pedro et de don Hermógenes aux libraires se sont révélées infructueuses : Rapenot en face des Carmes, Quillau près de l'Hôtel-Dieu, Samson et Cugnet sous les arcades du Louvre, la veuve Ballard près des Mathurins... Ni les plus sélects ni les plus humbles – bouquinistes et *colporteurs** du Sénat et des Champs-Élysées – ne disposent des vingt-huit volumes in-folio. On n'en trouve que quelques tomes dépareillés, et madame Ballard, de l'Imprimerie royale, a en vente une réédition des quatorze derniers, faite à Genève. Quant à l'œuvre complète, les recherches ne leur ont permis de trouver que deux *Encyclopédie*, toutes deux dans des éditions peu fiables : celle de Lucques, in-folio, et celle d'Yverdon, en trente-neuf volumes in-quarto, aux textes très remaniés, qu'un libraire nommé Bellin a en vente pour seulement trois cents livres dans sa boutique de la rue Saint-Jacques, édition que l'abbé récuse absolument.

– Son prix seul la discrédite, affirme-t-il, méprisant. Sans compter que Voltaire en a fait l'éloge.

Il le dit devant don Hermógenes, qui doit garder le lit, victime d'une fluxion de poitrine. Le bibliothécaire est en chemise et bonnet de nuit, couvert d'un édredon jusqu'au menton – qui, bleui par une barbe de deux jours, paraît amincir son visage, dans lequel des yeux rougis et fiévreux larmoient. La fenêtre qui donne sur la rue est close, le pot de chambre est plein à ras bord d'une urine trouble. La chambre entière sent le renfermé, la souffrance et la fatigue. L'abbé et don Pedro viennent de rentrer après une énième recherche sans résultat, ce qu'ils annoncent au malade. Ils sont assis près du lit et l'Amiral fait boire à son collègue un verre de citronnade tiède pour combattre la déshydratation.

– Ce n'est rien, cher ami, juste un catarrhe, et pas des pires. J'ai vu beaucoup de gens en pâtir.

– Je sens que mes bronches sont très encombrées, se plaint doucement don Hermógenes.

– Mais la toux, bien que fréquente, est grasse et humide, et vous expectorez, ce qui est bon signe… Quoi qu'il en soit, monsieur l'abbé a prévenu un de ses amis médecins.

– C'est exact, un praticien de confiance, qui ne va pas tarder, confirme Bringas.

– C'est bien ma chance, encore une fois, observe le bibliothécaire, dolent. À Paris, et malade. Incapable d'accomplir mon devoir.

– Il n'y a pas grand devoir à accomplir, rétorque l'Amiral pour le rassurer. Nos possibilités sont maintenant considérablement réduites. Cette première édition semble bien s'être évanouie… Nous n'avons même pas trouvé la réimpression in-folio de Genève complète. Il paraît que seulement moins de deux mille exemplaires ont été mis en vente, et l'édition a vite été épuisée.

– Et les autres ? Si nous n'avons plus le choix, jetons-nous à l'eau, Amiral… Qu'en est-il de l'édition toscane dont on nous a parlé il y a quelques jours ?

– À rejeter définitivement. D'après ce que l'on m'a dit, les articles ont été totalement réécrits.

– Seigneur. Nous allons devoir repartir les mains vides.

– Qui sait. Ce matin, j'ai écrit à l'Académie, par courrier à cheval.

Don Hermógenes s'inquiète.

– Mais ça coûte très cher, proteste-t-il. Et les dépenses… Nous n'avons plus beaucoup d'argent.

– Je sais. Mais impossible d'agir autrement. Il nous faut des instructions de Madrid… Tout ce que nous puissions faire, pour le moment, c'est patienter, en comptant sur une bonne fortune. Et, en attendant, vous ne devez plus veiller qu'à vous rétablir.

– Pouvez-vous m'apporter le pot, s'il vous plaît ?

– Bien sûr.

On frappe à la porte, et le médecin ami de Bringas se présente. C'est un individu aux traits ingrats et au regard perçant. Ses cheveux longs sont gras, sans poudre, et sa tête paraît trop volumineuse pour son corps maigre et dégingandé. Sa bouche, large et légèrement courbe, lui donne une apparence singulière de batracien bipède.

– Comment est l'urine ? demande-t-il sans préambule.

– Elle a une mauvaise odeur, elle est rare et trouble, répond don Hermógenes.

– La poitrine est prise par un érésipèle, diagnostique le médecin après avoir tâté le pouls du malade et examiné sa gorge avec le manche d'une cuillère et une brusquerie telle qu'il manque de le faire vomir. Il faut ramener l'humeur à la peau, en lui ouvrant toutes les portes : transpiration, urine, fèces, et le recours aux émétiques et à une saignée au bras, avec des emplâtres vésicants… Bien entendu, pas le moindre courant d'air, portes et fenêtres bien fermées et poêle bien chaud… Maintenant, je vais pratiquer une saignée.

– Faible comme il l'est ? s'étonne l'Amiral.

– Justement pour ça. En donnant une issue à l'humeur maligne nous sécherons les poumons et tout sera réglé.

– Désolé, docteur… Je n'ai pas retenu votre nom.

– Je ne vous l'ai pas dit. Je m'appelle Marat.

– Eh bien, voyez-vous, monsieur Marat…

– *Docteur* Marat, si cela ne vous fait rien.

L'Amiral acquiesce, avec le plus grand calme.

– Cela ne me fait absolument rien. Docteur, si vous préférez… mais, avec tout le respect dû à la science que vous pratiquez, je vais m'opposer à ce que l'on ouvre une veine à mon ami.

Marat sursaute comme s'il venait d'être insulté.

– Pourquoi ?

– Parce que, sans être médecin, j'ai vécu assez longtemps pour reconnaître un simple refroidissement quand j'en vois un. Et aussi parce que je méfie comme du diable de la lancette et de la saignée, qui n'ont jamais rien donné de bon dans ce siècle, pas plus que dans aucun autre, et qui devraient être à jamais bannies de la pratique de la médecine.

L'homme de l'art a pâli et pince les lèvres jusqu'à les faire presque disparaître.

– Vous ne savez pas de quoi vous parlez, monsieur, bougonne-t-il enfin. Mon expérience…

Avec le même flegme qu'un peu plus tôt, don Pedro lève une main.

– La mienne, bien plus limitée et peut-être pour cela même plus simple et plus pratique que la vôtre me dit ce qu'il faut à don Hermógenes : au lieu de saignées, d'emplâtres et d'évacuations des humeurs érésipélateuses, une fenêtre ouverte qui aère bien la chambre, et beaucoup de jus de citron dans de l'eau tiède. Sucrée, de préférence.

– Allez-vous me dire, à moi… ?

– Je vais vous dire que si ce traitement donne de bons résultats sur un bateau, aussi insalubre que soit ce genre de bâtiment, sans parler du scorbut, il ne peut en donner qu'un meilleur, figurez-vous, dans un endroit aussi confortable que celui-ci. Dites-moi ce que je vous dois pour votre visite.

– C'est inouï, monsieur, bredouille le médecin. Ce sera… c'est dix francs.

– Diantre, c'est un peu cher, me semble-t-il, dit l'Amiral en plongeant les doigts dans la poche de sa veste pour en tirer quelques pièces. Mais nous n'allons pas discuter pour un emplâtre vésicant de plus ou de moins… Bonjour, monsieur.

Le médecin prend brusquement l'argent et, sans regarder personne, même pas le patient, sort en claquant la porte. Pendant ce temps, l'Amiral va jusqu'à la fenêtre, l'ouvre en grand pour laisser entrer le soleil et l'air. Bringas lui adresse un sombre regard de reproche.

– Vous avez mal fait, proteste-t-il. Le docteur Marat…

– Le docteur, pour aussi amis que vous soyez, est un médicastre que l'on reconnaît à une lieue… A-t-il vraiment un titre pour exercer la médecine ?

– Il dit que oui, répond l'abbé, battant en retraite. Bien qu'il soit sûr que ses collègues le contestent. Il y a un certain vague sur ce point… En fait, il est spécialiste des problèmes oculaires. Il a même écrit quelque chose à ce sujet. Ainsi qu'un traité sur la gonorrhée.

– Restons-en là, monsieur l'abbé. Voilà qui cadre mieux avec le personnage, dit don Pedro, qui s'est tourné du côté du bibliothécaire pour lui présenter de nouveau le verre de citronnade. Comment avez-vous fait connaissance, si ma curiosité n'est pas déplacée ?

– Il vit près de chez moi et nous fréquentons le même café. À mon avis, le problème vient du fait que c'est un homme aux idées avancées…

– Il ne m'en a pas tellement donné l'impression.

– Je pensais à ses idées politiques. Et il a de l'avenir. C'est pour cette raison que l'Académie des sciences ne peut le souffrir.

– Ah bon, fait l'Amiral avec un geste d'indifférence. Pour ce qui est de l'avenir politique de monsieur Marat, je ne m'en mêle pas. Mais en tant que médecin, c'est un danger public. Je vois en lui un dangereux penchant à envoyer les gens dans l'autre monde.

Le soleil se couche sur un Madrid enveloppé d'une chaude lumière. De la rue d'Alcalá à la porte d'Atocha, le Prado fourmille de voitures, de chaises à porteurs et de passants ; ceux-ci conversent, debout ou assis sur les bancs, les chaises pliantes de location, aux buvettes à l'ombre des arbres qui se couvrent de jeunes feuilles. Devant les écuries du Buen Retiro, Manuel Higueruela et Justo Sánchez Terrón se rencontrent par hasard. Ce dernier se promène au bras de sa femme, l'autre vient de dire son rosaire à San Fermín de los Navarros avec son épouse, coiffée d'un chapeau à dentelles, et ses deux filles en âge de se marier, aux cheveux enfermés dans une résille. Ils se croisent dans la foule au moment où Higueruela et sa famille s'écartent pour laisser passer un carrosse tiré par quatre mules, avec des armes seigneuriales sur la portière et des laquais en livrée sur le siège du cocher. En apercevant Sánchez Terrón, Higueruela lui adresse un signe de reconnaissance discret, quasi maçonnique. Après un échange de regards et une légère hésitation de la part du philosophe, ils s'approchent l'un de l'autre, font les présentations d'usage et restent quelques pas en arrière pendant que les quatre femmes marchent ensemble, devant eux, en regardant les voitures et les vêtements des passants.

– Vous avez une très belle épouse, dit Higueruela pour rompre la glace.

– Vos filles le sont aussi.

– La plus jeune, peut-être, remarque Higueruela, équanime. Il va nous en coûter de marier l'aînée.

Ils font quelques pas en silence, en regardant eux aussi les promeneurs. Sánchez Terrón, qui s'efforce de rester à quelque distance du journaliste pour ne pas être soupçonné d'être de ses intimes, a la tête découverte et sans poudre, selon son habitude ; quand il reconnaît un visage, il salue avec une sécheresse courtoise en plongeant le menton dans l'épaisse cravate qui fait plusieurs fois le tour de son cou. De son côté, pour ne pas déranger sa perruque, le journaliste touche le bord de son tricorne.

– Vous nous avez manqué, jeudi dernier, à l'Académie, dit-il.

– J'étais occupé.

Higueruela suit des yeux un de ces carrosses dits bavarois aux si nombreuses ouvertures vitrées qu'ils ressemblent à d'énormes lanternes en mouvement au milieu de la foule.

– Je sais, dit-il. Votre intéressante dissertation sur *L'État des Lettres en Europe* – c'est bien son titre, n'est-ce pas ? – ne vous aura pas laissé un moment de loisir. J'ai cru comprendre que ça a été…

Il s'interrompt volontairement, comme s'il cherchait les termes les plus élogieux.

– Un succès, en effet, tranche Sánchez Terrón. Le texte a été porté aux nues.

Higueruela sourit, non sans sournoiserie.

– C'est on ne peut plus exact... L'ami qui m'en a parlé m'a précisé que seize personnes étaient venues vous écouter, lui y compris.

– Il y en avait un peu plus.

– Si vous le dites. Quoi qu'il en soit, je vais en donner un compte rendu dans le *Censor Literario* de la semaine qui vient. Favorable, bien entendu. Enfin, jusqu'à un certain point... Pour le caser, je devrai faire quelques coupures dans un article que j'ai préparé sur les opérations contre Gibraltar et la guerre dans les colonies anglaises d'Amérique.

Encore froissé, Sánchez Terrón, toujours altier, grimace d'exaspération.

– Je n'ai nul besoin de vos éloges.

Le rictus du journaliste s'accentue.

– Je veux bien vous croire, conclut-il. Elles vous desserviraient plutôt, devrais-je dire. – Il s'arrête pour méditer la chose, puis son sourire sournois s'élargit. – Elles flétrissent votre image d'incompris intransigeant, dont vous tirez si grand profit.

– Vous ne savez pas ce que vous dites.

– Je sais très bien ce que je dis et ce que je ne dis pas. Et tout aussi bien ce que je fais ou ne fais pas... Vous aurez remarqué que dans le dernier numéro de mon journal, dans ma diatribe substantielle contre les auteurs modernes, vous avez été épargné.

– Je ne vous lis pas.

– Allons, monsieur. Je sais que vous me lisez. Que vous dévorez tout ce qui se publie, bien qu'avec un dégoût affiché, afin de voir si votre nom y figure... Vous n'aurez donc pas manqué de voir que dans ma charge contre votre secte de libres-penseurs et de philosophes de pacotille, vous restez aussi pur qu'une vestale de Delphes, ou autre temple du même coin. Comme vous le voyez, je respecte notre trêve.

– Respecter ? À d'autres ! Vous ne respectez rien ni personne.

– Ah, si, les trêves, comme je vous le disais. Tel que vous me voyez, je suis un homme d'honneur.

– Foutaises.

Sánchez Terrón salue, circonspect, un individu encore jeune sans chapeau ni poudre, avec un lorgnon à pince-nez, une redingote ridiculement cintrée, le col de sa chemise entouré d'une fine cravate tellement serrée qu'elle semble lui couper le souffle.

– C'est un des vôtres, n'est-ce pas ? observe Higueruela, souriant. Celui qui signe Erudito Trapiello, si je ne me trompe.

– C'est bien lui.

– Ça alors ! s'exclame Higueruela avec un sifflement d'admiration outrée. Rien de moins que l'auteur du *Voyage symbolique dans la République des Lettres et Résurrection de la poésie espagnole, suivi de Maximes morales, par un génie du club des Cervantins, professeur de Philosophie, de Rhétorique et de Lettres divines et humaines*... qui, si je m'en souviens bien, commence son prologue par ces mots : *Je ne vois pas quel mérite ont le Grec Homère ou l'Anglais Shakespeare, à part l'affabulation intempestive*... et qui, après avoir estimé que Virgile, largement surévalué, n'est qu'un cossard, ajoute : *Quant à Horace, bien que ses hexamètres ne soient pas des meilleurs*... Ai-je omis quelque chose du titre ? Ou du contenu ? Ou sur le personnage ?

Sánchez Terrón lui lance un acerbe regard de travers.

– Vous vouliez me parler pour dire des insanités ?

– Dieu m'en garde. Je l'ai fait pour vous donner les dernières nouvelles, que je n'ai pu vous apprendre jeudi. Nos deux collègues ont des problèmes, à Paris, et leur affaire piétine. Apparemment, trouver une *Encyclopédie* devient pour eux une mission impossible. Je ne sais quelle part y prennent les interventions de l'ami Raposo, mais il s'en attribue tout le mérite... Quoi qu'il en soit, voilà où en sont les choses.

– Et ?

– Eh bien, le temps passe, et notre intervention pourrait entrer dans sa phase la plus délicate...

– Comment cela, délicate ?

– Des plus délicates. À prendre avec des pincettes.

– Je ne comprends pas où vous voulez en venir, je vous l'assure.

– Au même endroit que vous. *Nemine discrepante*, j'espère. Je vous rappelle que quand nous avons loué ses services, notre homme nous a demandé jusqu'où il pouvait aller dans ses travaux d'embarrassement.

Sánchez Terrón baisse les paupières, mal à l'aise. Hésitant.

– Dans ses quoi, dites-vous ?

Higueruela fait mine d'écrire en l'air.

– Embarrassement : action d'embarrasser… Voir le mot *euphémisme*.

– Je ne suis pas d'humeur à plaisanter.

– Oh, désolé. Mon intention n'était pas…

– Je ne sais toujours pas où vous voulez en venir, l'interrompt don Justo. Ce que vous cherchez à me dire.

Ils ont dépassé la petite fontaine du Prado et continuent en direction du débouché de la Carrera de San Jerónimo, sous les ormes. C'est maintenant Higueruela qui salue servilement quelques promeneuses – ce sont les épouses de deux hauts fonctionnaires du ministère des Affaires ecclésiastiques et de la Justice –, têtes couvertes de mantilles noires, en tenue de sainte Rita, dont l'austérité est compensée par des crucifix d'or, des scapulaires d'argent pendus à leur cou, des camées à l'effigie de l'Immaculée Conception et des bracelets d'émeraudes sur lesquels brimbalent de petites médailles religieuses. Depuis quelque temps, cette sainte à la mode s'est substituée à saint François de Paule dans les dévotions de la bonne société catholique locale. Comme l'a affirmé Higueruela dans un article récent de son journal qui encense cet élan si pieux, Paris a ses modes, et Madrid ses traditions dévotes. À chacun ce qui lui est propre. Pour la piété, aucun pays étranger n'a de leçon à nous donner.

– C'est regrettable, dit le journaliste, quelques pas plus loin. Parce que j'ai pour habitude de m'exprimer assez clairement. Enfin… Avec les circonlocutions adéquates, admirables, soit dit en passant, pour un individu aussi fruste que Raposo, il nous demande de nouveau, dans sa lettre, jusqu'où nous voulons aller pour mettre un terme à ce voyage en France de nos collègues… S'ils finissent par trouver les livres et prendre le chemin du retour, jusqu'à quel degré de nuisance, pour dire les choses crûment, il faudra aller pour porter atteinte aux biens et aux personnes.

– Aux personnes ? s'exclame Sánchez Terrón en sursautant.

– C'est bien ce que je dis, ou, plus exactement, ce qu'il insinue.

– Et que lui avez-vous répondu ?

– Non, ça ne marche pas comme ça, monsieur. Je n'ai encore rien répondu, parce que chaque réponse est à deux voix. Nous partageons les responsabilités morales, matière avec laquelle vous avez beaucoup à faire.

– Aux biens, évidemment. Quant aux personnes…

Higueruela sort d'une manche de sa veste un énorme mouchoir dans lequel il souffle bruyamment.

– Savez-vous, dit-il peu après, élever deux filles de nos jours n'est pas facile.

– Qu'en ai-je à faire ?

– Le théâtre, les bals, poursuit le journaliste comme s'il n'avait pas entendu, Seigneur… La broderie au crochet et la dentelle au fuseau étaient les distractions de nos mères et de nos grands-mères. On n'éduque plus dans un esprit de chrétienté, de modestie et de pudeur, et voyez où cela nous mène… Chaque jour passe à la cadence des peignes et du soufflet à poudre, des robes à la circassienne ou à la polonaise bientôt démodées, et de mille sottises pareilles, qui me posent des problèmes domestiques insolubles ; il est sans cesse question de gazes, de rubans, de soieries et de chapeaux arrivés de Paris, ou de la venue d'un cousin, d'un voisin, ou d'un gandin qui prétend donner des idées à ces petites, surtout à la cadette, en leur apprenant la contredanse, la valse anglaise ou en leur chantant, accompagné à la viole d'amour, le fameux air : *Oh, tyranne, tyranne*. Et avec ma femme, il se passe quelque chose de curieux : quand les petites sont de bonne humeur et que tout va à merveille, ce sont *nos* filles ; mais au moindre problème, elles deviennent immanquablement *mes* filles.

Il fait une pause, absorbé en lui-même, puis montre les quatre femmes qui marchent devant eux.

– Dieu ne vous a pas accordé de descendance, n'est-ce pas ?

– Je n'y crois pas, répond don Justo, sévère, quasi pompeux.

– En Dieu ?

– À la descendance.

– Excusez-moi… À quoi dites-vous que vous ne croyez pas ?

– À la descendance, voilà ce que je dis. Avoir des enfants dans ce monde injuste, ce monde d'esclaves, c'est y ajouter une injustice de plus.

Higueruela glisse un doigt sous sa perruque et se gratte la tête.

– Intéressant, conclut-il. Voilà donc pourquoi vous n'avez pas d'enfants. Pour ne pas engendrer de nouveaux petits esclaves. Vous avez la philanthropie biologique, mon cher. C'est admirable.

Sánchez Terrón devine la raillerie.

– Allez au diable.

– J'irai, ou pas. Chaque chose en son temps. – Higueruela s'est arrêté et rive ses petits yeux malicieux sur son interlocuteur. – Ce qui est urgent, pour le moment, c'est que vous me précisiez jusqu'où vous désirez que *notre* Raposo aille... en ce qui concerne les personnes, pour que je lui indique ce qu'il devra faire.

Sánchez Terrón prend une inspiration profonde, jette un œil d'un côté et de l'autre. Et il finit par affronter le regard du journaliste.

– En ce qui concerne les personnes, rien, déclare-t-il.

Higueruela pose les mains sur ses hanches. Son sourire moqueur est maintenant presque insultant.

– Et s'il n'y a pas d'autre moyen ? Nous n'allons pas rester, au point où nous en sommes, entre Caïphe et Pilate.

Sánchez Terrón, exaspéré, plonge son menton dans les plis de sa pompeuse cravate.

– Je m'en tiens à ce que j'ai dit. Rien quant aux personnes. Est-ce clair ? Tout cela est allé trop loin.

À peine a-t-il parlé qu'en trois grandes enjambées violentes il rejoint sa femme, la prend par le bras, salue d'une sèche inclinaison de tête l'épouse et les filles d'Higueruela, puis s'éloigne rapidement. Immobile, le journaliste le regarde déguerpir, toujours aussi droit, aussi sérieux que d'habitude, et tout en ne quittant pas des yeux ce dos fuyant, il a un sourire rusé et cruel. Voilà bien le Caton d'Oviedo, songe-t-il, sarcastique. Lui et sa bande d'hypocrites. Un jour viendra, songe-t-il encore, avec toujours autant de malveillance, où tous ces hypocrites philosophes de la voie étroite, ces vaniteux pédants de café rendront des comptes, comme il se doit, devant ce Dieu auquel ils ne croient pas, et devant les hommes qu'ils disent aimer mais dédaignent. Et ce Sánchez Terrón, avec ses mains si propres qu'elles répugnent à toucher d'autres mains de peur de se souiller, devra aussi rendre des comptes, lui qui, au moindre affleurement du côté sale de la vie, laisse aux autres le soin de prendre les décisions qui, tôt ou tard, doivent être prises.

À la même heure, à Paris, il y a déjà un moment que l'abbé Bringas est rentré chez lui. Sous une couverture, don Hermógenes se repose, la pointe de son bonnet de nuit retombée sur son nez. Près de lui, en chemise et gilet, don Pedro Zárate lit et veille. Par la fenêtre ouverte vient le bruit des voitures qui roulent sur le pavé de la rue Vivienne.

> *Si l'ignorance de la nature donna naissance aux dieux, la connaissance de la nature est faite pour les détruire.*

Le livre que l'Amiral a acheté dans l'une des dernières librairies où ils sont entrés s'intitule : *Système de la Nature* ; il aurait été imprimé à Londres il y a une dizaine d'années, sous la signature de monsieur Mirabaud, mais chacun sait depuis longtemps que l'auteur de l'ouvrage n'est autre que le baron d'Holbach, un encyclopédiste.

> *Ne vaut-il pas mieux se jeter dans les bras d'une nature aveugle, privée de sagesse et de vues, que de trembler toute sa vie sous la verge d'une intelligence toute-puissante, qui n'a combiné ses plans sublimes que pour que les faibles mortels eussent la liberté de les contrarier et les détruire, et de devenir par là les victimes constantes de son implacable colère.*

La nuit tombe, dehors, et la lumière décline dans la chambre. L'Amiral interrompt un instant sa lecture pour allumer le chandelier posé sur la table de nuit. Il le fait avec un instrument nouveau qu'il a aussi acheté ces derniers jours : une minuscule pierre de silex et une molette en acier placées dans un tube en laiton qui contient la mèche et permet d'allumer celle-ci, avec des étincelles, en actionnant très fort la molette. En réalité il s'agit d'une sorte de modèle réduit du briquet à amadou que les grenadiers portent depuis quelques années dans la buffleterie, pour mettre le feu aux grenades. On l'appelle *briquet** en France, *eslabón* en Espagne. C'est une invention pratique, estime l'Amiral, qui connaîtra sans doute un grand succès pour l'usage domestique, les voyages, et parmi les fumeurs. C'est ainsi que, avant de retourner à sa lecture, don Pedro se propose de suggérer, un jeudi, d'inclure ce nouvel objet dans une prochaine édition du Dictionnaire de l'Académie, comme entrée indépendante, ou en ajout à l'acception du mot *Mechero* qui jusqu'alors désignait le tube dans lequel passe la mèche des lampes à huile et des veilleuses.

> *Sous un dieu redoutable un dévot tranquille et paisible est un homme qui n'a point raisonné.*

– J'ai un peu froid, murmure don Hermógenes en s'agitant.

L'Amiral pose de nouveau le livre, étire avec quelque difficulté sa longue carcasse – il arrive toujours plus souvent que ses articulations protestent après une immobilité prolongée –, et va fermer la fenêtre. Quand il retourne vers sa chaise, il voit que son ami a ouvert tout grand les yeux et le regarde avec un faible sourire.

– Je me sens mieux, dit-il, anticipant la question.

Don Pedro s'assied près de lui et lui prend le pouls, qui est un peu rapide, mais qui bat presque normalement, ferme et régulier.

– Encore une gorgée de citronnade ?

– S'il vous plaît.

L'Amiral aide don Hermógenes à se redresser et à boire.

– Vous m'avez sauvé la vie, je crois, dit le bibliothécaire en s'allongeant de nouveau. En chassant ce médecin. Ça ne vous a pas paru cher, ces dix francs ?

– J'ai payé pour nous débarrasser de lui, mon ami. Je suis sûr que nous ne l'avons pas payé trop cher.

– Je ne serais pas étonné que Bringas ait touché une commission. Ils sont faits pour s'entendre.

Don Pedro rit de bon cœur.

– Nous ne connaissons que trop bien ce genre de médecin, don Hermès. Pour eux, il n'y a pas de Pyrénées. Ils ont partout la lancette facile, et oublient aussitôt les morts qu'ils ont semés… Émétiques et vésicants, rien que ça !

– Et moi qui étais favorable aux émétiques, dit don Hermógenes dans un soupir.

Ils restent quelque temps silencieux. De l'autre côté des vitres de la fenêtre, le ciel rougit au-dessus des toits.

– Que lisiez-vous ?

– Le premier volume du livre que j'ai acheté hier… Celui du baron d'Holbach, vous savez.

– L'interdit ?

– Le très-interdit, oui. Même dans la France très-illustrée. Vous remarquerez qu'il est prétendument imprimé à Londres. À toute éventualité.

– Et vous le trouvez intéressant ?

– Je le trouve extraordinaire. Ce devrait être une lecture obligatoire, surtout pour les jeunes gens en âge de recevoir une éducation… Bien que je sois sûr que vous le désapprouverez en grande partie, quand vous le lirez.

– Je vous dirai ça, le moment venu. Croyez-vous qu'il devrait être traduit en espagnol ?

– Hors de question. C'est impossible, dans le triste siècle qui est le nôtre. Les corbeaux noirs du Saint-Office s'abattraient sur celui qui oserait le faire.

L'Amiral, là-dessus, ouvre une autre fois le *Système de la Nature*.

– Écoutez ça : *S'il vous faut des chimères, permettez à vos semblables d'avoir les leurs ; et n'égorgez point vos frères quand ils ne pourront pas délirer comme vous*. Qu'en dites-vous ?

– Que plus d'un devrait se sentir visé, j'en ai peur.

– Et vous avez raison d'avoir peur.

L'Amiral pose le livre sur la table de nuit et contemple la lumière languissante de la fenêtre. Au bout d'un moment, il semble resurgir de ses pensées.

– La France est loin d'être le paradis, c'est certain, dit-il à brûle-pourpoint. Bien sûr, Paris n'est pas la France, mais n'empêche… par comparaison, que de temps ne perdons-nous pas en Espagne, mon ami ! Que d'énergie gaspillée en bagatelles, et quel manque de conscience du nécessaire ! Vous conviendrez avec moi que ceux qui connaissent la théologie, la logique et la métaphysique savent qu'ils ne savent rien… Toute la discussion philosophique sur le mouvement, Achille, la tortue et autres sottises n'est même pas bonne à déterminer ce qui est réellement utile à l'homme. Comme, par exemple, la loi qui régit le retour de la balle lancée contre un mur, ou le calcul de la vitesse à laquelle un poids donné descend un plan plus ou moins incliné.

– Voilà que réapparaît votre cher Newton, dit affectueusement don Hermógenes en souriant.

– Bien sûr. Et le vôtre.

– Sans doute, admet le bibliothécaire. Sur ce point, il n'y a rien à redire.

L'Amiral opine du chef.

– Bien que catholique sincère, vous êtes un homme éclairé. Mais peu d'hommes sont sincères, et tous ne sont pas éclairés. Songez au médicastre qui a voulu vous ouvrir une veine tout à l'heure, et ce que cela implique de retard et d'ignorance camouflés sous une science qui n'en est pas une.

– J'y songe, sachez-le bien, et j'en tremble.

– Que penseront les hommes du futur quand ils sauront que nous en sommes encore, et pas seulement en Espagne, à discuter ce que Newton a exposé il y a déjà un siècle dans ses *Philosophiæ Naturalis Principia Matematica*, sommet de la pensée humaine et de la science moderne ? Que diront-ils de ceux qui aujourd'hui encore refusent d'admettre que la vérité n'est plus dans la religion mais dans la science, plus du côté des théologiens et des prêtres mais de celui des scientifiques et des philosophes ?...

Il s'interrompt, reprend le livre, l'ouvre à une page cornée.

– Écoutez ce qu'écrit d'Holbach : *Quel chemin le génie n'eût-il pas fait, s'il eût joui des récompenses accordées depuis tant de siècles à ceux qui se sont de tout temps opposés à son essor ! Combien les sciences utiles, les arts, la morale, la politique, la vérité ne se seraient-ils pas perfectionnés s'ils eussent eu les mêmes secours que le mensonge, le délire, l'enthousiasme et l'inutilité !* Qu'en dites-vous ?

Il a posé le livre sur ses genoux et regarde don Hermógenes, attendant sa réponse.

– C'est Dieu qui parle par sa bouche et que Dieu me pardonne, reconnaît celui-ci.

– Personne en Espagne ne l'a mieux revendiqué que Jorge Juan.

– Je me disais que vous tardiez à citer votre cher scientifique et collègue, remarque gentiment don Hermógenes.

– Mon très cher scientifique et collègue, comme vous le savez bien. Physicien théoricien et expérimentateur, ingénieur, astronome, marin... son œuvre a été un merveilleux dialogue ininterrompu avec Newton ; pas avec sa conscience religieuse, dont il n'avait que faire...

– Ne commençons pas, cher Amiral, proteste don Hermógenes. Et ne vous emballez pas, je vous en prie, parce que celui qui a de la fièvre, ici, c'est moi. La conscience religieuse est l'affaire de chacun.

– Je regrette, don Hermès. Ce n'était en rien une question personnelle. Mais parler de la science espagnole, c'est trébucher à chaque pas sur l'obstacle du scrupule religieux.

– Vous avez raison, admet don Hermógenes. Je le reconnais.

L'Amiral remet le livre sur la table. La lumière extérieure est maintenant très faible et, quand il se tourne, celle des bougies laisse la moitié de son visage dans l'ombre.

– Mon cher Jorge Juan, comme vous me faites l'honneur de l'appeler, en a été le meilleur exemple, parce que son œuvre est notre lien le plus étroit avec Newton, qu'il a compris à la perfection... Ses expériences avec les objets flottants et les modèles de bateaux ont été révolutionnaires, son *Précis de navigation* et son *Examen maritime* sont des œuvres maîtresses. Et j'ai eu l'honneur d'assister avec lui à l'observation du passage de Vénus devant la Terre en soixante-neuf...

– Avez-vous navigué ensemble ?

– Peu de temps. De son côté, occupé par ses travaux, il n'a plus guère approché la mer, à partir d'un certain moment. Du mien, je me suis consacré à mon dictionnaire de marine. Mais son amitié et mon respect ont duré jusqu'à sa mort.

– Encore un grand homme oublié, se lamente don Hermógenes. Et, ce qui est pire, sans disciples pour poursuivre son œuvre.

Le sarcasme crispe les lèvres de l'Amiral.

– Comme, de son vivant, pour le dénigrer, ses ennemis l'ont attaqué et jugulé autant qu'ils l'ont pu.

– C'est un mal espagnol endémique. Notre jalousie nationale.

– Sans doute, opine don Pedro. Ils l'ont combattu, lui et tout ce qu'il représentait. Rappelez-vous que quand le gouvernement a voulu intégrer la philosophie newtonienne au programme des universités espagnoles, ces mêmes gens s'y sont opposés. Ou encore quand, il y a deux ans, le Conseil royal a chargé le capucin Francisco Villalpando d'introduire les nouveautés scientifiques dans les universités, et que les professeurs ont refusé… Vous rendez-vous compte ? Ils ont dit non, tout simplement. Avec la plus grande facilité.

– Tout de même, s'insurge don Hermógenes, vous êtes injuste. Pensez au Jardin botanique et à son laboratoire de chimie, à cette expédition botanique qui se trouve présentement au Chili et au Vice-Royaume du Pérou… Pour ne rien dire de l'excellent observatoire de l'École des gardes-côtes de Cadix. Au moins vous, les militaires, êtes un réservoir de science. Dans lequel n'entrent guère ces corbeaux noirs dont vous parliez. Ingénieurs, artilleurs, marins… on pourrait dire qu'en Espagne, et heureusement pour elle, la science est militarisée.

– C'est juste, mon ami. La rhétorique n'y a pas droit de cité. La construction de fortifications capables de faire obstacle aux bombes, de navires aptes à affronter la mer et les batailles navales ne peut être laissée aux mains d'Aristote ou de saint Thomas. Voilà pourquoi la Marine royale est une pépinière scientifique hors pair… Mais, en dehors de ça, il n'y a rien. Même pas une Académie des sciences ou une société scientifique comme il s'en trouve en France ou en Angleterre. Le poids de l'Église nous en empêche… Même parmi les militaires, et je suis bien placé pour le savoir, la hiérarchie et la discipline dominent les idées. Tout y est soumis au règlement.

– Mais il y a nos sociétés d'encouragement des sciences, de l'industrie et de l'éducation, qui font ce qu'elles peuvent.

L'Amiral réplique que ce n'est pas assez. À son avis, il ne suffit pas de donner un prix à l'éleveur qui obtient les vaches les plus grasses ou à un inventeur qui améliore le métier à tisser. Il manque une politique d'État qui encouragerait la société bourgeoise à financer – en voyant en elles des sources de profit – les recherches expérimentales. En Espagne, la science, l'enseignement et la culture se heurtent au même obstacle, ce qui a pour conséquence de museler les prudents et d'accabler les audacieux.

– Voilà pourquoi, conclut-il, nous n'avons ni un Euler, ni un Voltaire, ni un Newton… Et quand il en apparaît un, on l'emprisonne ou on le traîne devant le tribunal de l'Inquisition. Tel est le péril qui accompagne chez nous la méthode scientifique… Ulloa et Jorge Juan, à leur retour d'Amérique, ont eu toutes les peines du monde à faire publier leurs œuvres. Ils n'ont pu y parvenir qu'en renonçant à une partie de leurs conclusions, sans compter celles qu'ils ont dû modifier ou occulter.

– Vous avez indéniablement raison, admet le bibliothécaire. Il faudrait appliquer les lois de la mécanique céleste de Newton au gouvernement de tout l'empire espagnol… C'est ce que font les Anglais, en dépit des difficultés que soulèvent leurs colonies d'Amérique. Et c'est aussi ce que font les Français, qui n'ont même pas d'empire.

– Très bien. Mais tout passe par l'éducation. Par les livres, par ceux qui les écrivent et les traduisent… Il faut que l'on puisse discuter les systèmes scientifiques sans devoir aussitôt les réfuter. Il n'est pas décent d'obliger chaque savant espagnol qui publie un livre – quand il y parvient – à ajouter après chacune de ces conclusions : *Ce qui n'est pas crédible, parce que contraire aux Saintes Écritures…* Cela nous interdit tout progrès et fait de nous la risée de l'Europe.

– Eh bien, Amiral… C'est la raison pour laquelle nous sommes vous et moi à Paris, remarque don Hermógenes, encourageant. Croyez-vous que cela n'ait aucun sens ?

Don Pedro sourit tristement. La lumière des chandelles semble éclaircir et mouiller davantage ses yeux presque transparents. Privés d'espérance.

– Oui, mon cher ami, approuve-t-il, tout doucement. C'est pour cela que nous sommes à Paris.

Il me fallait un café. Pas de ceux qui se boivent – lesquels n'avaient pas manqué pendant que j'écrivais ces pages – mais un de ceux où j'allais pouvoir situer l'action d'une scène. Les lettres et les documents que je consultai à l'Académie m'apprirent que don Pedro Zárate et don Hermógenes Molina avaient fréquenté de nombreux établissements parisiens, et que dans l'un d'entre eux ils avaient fait la connaissance d'éminents encyclopédistes. Je crus tout d'abord qu'il devait s'agir du café de Foy, en ce temps-là situé dans le passage Richelieu du Palais-Royal, endroit qui, après le remaniement du duc d'Orléans, n'avait pas tardé à devenir un des pivots de la vie mondaine et commerçante du Paris élégant prérévolutionnaire – mais la date de la fin des travaux s'est révélée inadéquate pour le respect de la chronologie de ma trame romanesque et j'ai fini par transposer rue Saint-Honoré le décor d'une scène du cinquième chapitre initialement planté au Palais-Royal. En définitive, après avoir trouvé dans une lettre du bibliothécaire une référence à la rue Saint-André, près de l'Ancienne-Comédie, j'ai compris que le seul café possible, où les académiciens n'avaient pu manquer d'entrer, était le Procope, vieil établissement, peut-être le plus ancien de tous ceux du passé encore ouverts à Paris, devant lequel je me suis présenté nanti de mon carnet de notes et de mon plan de Paris en 1780, quand il a fallu planifier ce passage de mon histoire.

Je connaissais déjà le Procope et sa réputation : il avait accueilli dans ses salles les plus éminents intellectuels du XVIIIe siècle ; j'y avais même déjeuné un jour – sans rien y découvrir de particulièrement mémorable quant à la gastronomie – en compagnie de mon agent littéraire Raquel de la Concha et de mon éditrice française Annie Morvan. Je savais que, mis à la mode comme café littéraire par ceux qui fréquentaient le théâtre de la Comédie-Française, alors à deux pas de là, il avait eu pour habitués les encyclopédistes, et que le club des Cordeliers s'y était souvent réuni, un peu plus tard, pendant les années les plus dures de la Révolution. Mais jamais encore je n'avais considéré l'endroit avec des yeux d'écrivain. D'un regard pratique. Par bonheur, la rue où est située la façade arrière du café, l'actuel passage de la Cour du Commerce-Saint-André, a échappé à la drastique réforme urbaine d'Haussmann, qui a tracé au cordeau, ou comme au bistouri, ce qui est aujourd'hui le boulevard Saint-Germain. Il ne reste plus aujourd'hui que quelques mètres de l'ancienne rue qui, bien qu'occupés par de petites boutiques et des restaurants, conservent son ancien tracé, ses maisons et ce café. On peut sans peine imaginer, en y faisant un tour, ce que l'endroit fut. C'est là que l'on découvre la façade arrière du Procope ; celle de devant, peinte en rouge et bleu, ouvre sur la rue de l'Ancienne-Comédie, laquelle, d'après le plan d'Alibert, Esnauts et Rapilly, portait sur ce tronçon, au XVIIIe, le nom de rue des Fossés-Saint-Germain-des-Prés. Pour restituer l'atmosphère intérieure, les voix, les sons, la disposition des tables, ce qu'étaient le café et le chocolat que l'on buvait alors, je disposais de suffisamment de sources. Deux illustrations de l'époque reproduites dans *Le Paris des Lumières* – magnifique étude de la ville fondée sur le plan de Turgot – m'avaient familiarisé avec le décor intérieur, son sol carrelé, les flacons de verre et les miroirs qui animaient les murs, les élégants lustres de cristal et les guéridons ronds en bois, fer et marbre.

> *À quelques pas, dans la rue des Fossés-Saint-Germain-des-Prés, devenue rue de la Comédie lorsqu'en 1688 les comédiens français vinrent s'y établir, le café Procope eut bientôt une célébrité européenne. Il eut pour clients les écrivains les plus célèbres : Destouches, D'Alembert, Bertenval, Holbach, Jean-Jacques Rousseau, Diderot et une multitude d'autres littérateurs firent de ce café une succursale de l'Académie.*

C'était ce que disait, entre autres choses, *Les Cafés artistiques et littéraires* de Lepage. J'avais avec moi quelques pages photocopiées et soulignées de livres qui pouvaient m'être utiles, découverts au cours des derniers jours en écumant les librairies de Paris : l'anthologie *Le XVIIIe Siècle* d'Arnaud de Maurepas et Florent Brayard, *La Vie quotidienne sous Louis XVI* de Charles Kunstler, et surtout le magnifique *Tableau de Paris* de Louis Sébastien Mercier, une édition moderne que la libraire Chantal Keraudren m'avait trouvée d'occasion dans un rayon bas et presque caché de la librairie Gibert Jeune de Saint-Michel.

Ce fut ainsi équipé, avec toutes ces notes, et quand mon imagination l'eut placé sur le plan de Paris de 1780, qu'en oubliant les enseignes modernes des restaurants et des commerces, leur animation et les touristes qui grouillaient dans la Cour du Commerce-Saint-André, je fis entrer l'Amiral et le bibliothécaire au café Procope comme ils l'avaient fait – ou avaient pu le faire – ce matin-là, en compagnie de l'abbé Bringas.

– Je ne peux croire que nous soyons là, dit don Hermógenes en regardant autour de lui, ébloui. Dans le fameux Procope.

À l'intérieur du local règne une grande animation. Toutes les tables sont occupées, des groupes disputent ou discutent dans un bourdonnement continu de voix, scandé de bruits divers. L'air sent la fumée de tabac et le café chaud.

– Une vraie ruche, remarque l'Amiral.

– De flemmards, ajoute Bringas, avec sa rancœur habituelle. C'est l'oisiveté, pas le travail, qui les conduit ici.

– Je croyais que vous aimiez ce genre d'endroit.

– Tout dépend du genre. Ou de la clientèle, plutôt. Ceux qui viennent ici ont perdu tout contact réel avec la vie. Ce sont des parasites rhétoriciens qui se nourrissent d'eux-mêmes, en échangeant entre eux vanités et faveurs. Rares sont ceux qui s'en distinguent… comme celui-ci, regardez, dit-il en leur montrant une table. C'est un client honorable comme il y en a peu.

Don Hermógenes observe l'individu que Bringas leur a signalé : d'un certain âge, avec sa vieille veste et ses bas fripés, il est seul, immobile devant sa tasse de café, le regard perdu dans le vide.

– Qui est-ce ?

L'abbé ouvre de grands yeux comme si la question était ahurissante.

– Le grand joueur d'échecs François-André Philidor… Son nom vous dit quelque chose ?

– Bien sûr, répond l'Amiral. Je le croyais plus vieux.

– Dans les cafés, il s'assied presque toujours seul… Le plus souvent, il n'a même pas besoin de monter à l'étage pour aller y chercher un échiquier ou un adversaire, parce qu'il joue mentalement, explique Bringas, avec un claquement de langue admiratif. Comme vous pouvez le voir… seul contre le monde.

– J'aimerais bien le saluer, dit don Hermógenes. Je joue un peu aux échecs.

– Inutile d'essayer, il ne vous répondrait même pas. Il n'adresse jamais la parole à personne.

– Dommage.

Ils déambulent dans le local à la recherche d'un endroit où s'asseoir. Des gens montent et descendent les marches qui conduisent aux salles de jeux d'échecs, de dames et de dominos de l'étage, les serveurs parcourent l'établissement avec des carafes d'eau, des crèmes glacées, des cafetières ou des chocolatières fumantes.

– Il y a ici quatre genres de clients, explique Bringas : ceux qui viennent prendre le café et converser ; les joueurs, qui montent à l'étage ; ceux qui lisent les gazettes, et ceux qui passent leur journée à attendre que quelqu'un leur paie un café ou une demi-bouteille de cidre pour se remplir l'estomac.

– Vous venez ici souvent ? demande don Hermógenes.

– Ici… Jamais. Aujourd'hui, je le fais pour vous. Je préfère l'estaminet de la rue Basse-du-Rempart, où l'on peut fumer et boire de l'eau-de-vie à son aise, ou les humbles caboulots des boulevards, où le café est mauvais et brûlé, mais où les Idées et la Vérité, avec majuscules, se déploient sans artifice… Comme tant d'autres, je vais dans celui de l'Opéra, rue Saint-Nicaise, où pour six sous on peut passer la journée au chaud près du poêle, avec un café au lait, de dix heures du matin à onze heures du soir, en dénigrant ceux qui n'ont pas froid et se chauffent avec la graisse des pauvres… Il y a là un cabinet de lecture avec des gazettes étrangères et des livres philosophiques.

– De philosophie réelle ou métaphorique ? demande le bibliothécaire, méfiant.

– Des deux.

Sur les chaises proches d'une étagère et d'une table abondamment pourvues de brochures et de journaux, des lecteurs sont absorbés dans *L'Almanach des Muses*, le *Courier de l'Europe*, *Le Journal de Paris* et autres organes de presse. Habitués au peu de choix qu'offre la presse espagnole, qui ne met gracieusement à la disposition du public dans les cafés que la *Gazeta* officielle, les académiciens regardent ce déploiement avec curiosité.

– Le plus populaire est *Le Journal*, explique Bringas. Parce que c'est un quotidien, et qu'il a une rubrique nécrologique.

– Je ne vois pas la *Gazette de France*, remarque don Hermógenes.

– C'est le journal officiel et, ici, il est mal vu. On considère que ceux qui le lisent n'ont rien dans la tête... Quant au *Mercure de France*, il est si mal imprimé qu'il est presque illisible, réservé à ceux qui aiment débrouiller les énigmes, en particulier les charades de la page de jeux, ou à ces fossiles du Marais, qui se croient encore au temps de Louis XIV.

– Il y a là quelqu'un qui lit le *London Evening Post*, dit l'Amiral, surpris.

– Oui. En dépit de la guerre, les journaux anglais arrivent presque régulièrement. C'est ça, Paris, messieurs. Pour le bien comme pour le mal.

Bringas s'arrête et regarde autour de lui, la mine sombre.

– Ah, il fut un temps où le Procope abritait des hommes dignes, libres, héroïques, auxquels on ne permettait pas de se réunir dans d'autres endroits publics, dit-il comme s'il crachait sur ce qui l'entoure. Les Rousseau, les Marivaux, les Diderot parlaient ici littérature et philosophie... Aujourd'hui, on n'y rencontre plus que des imbéciles, des évaporés, des indicateurs et des pédants imbus d'eux-mêmes comme ceux attablés près de la fenêtre dans ce petit cabinet de société, en face... Comme ce Bertenval, qui vient de nous reconnaître en me faisant grise mine, bien évidemment, mais qui se lève pour venir vous saluer... Parce que moi, je vais aller jusqu'à cette table de lecture et voir si je peux ôter des mains de quelqu'un le *Journal de Paris*, pour me faire le plaisir de découvrir quels sont ceux qui ont hier libéré le monde de leur présence... Si vous voulez bien m'excuser...

En effet, visiblement satisfait de voir l'abbé s'éloigner, Bertenval, qui faisait partie du groupe en train de s'entretenir près de la fenêtre du cabinet, va vers les académiciens bras ouverts avec une expression chaleureuse, pour leur souhaiter la bienvenue, en se réjouissant qu'ils aient accepté la suggestion qu'il leur a faite mercredi dernier chez madame Dancenis.

– Permettez-moi de faire les présentations pendant que l'on nous approche quelques chaises... Ces messieurs sont des membres de l'Académie royale d'Espagne, qui nous font l'honneur d'une visite... Monsieur don Pedro Zárate, ancien brigadier des armées de la Marine du roi... Monsieur le bibliothécaire de l'Académie, homme de lettres et traducteur, don Hermenegildo Molina.

– Hermógenes, rectifie ce dernier.

– C'est cela, don Hermógenes... Asseyez-vous, messieurs, je vous en prie. Vous prendrez du café avec nous, n'est-ce pas ? Voici messieurs Condorcet, D'Alembert et Franklin.

Le bibliothécaire bafouille, pendant qu'ils s'asseyent, quelques paroles quasi incohérentes de reconnaissance et d'admiration. Ce n'est pas sans raison : il a en face de lui Jean d'Alembert, promoteur de l'*Encyclopédie*, avec Diderot, et auteur du célèbre prologue de l'œuvre, qui a l'air d'avoir un peu plus de soixante ans, porte une perruque poudrée et est vêtu avec un soin extrême. Secrétaire perpétuel de l'Académie française, illustre mathématicien, considéré comme l'un des esprits les plus éminents des Lumières, D'Alembert est alors au faîte de sa gloire. Par ailleurs, il connaît bien les travaux de l'Académie royale d'Espagne, à laquelle il a procuré divers livres de l'Académie française, entre autres la quatrième édition de son *Dictionnaire*. Tout cela donne plus de valeur encore au sourire aimable avec lequel le vénérable encyclopédiste réagit à l'enthousiasme de don Hermógenes.

– Croyez-moi, monsieur, dit celui-ci, sans rien retirer à monsieur Bertenval dont j'ai eu l'honneur de faire la connaissance il y a quelques jours, et pas davantage à ces messieurs, vous rencontrer est un des moments les plus importants de ma vie.

D'Alembert accepte le compliment avec le plus grand naturel, comme on peut s'y attendre de la part d'un homme comme lui qui, à son âge et dans sa position, en a beaucoup reçu. De son côté, en termes austères et courtois, l'Amiral fait l'éloge des œuvres de D'Alembert dont, ajoute-t-il, il connaît et a lu avec plaisir et profit le *Traité de l'équilibre et du mouvement des fluides* et les *Réflexions sur la cause générale des vents*, ouvrages très intéressants pour un marin.

– Tout l'honneur est pour nous, estimés collègues, dit le philosophe. De recevoir à Paris deux illustres académiciens espagnols.

L'Amiral s'incline alors avec un aimable naturel vers l'autre homme que Bertenval leur a présenté : âgé, grand, gras, le sommet du crâne dégarni et le reste de la chevelure tombant jusqu'aux épaules, la peau du visage rougie par le psoriasis.

– Ai-je le privilège de rencontrer monsieur Benjamin Franklin ? demande-t-il dans un anglais plutôt châtié.

– Lui-même, confirme Franklin, satisfait.

– C'est un honneur et un plaisir, monsieur, dit l'Amiral, poursuivant en français. J'ai lu avec intérêt quelques-uns de vos livres. En particulier vos études sur les verres frottés et les lentilles bifocales, et aussi sur la possibilité de l'utilisation du paratonnerre sur les navires... Permettez-moi de vous manifester ma sympathie pour la lutte d'indépendance que vos concitoyens livrent en Amérique septentrionale... et que, vous n'êtes pas sans le savoir, ma patrie soutient sans réserve.

– Je le sais et vous en suis très reconnaissant, répond Franklin avec amabilité. Depuis que je suis à Paris, je vois souvent votre ambassadeur, le comte d'Aranda, et toujours avec satisfaction.

Une conversation animée s'ensuit, quand Bertenval explique à ses interlocuteurs la raison du séjour de don Hermógenes et de don Pedro à Paris. Ceux-ci évoquent les difficultés qu'ils rencontrent, et D'Alembert confirme que certaines rééditions de l'*Encyclopédie* ne sont guère fiables. Seule la réimpression in-folio de Genève, parue entre 1776 et 1777, est absolument fidèle à la première édition. C'est pourquoi elle est désormais difficile à trouver. La dernière édition complète disponible qu'il connaissait a, malheureusement pour les deux Espagnols, été envoyée il y a quelques mois à Philadelphie, à l'adresse de monsieur Franklin, ici présent.

– Quand vous êtes arrivés, nous parlions justement de la révolution américaine, conclut-il.

– L'étendard de la liberté est levé, dit Franklin comme pour résumer la discussion antérieure. Il s'agit maintenant de faire en sorte qu'il le reste.

– C'est dans cette intention, entre autres, que ce monsieur est venu à Paris, explique D'Alembert aux académiciens : pour y chercher de l'argent et des appuis.

– Je vous souhaite les meilleurs résultats dans cette noble tâche, déclare dignement don Hermógenes.

– Merci, je vous en sais gré.

– Monsieur Bertenval, dit D'Alembert, soutenait que les Anglo-Américains n'arriveront jamais à établir leur république insurgée.

Monsieur Franklin, bien entendu, s'y opposait. Et monsieur Condorcet penchait plus pour le second que pour le premier.

Sur ces mots, il se tourne vers don Pedro.

– Que pense-t-on, en Espagne, de la nation anglaise et de sa position dans cette guerre ?

L'Amiral tarde à s'exprimer.

– Je suis trop partial pour répondre à cette question, dit-il après réflexion. J'admire le courage militaire et les vertus civiques de la Grande-Bretagne. Mais le marin espagnol que je suis, ou que je fus, voit en elle mon ennemi naturel, aussi préféré-je réserver mon jugement.

– Ils sont cyniques, brutaux et expéditifs, estime Franklin, sans détour. Pour défendre leur empire, ils ont choisi de faire parler le canon et le poing. Quant à la fameuse courtoisie britannique, elle se limite à une très mince élite. Je vous assure que n'importe quel paysan espagnol a plus de dignité qu'un soldat anglais.

– Et que dites-vous de la guerre des treize colonies ? demande Bertenval aux académiciens.

Cette fois, l'Amiral n'a pas à réfléchir.

– À mes yeux, répond-il, l'Amérique septentrionale deviendra une république citoyenne ; c'est l'époque qui le veut, comme dans tous les pays nouveaux, et aussi le contexte et l'environnement.

– Relation intéressante, que celle que vous établissez avec l'environnement. Et tout à fait appropriée, dit Franklin, surpris. Connaissez-vous ces régions ?

– Un peu. Dans ma jeunesse, j'ai fait escale sur leurs côtes, comme sur celles du Pacifique… Et je crois que l'individualisme que ces vastes solitudes inspirent aux hommes cadre mal avec les vieux modèles monarchistes que nous conservons en Europe.

– Vous avez tout à fait raison, dit Franklin, avant de se tourner vers don Hermógenes. Et vous, monsieur, qu'en pensez-vous ?

– Je n'ai guère quitté Madrid, répond le bibliothécaire. Et je vois les choses autrement. Je crois que quand on a des biens matériels ou spirituels à défendre, une certaine maturité, et que l'on a laissé derrière soi l'effervescence de la fleur de l'âge, dans laquelle j'inclus les peuples jeunes comme ceux des colonies anglaises, on tend à introniser des rois… Voilà pourquoi je crois que l'on aura un jour là-bas un monarque américain qui représentera la nouvelle nation avec un rang adéquat et qui, en même temps, veillera paternellement sur la vie de ses sujets.

– Le Ciel nous en préserve ! lance Franklin en riant de bon cœur. Vous accordez peu de crédit à mes concitoyens, à ce que je vois.

– Bien sûr que je leur en accorde. Mais pas autant qu'aux rois justes et sages.

– Voilà qui vous oppose à messieurs Franklin et Condorcet, dit D'Alembert.

– Jamais il ne me viendrait à l'esprit… Cela me range, j'imagine, dans le camp des idées à considérer avec discernement et bonne volonté.

– Sur ce terrain, nous nous entendrons toujours, monsieur, concède Franklin avec amabilité.

– Et pour vous, monsieur le brigadier, s'intéresse D'Alembert, sont-ce les citoyens ou les rois qui ont votre confiance ?

– Ni les uns ni les autres.

– Bien que vous soyez espagnol ?

Don Pedro ménage une pause prudente. Il reste pensif, puis sourit tristement.

– Justement pour ça, dit-il avec douceur.

– Je partage en partie le point de vue de monsieur le brigadier, conclut D'Alembert. Je ne me fie pas moi non plus à l'être humain livré à ses impulsions, à ses seules forces et à ses limites individuelles.

– Il ne vous reste alors que la monarchie éclairée, suggère Bertenval en plaisantant.

– Et catholique, si possible, ajoute timidement don Hermógenes, qui a pris le commentaire au sérieux.

Tous se regardent, autour de la table, pendant que le bibliothécaire cligne des yeux, candide, sans comprendre.

– Toutes les opinions sont respectables, estime D'Alembert après un court silence.

Un serveur vient de nouveau remplir les tasses sur un signe de Bertenval, et pendant un moment on parle de choses triviales. Mais don Hermógenes, qui a retourné l'affaire dans sa tête, se croit obligé d'éclaircir sa position.

– Malgré ses défauts, dit-il enfin, et bien qu'il faille sans doute l'améliorer, ce que vous avez ici semble raisonnable.

– À quoi pensez-vous ? lui demande Condorcet.

– À l'institution monarchique. Pour moi, une monarchie éclairée est une grande famille avec des parents aimants et des enfants satisfaits, ou qui aspirent à l'être par des moyens pacifiques... C'est pour cela que j'aime la France ; un gouvernement cultivé, paternel, qui accorde les libertés nécessaires avec une grande marge de tolérance n'a pas de révolution à craindre.

– Croyez-vous ?

– À mon humble avis, oui, je le crois. Sans tyrannie, sans despotes, la France est à l'abri des commotions terribles qui secouent les peuples enchaînés.

Nicolas de Condorcet a une expression de scepticisme poli. C'est un homme d'aspect sympathique, vêtu à l'anglaise, d'un peu plus de quarante ans. D'après ce que Bertenval a raconté l'autre jour aux académiciens, c'est en dépit de sa relative jeunesse un mathématicien prestigieux, une autorité en matière de calcul intégral, un républicain convaincu, qui a participé à la rédaction de quelques articles techniques de l'*Encyclopédie*.

– Vous idéalisez trop la France, cher monsieur, dit-il. Notre gouvernement est aussi absolu et despotique que le vôtre, en Espagne. La seule différence, c'est qu'ici on respecte davantage les formes.

– Partagez-vous l'opinion de votre ami ? demande D'Alembert à l'Amiral.

Don Pedro secoue la tête et adresse un geste de conciliation au bibliothécaire, pour lui demander pardon d'avance.

– Non. Je crois que les commotions font partie des règles du jeu... de la nature même du monde et des choses.

Le philosophe aguerri qu'est D'Alembert se penche un peu vers l'Amiral, intéressé.

– Donc inévitables ?

– Sans doute.

– Violence et autres horreurs incluses ?

– Toutes celles qui sont au monde.

– Et croyez-vous, comme monsieur Condorcet, que de telles commotions soient nécessaires, ou inévitables, en France ?

– Évidemment. Comme en Amérique septentrionale française.

– Et en Espagne et dans l'Amérique espagnole ?

– Également. Tôt ou tard, la foudre frappera.

D'Alembert continue de l'écouter avec beaucoup d'attention.

– Par ma foi, vous ne semblez pas trop le regretter, observe-t-il.

L'Amiral hausse les épaules.

– C'est comme au jeu d'échecs, ou dans la navigation, dit-il en prenant sa tasse de café et en regardant D'Alembert avant d'en boire une gorgée. On ne peut regretter ni acclamer les lois de la nature, les principes fondamentaux. Ils sont. Il suffit de les reconnaître. De les assumer.

D'Alembert lui adresse alors un sourire admiratif et songeur.

– Vous êtes un homme qui a une vision intéressante de l'avenir, monsieur… Ce qui est surprenant pour un militaire de votre pays.

– Un marin.

– C'est vrai, excusez-moi… Et pourriez-vous nous dire quelles sont les fautes qui, à votre avis, déchaîneront les foudres au-dessus de l'Espagne ?

– Je le pourrais… peut-être.

L'Amiral pose sa tasse sur la table, sort un mouchoir de la manche de sa veste et s'essuie soigneusement les lèvres.

– Mais vous me pardonnerez de n'en rien faire. Je suis hors de mon pays. J'en connais les défauts, et j'en discute souvent avec mes compatriotes. Mais je crois que ce ne serait pas à mon honneur de les exposer ici, devant des étrangers, si vous voulez bien me pardonner d'employer ce mot.

Don Pedro se tourne alors vers le bibliothécaire :

– Je suis sûr que don Hermógenes est de mon avis.

D'Alembert regarde en souriant celui dont il est question.

– Est-ce vrai, monsieur ? Gardez-vous aussi le silence des loyaux ?

– Absolument, répond le bibliothécaire en soutenant fermement le regard de tous.

– Voilà qui vous honore tous les deux, tranche le philosophe.

Suit un entretien sur les idées, l'histoire et les révolutions. Bertenval donne quelques exemples puisés dans le monde grec et latin, et Condorcet évoque avec enthousiasme la révolte des gladiateurs et des esclaves conduite par Spartacus, dans l'Ancienne Rome.

– À mon avis, et en opposition avec ce que dit monsieur Condorcet, intervient D'Alembert, l'Europe cultivée, éclairée, ne connaîtra pas de révolutions sanglantes. Nous n'avons pas fait l'*Encyclopédie* pour ça, je peux vous l'assurer… La diffusion des idées, des lumières, finira par transformer ce qui doit inévitablement l'être… Nous, à notre modeste échelle, nous n'œuvrons pas pour renverser le pouvoir, mais pour changer la société en douceur et avec bon sens. Les hommes habitués à jouir de l'étude ne seront jamais des citoyens dangereux.

– En êtes-vous sûr ? demande l'Amiral, impavide.

– Tout à fait.

– Tout homme, qu'il soit cultivé ou pas, est dangereux quand il est poussé, ou forcé à l'être.

L'encyclopédiste sourit, intéressé.

– Vous parlez comme si vous étiez sûr de ce que vous dites.

– N'en doutez pas un instant, monsieur.

Franklin et Condorcet se déclarent en faveur de don Pedro.

– Je suis en tout d'accord avec monsieur le brigadier, dit le premier.

– Moi aussi, sans aucun doute, soutient le second.

D'Alembert lève les deux mains en signe de conciliation.

– Nous sommes en train de confondre deux mondes, dit-il avec mesure : l'Europe et l'Amérique, la maturité et la jeunesse, l'huile et l'eau… Je suis certain que, quels que soient nos idées, nos théories et nos désirs, jamais ils ne provoqueront de révolutions soudaines et violentes.

– Je n'en suis pas sûr, insiste Condorcet.

– Moi, je le suis. Parce que les esprits des peuples peuvent s'enflammer pour ce qui est bon et noble, quand on le leur propose, et la philosophie moderne le peut. Tout délire, toute commotion brutale que pourraient engendrer nos idées sont à écarter… En Europe, sur le vieux continent, n'importe quelle révolution s'accomplira non par la violence mais au terme de longues réflexions et après bien des raisonnements.

Un silence suit. Tous l'écoutent avec respect, alors même que l'Amiral aperçoit un léger sourire sceptique sur les lèvres de

Condorcet. De son côté, don Hermógenes approuve, avec une fascination ingénue, d'un mouvement de tête, tel un enfant devant le maître qu'il respecte et admire.

– S'il est certain que les compatriotes de monsieur Franklin ont besoin de mousquets et de poudre pour se faire entendre, ajoute D'Alembert, notre Europe, plus vieille, au raisonnement plus mûr, n'a d'autre devoir que de connaître et de respecter les règles que les lois et la raison prescrivent… Pour notre révolution, messieurs, nous n'avons pas besoin d'autres armes que celles des livres et des paroles.

Détachant son regard du groupe, l'Amiral observe Bringas, qui tout en lisant les observe de loin, renfrogné, et il est sur le point de dire à ses commensaux de ne pas écouter ce rebutant abbé et tous ceux qui lui ressemblent : jamais, songe-t-il, vous ne vous êtes trouvés à bord d'un navire balayé par la mitraille et les explosions, conscients de ce que recèle alors le cœur d'un homme. Dans la fausse sécurité de ce café, de vos manières éduquées, de votre conversation d'hommes cultivés, de vos belles idées philanthropiques, vous oubliez les malheureux et tous ceux qui ruminent les offenses, l'armée des ombres qui remâchent leurs rancunes et leur désespoir dans les coins obscurs des cafés et les faubourgs où ne parvient guère la lumière de la raison et de la philosophie. Vous oubliez la force du torrent, celle de la mer et celle de la nature qui frappent aveuglément tout ce qu'elles rencontrent sur leur passage. Vous oubliez les lois de la vie. Ainsi abîmé dans ses pensées, don Pedro éprouve un instant le besoin de donner du poing sur la table et de pointer le doigt sur l'homme que tous ignorent, comme pour signaler l'inscription sur le mur pendant le frivole, éternel et tragique festin de Balthazar. Il éprouve le besoin d'attirer leur attention sur l'obscur personnage immobile, dans le fond de la salle, en train de dévorer des yeux des gazettes et dont l'esprit dévore l'univers. Il éprouve le besoin de donner du poing sur la table et de leur dire, de leur dire qu'il sait qui enflammera le monde. Mais il finit, sur un haussement d'épaules, par saisir l'anse de sa tasse de café, et il n'en fait rien.

Le soir, en revenant bredouilles d'une visite chez un libraire de la rue d'Anjou, les deux académiciens et l'abbé Bringas vaguent sur l'esplanade des Tuileries, entre les chevaux ailés. Comme l'entrée est interdite aux voitures, l'endroit attire de nombreux promeneurs. Le ciel est légèrement couvert, mais le soleil domine et il fait doux. D'où ils sont, ils peuvent voir la splendide place Louis XV, avec la statue équestre du roi et, plus loin, les frondaisons des Champs-Élysées.

– C'est sans doute, dit Bringas, l'une des plus belles perspectives urbaines d'Europe. Les couchants y sont extraordinaires.

– C'est une bonne chose que l'on permette de se promener par ici, s'étonne l'Amiral. Je croyais que c'était un espace réservé au roi, seulement ouvert au public le jour de la Saint-Louis.

– Cela, c'est pour le bas peuple, ironise l'abbé. Pour la populace. Regardez les passants qui nous entourent : gens distingués, vêtements de prix, dames avec leur chien de manchon, que j'aimerais tous voir sur le gril, cocottes de l'Opéra, bellâtres et parasites… Regardez ces grotesques précieux avec leurs hautes perruques, leurs mouches et leurs ridicules vestes cintrées à l'italienne. Je vous les enverrais aux galères ! Et pendant ce temps, les gardes suisses, aux portes, barrent le passage aux gens honorables qui n'ont pas une apparence cossue, des dentelles aux poignets ou un galon à leur chapeau… Même moi, ils m'ont regardé de travers quand nous sommes passés devant eux, vous rappelez-vous ? Comme si l'habit faisait le moine.

– Que ces petits sont donc charmants, observe don Hermógenes en voyant deux enfants marcher près de leurs parents avec le plus grand sérieux, vêtus comme des adultes, les cheveux poudrés, une épée de cérémonie au côté.

– Ceux-là ? s'écrie Bringas, indigné. Rien de plus exaspérant, monsieur, que de voir de tels gamins prématurément avilis par la stupidité de leurs parents… Regardez-les, déguisés, avec ces rouleaux pommadés et blanchis, ces boucles efféminées, ces petites épées ridicules et leur tricorne sous le bras, aussi infatués et pompeux que leurs pères ou que les adultes qu'ils seront peut-être un jour… Il faudrait les exterminer dès à présent, pendant qu'ils sont petits et sans défense. Dans quelques années, ce sera plus difficile.

– Quelle atrocité, monsieur l'abbé.

– Une atrocité ? Vous verrez bien, un jour. Ce que nous pouvons être rétrogrades... De toute manière, ces modes ridicules ne font que gâcher la véritable nature. Si j'étais législateur, chaque fois que je verrais un gamin ainsi déguisé, je l'arracherais à ses parents, pour imbécillité patente, afin de le rééduquer dans une école d'État.

– Comme Lycurgue ? dit l'Amiral en riant.

L'abbé le regarde de travers.

– Eh bien, oui, monsieur. Comme cet illustre Lacédémonien, en effet... Je ne vois pas ce que vous trouvez là de si drôle. Il n'y a pas de quoi rire, je crois.

Un rayon de soleil déchire la légère couche de nuages et la végétation du jardin prend des couleurs nouvelles. Au fond, le large ruban gris de la Seine se couvre de reflets d'acier.

– C'est réellement beau, estime l'Amiral, changeant de sujet.

– Ah, vous verrez, un jour... dit encore l'abbé, revenant à la charge, mais sans aller plus loin.

Don Hermógenes, appuyé sur la balustrade, ne semble pas leur prêter attention. Tête basse, il paraît soucieux. Presque souffrant.

– Quelque chose ne va pas, don Hermès ? lui demande l'Amiral.

– Quelque chose d'ordre physique, reconnaît le bibliothécaire, honteux. Un besoin naturel, et plutôt impérieux. Je crains que mes fièvres récentes ne m'aient détraqué.

Don Pedro regarde autour de lui, désemparé.

– Morbleu ! Je ne sais si ici...

– Il n'y a aucun problème, déclare Bringas. Au bas de cet escalier, sous la terrasse, il y a des cabinets payants.

– Voilà une initiative utile, s'étonne, réjoui, don Hermógenes. Pourriez-vous m'y conduire rapidement ?

– Allons-y tout de suite. Avez-vous quelques pièces de monnaie ? Vous pouvez nous attendre ici si vous le voulez, monsieur l'Amiral.

Quand Bringas et le bibliothécaire se sont éloignés, don Pedro s'appuie à la balustrade et admire la vue. Quelques voitures circulent près du pont, sur la place Louis XV, mais du côté des jardins tous flânent à pied entre les arbres et les pelouses. Ne manquent ni vêtements de soie ni châles bordés de dentelles, ni chapeaux de femme avec rubans et plumes, ni redingotes ou vestes cintrées, ni bicornes. Dans ce défilé tranche la mise sobre de l'Amiral, vêtu de son simple frac de drap bleu aux boutons d'acier, de culottes de daim et de bottes anglaises. Il tient calé sous son bras sa canne à épée et sur ses cheveux gris sans poudre, retenus sous la nuque en catogan, son tricorne gris est légèrement incliné sur son sourcil droit.

– Quelle surprise ! dit une voix derrière lui. Un gentilhomme espagnol des plus sérieux seul aux Tuileries.

Quand il se tourne, l'Amiral fait face au sourire de madame Dancenis. Elle a ôté son gant et lui tend la main, que don Pedro, après s'être découvert, saisit et effleure de ses lèvres, en s'inclinant.

– J'attends mes amis.

– L'abbé et cet agréable don Hermógenes ? J'aurais dû m'en douter.

Margot Dancenis a un sourire enchanteur. Elle paraît agréablement surprise de cette rencontre. Elle est vêtue pour la promenade : robe noisette drapée avec une ceinture cramoisie à sa taille, qui n'a pas besoin de corset pour paraître fine, mantille à la Médicis, ombrelle, sans chapeau, sa haute coiffure ornée de rubans et de plumes d'autruche. Simple et distinguée. Elle est flanquée de messieurs Laclos et Coëtlegon, qui saluent à leur tour. Le premier aimable, le second sec et circonspect. Les chaînes et les pendeloques de sa montre, qui sortent de la poche de son gilet rayé, tintent.

– Nous n'allons pas vous laisser seul. Nous vous tiendrons compagnie jusqu'au retour de vos amis.

Le sourire découvre ses dents blanches et régulières et fait briller ses grands yeux noirs. À la lumière du jour, les petites imperfections et les légères rides de sa peau sont plus visibles, ce qui, estime l'Amiral, ne retire absolument rien à sa beauté, mais lui donne, au contraire, une apparence plus affirmée et plus sereine. Plus attirante que ne pourrait l'être la peau ferme, encore immaculée et dépourvue d'histoire d'une insipide jouvencelle.

– Que dites-vous de la vue, monsieur Zárate ?

Elle montre le paysage, mais le regarde, lui.

– Superbe, répond don Pedro, impassible, en soutenant son regard.

– Monsieur Coëtlegon aime beaucoup cet endroit… Et monsieur Laclos aussi, bien sûr.

– Ce qui ne m'étonne pas du tout.

Ils poursuivent pendant encore quelques minutes une conversation légère, mondaine, de la recherche de l'*Encyclopédie* aux restaurants et cafés de Paris, en passant par l'efficacité universelle du magnétisme et l'infaillibilité de l'hypnose, affaires tellement à la mode. Durant tout ce temps, l'Amiral sent le regard de Coëtlegon rivé sur lui. Celui-ci, comme son ami Laclos, est en tenue d'après-midi, avec une veste aux longues basques et aux manches étroites, un gilet court et une épée de cérémonie. Il porte le ruban de l'ordre de Saint-Louis et arbore à son chapeau une cocarde qui signale sa condition d'ancien militaire. Une ou deux fois, en se tournant vers lui, don Pedro rencontre le regard inexpressif de cet homme.

– Nous pensions aller nous asseoir pour prendre un rafraîchissement à la terrasse des Feuillants, dit madame Dancenis. Voudriez-vous nous accompagner ?

À ce moment-là reviennent don Hermógenes et Bringas et, après les politesses de rigueur et quelques plaisanteries à l'adresse de l'abbé, que celui-ci encaisse stoïquement, ils se mettent tous en marche sur l'allée bordée de tilleuls en direction de la place Vendôme, au milieu de laquelle se dresse, entre les élégants hôtels qui l'entourent, la statue de Louis XIV.

– Que diriez-vous d'une crème glacée ? demande madame Dancenis.

Le Kiosque des Feuillants est un petit café en plein air situé près de la grille de la terrasse des Tuileries, très couru, propriété d'un des gardes suisses chargés de surveiller l'entrée. Ils prennent tous place autour d'une des tables inoccupées, madame Dancenis entre Coëtlegon et l'Amiral. Ils commandent des crèmes glacées, de la citronnade et du café – Bringas demande aussi un pain au lait sucré et beurré – et ils échangent quelques propos sur les cancans versaillais, l'ascension du globe d'air chaud que prépare monsieur Jacques Charles, les visites passionnantes que les deux académiciens ont faites au cabinet d'histoire naturelle du roi et au cabinet de physique de monsieur Brisson, de l'Académie des sciences.

– J'imagine que vous connaissez maintenant toutes les librairies de Paris, remarque madame Dancenis. À part l'*Encyclopédie* qui vous obsède tant, je suppose que vous avez acheté d'autres livres ?

– Quelques-uns. Nous ne pouvons emporter un trop lourd bagage.

– Ne vous souciez pas de cela. On peut toujours vous les envoyer à Madrid. Mon mari s'en chargera avec grand plaisir.

– Nous accepterons peut-être cette offre aimable, dit don Hermógenes, reconnaissant. La quantité de livres que l'on publie ici est étonnante !

– Faites-le, je vous en prie. Nous nous débrouillerons même pour vous envoyer certains de ceux qui sont ici interdits, si vous le voulez.

– Des livres philosophiques ? demande don Hermógenes, intéressé.

– Dans les deux sens du terme, répond-elle avec une expression malicieuse. Ça ne dépend que de vous.

Le bibliothécaire rougit aussitôt, en s'avisant de quoi il est question.

– Oh, pardonnez-moi, balbutie-t-il, confus. Je ne voulais pas… Je veux dire que jamais… Moi…

– Ne vous inquiétez pas, lui dit Laclos en riant. Madame ne se scandalise pas. Au contraire. Elle est une lectrice de livres philosophiques, n'est-il pas vrai, Margot ? Dans les deux sens du terme.

Don Hermógenes cligne des yeux, encore plus confus.

– Ce qui veut dire que… Enfin… Que… ?

– C'est vrai, confirme madame Dancenis. C'est bien ce que cet incorrigible Laclos veut dire.

– C'est une perte de temps, lance aigrement Bringas, mécontent du tour que prend la conversation. De la frivolité colossale, quand il y a tant de livres réellement philosophiques qui éclaircissent la vue et l'esprit.

Madame Dancenis, qui regardait l'Amiral, lève une main fine aux ongles soignés, aux doigts de laquelle deux pierres précieuses lancent leurs feux. La peau est blanche, remarque don Pedro, délicatement parcourue de fines veines bleues.

– Vous vous égarez, monsieur l'abbé, dit-elle. Tout a son intérêt et son moment.

Coëtlegon rit, et son rire est de ceux qui ne plaisent pas du tout à l'Amiral : vain, sûr de lui. Légèrement grossier, peut-être. C'est le rire de qui jouit, ou croit jouir de privilèges dont les autres sont privés.

– Et le moment de Margot, c'est le matin au petit déjeuner, dit Coëtlegon en regardant l'Amiral dans les yeux.

Étranger au va-et-vient des regards et des sous-entendus, don Hermógenes sourit avec douceur à madame Dancenis.

– Est-ce vrai, madame ? Ou ces messieurs ne font-ils que plaisanter ? Est-il vrai que vous lisez des livres, euh, philosophiques, de ceux qui ne le sont pas du tout ?

– Et comment ! fait Bringas, fâché.

– C'est tout à fait vrai, confirme madame Dancenis. Il n'y a pas de lecture plus plaisante. Je pense à *Félicia*, aux *Mémoires de Suzon* ou à *Thérèse philosophe*, que je suis en train de lire. Et comme dit Coëtlegon avec l'effronterie qui est chez lui monnaie courante, je leur consacre volontiers un moment quand je suis encore au lit, après le petit déjeuner… Quelques-uns de ces livres sont admirablement écrits, tous sont divertissants, et certains, en dépit de leur apparence libertine, ne manquent pas d'une profondeur philosophique réelle.

Moqueur, Laclos pose une main sur son cœur et cite : *Nous avons tous deux ressuscité un instant pour mourir de nouveau… Dieu ! Quelle nuit ! Quel homme ! Quelle passion !*

– Il suffit, Laclos ! le reprend madame Dancenis.

– Pourquoi ? Ce paragraphe de *Félicia* est des plus tendres. Je ne crois pas que ces messieurs s'en scandalisent.

– Je peux m'en scandaliser, moi.

Laclos rit en buvant une gorgée de citronnade.

– Vous, chère amie ? Minerve scandalisée par Sappho ? J'en doute.

– Ces messieurs vont me prendre pour une fille de l'Opéra.

– Nullement. Ils sont trop intelligents. Savez-vous, dit Laclos en se tournant vers l'Amiral et le bibliothécaire, parfois, quand elle fait l'honneur d'inviter à son petit déjeuner les heureux mortels qui jouissent de sa bienveillance, Margot se tient là, en magnifique déshabillé de soie, adossée à ses oreillers comme une reine, et nous demande de lire quelques pages… Et cela, je vous en donne ma parole, est beaucoup plus divertissant que les soirées du mercredi.

Madame Dancenis lui tape sur l'épaule, sévère.

– Vous êtes trop indiscret, monsieur. Je m'étonne qu'il y en ait encore pour vous prendre pour le galant homme que vous n'êtes pas.

– La galanterie, chère amie, ne rend pas un hommage suffisant à la beauté. Sans quelques grains de poivre, la sauce risque de n'avoir pas grand goût… N'est-ce pas, Coëtlegon ?

Il s'est tourné du côté de celui auquel il s'adresse, lequel l'écoute avec un sourire dédaigneux.

– La sapidité de la sauce dépend du cuisinier, dit-il, outrecuidant.

– Assez, messieurs, commande madame Dancenis. Je l'exige.

– À vos ordres, fait Laclos en riant.

– Pour vous punir, c'est vous qui paierez aujourd'hui les rafraîchissements.

– Je me soumets à votre autorité. N'en parlons plus.

Un court silence suit. L'Amiral sent posés sur lui le regard curieux de la dame et celui, hostile, de l'amant. Pourquoi diable, s'interroge-t-il. Pourquoi moi ?

– Et vous, monsieur, lui demande Coëtlegon, à l'improviste. Lisiez-vous des livres philosophiques dans votre lointaine jeunesse ?

Il a toujours le même sourire aux lèvres : dédaigneux, sec, peut-être provocateur.

– Je crains que non, répond simplement don Pedro. Dans ma jeunesse, lointaine comme vous dites, je lisais plutôt des ouvrages sur l'astronomie et la navigation.

– D'auteurs français et anglais, je présume.

L'Amiral n'a pas manqué de remarquer la pointe de mauvaise foi. Cependant, il acquiesce avec le plus grand calme.

– Bien sûr. Mais d'autres encore, de mes compatriotes. Avez-vous jamais entendu parler de Jorge Juan, de Ulloa ou de Gaztañeta ? Une grande partie des traités les plus importants sur la science navale de ce siècle est espagnole, comme vous le savez peut-être.

La grimace de dédain s'accentue sur les lèvres de Coëtlegon.

– Non, je ne le savais pas.

– Eh bien, maintenant vous le savez.

Un silence se fait. Tous se taisent, attentifs. Don Pedro croit percevoir dans les yeux de madame Dancenis un avertissement soucieux destiné à son amant. Comme si elle lui disait qu'il pousse les choses trop loin, sans nécessité.

– Avez-vous beaucoup navigué, monsieur ?

Toujours le même dédain. Le même regard hostile. L'Amiral répond avec une mesure calculée.

– Pas trop : dix-sept ans. Puis, à terre, j'ai été le collaborateur de l'amiral Navarro. Après quoi je me suis consacré aux études théoriques et à mon dictionnaire de marine.

– Navarro ? demande Coëtlegon, apparemment intéressé. Celui de la bataille navale de Toulon ?

– Celui-là même. Récompensé du titre de marquis de la Victoria, justement pour ce fait d'armes.

Le dédain devient alors sourire, un sourire sec, quasi insolent, ou simplement insolent.

– Oui-da, mais cette *victoria* me paraît discutable… J'ai lu quelque chose, à ce sujet, et un frère de ma mère était présent à ce combat.

Tous les autres, silencieux, sont suspendus à ses lèvres. Laclos regarde son ami avec une expression inquiète, et les yeux de don Hermógenes, déconcerté, vont de l'un à l'autre. L'Amiral sent le regard de madame Dancenis posé sur lui, comme pour lui adresser une prière, ou un avertissement. N'allez pas plus loin, semble-t-il vouloir lui dire. Restons-en là et changeons de sujet. Je vous en prie. Je connais l'homme avec lequel vous conversez.

– Et qu'est-ce qui vous paraît discutable, monsieur ?

Coëtlegon hausse les épaules.

– Que l'on présente comme une victoire espagnole ce qui a été un combat entre une flotte hispano-française et la flotte anglaise… Et ce n'était pas une telle affaire.

– Vous dites que ce n'était pas une telle affaire que de se battre pendant plus de sept heures et de perdre cent quarante et un hommes, trois commandants, six officiers, d'avoir près de cinq cents marins blessés, et d'infliger autant de pertes aux Anglais ?

– Alors, ça ! fait Coëtlegon, dont la surprise paraît sincère, vous avez la mémoire des chiffres, monsieur. Près de quarante ans ont passé, depuis.

– Ce que j'ai, c'est une bonne mémoire. J'y étais.

Un léger clignement de paupières est le seul signe d'accusé de réception que donne l'interlocuteur de l'Amiral.

– Je l'ignorais.

– Maintenant vous ne l'ignorez plus. J'étais enseigne de vaisseau à bord du *Real Felipe*... Et savez-vous pourquoi nous nous sommes alors battus à un contre quatre ? Parce que nos alliés français, sous le commandement de l'amiral Court de La Bruyère, sur l'un des navires duquel devait, je suppose, se trouver ce parent que vous évoquiez, ont poursuivi leur route sans prendre part au combat, en laissant la flotte espagnole seule à l'arrière-garde.

– Eh bien, le frère de ma mère...

Que diable, se dit l'Amiral, en voilà assez de ce sourire insolent et de ce regard suffisant. J'en ai soupé de ce fanfaron de salon, avec son ruban rouge et son impudence camouflée sous une sèche courtoisie qui ne trompe personne. S'il me cherche, qu'il me trouve.

– Eh bien, si le frère de votre mère affirme autre chose, il ment comme un bélître... Et si vous insistez, monsieur, vous êtes un impertinent.

Suit un silence de mort. Don Hermógenes regarde son collègue bouche bée. De son côté, Coëtlegon pâlit comme si on lui avait brusquement retiré tout le sang du visage.

– Je ne tolérerai pas cela.

– Dans ce cas, il ne vous reste plus, si vous le voulez bien, qu'à reconsidérer les limites de votre tolérance.

– Cela suffit, messieurs. S'il vous plaît, dit madame Dancenis. L'affaire est allée trop loin.

Don Pedro se lève lentement.

– Vous avez raison, et je le déplore. Je vous prie d'accepter, madame, mes sincères excuses.

Sur ces mots, il glisse deux doigts dans la poche de son gilet, pose un louis d'or sur la table, incline la tête et s'éloigne, suivi de Bringas et du bibliothécaire. Du coin de l'œil, celui-ci voit Coëtlegon se pencher vers Laclos, ce dernier secouer la tête, réprobateur, et Coëtlegon insister. Madame Dancenis s'est tournée vers eux et discute avec vivacité jusqu'à ce qu'elle renonce et porte les mains à son visage. Alors, Laclos se lève et s'élance à leur suite, en pressant le pas pour les rattraper.

– Je regrette beaucoup, messieurs, dit-il sur un ton grave, en se découvrant. Monsieur l'Amiral, la commission dont on m'a chargé est affligeante.

Don Pedro s'est arrêté et l'écoute calmement. Lui aussi s'est découvert.

– Je comprends. Parlez.

– Monsieur Coëtlegon estime que vous l'avez maltraité, dit Laclos après avoir hésité un instant. Et il exige d'obtenir réparation par les armes.

L'Amiral regarde l'épée que son adversaire porte au côté, puis sa canne à épée.

– Maintenant ?

– Non, pardieu, proteste Laclos. En bonne et due forme… Après-demain matin, à l'aube, sur le pré des Champs-Élysées. Si cela vous convient.

– Comme il vous plaira.

– Il vous prie de choisir les armes.

– Je ne suis pas expert en la matière, mais il me semble que c'est à lui de le faire.

– Il vous laisse le choix, en considération de votre âge… Pistolet ?

Don Hermógenes, qui écoute les yeux écarquillés, réagit enfin.

– Vous ne parlez pas sérieusement.

– Bien sûr qu'ils parlent sérieusement, dit l'abbé, que l'affaire paraît réjouir au plus haut point.

D'un geste, l'Amiral montre ses yeux et adresse à Laclos un sourire triste.

– Ma vue n'est plus très bonne pour le pistolet, à une heure aussi matinale. Avec si peu de lumière.

– Monsieur Coëtlegon le comprendra. Alors, épée ?

– Si cela vous convient.

– Au premier sang ?

– Cela dépendra de monsieur Coëtlegon.

– Bien. Je ferai tout mon possible pour qu'il en soit ainsi. Vos témoins ?

L'Amiral désigne froidement don Hermógenes.

– Ce monsieur.

– Moi ? Témoin ? proteste le bibliothécaire. Seriez-vous devenus fous ?

Personne ne fait attention à lui. Bringas assiste à la scène avec une expression amusée et féroce, l'Amiral semble impassible, et Laclos hoche la tête, satisfait.

– Je me chargerai de tout le reste, dit-il, y compris de trouver un chirurgien de confiance.

Il se tourne vers don Hermógenes, qui demeure bouche ouverte.

– Nous nous verrons demain, pour tout mettre au point. Vous saurez vous rendre au pré que j'ai mentionné ?

– Je le connais, dit Bringas.

– Très bien.

Laclos va vers l'Amiral et lui serre la main.

– Je regrette tout cela du fond du cœur, monsieur... Coëtlegon n'est plus lui-même, depuis quelques jours. Nous pourrons peut-être encore le ramener à la raison.

C'est maintenant au tour de l'Amiral de sourire, enfin. Son expression est vague, distante, mais en même temps affectueuse. On le dirait presque étranger à lui-même, si ce n'est rajeuni. Comme si l'enseigne de vaisseau qui a combattu il y a trente-sept ans à bord du *Real Felipe* venait d'accourir à lui pour lui prêter ce sourire.

– Je suis à votre disposition, en tout cas. Bonsoir.

Pascual Raposo est surpris par toutes ces allées et venues, toutes ces conversations et ces comportements étranges. Quelque chose d'insolite se produit, sans qu'il puisse deviner de quoi il retourne. Il est appuyé à la grille, à une cinquantaine de pas du groupe, qu'il observe avec curiosité. C'est à lui qu'est échue la surveillance, aujourd'hui – les limiers de Milot ont mieux à faire –, aussi suit-il depuis le matin les académiciens et Bringas, attentif à leur passage au Procope, dans les librairies, et enfin dans le jardin des Tuileries, où il a pu entrer sans difficulté en graissant la patte au gardien. Le soleil, maintenant bas sur l'horizon, colore d'ambre le ciel au-dessus des tilleuls, et Raposo s'en réjouit. La journée a été trop longue. Henriette, la fille des patrons de l'hôtel du Roi Henri, a passé la nuit dernière avec lui, sans aucun complexe, et dans cet exercice s'est révélée hardie et ardente. Plus qu'il ne l'espérait. C'est-à-dire largement. Voilà pourquoi Raposo désire regagner au plus vite sa chambre afin de reprendre le dialogue, muet bien qu'expressif, qui les a tenus éveillés jusque bien après l'aube, lui faisant oublier ses insomnies et ses douleurs gastriques.

Toutefois, il réfléchit tout en suivant des yeux, de loin, les deux académiciens et Bringas ; quelque chose se passe qui lui échappe. Madame Dancenis et les deux autres messieurs ont quitté la table du kiosque et partent vers la rue Saint-Honoré. Les deux hommes discutent vivement entre eux, comme s'ils se querellaient, et la dame paraît fâchée, parce qu'elle les précède de quelques pas ; l'un d'eux s'empresse, cherche à lui donner le bras pour l'aider à monter les marches, mais elle l'écarte avec un mouvement de contrariété.

Les laissant s'éloigner – il pourra apprendre de quoi il s'agit grâce à Milot, s'il est chez elle question de l'événement en présence des domestiques –, Raposo s'attache aux pas des trois autres, qui vont dans la direction opposée, à travers les parterres de fleurs et les carrés de gazon, vers l'escalier qui descend des Tuileries jusqu'aux berges de la Seine. Leur comportement, constate-t-il, n'est pas non plus habituel : Bringas et le bibliothécaire discutent avec animation, en s'adressant de temps en temps à leur compagnon qui leur répond à peine et, en silence, marche en balançant sa canne d'un air pensif. C'est ainsi qu'ils descendent l'escalier du quai et avancent entre le fleuve et la façade du Louvre, tandis que derrière eux le couchant rougit le paysage.

9

Une question d'honneur

La joue de tous les hommes d'honneur est la même.

DENIS DIDEROT, *Jacques le fataliste*

– Le duel répugne à la raison. Il n'y a aucune vertu dans cette stupidité, sacredieu ! dit don Hermógenes. Le siècle des Lumières ne peut que désapprouver cette façon de régler les différends, ne pensez-vous pas ? C'est une folie cruelle de croire que le mérite d'un homme peut consister à tuer son semblable ou à être expédié dans l'autre monde par le caprice du premier godelureau venu ou d'un ferrailleur poudré... Il est absurde de donner à quelqu'un qui a commis une petite faute l'occasion d'en commettre une bien plus grande.

Le bibliothécaire est indigné, et l'apparente indifférence de don Pedro ne fait que le bouleverser davantage. Ils longent tous les trois la rive de la Seine, dans la lumière des nuages rougis par le soleil qui éclaire à leur gauche la façade du Louvre. Près des garde-fous en pierre du quai, les petits commerçants et les bouquinistes rangent leurs marchandises et démontent leurs éventaires.

– Jamais je n'aurais pu imaginer que vous, cher Amiral...

– Ce n'est pas sa faute, intervient Bringas, conciliant. Il n'a pas pu faire autrement.

– Mais c'est que nous avons justement parlé du duel, lui et moi, à plusieurs reprises. Et, toujours, il l'a réprouvé avec des arguments très clairs. Il disait que c'est un procédé arriéré et une atrocité. Et voilà que maintenant, sans crier gare, il accepte de se battre tout gentiment, sans broncher... Quelle mouche l'a piqué ?

– Je ne pouvais m'y soustraire, dit l'Amiral après un long silence.

– Sans doute, insiste Bringas.

Mais don Hermógenes est encore loin de se laisser convaincre.

– Mais bien sûr que vous l'auriez pu... En disant que c'est une stupidité, et en tournant le dos à ces messieurs. Voilà tout. Prendre ça à la rigolade et rejeter la contrainte. Parce que le duel n'est rien d'autre qu'une contrainte exercée sur l'individu. Rien de rationnel.

Don Pedro esquisse un sourire, lointain, comme distrait par d'autres pensées.

– Tout n'est pas rationnel dans la vie, don Hermès.

Celui-ci le regarde, sidéré.

– Vous me laissez sans voix. Seigneur, je ne vous reconnais plus... Ça alors, jamais je n'aurais imaginé que vous, avec votre sang-froid...

Il reste là bouche ouverte, à remuer la tête en quête d'arguments adéquats. Finalement, il lève les bras et les laisse retomber, en signe d'impuissance.

– C'est absurde, c'est absurde, répète-t-il, et contradictoire, pour un homme tel que vous.

– Moi, je comprends pourtant que monsieur l'Amiral ait ses raisons, intervient Bringas. Il était difficile de se dérober dans cette situation, avec l'honneur de la patrie en jeu, et en présence d'une dame, de surcroît... C'est ce dont a profité cette canaille de Coëtlegon.

Là-dessus, Bringas se tourne vers don Pedro, solennel :

– Parce que vos raisons, monsieur...

– Mes raisons ne regardent que moi, réplique sèchement l'Amiral, en lui coupant la parole.

– Ah, bon, fait l'abbé, battant en retraite. Pardonnez-moi.

Ils sont arrivés à la hauteur du pont Neuf, plein de passants et de voitures. Entre le quai des Orfèvres et celui des Morfondues, on aperçoit la place Dauphine où fourmillent les gens qui font leurs derniers achats. Sous les arches, la lumière agonisante donne à l'eau de la Seine la couleur du sang.

– Ceux qui provoquent les duels, estime don Hermógenes, sont des assassins, pires que les bandits de grand chemin, et il conviendrait de les punir comme tels… En Espagne, malgré tout ce que l'on peut reprocher à notre pays, rien de tel n'est toléré… Les peines encourues par les duellistes sont très lourdes, et incluent celle de mort.

– Eh bien, en France, comme vous le voyez, on n'y regarde pas de si près, remarque Bringas. Le duel est une habitude du monde. Ici, on se bat pour un rien.

– Voilà au moins un point sur lequel nous, les Espagnols, ne sommes pas aussi barbares.

Ils laissent derrière eux le fleuve dans le couchant, prennent sur leur gauche et s'engagent dans des rues pleines d'ombre où à l'intérieur des boutiques, des maisons et sous les porches les premières lampes s'allument. Bringas se montre sarcastique.

– Ce qui est paradoxal, c'est que le duel est ici considéré tout à fait autrement, dit-il. Comme une infâme délicatesse de la civilisation : se battre avec panache, pas comme de vulgaires plébéiens… Tout le cérémonial du duel tend à en faire une exclusivité de l'élite. C'est une habitude tyrannique, si profondément enracinée dans la haute société que même le juge qui condamne le duelliste, dès l'instant où celui-ci est de bonne famille, approuve dans le fond sa conduite et recourt à toutes les circonstances atténuantes dont il peut disposer pour l'acquitter.

– Peut-être bien, dit le bibliothécaire, mais dans le cas de don Pedro…

– Ah, j'ai peur que cette fois monsieur l'Amiral ne fasse partie du système. Il l'accepte, donc il en est complice. Pour aussi éclairé qu'il soit, et pour autant qu'il rende un culte à la raison, il est prisonnier de ses propres contradictions. Il ne peut désavouer sa condition de marin et de gentilhomme. En fait, il est l'un d'eux.

Le bibliothécaire se tourne vers don Pedro avec une expression angoissée.

– Mon Dieu, Amiral, dites quelque chose… Défendez-vous.

Don Pedro, qui marche en silence, balançant distraitement sa canne, esquisse un signe évasif, la mine sombre.

– Que voulez-vous que je vous dise ?

Le bibliothécaire s'arrête, mains sur la taille.

– Comment ? Vous vous en tenez là, tout tranquillement ?

L'Amiral, qui s'est lui aussi arrêté, fait un geste d'impuissance.

– C'est que monsieur l'abbé a en partie raison, reconnaît-il.

Le visage de Bringas, quand il entend cela, resplendit.

– Ah, bien sûr que j'ai raison, dit-il, exalté, triomphant. Le duel profite à cet ordre social, renforce ses privilèges... Les adversaires se considèrent dans le fond comme des partenaires qui ont le devoir commun de défendre leur supériorité dans le monde des philistins. Le duel les place au-dessus du commun, comprenez-vous ?

– Jamais je n'avais considéré les choses ainsi, admet humblement don Hermógenes, tandis qu'ils se remettent en marche.

– Eh bien, il en est temps, monsieur... Le comble de l'élégance, pour deux gentilshommes, est de pouvoir se tuer librement entre eux, en se soumettant à un protocole approuvé par leurs égaux. Bien qu'ils paraissent ennemis, ce sont en réalité des complices... Le style de vie de l'aristocratie, et de ceux qui l'imitent, cache sous ces comportements féodaux le mépris envers ceux qui n'appartiennent pas à leur classe et ne partagent pas ces codes stupides.

Bringas semble être comme un poisson dans l'eau. Il lève un doigt de prophète de malheur et montre le ciel assombri, comme pour le prendre à témoin ou l'incriminer.

– Une classe d'inutiles parasites d'un temps révolu a fait du duel un symbole, poursuit-il sur le même ton. Leurs épigones et les parvenus viennent en renfort de ce mythe, et il en ira ainsi jusqu'à ce que l'opinion publique considère le duel comme criminel, néfaste ou ridicule... Ou jusqu'à ce que, et nous devrons pour cela attendre moins longtemps, les vagues de la mer Rouge se referment sur les armées de Pharaon, conclut-il avec un petit rire sinistre.

– Si la société des hommes était raisonnable, dit don Hermógenes, elle enterrerait le duel avec ce siècle, puisque c'est un point sur lequel les Lumières et la religion s'accordent... Le duelliste s'estime au-dessus des lois et fournit la preuve que son orgueil lui importe davantage que toute autorité humaine ou divine…

Au coin de la rue de la Chaussetterie, un employé municipal fait descendre la lanterne de sa poulie et allume la mèche. Puis il la lève, et la jeune lumière brillante de l'huile de navette se balance. Tous les trois passent près de lui, d'abord l'Amiral taciturne, puis, derrière lui, Bringas et le bibliothécaire qui discutent.

– Cette question d'honneur devrait se résoudre par le dialogue, dit ce dernier. Ou d'une autre manière. Pour cela, j'envie le bas peuple qui, dans sa brutalité élémentaire, règle ces affaires à coups de poing.

– Ou à coups de couteau, remarque l'Amiral, sarcastique, sans se retourner.

– Les coups de poing ou de couteau sont laissés aux classes inférieures, estime Bringas, amer. Ce n'est pas élégant, voyez-vous ? Alors que pour un duel, il faut un échange de cartes, des témoins, et toute une préparation pour s'envoyer quelques estocades ou balles de pistolet avec une ridicule courtoisie.

– Je vais être leur témoin ? s'inquiète don Hermógenes comme s'il ne s'était pas encore avisé du fait.

– Bien sûr, dit Bringas, moqueur. Et ne croyez pas pouvoir vous dérober facilement.

Le bibliothécaire réfléchit, déconcerté. Puis il secoue la tête.

– Il n'en est pas question. – Il réfléchit un moment, et secoue de nouveau la tête. – Je ne jouerai pas un pareil rôle dans cette atrocité.

– Vous ne pouvez pas vous y refuser, n'est-ce pas, Amiral ? demande Bringas, qui semble beaucoup s'en réjouir. Même si cela vous répugne, vous ne le pouvez pas. C'est là le piège saducéen.

– J'ai bien peur que monsieur l'abbé n'ait raison, dit don Pedro.

– Évidemment que j'ai raison, affirme Bringas. Votre devoir sera de veiller à ce que tout se passe honnêtement, que chacun des adversaires ait les mêmes chances. C'est là qu'est le leurre pervers : votre concept de l'amitié vous oblige à être complice de l'affaire. En tant que témoin, vous devrez convenir avec Laclos de l'heure, de l'endroit, des armes… Et, sur le terrain, vous devrez vous assurer que personne n'ait d'avantage illicite : les épées doivent être de la même longueur, le soleil dans les yeux ni de l'un ni de l'autre, le sol également sec ou mouillé pour l'un et l'autre. Comprenez-vous à quel point don Pedro a besoin de vous ? Les témoins examinent les vêtements des combattants pour s'assurer qu'ils n'ont pas de protection cachée, les assistent en toute chose et s'occupent d'eux quand ils sont blessés ou morts, souligne Bringas en se délectant de cette dernière image. Ils essaient aussi de les réconcilier un moment avant le combat, mais c'est une tentative de pure forme.

– Et parfois ils se battent entre eux, précise l'Amiral avec une taquinerie morbide.

Don Hermógenes sursaute et se signe.

– Jésus.

Dans ce quartier, avec la nuit, les rues sont devenues silencieuses. Seuls les éclairages de quelques boutiques et les lumières des réverbères percent l'obscurité. Bringas propose de manger quelque chose pour calmer les estomacs et les esprits. Il y a par bonheur à deux pas, ajoute-t-il, dans la rue des Deux-Écus, un endroit correct où l'on grille de succulentes tranches de bœuf suisse.

– On voit tout d'un meilleur œil, dit-il en quasi-philosophe, quand on a l'estomac plein.

Ils marchent dans les rues proches des halles, à cette heure étrangement tranquilles, Bringas affamé, l'Amiral indifférent, don Hermógenes remâchant l'affaire du duel.

– Des familles ruinées, gémit-il, des enfants orphelins, des femmes veuves... Tout cela à cause de ce mot néfaste : l'honneur. Qui, dans le fond, n'importe à personne. Et la raison est appelée lâcheté.

– Il ne s'agit pas de ça, murmure don Pedro, comme s'il parlait pour lui seul.

– Non ?

– Ou pas seulement.

Don Hermógenes le regarde, peiné. Ils ne peuvent presque plus voir leurs traits quand ils s'éloignent d'un réverbère, et l'ombre semble revêtir la svelte et haute silhouette de l'Amiral d'une singulière solitude.

– De quoi qu'il s'agisse, si j'en avais le pouvoir, dit le bibliothécaire, quiconque proposerait un duel serait aussitôt exilé, celui qui mourrait lors d'un duel serait cloué au pilori, et celui qui aurait tué irait croupir en prison sans autre forme de procès.

– Et votre bonté habituelle, don Hermès ? s'inquiète l'Amiral, railleur.

– Épargnez-moi vos sophismes, cher ami. Il faut savoir faire la part des choses. Comme je l'ai dit, celui qui se battrait irait en prison.

– Ou plutôt mériterait la corde, suggère l'abbé.

– Je suis opposé à la peine de mort, monsieur.

– Eh bien, moi, je trouve que c'est un instrument d'hygiène sociale. Vous verrez bien. Et ça vaudra pour ceux qui se battent comme pour ceux qui ne se battent pas.

Il s'est arrêté devant l'auberge, quelconque, où une lanterne éclaire une tête de bœuf peinte sur la porte en manière de réclame.

– En tout cas, dit l'Amiral, objectif, on peut remercier les Français d'être aussi prompts à ferrailler. Grâce au duel, ou à l'éventualité de devoir se battre, règne en France une grande courtoisie. Peut-être la grossièreté espagnole est-elle due à l'impunité.

– Vous êtes d'humeur à plaisanter ? demande le bibliothécaire.

– Tout à fait... Ou pas du tout.

– Mon Dieu, mon ami, insiste don Hermógenes en saisissant son collègue par le bras. Et si l'on vous tue ?

– Il vous faudra trouver l'*Encyclopédie* tout seul.

Bringas se redresse, mélodramatique et solennel.

– Dans ce cas, monsieur, je suis votre homme. À vos ordres.

– Vous voyez ? fait don Pedro en montrant l'abbé au bibliothécaire avec un mouvement de tête ironique. À quelque chose malheur est bon. Vous l'avez, lui.

– Je ne trouve pas ça drôle. Je ne comprends toujours pas...

– Que ne comprenez-vous pas ?

– Votre changement d'attitude, je vous l'ai dit. Votre disposition insolite à vous battre.

La lumière de la lanterne éclaire le doux sourire triste de l'Amiral. Brusquement, on dirait qu'un espace immense vient de s'interposer entre don Hermógenes et lui.

– L'idée ne vous est pas venue que j'avais peut-être envie de me battre ?

L'affaire du duel me prit par surprise, parce qu'elle ne figurait pas dans les actes rédigés par le secrétaire Palafox que j'avais consultés en premier. Ni Víctor García de la Concha, ni don Gregorio Salvador, ni aucun autre des académiciens consultés ne purent me donner la moindre confirmation. Mais la lettre que je venais de trouver dans la documentation additionnelle que m'avait procurée José Manuel Sánchez Ron ne laissait aucune place au doute. Une missive écrite de la main de don Hermógenes Molina – l'avant-dernière lettre que le bibliothécaire avait écrite de Paris – me dévoilait l'affaire. Peut-être y avait-il eu un autre pli, qui aurait alors, supposai-je, été détruit pour mettre quelqu'un à l'abri de responsabilités ou de compromis gênants. Quant au document préservé, je crus tout d'abord l'avoir mal interprété, tant l'écriture de don Hermógenes était brouillonne ; mais une seconde lecture éclaircit le fait principal : le duel avait bien eu lieu. Dans sa lettre, écrite après que l'Amiral et Coëtlegon se furent battus, la chose était présentée avec toutes les circonlocutions de rigueur, discrétion compréhensible, s'agissant d'un événement qui aussi bien en France que dans l'Espagne de Charles III constituait un délit grave.

> *Une malheureuse dispute pour une question d'honneur, aux graves conséquences, qui, en plus de mettre en péril la vie de mon collègue, nous place dans une situation délicate...*

C'était tout. Ou presque. Il me revenait de reconstruire le reste de la scène qui s'était déroulée en ce terrible jour, à Paris, ses préliminaires et son dénouement. Pour aborder la tâche avec la rigueur nécessaire, je me référai à certains textes pour rafraîchir de vieilles connaissances de l'escrime acquises vingt ans auparavant, au temps où j'écrivais mon roman *L'Estocade*. Deux vieux traités, dont celui, très connu, du maître Guzmán Rolando – je retrouvai dans mon exemplaire ce que j'avais alors souligné au crayon –, me permirent de récapituler les notions de base. Quant au protocole du duel, je me fondai sur les divers manuels du XIXe siècle de ma bibliothèque, parmi lesquels

Le Code chevaleresque italien de Jacopo Gelli ; comme ils étaient postérieurs à l'époque à laquelle se déroulait le roman, même si les usages relatifs aux affaires d'honneur avaient peu changé en un siècle, je rafraîchis également ma mémoire en survolant les œuvres de Casanova, Restif de La Bretonne et Choderlos de Laclos – et ce fut amusant de faire de l'auteur des *Liaisons dangereuses* un des témoins du duel. Cela me permit de plonger le tout dans l'indispensable atmosphère de l'époque. La partie technique ainsi réglée, des usages au déroulement du duel, qui eut lieu à un endroit dont je trouvai la situation exacte dans les dossiers de police du garde suisse Ferdinand Federici, *Flagrants délits sur les Champs-Élysées*, chef des surveillants de la promenade qui, connue pour la discrétion qu'elle offrait et fréquentée pour ces affaires-là, avait été choisie par les duellistes.

Les dialogues des personnages, les divers points de vue, la contradiction entre l'interdiction des duels d'honneur des citoyens éclairés et la réalité en France et en Espagne me donnèrent un autre travail. Considérer cela comme avaient pu le faire l'Amiral, le bibliothécaire et l'abbé Bringas m'imposait une approche que ne pouvaient me faciliter les concepts modernes. La certitude des dangers que suppose le jugement du passé avec les codes éthiques du présent me conduisit, avant de pouvoir m'asseoir et coucher sur le papier dialogues et situations, à me faire une idée de ce qu'avait été la mentalité des adversaires et du monde de l'époque. Une fois de plus, les livres me furent d'une aide précieuse, parmi lesquels *Le Duel dans l'histoire de l'Europe* de Gordon Victor Kiernan, qui en dépit de sa structure confuse et de son anglocentrisme excessif me donna quelques idées que je pus prêter à don Hermógenes et à l'abbé Bringas. Un essai me fut aussi très utile, *Le Duel dans l'œuvre des académiciens éclairés* de mon collègue de l'Académie royale d'Espagne, Santiago Muñoz Machado, dans lequel à ma grande surprise j'eus le plaisir de trouver le nom de don Hermógenes Molina à propos d'une brochure, *Le Concept usé de l'honneur et autres réflexions morales*, qu'il écrivit sur le sujet peu après son retour de Paris. Quant aux réflexions morales et aux contradictions de don Pedro Zárate, propres à ceux qui, comme lui, ont de leur temps cédé à l'attraction intellectuelle des Lumières sans se départir de certaines traditions et élans liés au vieux concept de l'honneur, je résolus de leur donner la tournure de pensée qui a été celle d'un autre écrivain espagnol des Lumières, Gaspar de Jovellanos – la troisième des ombres chères qui accompagnent constamment ce récit, avec celles de Cadalso et de Moratín – tout au long de son œuvre, et plus particulièrement dans sa pièce de théâtre *Le Coupable honnête*, où il traite du conflit de conscience d'un homme aux idées libérales pris dans les écueils de l'honneur et de la culpabilité.

Il me restait, avant de recréer les circonstances du duel entre don Pedro et Coëtlegon, à régler un détail important : savoir quelles pouvaient être les ressources d'un gentilhomme en bonne santé et encore assez vigoureux, âgé de soixante-deux ou soixante-trois ans – et il ne s'agit pas là d'années de notre temps, mais de celles du XVIIIe siècle –, dans un combat à l'épée avec un homme plus jeune. En tenant compte des raisons qu'avait l'Amiral d'écarter le pistolet comme arme du duel – il est évident qu'à la lumière incertaine de l'aube la vue d'un sexagénaire pouvait le conduire à des erreurs mortelles – il restait à voir comment se sentirait quelqu'un de son âge avec une épée ou un fleuret à la main. C'est ainsi que, recourant à un fidèle ami, l'écrivain, journaliste et escrimeur Jacinto Antón, je lui ai demandé de m'aider à dérouiller mes vieux fleurets – il y avait vingt-cinq ans que je n'avais plus mis les pieds dans une salle d'armes – pour voir où en étaient mes forces. Ou plutôt celles de l'Amiral, dans ce cas, parce que je comptais bien lui attribuer les miennes.

Jacinto me toucha à chacune de mes actions offensives. Huit fois pendant les premiers assauts, qui eurent lieu dans la salle d'armes du maître Jesús Esperanza, située juste derrière l'Académie royale. Après un pareil prologue, comprenant que je ne pouvais pas faire grand-chose en attaquant, parce que la différence d'âge mettait chacun à sa place, je résolus d'adopter une attitude défensive d'escrime classique en guettant les ouvertures au lieu de les chercher. De cette manière, je m'améliorai et pus équilibrer la situation, en prenant peu de risques et en me fatiguant beaucoup moins ; finalement, Jacinto, agressif et nerveux comme tout bon escrimeur en forme, reçut deux estocades qui auraient peut-être laissé Coëtlegon mal en point sur le terrain. Ce fut ainsi que j'ôtai mon masque, à moitié satisfait. La survie de l'Amiral face à un adversaire plus jeune que lui était au moins possible.

Jacinto est un type formidable, loyal, qui a beaucoup voyagé et lu, un homme cultivé. Sa bonté naturelle, de surcroît colorée d'une certaine candeur audacieuse – c'est un spécialiste des aventuriers et des globe-trotters de tout poil, de Lawrence d'Arabie à Rupert de Hentzau et autres illustres bretteurs de fiction –, aurait parfaitement pu me servir de modèle pour croquer don Hermógenes dans ce roman. Masque d'escrime à la main, fleuret sous le bras et visage ruisselant de sueur, il me demanda si j'étais content.

– Très, lui répondis-je en riant. Je suis encore vivant.

– Il est clair que si ton personnage veut se tirer honorablement du duel, il doit se battre sur la défensive, conclut-il. À partir d'un certain âge, les efforts que demande l'attaque coupent le souffle et finissent par fatiguer beaucoup.

J'approuvai, venant moi-même d'en faire largement l'expérience.

– Tu as raison. Les premières minutes passées, j'avais le bras aussi lourd que si le fleuret était de plomb. – Je pointai le doigt sur ma poitrine, en dessous du plastron. – Et avec tes touches, tu m'as achevé.

– Quand même, tu es en forme… Ton Amiral l'était aussi ?

– Plus ou moins. Compte tenu de ce qu'était le vieillissement à l'époque, on peut considérer qu'il était assez solide pour son âge.

– Moi, j'aurais choisi le pistolet, s'il était bon tireur.

– Je crois qu'il l'était, mais sa vue affaiblie l'inquiétait. Cette lumière de l'aube… Tu sais.

Jacinto a approuvé.

– Ah, bien sûr. Normal. Tu savais que Blasco Ibáñez, le romancier, s'est battu au pistolet ?

– Je ne savais pas.

– Eh bien, il l'a fait. Dans les années 1920. À vingt-cinq pas et *à outrance**, comme on disait alors… Tu sais que Blasco était républicain, il s'est pris de querelle avec un militaire, défi inclus. Il a manqué deux fois son coup, et l'autre l'a touché au ventre mais, heureusement pour lui, la balle s'est logée dans sa ceinture. Et ils en sont restés là.

Nous avons retiré nos plastrons et sommes allés nous rafraîchir le visage. Jacinto, toujours minutieux, s'intéressait beaucoup aux détails techniques.

– Ton académicien s'est battu au sabre, à l'épée ou au fleuret ?

– À l'épée, je crois. Une de ces épées légères et fines dont on se servait alors...

– Ah, bon... Tu parles de l'épée de cour, je crois. L'épée à coquille circulaire et à lame triangulaire s'est répandue dans les duels un peu plus tard. La tienne est presque un fleuret, d'environ quatre-vingts centimètres de long. Elle conviendra mieux que les autres à ton Amiral, je suppose... Comment a fini le duel ?

Je souris en m'épongeant le visage.

– Je ne sais pas encore.

– Tiens. Eh bien, j'espère qu'il gagnera.

J'imaginai l'Amiral, grand et sec, son épée de cour à la main, bien droit sur le gazon dans la lumière de l'aube. Et don Hermógenes en train de le regarder, angoissé.

– Moi aussi je l'espère.

Bien qu'il soit midi et qu'il s'agisse d'un déjeuner, don Pedro Zárate – qui l'a payé de sa poche, comme d'habitude – l'a appelé, avec une présence d'esprit et un humour noir singuliers, *Le dernier repas*. En compagnie de don Hermógenes et de l'abbé Bringas, l'Amiral est assis à une table dans un cabinet de l'hôtel d'Aligre, en plein cœur du quartier Saint-Honoré : c'est un endroit à double fonction, un peu dans le style des épiceries-restaurants d'Espagne, qui d'un côté propose à la vente un exquis assortiment de haute gastronomie française – il y a des plateaux avec des fromages et des charcuteries, des flacons de moutarde, des jambons pendus en forme de médaillons quasi artistiques – et de l'autre est une salle à manger élégante, fréquentée par une clientèle qui peut se permettre de payer douze francs par convive. Mais un jour est un jour, et les trois commensaux ignorent s'il y en aura un autre pour l'Amiral. Si bien que le menu auquel ils font honneur – arrosé d'une bouteille de Chambertin et d'une autre de Lafitte – est à la hauteur des circonstances : pâté de poularde aux truffes de Le Sage, truites du lac de Genève, perdrix rouge du Quercy, et saucisses de Strasbourg, auxquelles tient beaucoup l'abbé Bringas, parce que d'après lui elles préviennent le scorbut, dépurent le sang et apaisent les humeurs de la manière la plus salutaire.

– Le duel aura lieu à sept heures, après le rond-point de l'Étoile, à deux cents pas d'un café qui est au bout des Champs-Élysées, explique don Hermógenes. Coëtlegon s'y rendra dans un fiacre de location avec son témoin, et nous dans le nôtre.

– L'usage veut qu'il y ait deux témoins pour chaque adversaire, remarque l'Amiral.

– Et c'est bien le cas : l'abbé et moi, de votre côté. Laclos et un autre de leurs amis, du sien… Nous avons préféré le faire de façon discrète, pour que le bruit se répande le moins possible.

L'Amiral laisse voir un sourire narquois.

– Je vous trouve très efficace, don Hermès… N'importe qui dirait que vous voulez me faciliter l'*exitus* en toute conformité avec la loi.

Le bibliothécaire, scandalisé, pose sur l'assiette la fourchette dans laquelle est piqué le morceau de saucisse qu'il allait porter à sa bouche.

– Mon Dieu… Comment pouvez-vous tenir de pareils propos ? Je…

– Je plaisantais, mon ami… Ne vous inquiétez pas, et mangez.

– Comment pourrais-je ne pas m'inquiéter ? Comment voulez-vous que je mange en entendant de telles choses ? Si c'est une plaisanterie, elle n'est pas drôle, Amiral. Pas du tout.

– Très bien. Pardonnez-moi. – Sans cesser de sourire, l'Amiral boit une gorgée de vin. – Ils sont au courant, à l'ambassade ?

– Oh, Seigneur ! J'espère que non… Quoique j'aimerais bien qu'ils l'apprennent, et que quelqu'un vienne interdire cette atrocité.

L'Amiral reprend son sérieux et le regarde maintenant avec sévérité.

– Faites de sorte qu'il n'en soit pas ainsi.

– Ne vous inquiétez pas, lui répond don Hermógenes en déglutissant. Je vous ai donné ma parole. Seuls les impliqués sont au courant.

Don Pedro se tourne vers Bringas.

– Et vous, l'abbé ?

– Mes lèvres sont scellées, n'ayez aucun souci, lance celui-ci en mâchant comme quatre. Je ne manquerais ça pour rien au monde.

Le bibliothécaire lui lance un regard de reproche.

– J'ai l'impression que vous êtes content à l'idée de voir l'Amiral et Coëtlegon s'entre-tuer… Pourtant, l'autre jour, vous critiquiez acerbement les duels.

– N'y voyez rien de personnel, répond Bringas sans s'émouvoir. J'apprécie monsieur l'Amiral, bien sûr. Et Coëtlegon me semble être un mirliflore et un imbécile. Ma satisfaction vient de quelque chose de plus compliqué que ça.

– Que je comprends, admet l'Amiral.

Déconcerté, don Hermógenes les regarde, l'un après l'autre.

– Moi, je ne comprends absolument rien, conclut-il.

– Monsieur l'abbé considère l'aspect conceptuel de l'affaire, explique l'Amiral. De son point de vue, il n'est pas fâché de voir les imbéciles que nous sommes victimes de notre stupidité. Et il a raison.

Bringas proteste, une main sur la reprise de la veste à la hauteur du cœur.

– Ah, jamais je n'oserais…

– Il suffit, dit l'Amiral avant de se tourner vers don Hermógenes. Qui d'autre sera là ?

– Dans une troisième voiture, il y aura le médecin et l'arbitre du duel. Pour ce rôle, Laclos a proposé monsieur Bertenval, l'encyclopédiste, de toute confiance. Et sa proposition m'a semblé bonne.

– Je trouve moi aussi qu'elle l'est. Ce gentilhomme est très aimable d'avoir accepté de s'en charger.

– On ne peut manquer à un collègue académicien, a-t-il dit.

– Sans doute, dit Bringas, et pas davantage au plaisir de voir les duellistes s'étriper.

Don Hermógenes pose sur l'abbé un regard hargneux. Puis il

contemple son assiette à demi pleine et la repousse avec l'expression de quelqu'un auquel on a coupé l'appétit.

– Il faudra bien choisir ses chaussures, dit-il timidement. À cette heure-là, l'herbe du pré, couverte de rosée, peut être glissante.

– J'y veillerai, répond l'Amiral sans s'émouvoir davantage. Et pour les armes ?

– Deux épées de cour, identiques. Elles appartiennent à Coëtlegon, qui sait que nous n'en avons pas et les met à notre disposition. Je m'en suis procuré une pareille, ou à peu près, pour que vous puissiez vous exercer, cet après-midi... En tout cas, vous devriez suivre mon conseil et aller dans une salle d'armes vous chauffer un peu le bras, pour vous remémorer les estocades, les parades et les vieilles bottes.

– Ce n'est pas nécessaire. De temps en temps, je vais au Cercle militaire de Madrid m'exercer un peu. Pour ce qui est des vieilles bottes, je n'ai rien oublié, et d'autant moins l'essentiel, vu mon âge : me couvrir et être patient, en attendant l'erreur que commettra mon adversaire.

– Je compte bien que vous tuiez cet individu, dit l'abbé sans cesser de mastiquer. Et avec lui tout ce qu'il représente de dépravé, d'arrogant, et j'en passe.

– Si vous y tenez tant, lui reproche don Hermógenes, vous auriez pu le défier, vous.

Fourchette levée, Bringas se renverse sur sa chaise et regarde avec dédain le bibliothécaire.

– Mon affaire, monsieur, n'est ni l'escrime ni le pistolet. Mon affaire, c'est de promettre l'échafaud – métaphoriquement pour le moment – aux tyrans et à leurs laquais. D'annoncer le coup de tonnerre de l'Histoire. Et mon arme est la seule force de ma plume : *Longa manus calami*, et tout le reste. Vous savez bien... Voulez-vous que je vous dise ? Cette saucisse est délicieuse.

Don Hermógenes cesse de lui prêter attention. Il se tourne vers l'Amiral, une angoisse sincère sur le visage.

– Croyez-vous que nous nous en sortirons ?

Don Pedro lui sourit de nouveau, avec affection.

– Merci pour ce pluriel, mon cher don Hermès. Mais en vérité je n'en sais rien. Dans ces affaires-là, il n'y a pas que l'habileté qui compte. Le hasard a aussi sa carte à abattre.

– Diantre. J'aimerais avoir votre sang-froid. On dirait que vous n'y attachez pas grande importance.

– Au contraire. Je ne vois pas le moindre intérêt à passer de vie à trépas demain à l'aube. Je pense surtout à mes sœurs... Mais on ne peut tout prévoir. Il y a des règles à respecter.

– Des règles absurdes, mon cher Amiral. L'honneur...

– Je ne pensais pas à ces règles-là. Mais à d'autres, plus intimes. Personnelles.

Un silence suit, rompu par les mastications de l'abbé. Le restaurant sent bon les épices, les charcuteries et les salaisons, mais l'Amiral goûte à peine aux mets, et don Hermógenes ne touche plus au contenu de son assiette. Seul Bringas, à son aise, fait honneur au repas. Ce restaurant, a-t-il dit pendant qu'ils passaient commande, n'a rien à voir avec la misérable gargote de la rue des Mauvais-Garçons où il mange mal entouré d'ouvriers et de poissonnières, quand il peut se le permettre, pour six pauvres sous.

– Ce n'est pas tout, annonce le bibliothécaire prudemment, comme s'il avait tourné et retourné la chose dans sa tête avant de se décider à en parler. Il nous faut deux lettres, l'une signée par Coëtlegon et l'autre par vous qui, en cas de besoin, exonèrent l'adversaire... Dans lesquelles l'un et l'autre affirmez que vous êtes seul responsable de la blessure reçue, et que l'on ne doit en demander réparation à personne.

L'Amiral acquiesce avec indifférence.

– Je l'écrirai ce soir.

Don Hermógenes pose sa main sur l'épaule de don Pedro.

– Vous rendez-vous compte que si vous êtes... euh, l'infortuné, celui ou celle qui lira cette lettre pensera que vous avez mis fin à vos jours ?

– Et alors ?

– Ce n'est pas une fin chrétienne, cher ami.

– Je n'ai jamais eu l'intention d'avoir une fin chrétienne.

Bringas achève sa mastication, regarde l'Amiral et l'approuve d'un signe de tête.

– C'est tout à votre honneur, monsieur. Je n'en attendais pas moins de vous.

Don Hermógenes ne partage pas la satisfaction de l'abbé.

– Je regrette d'entendre une chose pareille. Peut-être que, à la dernière heure, vous…

L'Amiral le regarde avec une inhabituelle sécheresse.

– J'en suis navré, mais vous devrez respecter ma décision. Si vous me voyez demain avec quelques pouces d'acier dans la poitrine, je ne veux pas gâcher mon dernier soupir en envoyant au diable le confesseur que vous serez allé chercher… C'est bien entendu ?

– Très bien.

Ils sont interrompus par Pontaillé, le patron du restaurant, qui apporte un pli cacheté. Un valet en livrée vient de se présenter, dit-il, avec un billet pour ces messieurs ou, plus précisément pour l'un d'eux : don Pedro Zárate. Le messager vient de l'hôtel de la Cour de France, rue Vivienne, où on lui a indiqué le restaurant dans lequel le destinataire est allé déjeuner.

– Donnez, dit l'Amiral.

Bringas et le bibliothécaire le regardent avec curiosité briser le sceau et lire, bien que son visage inexpressif ne laisse rien deviner. Quand il l'a lu, don Pedro replie le billet et le glisse dans le revers de la manche de sa veste. Puis il tire sa montre de la poche de son gilet et la consulte.

– Il faudra que vous m'excusiez, cet après-midi. J'ai une affaire à régler après le déjeuner.

– Grave ? s'inquiète don Hermógenes.

– Je ne sais pas.

– Privée ?

L'Amiral soutient son regard, impassible.

– Je crois.

La rue Saint-Honoré n'est pas Versailles, mais elle lui ressemble, songe don Pedro Zárate en s'y engageant. L'endroit a son lot particulier de voitures diverses, de passants de belle prestance et de dames qui entrent et sortent des boutiques. On dirait que cette artère très fréquentée de Paris et les rues adjacentes ne sont faites que de commerces, et que dans son labyrinthe de boutiques de mode, de parfumeries, de cafés et de luxueux locaux est prise au piège la moitié de la ville : le faubourg Saint-Germain, la Chaussée-d'Antin, Montmartre, le Marais, qui, comme le leur a dit l'abbé Bringas, se vident pendant la journée d'une bonne partie de leurs habitants, lesquels viennent ici à pied, en fiacre, en berline ou en cabriolet pour s'y promener, prendre le café, faire des achats ou flâner en regardant les vitrines.

Attentif aux numéros de la rue et au genre des magasins, l'Amiral trouve ce qu'il cherchait entre une boutique de papiers peints et une ganterie. L'enseigne le fait sourire malgré lui : *Mlle Boléro, chapeaux à la mode**. Il y a, à l'entrée, une vitrine avec des rubans, des pompons, des plumes, des coiffes et des chapeaux de toute sorte. Don Pedro pousse la porte, qui actionne une clochette, se découvre et entre. Le tintement fait lever les yeux à deux jeunes filles plutôt jolies assises devant un comptoir, occupées à coudre des robes pour poupées qui, suppose l'Amiral, partiront bientôt pour toutes les capitales d'Europe, de Madrid à Constantinople ou à Saint-Pétersbourg, vêtues à la dernière mode et coiffées d'un des élégants chapeaux de mademoiselle Boléro.

– Bonjour.

Une dame d'âge moyen au visage agréable vient à sa rencontre. Elle est vêtue de satin sombre, avec discrétion, et porte les cheveux noués à l'espagnole.

– Je suis monsieur Zárate. Je crois que l'on m'attend.

Margot Dancenis est assise dans une petite cour couverte d'une verrière, près d'une table de jardin entourée de plantes. Il y a un service à thé en porcelaine sur la table.

– Merci d'être venu, monsieur.

Don Pedro s'assied. Quand il se tourne pour regarder la porte, la dame qui l'a reçu a disparu.

– C'est une bonne amie, explique madame Dancenis. Espagnole, comme nous. Elle confectionne mes chapeaux depuis des années. Elle est de confiance.

L'Amiral examine son interlocutrice. Robe de soie grise brodée de minuscules fleurs ajustée à la taille et évasée, écharpe de mousseline qui voile à demi le décolleté. Ses cheveux pris dans un volant se combinent à merveille avec un petit chapeau de paille à large bord qui est sans doute une création de l'atelier de mademoiselle Boléro. Ses grands yeux noirs regardent l'Amiral avec inquiétude.

– Il fallait que je vous voie avant ce qui doit avoir lieu demain.

L'Amiral sourit avec douceur.

– Je suis à votre disposition.

– Coëtlegon n'est pas un de ces duellistes qui ne pensent qu'à chercher querelle… Ce n'est pas un méchant homme.

– Je n'ai jamais pensé qu'il en était un.

Elle ouvre et ferme un éventail de nacre, dont le tissu est orné de fleurs et d'oiseaux peints.

– Il est seulement jaloux.

Le sourire de don Pedro s'évanouit.

– Il n'a aucune raison de l'être, dit-il sèchement.

– Non, il n'en a aucune.

Après un bref silence, madame Dancenis a un geste d'impatience.

– Ce duel de demain est une sottise. Je veux l'empêcher.

Un nouveau silence se fait, l'Amiral ne trouve rien à répondre et se contente de regarder les mains de la dame : élégantes, soignées, avec leurs douces veines bleues de belle lignée.

– Coëtlegon a trop d'orgueil, dit-elle brusquement. Et il se dit offensé. Vous l'avez traité de menteur.

– Ce qui est logique, répond l'Amiral, serein. Il a menti.

– Il était irrité.

– Il y a bien des façons de l'être… La sienne était tout à fait déplacée.

Madame Dancenis lui adresse un regard à la fois suppliant et capricieux.

– N'y a-t-il pas d'issue possible ?

– Je crois ne pas vous comprendre, madame Dancenis.

– Appelez-moi Margot, je vous en prie.

– Je crois que je ne vous comprends pas, Margot.

Elle prend la théière, verse le liquide fumant dans les tasses. Quand elle se penche pour le faire, il sent son parfum. Doux, de pétales de fleur. De rose.

– Ne pourriez-vous lui donner une quelconque satisfaction, en privé, et annuler le duel ? Vous disculper devant lui ou trouver un autre moyen ?

– J'ai peur que ce soit impossible.

– Il est ridicule que l'orgueil de deux hommes…

– Je regrette de ne pouvoir vous complaire, madame Dancenis.

– Margot, vous ai-je dit.

– Margot.

Elle boit un peu de thé et pose la tasse sur le plateau, songeuse, en ouvrant et en fermant l'éventail comme pour s'assurer qu'il est en bon état.

– J'en suis responsable, dit-elle à voix basse.

– Pas à mes yeux.

– Nous en sommes lui et moi responsables. Vous ne l'avez certes pas voulu. Vous êtes innocent. Mais c'est ma faute. Coëtlegon était jaloux.

– Vous ne lui avez pas donné la moindre raison de l'être.

Elle pose le bout de l'éventail fermé à la commissure de ses lèvres.

– Je n'en suis pas sûre.

Sur ces mots, elle lève la tête. Le regarde dans les yeux.

– Je vous ai fait venir, monsieur, parce que je me crois responsable.

Lui qui tendait la main vers sa tasse de thé suspend son geste et la retire sans l'avoir touchée.

– Ôtez-vous cette idée de l'esprit, dit-il un instant plus tard. C'est une bêtise.

– Ce n'en est pas une. Je tiens à vous dire que j'apprécie votre délicatesse. Votre exquise prudence.

– Je ne sais de quoi vous parlez.

Margot Dancenis regarde de nouveau son éventail.

– N'y a-t-il rien à faire, alors, pour éviter cette folie ?

– Rien.

– Il est… Je ne veux pas vous offenser, monsieur… Votre adversaire est…

– Jeune ?

Don Pedro a enfin pris sa tasse et la porte à ses lèvres en regardant Margot secouer la tête, presque angoissée.

– Les choses iront comme elles doivent aller, dit-il en reposant la tasse.

– J'ai peur que vous ayez mal interprété ce que j'ai dit. Vous n'êtes pas… Ma foi, le mot *vieux* n'est vraiment pas ce qui convient le mieux.

Elle a dit cela d'une façon délicieuse, avec un sourire à faire fondre tout le chocolat de la rue Saint-Honoré. Don Pedro s'agite sur sa chaise, mal à l'aise. Ce qui ne lui ressemble pas. Ce n'est pas ce qu'il est habitué à entendre. Il n'a d'ailleurs rien entendu de tel depuis longtemps.

– Est-il vrai, alors, que vous étiez à la bataille de Toulon ? demande-t-elle à l'improviste, volubile ou pas tant que ça.

– Oui.

– Le combat a été terrible ?

– Difficile, c'est le mot.

– Le spectacle a dû être grandiose.

– Je n'ai pas vu grand-chose du spectacle, dit l'Amiral en plissant les paupières, comme aveuglé par un éclat lointain. J'étais au deuxième pont, au commandement de la seconde batterie du vaisseau. Entre ça et la fumée, il n'y a guère eu pour moi que des cris, le bruit, la chaleur… Ces choses-là.

Margot pointe alors son éventail sur les traits de l'Amiral.

– Cette marque sur votre visage vient de ce jour ?

D'un geste irréfléchi, spontané, l'Amiral touche la cicatrice.

– Oui.

– Mitraille ?

– Un éclat de bois.

– Mon Dieu. – Elle paraît horrifiée. – Il aurait pu vous aveugler.

– Vous exagérez.

– Nullement. Et c'eût été dommage. Vous avez des yeux intéressants, monsieur. Ont-ils toujours été ainsi ? Aussi clairs, aqueux et froids ?

– Je ne m'en souviens pas.

Cette fois, la pause est longue. Ils boivent tous deux leur thé en silence.

– J'oubliais, dit-elle enfin, doucement, comme s'il lui en coûtait de s'éloigner de ce dont ils parlaient quelques instants plus tôt. Mon mari, qui est aujourd'hui allé à notre campagne de Versailles pour y régler quelques affaires qui ne peuvent attendre, m'a chargée d'une commission pour vous.

Il la regarde, surpris.

– Saurait-il, pour demain ?

– Oh, bien sûr que non. Nous avons fait ce qu'il fallait pour le lui cacher. Il en serait très affligé.

– Je comprends. Et quelle est cette commission ?

– Un de ses amis est mort, le procureur Hénault, un bibliophile impénitent, comme lui, qui possédait une *Encyclopédie*. Mon mari connaît la veuve, qui a toujours détesté l'attachement aux livres de son époux. Et, comme monsieur Dancenis l'a dit, quand meurt le bibliophile, sa bibliothèque suit quelques jours plus tard sa dépouille en passant par la même porte… C'est ainsi qu'il a écrit une lettre d'introduction pour vous, afin que vous puissiez entrer en contact avec cette dame.

– Je lui en suis très reconnaissant. Vous présenterez mes respects à monsieur Dancenis.

– Je suppose que dans les jours qui viennent, vous n'aurez guère l'esprit aux bibliothèques ni à rien de pareil. Mais la possibilité vous reste, ici. Si tout se passe bien demain…

– Pour qui ? se moque don Pedro. Pour monsieur Coëtlegon ou pour moi ?

Elle s'évente, délibérément frivole.

– Oh, je pensais à vous deux. Bien entendu. Je ne veux pas que l'un de vous soit blessé. On m'a dit que vous vous battrez au premier sang, espérons que tout finira par une égratignure sans conséquence.

– Je l'espère moi aussi. S'il devait en aller autrement, croyez que vous connaître aura été un honneur pour moi. Un absolu plaisir.

Madame Dancenis est devenue subitement grave. Elle ferme l'éventail et le pose sur son giron.

– Je regrette que pour quelque chose qui s'est passé en ma présence…

– Toute chose liée à vous vaut d'être vécue.

Elle l'observe avec une innocence équivoque.

– Êtes-vous marié, monsieur ?

– Non. Je ne l'ai jamais été.

– Quelqu'un s'occupe de vous ?

– Mes deux sœurs célibataires.

Les yeux de Margot étincellent, amusés. Presque avec tendresse.

– C'est exquis.

Ils se regardent. Margot Dancenis a les lèvres légèrement séparées, comme si elle respirait doucement, avec quelque difficulté. La ligne svelte et blanche de sa gorge se prolonge sous la mousseline du décolleté et évoque le cou d'un beau cygne. Au bout d'un moment, elle touche la théière et retire sa main, contrariée ; il semblerait qu'elle ne la trouve plus assez chaude.

– Quand vous aurez acquis l'*Encyclopédie* vous quitterez Paris, je présume, vous et votre ami.

– Oui, à supposer que mon état de santé me le permette.

– Ne dites pas de bêtise, réplique-t-elle avec dans ses yeux noirs un éclat différent. Ne parlez pas ainsi. Je suis sûre que…

– Je regretterai de ne plus vous voir.

– Êtes-vous sérieux ?… Vous regretterez de ne plus me voir ?

Elle paraît perplexe. Don Pedro ne répond pas. Il se borne à soutenir son regard.

– Eh bien ça ! dit-elle en un murmure.

Enfin, elle recourt de nouveau à l'éventail. Elle l'ouvre et s'évente avec vigueur.

– Nous ferons une chose, monsieur. Quand cette pénible affaire sera terminée, d'une manière satisfaisante pour tous, je l'espère, vous viendrez prendre le petit déjeuner chez moi.

– Je ne comprends pas… – C'est au tour de l'Amiral d'être déconcerté. – Je crains…

– Ne craignez rien. Je vous invite au petit déjeuner, ce qui est la chose la plus banale du monde. Vous savez que je n'invite que mes amis. Nous lisons des livres philosophiques et passons un moment à rire. J'aimerais vous y voir.

– C'est un honneur, fait-il, doutant encore. Mais cette intimité…

– Oh, monsieur. Ne me décevez pas. Certes, c'est inhabituel en Espagne, mais je vous croyais au-dessus de ces considérations… Je vous prenais pour un redoutable duelliste, et voilà que vous vous révélez enfant de chœur.

L'Amiral rit de bon cœur, sincère.

– Vous avez raison. Que puis-je faire pour me réhabiliter ?

– Accepter.

– Dans ce cas, entendu.

– Alors, c'est chose faite... Si tout se termine bien, et il en sera ainsi, je vous attends un de ces jours. Au petit déjeuner.

À la lueur d'une veilleuse à huile, dans sa chambre de l'hôtel du Roi Henri, Pascual Raposo signe une lettre et la saupoudre de sable pour sécher l'encre. Puis il relit ce qu'il a écrit en portant une attention particulière à l'un des paragraphes :

> *J'ai appris (via mes agents locaux) qu'il y a eu une affaire d'honneur entre un de nos voyageurs et un gentilhomme français. Et qu'elle doit se résoudre par les moyens habituels au cours des prochaines heures. Un dénouement tragique nous aiderait beaucoup...*

Craignant de n'avoir pas été suffisamment explicite – il ne faut pas non plus se compromettre en citant des noms et en donnant des informations qui ne sont pas indispensables, on ne sait jamais en quelles mains une lettre peut tomber –, Raposo retrempe la plume dans l'encrier et souligne d'un trait les mots *se résoudre*. Un moment plus tard, il plie la feuille de papier, écrit l'adresse, se sert de nouveau de la boîte à sable et, avec la flamme de la veilleuse, fait couler sur le repli au dos de la lettre la cire à cacheter. Puis, posant l'enveloppe sur la table, il allume à la même flamme un cigare, se lève et va ouvrir la fenêtre. Le poêle chauffe trop et la chaleur dans la pièce est excessive. En manches de chemise, bras croisés, il fume en regardant les maisons et les masures adossées à l'enceinte du cimetière des Innocents, qui se détachent sur l'ombre de la rue. Au-dessus d'elles, à demi voilées par des nuages bas dans un ciel qui n'est pas encore tout à fait noir, pointent les premières étoiles.

Quelques coups retentissent à la porte. Raposo regarde sa montre et s'étonne, car il n'attend pas Henriette avant une heure beaucoup plus avancée. Le souvenir du corps jeune et avide sous la chemise de nuit, de la chaleur des cuisses et de l'impudique tiédeur des jeunes seins de la petite enflamme son imagination, mais le sourire qui se dessine sur sa bouche cruelle pendant qu'il se dirige vers la porte s'évanouit quand il voit de l'autre côté du seuil non pas Henriette mais son père. Le patron de l'hôtel a mis une veste et une cravate – chose inhabituelle pour quelqu'un qui passe ses journées assis à fumer sa pipe en gilet et chemise – et cette apparence formelle insolite est accentuée par l'expression grave de son visage quand il regarde Raposo et, après une brève hésitation, lui demande s'il peut lui dire deux mots. Raposo s'écarte pour le laisser passer et, cigare entre les dents, observe monsieur Barbou tout toiser autour de lui, jusqu'au moindre détail de la chambre : la lettre cachetée sur la table, la fenêtre ouverte, le sabre pendu à un clou au mur, la vieille image de Louis XV collée avec de la mie de pain. Il finit par arrêter son regard sur le lit, un regard triste, presque douloureux.

– L'affaire est grave, monsieur, dit-il. Très grave.

Raposo l'invite à prendre place sur la chaise et, pendant que l'hôtelier obtempère, va lui-même s'asseoir sur la courtepointe chiffonnée du lit.

– Je suis venu vous parler en tant que père, pas en tant que propriétaire de cet endroit.

Le ton est en accord avec l'expression du visage. Sévère, honorablement bourgeois, peut-être même solennel.

– Il s'agit d'Henriette.

Raposo ouvre un peu plus grand les yeux et tire sur son cigare.

– Allez au fait, dit-il.

Le patron hésite. S'il ne logeait pas depuis une quinzaine de jours à l'hôtel du Roi Henri, Raposo pourrait croire que l'homme a honte.

– C'est notre seule enfant, hasarde-t-il.

Ce « notre », pense Raposo, est la nuance révélatrice, riche en sous-entendus. Les gens, conclut-il en tirant sur son cigare, ne prennent pas garde à ce genre de chose. Et après, ce qui doit arriver arrive.

– Et alors ?

– Sa mère m'a parlé. Elle m'a fait part de ses soupçons. Après, enfin… Nous avons interrogé Henriette. Et elle nous a tout confirmé.

Assis sur le lit, Raposo fume, impassible.

– Qu'a-t-elle confirmé ?

– Eh bien ça… Enfin… Ce que vous savez, monsieur.

– Vous faites erreur. Je ne sais absolument rien.

Un silence suit. Barbou promène de nouveau un regard sur la chambre. Cette fois, il s'arrête sur le portrait du défunt roi, comme pour y puiser assez de dignité pour continuer de s'expliquer.

– Sa vertu… commence-t-il, et il s'interrompt.

– Quelle vertu ?

– La vertu de ma fille. La vertu d'Henriette…

L'hôtelier s'arrête là, embarrassé. Son regard est devenu quasi suppliant, comme s'il demandait à Raposo de l'aider à passer le cap difficile qui l'attend. Le mauvais moment. Raposo le regarde encore en silence, les yeux légèrement écarquillés, le cigare fumant à la bouche.

– Vous avez souillé l'honneur de notre fille, lâche enfin Barbou.

De nouveau ce « notre ». Raposo, qui contient difficilement un éclat de rire – et depuis déjà quelques minutes –, imagine madame Barbou dans le couloir, châle sur les épaules, en train de tendre l'oreille, guettant le résultat de l'entretien.

– Et qu'attendez-vous de moi ? demande-t-il avec le plus grand flegme.

Barbou regarde ses mains comme s'il se posait lui-même la question. La lumière de la veilleuse éclaire la moitié de son visage, creuse ses joues, lui donne l'apparence d'un homme tourmenté.

– Une réparation.

Alors, Raposo rit, sans retenue. Il ôte son cigare de sa bouche et s'esclaffe avec un franc plaisir.

– Que prétendez-vous me faire réparer ?

– La vertu d'Henriette.

– Vous l'avez déjà dit. Et quoi encore ?

– D'après sa mère, elle n'a pas eu ses règles.

– Peu m'importe, il y a seulement quinze jours que je suis à Paris.

Barbou s'interroge, détourne de nouveau les yeux.

– Moi, je n'y comprends rien… Ce sont des affaires de femmes.

– De femmes, dites-vous.

– C'est ça.

– Je vois. Et en quoi consiste cette réparation ?… Parce que vous n'allez tout de même pas prétendre que je dois l'épouser ?

– Non. Il ne s'agit pas de ça. Sa mère et moi en avons parlé, et il est sûr que…

– Et votre fille ? l'interrompt Raposo. Qu'en pense-t-elle ?

– C'est presque une enfant. Elle n'a pas vraiment d'avis sur la question. Et vous êtes un voyageur. De passage.

– Vous pensez donc à une réparation… en espèces ?

L'expression sérieuse de l'hôtelier semble s'éclairer un peu.

– On pourrait en discuter, oui… J'ai dit à ma femme que vous paraissiez être un homme raisonnable et un monsieur.

Raposo regarde son cigare, qui est presque consumé, se lève avec le plus grand calme, va jusqu'à la fenêtre par laquelle il lance ce qu'il en reste, suit des yeux la braise qui dessine un arc avant de se perdre dans l'obscurité. Dos tourné à son interlocuteur, il s'attarde à observer la rue, l'ancien cimetière noyé d'ombre, le ciel déjà noir où les étoiles brillent entre des nuages déchiquetés et sombres qui semblent toucher les avant-toits des maisons. Puis, toujours aussi calme, il fait face à Barbou.

– Votre fille est une putasse dévergondée, dit-il sur un ton serein.

L'hôtelier le regarde, la bouche aussi grand ouverte que si l'on y avait enfourné quelque chose de très chaud ou de très froid.

– Pardon ? balbutie-t-il enfin.

Raposo fait trois pas dans sa direction, se plante devant lui, si près que Barbou doit lever la tête pour le regarder. Et ce qu'il voit ne doit pas du tout lui plaire, parce qu'il cligne des yeux, inquiet.

– Votre fille n'a de vierge que les tympans de ses oreilles, que je sache, dit Raposo, toujours sur le même ton. Et elle était dans cet état bien avant que sa mère et vous ne l'ayez mise dans mon lit pour voir ce que vous pourriez en tirer.

– Je ne vous permets pas…

Sans passion, sans hâte, sans y mettre plus de violence que

nécessaire, Raposo donne à Barbou une torgnole qui fait tomber l'hôtelier de la chaise. Puis il se penche sur lui, pose un genou sur sa poitrine, l'attrape par la cravate et tire dessus jusqu'à ce que le patron suffoque.

– Il y a à Paris des milliers de putes, sans compter les femmes entretenues, les filles de l'Opéra et les souillons d'hôtel comme ta fille… Et tu oses chercher à me soutirer de l'argent pour ça ?

Se débattant sous le genou de Raposo, à demi asphyxié par la main qui tire sur sa cravate défaite, étourdi par la violence à laquelle il ne s'attendait pas, Barbou le regarde, épouvanté.

– J'ai moi-même une fois joué ce tour à des voyageurs imprudents, en Espagne, dit Raposo en riant comme un méchant loup. Et il faut que je vienne à Paris pour qu'on essaie de me posséder, moi ! Ça ne manque pas de sel !

Lâchant sa proie, Raposo se lève. Il rit encore, véritablement amusé, en se disant que ses compères, à Madrid, ne vont pas en croire leurs oreilles quand il leur racontera l'aventure. Vouloir le rouler, lui, Pascual Raposo, comme s'il était un pigeon sans malice. Me faire ça, à moi !

Barbou s'est relevé en se frottant le cou, les yeux exorbités, la terreur et la honte toujours peintes sur son visage.

– La police… bredouille-t-il, égaré.

Raposo le regarde presque avec surprise et un intérêt soudain qui le fait taire.

– La police, triple buse, je l'ai dans ma poche. Le nom de Milot te dit quelque chose ? Va donc le trouver, pour te plaindre.

Après quoi il s'approche de l'hôtelier, qui fait un pas en arrière.

– Tu vois ce sabre ? ajoute-t-il en montrant l'arme qui pend au mur. Ne le perds pas de vue, Barbou… parce que, à la moindre incartade, je t'égorge avec, avant de le plonger dans le con de ta femme et de ta fille.

Le plus grand silence règne dans l'hôtel de la Cour de France. Il est tard. En bonnet et chemise de nuit, pantoufles aux pieds, une bougie allumée à la main, don Hermógenes revient du cabinet d'aisances. En passant devant la chambre de l'Amiral, il hésite un instant. Puis, se décidant, il frappe doucement. En entendant

« Entrez », il pousse la porte, qui n'est pas fermée à clef. À la lumière d'un chandelier dont deux bougies sont allumées, don Pedro, assis encore habillé dans un fauteuil, avec sa culotte de daim et en manches de chemise, remonte sa montre. Jambes étendues, pieds calés sur un tabouret, il a posé un livre ouvert sur la table, du côté des pages, à portée de sa main.

– Vous devriez être en train de dormir, dit le bibliothécaire.

– Je devrais, oui.

Don Hermógenes met son bougeoir sur la table, où est posé un petit paquet dans une enveloppe en papier, noué avec une ficelle et cacheté.

– Puis-je vous tenir compagnie un moment ?

– Je vous en prie, merci.

Après avoir jeté un regard soupçonneux sur le paquet, le bibliothécaire s'assied sur une chaise, près du lit qui n'a pas été ouvert. Sur la courtepointe, il y a l'épée que don Hermógenes s'est procurée le matin même pour que l'Amiral puisse s'exercer.

– Vous en êtes-vous servi ?

– Non.

– Vous devriez, cher ami. C'est pour ça que je vous l'ai apportée.

– Je n'ai pas le cœur aux postures d'escrime.

Il y a un silence. Don Hermógenes regarde son collègue avec affection.

– Comment vous sentez-vous ?

– Tout drôle.

L'Amiral reste un moment pensif après avoir ainsi parlé. Puis il pose sa montre près du livre, incline la tête et sourit vaguement.

– Et un peu las.

– Voilà pourquoi je vous dis de dormir.

– Ce n'est pas une lassitude de cette sorte.

Le courrier cacheté continue d'attirer l'attention de don Hermógenes, qui finit par céder à la curiosité.

– Que contient-il, si vous pardonnez mon impertinence ?

L'Amiral regarde le pli comme s'il avait oublié qu'il se trouvait là.

– Deux lettres et mes dernières volontés, répond-il simplement.

Une des lettres est pour mes sœurs, l'autre pour le directeur de notre Académie, celle-ci avec mes excuses.

– Il ne manquerait que ça. Je ne crois pas qu'il soit nécessaire…

– Je suis comme vous venu à Paris chargé d'une mission ; et je risque de ne pas l'achever. Le moins que je puisse faire, c'est me justifier.

– Vous n'avez nullement à vous justifier, proteste don Hermógenes, ému.

– Vous vous trompez. Ce que je vais faire demain est une imbécillité contraire à tout ce que j'ai défendu pendant la plus grande partie de ma vie.

– N'en faites rien, dans ce cas. Refusez cette barbarie.

L'Amiral le regarde et ne dit mot. Il finit par se tourner vers la fenêtre comme si les réponses se trouvaient de l'autre côté des vitres.

– Tout, dans la nature, est une question d'équilibre. De lois compensatrices.

– Mon Dieu… votre cœur ne se fatigue-t-il pas, parfois, à suivre la cadence de votre tête comme l'aiguille d'une horloge le balancier ?

– Je n'ai pas le choix.

Le bibliothécaire palpe son menton, où pointe déjà la barbe.

– Je ne vous comprends pas.

– Ce n'est pas grave, cher ami.

– Mais si, c'est grave. Si votre conscience vous donne une raison de refuser cette sottise, écoutez-la… Je sais que vous êtes un homme suffisamment sensé pour n'avoir rien à démontrer à personne. Et tant pis pour ceux qui pourraient vous prendre pour ce que vous n'êtes pas.

– Disons que c'est un luxe que je vais m'offrir.

– Un quoi ?… Vous considérez comme un luxe de vous battre pour un prétendu honneur ?

– Je ne me bats pas pour mon honneur, don Hermès. Mon honneur n'a jamais été en question. Du moins, pas ce que l'on entend généralement par là.

Le bibliothécaire regarde le dos du livre ouvert, posé sur la table à côté du pli scellé. Il porte le titre : *Morale universelle*.

L'Amiral l'a acheté quelques jours auparavant dans une librairie de la rue Saint-Jacques, en même temps que le *Système de la Nature* de D'Holbach.

– Cette lettre pour vos sœurs… N'êtes-vous pas inquiet de les laisser seules ? demande don Hermógenes. Avez-vous pensé au chagrin qui sera le leur si…

– Elles ont une petite épargne pour leur assurer le nécessaire, et quelques modestes actions sur la Compagnie de Caracas.

– Mais vous allez leur manquer. Je parle de l'affection qui vous lie.

– Oh, pour ça, oui. Beaucoup. Nous sommes restés orphelins très jeunes, et pouvoir m'occuper d'elles a été l'une des raisons qui m'ont fait abandonner la mer. Toutes les deux, de leur côté, sont restées célibataires pour s'occuper de moi. Nous avons vécu ensemble, toutes ces années, et je leur manquerais sans doute si… Bien sûr. Elles sont mon seul vrai remords, ce qui m'empêche d'être vraiment en paix.

– Et pour l'Académie…

– De ce côté-là, je suis serein, certain que vous me ferez un beau sort. Que vous arrangerez tout comme il convient : l'Amiral s'est battu pour l'honneur de sa patrie et la réputation de la Marine royale… Argument inattaquable qui paraîtra formidable à tout le monde. Vous interromprez une séance plénière pour honorer ma mémoire, le secrétaire Palafox prendra acte et l'affaire sera classée… Pendant que j'y suis, ne consentez pas que l'on fasse dire des messes pour le repos de mon âme. Sinon, je reviendrai de l'au-delà pour vous tirer par les pieds, la nuit.

– Vous êtes incorrigible.

– Je suis trop vieux pour ces sottises.

Don Hermógenes s'impatiente, tend la main pour toucher la poignée de l'épée, arme ornée de dorures, étroite et fine, dont la lame est glissée dans un fourreau de cuir noir.

– Que la France est donc absurde et contradictoire, dit-il. Avec ses éclats des Lumières et de la raison d'un côté, et ses ridicules duellistes de l'autre, avec leur triste disposition à se croire sans cesse insultés et à voir en tout une offense…

L'Amiral lui lance un regard non exempt d'humour.

– Soyons justes, don Hermès. J'ai réellement insulté Coëtlegon.

– Il l'a bien cherché. Vous ne vous êtes que trop contenu. Je voulais parler de cette propension qu'on a ici à tirer l'épée ou le pistolet pour toutes sortes d'idioties… L'un perd au jeu ? Il se bat. L'autre trouve qu'on le regarde avec trop d'insistance ? Il se bat. Votre femme ou votre maîtresse sont des coquettes ? Vous vous battez et, comme si ce n'était pas suffisant, vous vous faites tuer. Vous avez déshonoré un brave homme en lui prenant sa femme, et il vous a traité de canaille ? Vous vous battez, et vous le tuez, si possible. Encore heureux qu'il y ait beaucoup de duels au premier sang.

Don Pedro fait une grimace d'indifférence.

– Je suppose que la chose peut s'expliquer ainsi, dit-il après quelque réflexion : en Italie et en Espagne, on n'y va pas par quatre chemins. S'il y a duel, on s'étripe autant qu'on le peut, avec grand plaisir. Voilà peut-être pourquoi les duels sont si rares, en Espagne… Mais en France où tout est considéré dans le monde de manière si frivole, la plupart des duels sont au premier sang, comme le mien. On s'en tient à la première blessure, pour recommencer vingt fois si les adversaires en décident ainsi. On n'est pas sérieux dans ce genre d'affaire.

– Oui, mais la mort, elle, l'est. Une première blessure peut être une estocade en plein cœur, s'indigne don Hermógenes. Ou provoquer une infection qui en deux semaines vous conduit à la tombe.

– Manque de chance, dans ce cas.

– Mais pourquoi vouloir la forcer, la chance ? Pourquoi se prêter à cette mascarade ?

Cette fois, le silence se prolonge. L'Amiral a ôté ses pieds du tabouret et se redresse sur son siège. Pendant un moment, il reste ainsi immobile, comme attentif à un signal ou à un son que lui seul percevrait au loin.

– Avant que nous prenions la mer pour lever le blocus de Toulon, dit-il posément, en février quarante-quatre, il y a eu une rencontre entre l'amiral anglais et l'amiral français censé protéger avec son escadre notre sortie du port… Ils ont conclu un accord, par lequel les Français s'engageaient à prendre le large sans ouvrir le feu si les Anglais ne tiraient que contre nous… Et c'est ce qui s'est passé devant le cap Sicié : trente-deux navires anglais contre douze espagnols, pendant que les Français faisaient route sans être inquiétés et s'éloignaient du combat.

Il s'est tu et regarde maintenant les flammes des bougies.

– Nous ne nous en sommes pas moins battus pendant sept heures et demie sans nous laisser capturer, ajoute-t-il au bout d'un moment.

– Ce fut une grande victoire, sans aucun doute, dit don Hermógenes, souriant.

L'Amiral le regarde presque avec surprise, comme s'il ne s'attendait pas à entendre une telle chose.

– Ça n'a pas été une victoire, répond-il d'un ton sec. Seulement une magnifique tentative de survivre.

Il s'est levé, étirant lentement sa longue charpente comme si ses articulations lui faisaient mal. La lumière des bougies projette son ombre, allongée, sur le mur. Don Hermógenes prend le livre ouvert sur la table, le retourne et lit, en forçant sur sa vue.

> *Quiconque aura bien médité ses devoirs et les aura fidèlement pratiqués jouira d'un bonheur véritable durant sa vie, et la quittera sans crainte et sans remords. [...] Une vie ornée de vertus est nécessairement heureuse et nous conduit tranquillement vers un terme où nul homme ne pourra se repentir d'avoir suivi la route que sa nature lui a tracée.*

– Ce jour-là, nous avons pris la mer en sachant ce qui allait s'ensuivre, dit l'Amiral quand don Hermógenes a reposé le livre. En sachant que les Français allaient nous laisser seuls... Et nous avons pourtant appareillé.

– Pour l'honneur et pour les couleurs, bien sûr.

– Non. Parce que nous en avions reçu l'ordre, comprenez-vous ? Nous aurions tous été heureux de rester à l'abri dans le port de Toulon. Nul n'aime mourir ou être mutilé.

Après avoir contemplé l'épée, don Pedro s'en empare et va la ranger dans la penderie.

– Il ne s'agissait que de respecter les règles, dit-il en refermant la porte. La vie nous met face à elles. On les assume, on les suit, c'est tout... Sans trop faire la grimace. Sans trop prendre la chose au tragique.

– N'avez-vous jamais… dit le bibliothécaire.

Mais don Pedro semble ne pas l'avoir entendu.

– Je sais maintenant que quand nous nous sommes battus, là-bas, et sur ma foi j'ai donné tout ce que j'ai pu, nous ne l'avons pas fait pour l'honneur, ni pour la patrie, ni pour la gloire… Nous l'avons fait parce qu'il fallait le faire. Il fallait respecter les règles.

– Cependant, la volonté de Dieu…

– S'il vous plaît, don Hermès… – Le sourire de l'Amiral est large, franc, presque amusé. – Ne mêlez pas Dieu à l'affaire. Laissez-le tranquille dans son Sinaï, occupé à dicter les tables de la Loi.

– Le Ciel me vienne en aide ! Vous me rappelez ce froid géomètre qui, lassé d'entendre parler de *Don Quichotte*, se décide enfin à le lire et, à la fin du premier chapitre, s'exclame : mais qu'est-ce que ça démontre ?

– Hum, dans un certain sens, il voyait assez juste…

Le bibliothécaire remue la tête, découragé.

– C'est pour ça que vous allez vous battre demain, alors : pour rien. Seulement parce qu'il le faut.

Le sourire de l'Amiral ne s'est pas tout à fait effacé quand il opine doucement du chef, avec la plus grande sérénité.

– Seulement pour ça. Oui. Pas pour rien, mais pour tout… parce qu'il le faut, et qu'il n'y a pas moyen de faire autrement. Et parce que personne ne vit éternellement.

– C'est là, dit Milot en frappant avec son bâton le toit du fiacre.

Pascual Raposo et le policier descendent de voiture, le premier enveloppé dans sa capote, le second en redingote boutonnée jusqu'au cou. Il ne fait pas très froid, mais l'humidité règne dans le bois et tapisse l'herbe de rosée. Le soleil ne s'est pas encore levé, une légère brume semble s'attacher aux frondaisons. Les deux hommes descendent la pente, laissant derrière eux les Champs-Élysées.

– Tout dépend maintenant de toi, dit Milot. Si tu veux, j'interromps le duel et j'arrête ton académicien, nous le livrons à Federici, le chef des gardes, pour qu'il le traîne devant les tribunaux.

Rien de plus facile. Mais je ne t'apprendrai pas qu'un duel interrompu avant que le sang ait coulé n'est habituellement puni que d'une admonestation ou d'une amende. Demain ou après-demain, ton duelliste sera libre. Tu auras gagné deux jours, au grand maximum.

– Nous allons voir ce qui se passe. Il est toujours possible qu'il soit gravement blessé, ou tué.

Milot rit, heureux.

– Oui, bien sûr. Voilà qui tomberait à pic. Pour toi, le problème serait résolu, enfin, à moitié... Même si c'est lui qui tue son adversaire, on peut toujours l'arrêter avec des charges plus graves à son encontre, et il lui sera alors plus difficile de s'en sortir.

– C'est pourquoi je te dis : contentons-nous pour le moment de regarder de loin ce qui se passe.

– Très bien. C'est ton affaire, mon gars.

Au bas de la pente, il y a un fossé, par-dessus lequel sautent les deux hommes, puis le terrain s'aplanit jusqu'à la lisière du bois, où se déploie une clairière : c'est le pré. De l'autre côté, le taillis est plus épais, les arbres y sont noyés dans l'humidité ambiante qui rend le matin gris. Sous le couvert, deux voitures sont arrêtées près d'une palissade en bois.

– Nous y voilà, dit Milot.

De toute évidence, le policier connaît bien l'endroit pour y être venu plusieurs fois : il va directement vers un gros tronc d'arbre couché entre des arbustes, où il chasse la rosée d'une main avant de s'asseoir sur les pans de sa redingote. Ce pré, a-t-il appris à Raposo pendant qu'ils approchaient en voiture, est le théâtre habituel des rencontres de ce genre : discret, à moins d'une demi-heure de la place Louis XV, et hors de l'enceinte des Champs-Élysées, où il y a de nombreux autres endroits propices aux duels, mais tous surveillés par les gardes suisses de Federici, qui compliquent la tâche aux duellistes.

– Installe-toi confortablement, suggère-t-il à Raposo.

Celui-ci s'assied sur le tronc et s'avise que les arbustes les mettent à l'abri des regards, tout en laissant la clairière en vue dans presque toute son étendue. Une place aux premières loges, conclut-il, satisfait. Et gratuite. En ce qui le concerne, le spectacle peut commencer.

– Aurais-tu un de tes cigares à me donner ? demande le policier.

– Bien sûr.

Raposo en sort deux, ainsi que la pierre et la mèche et, après quelques tentatives ratées à cause de l'humidité, ils fument en silence.

– Regarde, dit Milot en consultant sa montre. Pile poil. Je crois qu'ils sont tous arrivés.

Raposo, qui a sorti de sa poche sa lunette à tirages, regarde lui aussi. Un troisième attelage est apparu dans la clairière et s'approche lentement. Pendant ce temps, divers personnages descendent des autres voitures. Trois d'entre eux, tournant le dos aux derniers arrivants, se dirigent vers le milieu du pré ; deux sont en habit noir, avec casaque, cape et tricorne, le troisième n'est vêtu que d'une culotte brune, de bas blancs et d'une chemise dont le col et les poignets sont ornés de dentelle. Tête découverte, cheveux frisés aux tempes et poudrés de blanc en dépit de l'heure matinale, il semble être en bonne forme. Il marche sans se hâter en échangeant quelques mots avec ceux qui l'accompagnent, puis s'arrête, se retourne et regarde la voiture qui arrive.

– Ça, c'est Coëtlegon, dit Milot sans grande nécessité en montrant du bout de son cigare l'homme en manches de chemise.

Raposo observe la troisième voiture qui s'est immobilisée, là où attendent deux autres individus couverts de capes noires près des autres attelages, et de laquelle trois hommes descendent. Le premier est l'abbé Bringas, reconnaissable à son apparence négligée, sa méchante veste grise et son chapeau cabossé. Le deuxième est plutôt petit et bien enveloppé ; c'est don Hermógenes Molina. Don Pedro Zárate, grand et maigre, descend le dernier, regarde autour de lui jusqu'à ce qu'il ait reconnu son adversaire dans le pré ; alors, il ôte sa veste, la plie et la pose sur la banquette de l'équipage. Puis, en manches de chemise, il serre la main aux deux hommes en noir qui attendent, enveloppés dans leurs capes.

– Ce sont l'arbitre du duel et le chirurgien, dit Milot à Raposo quand ce dernier lui a tendu la lunette. Celui qui porte sous le bras le fourreau avec les épées est Bertenval, de l'Académie française.

Solennels, tous font quelques pas en direction de ceux qui attendent. À mi-chemin, l'Amiral s'arrête et les autres continuent jusqu'à ce qu'ils aient rejoint les témoins de Coëtlegon qui, de leur côté, viennent vers eux. Il y a maintenant un groupe de six hommes au milieu du pré : les témoins, l'arbitre et le chirurgien qui discutent pendant que les deux duellistes, à vingt pas l'un de l'autre, restent seuls sur leur position, en attendant que les ultimes conventions soient fixées.

– Il a l'air flegmatique, ton compatriote.

– Il a été marin, tu sais.

– Ce doit être pour ça, dit Milot en lui rendant la lunette. Dans ces cas, d'habitude, on est très nerveux.

Avec beaucoup d'intérêt, Raposo examine don Pedro. Les cheveux gris de l'académicien sont rabattus sur la nuque en catogan noué par un ruban de taffetas noir, il porte une chemise simple avec une cravate noire, des culottes noires serrées, et des bas de la même couleur. Il a l'air serein, presque indifférent, les mains derrière le dos, l'air absorbé comme s'il contemplait la brume entre les arbres du bois. À la différence de son adversaire – Coëtlegon fait quelques pas qui traduisent l'impatience ou le besoin de se dégourdir les jambes –, l'Amiral reste immobile, en place, jusqu'au moment où les membres du groupe en train de discuter semblent s'être entendus. Alors, chaque couple de témoins rejoint son combattant et l'entraîne vers l'endroit où attendent le chirurgien et l'arbitre.

– Tu t'es déjà battu en duel ?

– Jamais, répond Raposo en riant. C'est une idiotie. Le meilleur des duels c'est celui qui se résout par un coup de couteau inattendu dans l'aine... Ici, tu vois ? Dans la fémorale.

– Inutile de le dire, convient Milot. À cet endroit, il n'y a pas de tourniquet qui tienne.

– En Espagne, on appelle ça l'estocade du torero.

– Ah oui ? C'est bien vu.

Raposo regarde le groupe sur le pré d'un œil critique et avec une expression féroce.

– Ce truc des témoins et du protocole est une ânerie, estime-t-il.

Après avoir tiré sur son cigare, il crache de la salive jaunie par le tabac entre les arbustes.

– Dans les règlements de comptes, ajoute-t-il après quelques instants de réflexion, moins il y a de témoins, mieux ça vaut.

– Souvenez-vous bien, dit Bertenval en donnant les armes, que vous ne pouvez vous servir de votre main gauche pour écarter ou saisir l'épée de votre adversaire.

La situation accable tellement don Hermógenes qu'il voudrait bien s'enfoncer dans le bois pour vomir le café au lait qu'il a pris pour déjeuner – seul, parce que l'Amiral a dit que, par prudence, il préférait se battre à jeun. Admiratif, il se demande comment son collègue peut faire pour rester impavide en de telles circonstances, et recevoir l'épée d'une main si ferme, alors que la sienne, s'il devait en faire autant, tremblerait comme s'il était atteint de convulsion mercurielle.

– À mon ordre, vous devrez aussitôt arrêter le combat.

Pendant que Bertenval énumère les dernières conditions dans lesquelles va devoir se dérouler la rencontre, Coëtlegon, qui ne se départit ni de son froncement de sourcils ni de son air dédaigneux, s'assure de la flexibilité de sa lame, de son parfait état et de sa droiture en faisant quelques moulinets en l'air, un peu affectés, qui produisent une sorte de bourdonnement de cravache. De son côté, l'Amiral, immobile à trois pas de lui, l'épée dans la main droite, qui pend le long du corps, la pointe touchant l'herbe mouillée, reste tranquille et pensif comme s'il avait la tête ailleurs. Coëtlegon cesse de s'agiter ; il baisse lui aussi le bras qui tient l'épée et regarde pour la première fois en face l'Amiral. Au même instant, comme s'il l'avait senti, don Pedro lève lentement son regard, ses yeux bleus que la brume de l'aurore rend encore plus aqueux se fixent sur la lame de son adversaire, et remontent jusqu'à ceux de Coëtlegon.

– En garde ! ordonne Bertenval, en reculant de cinq pas.

En tant qu'arbitre, il a en main un long bâton destiné à interrompre le combat si l'un des adversaires commet une infraction ou est blessé. À sa voix, don Hermógenes, le chirurgien et les autres témoins s'écartent de la ligne des tireurs pendant que ceux-ci lèvent leur épée. Le bibliothécaire remarque que Coëtlegon salue le premier, avec une pointilleuse étiquette, en plaçant la garde à la hauteur de son visage, et que l'Amiral se borne à tendre légèrement la sienne en hauteur, le coude collé à la taille.

– À vous, messieurs, dit Bertenval.

Le cœur de don Hermógenes bat si vite qu'il le sent cogner dans sa poitrine ; ce ne pourrait être pire, se dit-il, s'il avait lui-même l'acier en main. L'âme en suspens, il voit Coëtlegon passer sa langue sur ses lèvres, fléchir sur ses jambes, appuyer sa main gauche sur sa hanche et adopter une élégante posture, digne d'illustrer l'art de l'escrime. De son côté, l'Amiral lève son bras libre à angle droit, poignet légèrement cassé, de sa main droite pointe un peu la lame de l'épée vers le haut, la poignée à hauteur de son visage, comme s'il visait celui de l'adversaire avec un absolu sang-froid. On dirait qu'il n'a rien fait d'autre de sa vie. Fasciné malgré l'horreur que la scène lui inspire, don Hermógenes ne peut manquer de voir le sourire féroce de l'abbé, à côté de lui, et remarque que Coëtlegon regarde presque constamment l'arme de l'Amiral, alors que celui-ci, semblant ignorer celle de l'adversaire, n'a d'attention que pour les yeux de ce dernier, comme si le danger réel était en eux et non pas dans l'acier mû par la volonté de ce regard. Le fait est qu'ils restent ainsi immobiles à s'étudier, lames à quelques pouces l'une de l'autre, pendant un moment qui pour le bibliothécaire se prolonge de façon intolérable. C'est Coëtlegon qui le premier s'anime, se rapproche un peu de son adversaire, le corps tendu en avant, comme pour marquer, et le son métallique des épées retentit alors, argentin et net, dans l'air humide du matin.

Un esprit vide de toute pensée, une absence de tout ce qui n'est pas la simple concentration physique, et un étrange calme intérieur ; une aussi étrange distance vis-à-vis de tout et de tous, voilà ce que ressent l'Amiral quand il assure l'épée dans sa main, attentif aux intentions de l'adversaire, au lien entre les yeux de celui-ci et le mouvement de l'acier qui s'ensuit, un instant plus tard ; au lien entre le regard de Coëtlegon, qui maintenant n'est plus dédaigneux mais attentif et inquiet, et la pointe aiguë que don Pedro sent à trois ou quatre paumes de son corps. Blessures, vie ou mort. À un certain moment, alors que l'acier adverse se meut avec rapidité, exécute une feinte pour percer la défense que l'Amiral a prise en position de seconde, sans y penser, par simple instinct de survie, celui-ci sent la menace beaucoup plus proche, la possibilité concrète du contact du métal dans sa chair, qui se présente sous forme d'un léger frisson à l'aine, prémonitoire, sinistre.

Il recule de deux pas en tenant la garde haute et se met sur la défensive. De nouveau, les extrémités des épées se frôlent, sans engagement, se mesurant avec une lente prudence. La pensée que l'herbe est trop glissante lui traverse alors l'esprit, fugitivement, et le quitte tout aussi vite, remplacée par une autre, qui lui dit que son adversaire s'en ressent aussi. Une nouvelle fois, l'esprit vide, toute son attention centrée sur le regard de l'adversaire, il y devine, tout en restant sur ses gardes, l'attaque périlleuse que celui-ci déclenche ensuite : deux pas en avant parfaitement calculés, engagement qui s'achève sur une parade en quarte, suivie d'une estocade allongée sans hésitation, qui ne cherche pas le premier sang, mais à percer la poitrine de l'Amiral d'outre en outre, et à laquelle il ne réussit à parer que par un dégagement sur la droite, avec un battement bas très peu élégant et très peu orthodoxe, qui frôle le genou droit de Coëtlegon et lui fait faire un saut arrière, lèvres pincées de fureur.

– Je vous en prie, messieurs.

C'est la voix de Bertenval, qui lui paraît lointaine, à des milles de lui.

Don Pedro lève la main pour demander une courte trêve, Coëtlegon s'immobilise.

– Je suis navré, monsieur, dit l'Amiral. Le geste a été involontaire.

Son adversaire acquiesce, impatient, et tous deux se remettent en garde. La contrariété de Coëtlegon se manifeste par une attaque rapide, qui oblige l'Amiral à reculer de nouveau pour se protéger. L'adversaire insiste et un vif tintement des aciers s'ensuit au cours duquel don Pedro perd de vue l'épée adverse, ce qui le plonge dans une désagréable désorientation, très proche de la panique. L'Amiral finit par donner deux estocades défensives à l'aveuglette, tourne sur lui-même pour se dégager, manque glisser, se remet en garde à temps pour parer un nouvel assaut. Il commence à se fatiguer, et le bras qui tient l'épée lui pèse comme si elle était en plomb. Cependant, le visage rougi de Coëtlegon, où les gouttes de rosée ressemblent à des gouttes de sueur, à moins que ce ne soit l'inverse, le réconforte un peu. Dans ses assauts vigoureux, son adversaire dépense une grande partie de ses forces. Or, l'escrime la plus sûre, quand on a plus de soixante ans, consiste à tenir l'adversaire à distance jusqu'à ce que, par fatigue ou emportement, il commette une erreur.

Mais c'est lui qui commet l'erreur. En reculant sans avoir assuré son pas, il glisse légèrement sur l'herbe, et son chancellement permet à Coëtlegon de lui allonger une estocade qui ne le touche pas à la poitrine par la pointe, mais qui, quand il se rétablit pour la parer, déchire sa chemise à la hauteur de l'épaule et lui fait sentir la violente piqûre du fer adverse. L'Amiral fait deux pas en arrière, sent la douleur à l'épaule tandis qu'il remue le bras pour la dégourdir. Sur l'avertissement des témoins, l'arbitre s'avance.

– Halte ! Il y a blessure, messieurs ! Arrêtez-vous et permettez-moi de l'examiner.

L'Amiral le regarde, comme étonné qu'il y ait là quelqu'un d'autre que lui et son adversaire, et il doit faire un effort pour se rappeler que Coëtlegon et lui ne sont pas seuls. Près de Bertenval et du chirurgien, il aperçoit le regard horrifié de don Hermógenes, qui se tord les mains, blanc comme un linge, les expressions soucieuses des autres témoins, Laclos et le second gentilhomme, ainsi que le sourire – extasié – de Bringas. En touchant l'épaule blessée de sa main libre, don Pedro constate que sa chemise est mouillée de sang. Il n'y en a pas beaucoup et, s'il s'étend, c'est à cause de l'humidité et de la sueur. Mais il y en a pourtant assez, en principe, pour mettre fin au duel.

– Je peux continuer, s'entend-il dire, en regardant son adversaire.

Le sourire de satisfaction de Coëtlegon s'efface.

– Vous en avez le droit, dit-il en se remettant en garde.

Les pointes se croisent, comme pour se mesurer. Immobile, en position de seconde qui le couvre, l'Amiral épargne ses forces pour essayer de se remettre. Il sent à son épaule goutter de temps en temps un petit filet de sang qui va se perdre dans la toile de la chemise, sous son aisselle. Contre toute attente, perdre ainsi son sang le plonge dans un calme profond et une lucidité insolite. Qui pourrait bien être trompeuse, songe-t-il un instant ; une de ces fausses assurances qui se concluent par une demi-paume d'acier dans le poumon. Il décide donc de rester très vigilant, toujours aussi attentif à ce qu'il peut lire dans le regard de l'autre. Quoi qu'il en soit, se dit-il pendant qu'il avance, engage le fer et recule d'un pas, je suis trop vieux pour ça.

Un éclair métallique et, dans les yeux de Coëtlegon, le regard furieux, décidé, de l'homme qui s'élance pour tuer. Sans trop penser à ce qu'il fait, don Pedro lâche d'un pas, esquive, lève la pointe en menaçant le visage de l'adversaire, et quand celui-ci baisse la tête et se fend, l'Amiral, au lieu de rompre, pare, se maintient fermement et s'aperçoit, à une secousse qui lui laisse le poignet endolori, que la lame a dû toucher l'os de la hanche de Coëtlegon, lequel s'est cloué seul, du côté droit, sur l'acier tendu vers lui. En reculant, d'un brusque mouvement du coude, l'Amiral dégage et libère son épée. Sur une imprécation de fureur, Coëtlegon fait quelques pas en demi-cercle, hors de lui, en fouettant l'air de sa pointe.

– Arrêtez maintenant, messieurs ! ordonne Bertenval. Permettez-moi d'examiner…

Coëtlegon l'interrompt en blasphémant.

– Je vais parfaitement bien ! Poursuivons ! ajoute-t-il.

De sa main libre, il touche sa blessure, de laquelle coule le sang qui tache la partie supérieure de sa culotte. Mais il n'est pas vrai que, comme il le prétend, il aille parfaitement bien. D'un coup d'œil, don Pedro s'aperçoit que l'homme a le visage jaune, couleur de vieille cire, qu'il serre les lèvres avec une fureur telle qu'il les fait disparaître, réduites à une ligne ; que son regard est à présent éperdu, déconcerté.

– Poursuivons ! répète Coëtlegon, en se mettant en garde.

– Messieurs ! Le duel est au premier sang ! proteste Bertenval. Je dois examiner les blessures.

– Je ne veux pas me refroidir ! Continuons !

Il passe de nouveau à l'offensive, pousse une botte, cherchant obstinément à allonger une estocade qui transpercerait la poitrine de don Pedro. Mais celui-ci, qui a eu le temps de se garder, pare en quarte en dessous, éloigne l'acier de l'adversaire d'un vigoureux engagement et rompt, en reculant de trois pas.

– Je crois que c'est suffisant, monsieur, dit-il, serein.

Coëtlegon le regarde comme s'il ne comprenait pas ce qu'on vient de lui dire, se met en garde et repart à l'offensive. Mais avant d'avoir achevé son mouvement, il pâlit davantage, vacille, baisse l'épée. La tache rouge atteint maintenant son aine.

– Je ne crois pas... dit-il, et le reste de sa phrase s'achève en bredouillis.

Il a lâché l'épée, ses genoux ploient lentement. Tous courent vers lui, l'Amiral l'atteint le premier et le retient dans ses bras pour l'empêcher de tomber à terre. Les yeux de Coëtlegon le regardent, éperdus.

– C'est... trop, murmure-t-il.

– Je vous présente mes excuses, monsieur, dit don Pedro, en le soutenant. Je suis allé trop loin, l'autre jour.

Le regard vitreux, son adversaire fait un léger mouvement affirmatif de la tête. L'Amiral veut arracher une manche de sa chemise pour presser avec elle la plaie de Coëtlegon, mais l'arrivée du chirurgien l'en dispense. On couche le blessé sur une cape que Laclos a étendue dans l'herbe mouillée.

– Ce n'est pas une lésion grave, sauf si elle s'infecte, annonce le chirurgien sur un ton égal après avoir examiné la blessure. L'os a arrêté le fer.

En se levant, don Pedro s'avise qu'il a encore l'épée à la main. Il la remet à Bringas, qui la reçoit avec un véritable plaisir.

– Ah ! Belle botte, monsieur, commente l'abbé, à la fois satisfait et sarcastique. Très belle botte.

Près de lui, le bibliothécaire contemple don Pedro avec un respect qui frise la vénération. Pendant ce temps, avec le plus grand calme, l'Amiral presse la plaie à son épaule d'une main, en essayant cette fois d'arrêter son propre sang.

– Elle est profonde ? demande don Hermógenes, inquiet.

– Non.

Le soleil du matin se lève à ce moment-là sur l'horizon, entre les effilochures de brume qui semblent accrochées aux branches, et le premier rayon de soleil éclaire, en le diluant presque jusqu'à la transparence, le bleu des yeux de l'Amiral.

10
Les petits déjeuners de madame Dancenis

Je ne demande grâce que pour ma surprise ; c'est la première fois que j'entends toutes ces lubricités.

MARQUIS DE SADE,
La Philosophie dans le boudoir

La veuve Hénault vit dans une belle maison du Marais, tout près de la place Royale, à peu de distance de la Bastille. Le quartier a périclité, comme le leur a appris l'abbé Bringas, mais il conserve quelque chose de son apparence passée, une allure *grand siècle** du temps de Louis XIV que lui donnent les arbres, les rues assez larges et les façades des vieux hôtels. Pour cette visite, qu'ils font le lendemain du duel, don Pedro Zárate et don Hermógenes Molina se sont très correctement habillés de vêtements sobres et sombres, de bon ton, qui accentuent autant que possible leur apparence respectable, et ils ont laissé l'abbé libre de ses mouvements, malgré son insistance à les accompagner. La mission est délicate, et ni l'Amiral ni le bibliothécaire ne désirent qu'une des impertinences de cet homme ne leur fasse tout perdre.

L'unique inconvénient, c'est la pluie. Depuis la veille au soir, il pleut sur Paris, et la ville est devenue impraticable. De grosses gouttes se sont mises à tomber, éparses, qui peu après se sont changées en mitraille de grêle, puis en véritables rideaux de pluie.

Les voitures bloquent les rues et les principaux ponts, les gouttières déversent de grands jets d'eau sur les passants qui, pour se protéger et éviter les voitures, marchent en rasant les façades. Les places ressemblent à des lacs où l'eau tambourine, les rues à des torrents. C'est ainsi que le fiacre qui transporte l'Amiral et le bibliothécaire met près d'une heure à les conduire de la rue Vivienne à la rue Saint-Antoine, pris dans divers embarras. À travers la buée des fenêtres, les deux académiciens observent une ville différente de celle qu'ils ont connue jusqu'à ce jour : un labyrinthe urbain sale, boueux et gris.

– Prendrez-vous du café ou du thé ?

La veuve Hénault les a reçus en compagnie de l'un de ses fils. C'est une femme âgée – elle doit avoir dans les soixante-dix ans – et sèche, au visage maigre et au menton fuyant, avec des yeux verts qui, en d'autres temps, ont sans doute été beaux. Elle est en tenue de deuil, une coiffe noire retient ses cheveux gris. Le fils a le même menton que sa mère. Vêtu de noir, il a une perruque avec deux boucles marteaux sur les tempes, une veste de coupe classique, un flot de dentelle au col de sa chemise. Il est apparemment avocat, procureur, ou quelque chose de semblable, dans un bureau proche du palais de Justice.

– Pour mon époux, dit la veuve, les livres étaient sa vie. Il leur a consacré des sommes énormes et, pendant ses dernières années, malade, il ne sortait pour ainsi plus de sa bibliothèque. C'était, disait-il, sa consolation. Son meilleur remède.

– Combien de livres a-t-il pu réunir ainsi ? demande don Hermógenes, intéressé.

Ils sont assis dans un salon décoré de porcelaines bleues et roses, aux murs couverts de papier peint, où sont accrochées des gravures encadrées avec goût qui représentent des oiseaux. En un autre temps, l'endroit a dû être accueillant, mais il sent aujourd'hui le renfermé, le manque d'entretien, et les volets entrouverts des fenêtres laissent entrer une clarté douteuse qui assombrit la pièce, dans laquelle la lumière de la cire ou de l'huile est avaricieusement mesurée. Une servante âgée et négligée a apporté le plateau de service.

– Nous ne connaissons pas le chiffre exact, intervient le fils. Nous en avons compté comme ça, à vue d'œil, environ quatre mille… surtout de botanique, de voyage et d'histoire, qui étaient ses grandes passions.

– Vous ne les partagez pas ?

L'homme arbore un sourire de circonstance, un peu mal à l'aise.

– Mon travail m'oriente vers d'autres domaines, dit-il en caressant d'un geste distrait la main de sa mère. Mon intérêt va au droit, et j'ai déjà pris ce que mon père avait sur le sujet.

– C'est dommage de se défaire d'une si belle bibliothèque, de la disperser.

– Moi, ça me fait beaucoup de peine, dit madame Hénault.

– Oui, mère. Mais vous savez qu'il n'y a pas de place chez moi, ni chez ma sœur. – Il se tourne vers les académiciens. – Comme elle veut quitter cette maison et venir vivre chez nous, cette bibliothèque serait un embarras plutôt qu'autre chose… Sans compter que ce qu'elle pourrait en tirer l'arrangerait bien.

– Des libraires sont-ils déjà venus vous faire des offres ?

– Nous sommes en pourparlers avec quelques-uns d'entre eux, admet le fils. Mais vous savez ce qu'il en est. Tous ces marchands de livres sont des rapaces sans scrupule ; ils feignent de ne pas attacher d'importance aux exemplaires les plus précieux, disent « Ça ne vaut rien et j'aurai du mal à le vendre », et ils essaient d'emporter le tout au moindre prix. Est-ce pareil en Espagne ?

– Exactement.

– Quoi qu'il en soit, ma mère avait l'intention de vendre l'ensemble. L'amitié de mon père pour monsieur Dancenis et la lettre que nous avons reçue de lui nous engagent à faire une exception pour vous… Si nous arrivons à nous entendre, vous pourrez disposer de l'*Encyclopédie*.

– Voulez-vous la voir ? demande la veuve.

– Bien entendu.

Ils laissent les tasses sur la petite table, traversent un couloir avec des bibliothèques des deux côtés et entrent dans la pièce voisine, qui est un très grand bureau aux murs couverts de rayonnages de livres, dont la fenêtre donne sur la place Royale, où la pluie continue de tomber.

– Il y a de nombreux ouvrages de botanique, comme je vous l'ai dit. – Le fils ouvre davantage les rideaux pour laisser entrer plus de lumière. – Et d'histoire : regardez cette *Histoire militaire de Louis le Grand*, en sept volumes, qui est magnifique... Ceux de botanique sont de ce côté. Il y en a un de Charles Plumier sur les plantes d'Amérique et le premier tome de *Voyages dans les Alpes* de Ferdinand de Saussure, que mon père appréciait beaucoup.

C'est avec grand intérêt et en prenant leur temps que don Hermógenes et don Pedro regardent les livres. Ce dernier, dont l'épaule blessée a été pansée la veille, crispe un peu les lèvres de douleur quand le fils de la veuve Hénault lui met dans les mains un lourd volume de Linné.

– Tout va bien, monsieur ?

– Oui, bien sûr. Ne vous inquiétez pas. C'est seulement un peu de rhumatisme.

– Ah, évidemment, avec toute cette pluie et cette humidité, dit le fils en remettant le volume à sa place.

Il montre un coin de la bibliothèque devant lequel don Hermógenes est déjà arrêté, extasié. Là, dans la lumière plombée qui entre par la fenêtre, se détachent les dorures des vingt-huit volumes grand in-folio, reliés en peau de couleur marron clair : *Encyclopédie*, peut-on lire sur les pièces de titre rouges et vertes.

– Puis-je en ouvrir un ? demande don Hermógenes.

– Je vous en prie.

Avec une onction révérencielle, tel un prêtre qui tient dans ses mains le saint sacrement, le bibliothécaire met ses lunettes, sort le premier volume du rayonnage, le pose sur la table du bureau et l'ouvre avec soin. *Discours préliminaire des éditeurs*, lit-il presque bouleversé. *L'Encyclopédie que nous présentons au Public, est, comme son titre l'annonce, l'Ouvrage d'une société de Gens de Lettres...*

– La reliure est impeccable, comme vous pouvez le voir, dit le fils de madame Hénault. Quant à la conservation, elle est parfaite.

– Mon défunt mari cirait lui-même ses livres, ajoute la veuve. Il y passait des heures.

– Il y a même les derniers tomes de planches, renchérit le fils. Elle est complète. Mon père a été souscripteur dès le commencement, quand ont paru les premiers volumes. Et il la lisait souvent… Nous avons entendu dire que cette édition est aujourd'hui difficile à trouver.

– Ce n'est pas facile, bien sûr, reconnaît don Hermógenes avec précaution.

Don Pedro surprend le regard rapide qu'échangent la mère et le fils.

– Il va falloir que nous parlions du prix, dit ce dernier.

– Naturellement, acquiesce don Hermógenes. C'est pour cela que nous sommes venus, monsieur. Avec l'espoir, toutefois, qu'il soit raisonnable.

– Que voulez-vous dire ? demande l'avocat, soupçonneux.

– Que nos moyens, bien qu'adéquats, ne sont pas illimités, explique don Hermógenes.

L'avocat sourit, pensif, et remet le livre à sa place. Maintenant, dit son expression, entrons en matière.

– Voyons… La souscription initiale que mon père a fournie a été de deux cent quatre-vingts livres, vous avez tous les documents ici, sur la table, quoique le prix définitif, avec les volumes de planches, ait grimpé jusqu'à neuf cent quatre-vingts… Comme c'est la première édition, sa valeur sur le marché a beaucoup augmenté. On l'estime à présent à quatre-vingts louis.

Don Hermógenes cligne des yeux, déconcerté comme chaque fois qu'il entend parler de chiffres.

– Ce qui fait en livres… ?

– Presque mille neuf cents, répond don Pedro aussitôt. Ou, pour être plus précis, mille huit cent soixante-quatre.

– C'est exact, confirme le fils, surpris par l'habileté en calcul de l'Amiral.

– Les libraires nous ont parlé d'environ mille quatre cents livres, dit don Hermógenes.

L'avocat regarde sa mère et lève les épaules.

– Je ne sais pas… En tout cas, comme vous pouvez le voir, les vingt-huit volumes sont en parfait état. Nous croyons que nous en demandons le juste prix.

– Bien sûr, répond don Hermógenes. Cependant, en considérant les…

– Nous pouvons payer mille cinq cents livres, dit l'Amiral, lui coupant la parole.

Le bibliothécaire regarde don Pedro qui regarde l'avocat, lequel regarde sa mère.

– C'est peu, dit-elle.

– Peut-être, ajoute le fils, pourrions-nous arriver à un accord autour des mille sept cents livres.

– Pardonnez-moi, je n'ai pas été suffisamment clair, intervient don Pedro avec le plus grand flegme. Ce que je veux dire, c'est que la somme d'argent dont nous disposons effectivement, sans un sou de plus, est de mille cinq cents livres. En or, contre une lettre de change pour la banque Vanden-Yver. C'est tout notre capital.

Nouveaux regards entre la mère et le fils.

– Voulez-vous bien nous excuser un moment ?

Ils sortent du bureau, laissant seuls parmi les livres l'Amiral et le bibliothécaire qui, par curiosité, en feuillettent certains, en regardent d'autres. Don Pedro s'intéresse aux *Voyages* de Thomas Cook en dix-huit volumes. Enfin, comme attirés par un aimant, tous deux s'approchent de l'*Encyclopédie*.

– Croyez-vous qu'ils accepteront nos conditions ? souffle don Hermógenes.

– Je n'en ai pas la moindre idée.

Le bibliothécaire sort sa boîte de tabac à priser, en prend une pincée, éternue, puis se mouche. Il est inquiet.

– Mais c'est le seul exemplaire complet que nous ayons trouvé, argumente-t-il en baissant encore la voix.

– Je sais, répond l'Amiral sur le même ton, mais nos moyens sont limités.

– Mais ne pourrait-on pas, en marchandant… ?

Don Pedro le regarde, très sérieux.

– Nous ne sommes pas dans le souk de Tétouan, don Hermès. Nous sommes des membres de l'Académie royale d'Espagne, que diable. De plus, nous payons le logement et la nourriture du cocher, et la remise de la berline. Qui nous coûtent une fortune.

– Vous avez raison. – Le bibliothécaire caresse avec tendresse le dos du premier volume de l'*Encyclopédie*. – Mais je regretterais tant de la voir nous échapper…

– Nous verrons bien.

Le fils Hénault revient, seul. Un sourire complaisant annonce les paroles qui suivent.

– En considération du prestige de votre institution espagnole, ma mère accepte de vous la céder pour mille cinq cents livres… Comment procédons-nous ?

Don Hermógenes laisse échapper un soupir de soulagement qui lui vaut un regard sévère de l'Amiral.

– Dès que possible, nous vous remettrons l'argent et nous prendrons possession des livres, dit celui-ci, circonspect.

– Il vous faudra un reçu, bien sûr.

– Évidemment.

L'avocat semble satisfait. Cependant, après avoir un peu hésité, il lève un doigt.

– Laisserez-vous un acompte ?

Don Hermógenes ouvre la bouche, mais l'Amiral le prévient.

– Bien sûr que non, monsieur.

L'avocat se replie, mal à l'aise, déçu.

– Ah, bon… C'est pourtant l'usage…

Le regard de don Pedro congèlerait la pluie qui continue de tomber de l'autre côté de la fenêtre.

– J'ignore l'usage, parce que mon métier n'est pas d'acheter et de vendre des livres. Et moins encore de les marchander. Mais vous avez ma parole.

Le sourire de l'avocat est toute excuse.

– Bien sûr, bien sûr. Tout me paraît correct, alors. Je vous attends à mon bureau dans deux jours, si cela vous convient, pour conclure.

– Nous y serons. Vous pouvez y compter.

Trois inclinaisons de tête, deux sourires : ceux d'Hénault fils et de don Hermógenes. Don Pedro se dirige vers la porte d'un air sérieux.

– Ç'a été un plaisir, messieurs, dit l'avocat, obséquieux.

– Pour nous aussi, répond l'Amiral. Faites nos adieux à madame votre mère.

En évitant les chutes d'eau qui tombent des toits, Pascual Raposo fait une halte en arrivant au coin de la place de Grève ;

comme s'il se préparait à traverser un glacis sous le feu de l'ennemi, il attend un instant, rassemblant son courage, tout en enfonçant mieux son chapeau sur sa tête, puis il relève les pans de sa capote et court entre les flaques sous l'averse jusqu'à l'entrée du cabaret À l'Image Notre-Dame.

– Tu es trempé comme une soupe, lui dit Milot en guise de salut.

Raposo grogne en se secouant tel un chien mouillé, puis il lance capote et chapeau sur une chaise, s'assied à côté du poêle et étire les jambes, pendant que son complice lui tend un verre de vin chaud.

– Du nouveau ?

– Pas qu'un peu.

L'endroit sent fort le vin et la bête humaine, la sciure mouillée sur le plancher ; les fenêtres sont toutes fermées. Il y a partout des tonneaux et des bouteilles ; des estampes militaires sont placardées sur les murs, et un comptoir sale s'allonge sous le plafond noirci par la suie du poêle et les fumées des lampes à huile et des bougies. À cette heure, il n'y a pas grand monde. Une serveuse bien en chair sert les gardiens de la mairie, les arrimeurs et les bateliers du quai voisin, pendant que la patronne, ou la gérante, fait ses comptes et se cure les ongles derrière sa caisse. Dans un coin, deux soldats en uniforme bleu des gardes de la ville cuvent leur vin couchés sur un banc, pendant qu'un chat lèche la main de l'un d'eux, qui pend jusqu'au sol.

– Ce matin, commence Milot, tes académiciens ont fait une visite à madame Hénault, veuve depuis peu de temps, qui a dans sa bibliothèque une *Encyclopédie*.

Raposo se redresse, tendu comme un serpent.

– Tu en es sûr ?

– Tout à fait. Mes hommes, qui les avaient suivis jusque chez elle, ont bien fait les choses. À peine tes oiseaux avaient-ils quitté le nid qu'ils se sont renseignés pour savoir s'il y avait des domestiques dans la maison… Ils ont appris qu'il n'y avait qu'une servante, mais ça leur a suffi. Ils l'ont abordée quand elle est sortie faire les courses.

Raposo a la gorge sèche, malgré le vin.

– Et ?

– Elle a l'impression que la veuve vend.

– Foutrecouille.

Milot lève une épaule et boit doucement son vin. Raposo lampe le sien sans reprendre son souffle.

– Le paiement a eu lieu ? demande-t-il, soucieux.

– Pas encore, mais je dirais qu'on en est là… De chez la veuve, elle habite non loin d'ici, rue Saint-Antoine, tes deux voyageurs se sont rendus à leur hôtel de la rue Vivienne, et de là à la banque Vanden-Yver, qui se trouve dans la même rue, un peu plus haut, où ils ont présenté une lettre de change d'une valeur de deux mille livres. Laquelle, d'après ce que j'ai pu apprendre, est valide et va être mise à exécution.

– Ils ont retiré l'argent ?

– Je te dis que la procédure est en cours. Ces choses-là nécessitent beaucoup de paperasse. Elles demandent du temps, des signatures, des timbres et j'en passe. D'après ce que je sais, il est prévu qu'ils y retournent demain.

Raposo étend de nouveau les jambes près du poêle, tend son verre vide, que Milot remplit une nouvelle fois avec le pichet encore fumant.

– Je devine ta pensée, dit le policier. Et je la partage. Tu as deux possibilités : t'emparer aujourd'hui de la lettre de change, ou demain du magot.

Raposo referme les mains sur le verre pour les réchauffer.

– Que ferais-tu, toi ?

– Mon gars, la lettre de change est plus facile à voler. J'imagine qu'à cette heure elle est de nouveau dans leur chambre d'hôtel. Il faut simplement aller la chercher.

Une étincelle d'intérêt, technique, s'allume dans l'œil de Raposo.

– C'est possible ?

Milot se fend d'un sourire torve.

– Ici, tout l'est, il suffit de sonner à la bonne porte… L'inconvénient, c'est que si tu t'en emparais, elle ne serait d'aucun profit pour personne, même pas pour toi, parce qu'une lettre de change nécessite des signatures, des vérifications d'identité et tout le reste.

Raposo regarde son verre, boit une gorgée de vin, puis regarde de nouveau le verre.

– Mais un simple papier est facile à voler et à détruire, au besoin, dit-il après quelques instants de réflexion.

– Sans doute, dit Milot en baissant la voix, l'ennui, c'est qu'il faudrait agir cet après-midi ou ce soir, quand ils ne seront pas dans leur chambre, ce qui est compliqué et présente des risques.

– Et l'argent sonnant et trébuchant ?

– Ça, c'est autre chose. Une fois qu'il a changé de main, il est toujours lui-même et, de plus, n'a pas de nom ; il appartient à qui l'empoche. Ce serait une somme rondelette pour toi, et aussi pour moi, dit Milot en clignant de l'œil à Raposo. On ferait part à deux, non ?

– Naturellement. En défalquant ce que je t'ai donné.

– Ça me paraît correct, accepte le policier. Et, bien sûr, je suis pour l'option suivante : leur tomber dessus quand ils auront touché l'argent et iront le remettre.

– Tu proposes un vol en plein jour, en plein Paris ?

– Exact.

– C'est aussi simple que ça ?

La voix de Milot n'est plus qu'un murmure.

– Il pleuvra sans doute encore demain matin, ce qui va faciliter les choses. Et c'est mon terrain de chasse, ne l'oublie pas… Autre avantage : deux mille livres, ou ce qu'ils vont payer à la veuve, ne tiennent pas beaucoup de place. Normalement, Vanden-Yver devrait tout leur donner en louis d'or, c'est-à-dire huit ou neuf rouleaux scellés de dix pièces, que l'on peut glisser dans une poche.

Sur ce, Milot considère attentivement l'expression de Raposo. Celui-ci boit à petites gorgées, pensif, jusqu'à ce qu'il ait vidé son verre.

– Ça me paraît faisable, admet-il peu après.

– Bien sûr que ça l'est. On les surveille, et on leur tombe dessus dès qu'ils sortent de la banque. À partir de la rue Vivienne, il y a plusieurs endroits propices.

– Et s'ils sont en voiture ?

– Ça ne change rien. On les arrête en pleine rue.

– On le fera ensemble ?

– As-tu perdu la tête ? – Milot regarde les soldats endormis comme si ceux-ci pouvaient les entendre. – Tu oublies que tu as affaire au vieux Milot. J'ai les particuliers qu'il faut pour ça.

– Vraiment de confiance ?

Milot éclate de rire.

– Ton soupçon m'offense, mon gars. Tu as affaire à moi, je te le répète… Nous ne serons pas loin, à attendre. Prêts à empocher les louis.

Un silence suit. Raposo fait tourner entre ses doigts son verre vide. Il imagine le jour suivant, sous la pluie, quelque part en ville. Les académiciens surpris. Leurs réactions possibles. Les dangers éventuels.

– À toi de décider, dit le policier.

Raposo accepte enfin, convaincu.

– D'accord. On le fait demain.

– Ça mérite un verre, ou plusieurs. – Milot appelle la serveuse. – En fin de compte, l'argent des innocents est le patrimoine des roublards.

La nuit est tombée depuis un moment et la pluie fait apparaître des rafales jaunâtres à la lumière des lanternes pendues à leurs poulies. Don Pedro, don Hermógenes et l'abbé Bringas marchent rapidement, les deux premiers à l'abri d'un parapluie de toile cirée, l'abbé sous celui de son manteau et de son chapeau trempés. Heureusement, l'incommode trajet est court, de l'endroit où ils ont soupé à leur hôtel, rue Vivienne. Ils longent la rue Colbert, près de la Bibliothèque royale, en évitant l'eau qui dégringole des toits, mais le passage d'un équipage qui fait jaillir la boue jusqu'en haut du pavé les oblige à se ranger contre les murs où ils reçoivent sans rien y pouvoir les giclées de pluie.

– Trempés, mais le ventre plein, plaisante l'abbé en pataugeant dans les flaques.

Il y patouille comme un enfant, si ruisselant qu'il ne s'en soucie plus. Il avance aussi un peu éméché, comme chaque fois qu'ils se lèvent de table. Ce soir, ils ont soupé à l'hôtel Beauvilliers, rue Richelieu, dans un décor raffiné, à la carte. L'endroit est cher, mais, sur la suggestion de Bringas, les académiciens ont décidé de célébrer l'événement – avoir enfin trouvé une *Encyclopédie* – en s'offrant un autre repas mémorable. C'est ainsi que tous trois, avec le concours décisif de l'abbé – et don Hermógenes n'est pas demeuré en reste – ont passé quelques heures exquises à déguster des spécialités au vinaigre et à la moutarde, du pâté de thon de Toulon, du foie gras du Périgord et des bécasses du Doubs, avec le soutien de deux bouteilles du meilleur vin d'Anjou.

– Paris sous la pluie est un merveilleux spectacle de grandes eaux, dit l'abbé, sarcastique. Voyez, si vous ne me croyez pas : vingt mille cascades tombant de cinquante pieds de haut, entraînant toute la crasse et toutes les immondices des toits et des maisons ; cochers et chevaux soulevant des jets de gadoue qui montent du ruisseau ; rues changées en torrents glissants... Une féerie, loué soit le Seigneur.

– Au moins, les rues sont lavées, remarque don Hermógenes.

– Au prix de noyer l'innocent piéton ? Ah, non, monsieur. La pluie est ce qu'il y a de pire, sur cette terre de promesses et d'asile... Je préfère encore la saleté et les mouches de Madrid-le-sec. Là, au moins, on peut pourrir et empester au soleil.

Un autre attelage passe, les oblige à se coller contre le mur d'une maison sous le torrent qui tombe des gouttières. À haute et claire voix, qui domine le crépitement de la pluie, Bringas insulte le cocher en le traitant de bougre et autres délicatesses. Puis ils se réfugient sous une porte cochère, éclairée par une lanterne, pour souffler un peu. Bringas secoue son manteau, don Pedro ouvre et ferme le parapluie. Chacun d'eux dégoutte si bien qu'une flaque se forme à ses pieds.

– À quelle heure irons-nous demain à la banque Vanden-Yver ? demande don Hermógenes.

– Les banques ouvrent habituellement à neuf heures, ici, leur dit Bringas.

– Alors, inutile de se presser, fait l'Amiral. Notre rendez-vous au bureau du fils de la veuve n'est qu'à midi.

– Ça ne fait pas trop d'argent pour le porter comme ça sur nous dans la rue ? s'inquiète le bibliothécaire.

– Voilà pourquoi je dis qu'il n'est pas question de se promener dans Paris avec mille cinq cents livres en poche.

– Vous avez pu voir que la ville est sûre, observe l'abbé. Il faut bien qu'il y ait un avantage à être aussi infesté de gardes, de policiers, de mouchards et autres favoris de la tyrannie. Ici, on saute sur un citoyen et on tombe sur un sbire.

– Il n'empêche, opine l'Amiral : le mieux serait de petit-déjeuner tranquillement et de passer ensuite à la Vanden-Yver. Vers dix heures et demie. – Il se tourne vers Bringas. – Savez-vous où se trouve le cabinet d'avocat de monsieur Hénault ?

– Oui. En face du café du Parnasse, dans la descente du pont Neuf, près du Louvre. Si nous arrivons trop tôt, nous pourrons y prendre quelque chose, c'est un endroit sûr, fréquenté par les avocats, le menu fretin et les procureurs du palais de Justice.

– Parfait... Nous pourrions nous retrouver à notre hôtel à huit heures et demie. Cela vous convient ?

– À merveille.

Don Hermógenes n'est pas rassuré.

– Tout de même, dit-il, c'est bien tôt pour vous, monsieur l'abbé, de votre gîte à la rue Vivienne, il y a une trotte. Et il se peut qu'il pleuve encore.

Bringas a ôté son chapeau et sa perruque, qu'il secoue. Sous sa chevelure coupée à grands coups de ciseaux, son visage parsemé de gouttes luit.

– Ne vous inquiétez pas. La cause en vaut la peine, et je me lèverai tôt avec plaisir.

– Je ne sais comment vous remercier pour tous les services que vous nous avez rendus, dit don Pedro.

La lumière hésitante qui vient de l'extérieur révèle le sourire de satisfaction de l'abbé.

– Ç'a été un plaisir. Quant au remerciement, ne vous en souciez pas. Grâce à vous, mes repas sont pantagruéliques. Il y avait des années que je ne mangeais pas autant, aussi bien et aussi régulièrement.

– N'empêche, insiste l'Amiral. Nous vous avons pris beaucoup de votre temps, et causé des embarras. Notre dette...

– N'en parlons plus.

– Nous voudrions...

Bringas pose sur l'Amiral un regard pénétrant et finit par faire un geste presque irrité.

– Que voudriez-vous, monsieur ?

– Ne vous offensez pas, cher abbé. Mais nous voudrions vous

offrir une compensation, pour tout ce temps que vous nous avez consacré. Pour vos obligeances.

L'abbé le regarde comme s'il ne pouvait en croire ses oreilles.

– Parleriez-vous d'argent ?

– En fait, dit l'Amiral en cherchant ses mots avec soin, je parle d'une gratification pour l'aide que vous nous avez apportée.

Un silence gêné se prolonge, pendant lequel Bringas examine minutieusement sa perruque. Au bout d'un moment, il la coiffe de nouveau, avec majesté.

– Monsieur l'Amiral… et vous, don Hermógenes, aurez remarqué que ma situation financière n'est guère enviable, n'est-ce pas ?

– Elle ne semble pas l'être, du moins, maintenant que vous en parlez.

L'abbé regarde son chapeau, le secoue de nouveau et le frotte sur sa manche avant de l'enfoncer avec soin sur sa perruque.

– Je vis au jour le jour et, pendant les mauvaises passes, qui sont malheureusement fréquentes, je n'ai pas honte de le reconnaître, je dois souffrir la faim… Vous me suivez ?

– Plus ou moins, répond l'Amiral, sans trop savoir où l'abbé veut en venir.

– Eh bien, dans ma faim, c'est moi qui commande.

– Pardon ?

– Vous avez parfaitement entendu. Je passe mon temps à ce qui me plaît et, ces derniers temps, il m'a plu de vous l'accorder, à vous.

– Mais…

– Il n'y a pas de mais, ni de pardon, ni de plus ou moins qui tienne ! s'exclame Bringas, qui s'interrompt et les gratifie l'un après l'autre d'un regard aigu. Vous êtes des hommes dignes, et votre cause est noble. Je ne ferai jamais partie de l'Académie royale d'Espagne, et pas davantage de l'Académie française… Mais permettez-moi de croire, ou d'avoir la certitude reconnaissante que cette *Encyclopédie* aidera à éclairer un coin de la patrie rustre qu'il m'a fallu quitter, à la changer et à la rendre un peu meilleure, plus lucide, cultivée et digne… Avec ça, je m'estimerai bien payé.

– Vous êtes d'une noblesse imposante, reconnaît don Hermógenes après un bref silence admiratif pendant lequel on n'a plus entendu que la pluie qui continue de tomber, dehors.

Bringas sourit, condescendant, majestueux.

– J'en sais quelque chose, bien que cela dépende des jours, reconnaît-il à son tour, puis il se tourne vers l'Amiral. Par curiosité, combien pensiez-vous me donner ?

Don Pedro cligne des yeux, pris au dépourvu.

– Ma foi, je me le demande, dit-il. Moi, à vrai dire...

– Allons, monsieur, l'encourage Bringas. Au point où nous en sommes, une certaine confiance règne entre nous, je pense.

L'Amiral regarde don Hermógenes pour lui demander secours, mais le bibliothécaire est aussi interloqué que lui.

– Je vous en prie, insiste l'abbé, ne me laissez pas dans l'incertitude.

– Eh bien, euh... lance l'Amiral avec un geste vague... Peut-être cent ou cent cinquante livres. Quelque chose comme ça.

Bringas se redresse, outré, dans la pénombre plombée de la porte cochère.

– Et il ne vous est pas venu à l'idée que vous m'insultiez ?

– Je vous prie de m'en excuser, monsieur l'abbé. Je suis désolé. Jamais de ma vie...

– L'Amiral a raison, intervient don Hermógenes. Il n'oserait pas...

– Je n'aurais pas accepté moins de deux cents livres. C'est une question de principe.

Les deux académiciens se regardent, puis leurs yeux se posent de nouveau sur l'abbé.

– Voulez-vous dire... avance l'Amiral, hésitant.

Bringas lève une main impérieuse, pour mettre fin à la conversation.

– Que vous m'avez convaincu, monsieur. Puisque vous insistez, et parce que c'est vous, bien que non sans une certaine répugnance éthique, j'accepterai cette somme.

De la rue Vivienne, on entre dans l'hôtel de la Cour de France, vénérable édifice de pierre blanche qui se détache dans la pénombre de la rue mal éclairée, par une spacieuse porte cochère qui donne dans une cour intérieure sur les dalles de laquelle la pluie frappe avec violence. Les deux académiciens et leur compagnon arrivent trempés dans le vestibule, où l'Amiral propose à Bringas de boire quelque chose pour se remettre avant de continuer sa route jusque chez lui.

– Nous ne vous laisserons pas repartir, avec le temps qu'il fait, sans que vous ayez pris quelque repos. Vous ruisselez comme une éponge. Allons, entrez, mettez-vous un moment à votre aise, demandez à boire, et voyons si en attendant cette infâme averse se calme.

– Je suis habitué aux plus rudes inclémences, monsieur, proteste l'abbé, solennel. Comme à l'infortune.

– Je n'en doute pas, voyons. Mais un peu de tranquillité, de chaleur et de stimulant ne vous fera pas de mal... Entrez donc et ôtez ce manteau mouillé.

L'abbé finit par accepter, et tous trois s'installent dans un petit salon orné de scènes de chasse, à la lumière du feu de cheminée, et la vapeur ne tarde pas à monter de leurs vêtements. Le valet de nuit apporte la boisson que Bringas a commandée : un verre d'eau-de-vie avec un jaune d'œuf. Sur le plateau du punch, il y a un pli cacheté adressé à don Pedro, que celui-ci garde à la main sans l'ouvrir pendant qu'il entretient courtoisement la conversation avec l'abbé, qui a ôté sa perruque à cause de la chaleur et gesticule sans la lâcher.

– Ah, si ce n'était pas pour le climat, qui est pire que celui d'ici, je vous assure que je vivrais à Londres plutôt qu'à Paris, affirme Bringas. Je jure par Newton et Shakespeare que je serais sur les berges de la Tamise, en l'honneur de la liberté d'un peuple qui a su décapiter un roi...

– Et cela vous semble digne d'estime ? demande don Hermógenes, scandalisé.

– Bien sûr, monsieur. Tout à fait. Je trouve même ça hygiénique. Grâce à ce bon exemple, les rois suivants sont restés sur leurs gardes, et cette île, aujourd'hui célèbre pour la liberté dont jouissent ses habitants, est la preuve qu'un bon gouvernement est possible avec ou sans roi.

– Et vous, Amiral ? s'enquiert don Hermógenes. Je crois que vous n'appréciez pas autant les Anglais que notre cher ami.

Don Pedro s'est assis dans un vieux fauteuil de cuir craquelé par la proximité de la cheminée. Jambes croisées, tête baissée, il regarde le pli sans l'ouvrir avec un sourire songeur, résigné.

– Comme citoyens, commerçants et marins, je les envie, bien sûr… Je crois que c'est un peuple guerrier, entreprenant et admirable. Mais pour mon bonheur ou mon malheur je suis né espagnol, et en tant que tel je ne peux que les abhorrer, parce qu'ils ont toujours été les ennemis naturels de ma patrie.

– Que les peuples sont donc différents, observe l'abbé, toujours debout dos au feu, son gobelet de liqueur d'œuf dans une main, sa perruque dans l'autre. L'Anglais, robuste et bien nourri, recueille le fruit de ses efforts et de sa hardiesse. Le Français est triste, il ne rit pas plus aux champs, où il travaille comme un bœuf, qu'à la ville, où il regarde du coin de l'œil le luxe des nobles et rumine de futurs règlements de comptes… L'Italien parvient parfois à secouer sa léthargie pour répondre à l'appel de l'amour, de la passion ou de la musique. L'Allemand travaille, boit, ronfle et fait du lard. Le Russe se laisse réduire en esclavage et laboure la campagne sans lever les yeux de son sillon…

– Et nos compatriotes ? intervient don Hermógenes, impatient.

– L'Espagnol… Ne m'en parlez pas. Drapé dans sa cape et ses chimères, méprisant tout ce qu'il ignore, c'est-à-dire presque tout, il fait la sieste à l'ombre du premier arbre venu, en attendant que la providence veuille bien subvenir à ses besoins et le tirer d'affaire.

– Le portrait est assez fidèle, dit le bibliothécaire en riant.

– Ça n'a rien d'étonnant. De tous les gens de lettres que je côtoie, je suis le seul qui connaisse le peuple, parce que je me mêle à lui… Je ne vais pas mendier quelques miettes à la table des riches, comme Bertenval et ces philosophes de pacotille du Procope.

Don Hermógenes porte son attention sur le billet cacheté que l'Amiral tient encore en main.

– Vous devriez le lire, Amiral. Il se pourrait que ce soient des nouvelles importantes.

– Certes, dit Bringas. Faites-le, je vous en prie.

Don Pedro acquiesce, s'excuse, rompt le cachet et déplie le

billet. Puis il lit, et seule une extrême maîtrise de soi empêche les émotions de se peindre sur son visage.

> *Heureuse du résultat peu grave de la rencontre, j'aimerais vous exprimer personnellement ma satisfaction. Je vous rappelle l'invitation à petit-déjeuner que je vous ai faite l'autre jour. Je vous attends demain chez moi, à neuf heures.*
>
> *Margot Dancenis*

– Mauvaise nouvelle ? demande don Hermógenes, qu'inquiète le silence de son confrère.

– Non, absolument pas, répond l'Amiral au bout d'un moment de réflexion. Mais une difficulté se présente… Demain, il faudra que vous alliez sans moi retirer l'argent à la Vanden-Yver. Un rendez-vous imprévu.

Le bibliothécaire lui lance un regard soucieux.

– Ça alors… Quelque chose de grave ?

– Grave, non. Alors, si vous n'y voyez pas d'inconvénient, retrouvons-nous après dans ce café dont monsieur l'abbé nous a parlé.

– Le Parnasse, précise Bringas.

– Très bien, fait don Pedro en opinant du chef, impassible, tandis qu'il glisse le pli dans le revers de la manche de sa veste. Nous nous verrons là à midi moins le quart, et nous irons ensemble au cabinet de l'avocat.

Au bout d'une semaine de recherches, je revins de Paris en ayant organisé la trame du roman, excepté les chapitres finals. J'avais devant moi la partie la plus dure et la moins amusante, l'écriture et ses constantes : avancées, retours en arrière, corrections interminables, révision continue, qui allaient me demander un an de travail. Mais l'argument principal, l'histoire des deux académiciens, leur voyage et les événements qui s'étaient ensuivis, tenait debout tout seul. Arrivé là, je savais tout ce que j'avais pu apprendre sur ce qui s'était passé, et je me sentais capable de reconstituer le reste, ou d'imaginer avec la vraisemblance adéquate ce qu'il y avait encore de lacunaire, de zones d'ombre, ce que l'on ne peut établir avec la rigueur de la documentation.

La visite particulière que don Pedro Zárate avait faite à madame Dancenis me préoccupait un peu, sachant que j'allais être confronté à une situation incommode pour l'Amiral qui, bien entendu, en parfait gentilhomme qu'il avait toujours été, n'avait pas laissé la moindre trace de l'épisode dans sa correspondance, et pas davantage dans le compte rendu ultérieur du voyage destiné à ses collègues académiciens. Je n'avais d'autre ressource que d'imaginer comment les choses avaient pu se passer au cours du fameux petit déjeuner. Heureusement, le livre très précis de Mary Summer publié en 1898, *Quelques salons de Paris au XVIIIe siècle*, et le maintenant très souligné et annoté *Tableau de Paris* de Mercier m'ont livré quelques indices importants sur les habitudes mondaines de madame Dancenis ; détails que je pus amplifier par la suite grâce au long article que Chantal Keraudren, professeur d'histoire et bouquiniste des quais, me fit parvenir après l'avoir repêché par hasard dans un vieux numéro de la *Revue des Deux Mondes*. L'article, signé en 1991 par Gérard de Cortanze, citait des textes de mémoires galantes de la France prérévolutionnaire, dans lesquels Margot Dancenis était mentionnée deux fois.

Je complétai ce matériel d'une étude approfondie, loupe en main, du portrait de monsieur et madame Dancenis, peint par l'amie de celle-ci, Adélaïde Labille-Guiard, dont j'avais obtenu une bonne reproduction. Il était important pour moi d'essayer de sonder un peu plus profondément le caractère de Margot Dancenis que pouvait révéler son apparence, en me demandant comment cette femme singulière et libre avait pu réagir aux sentiments, aux opinions et aux licences de son temps. Le portrait, bien entendu, lui rendait hommage, et ne faisait pas seulement honneur à sa beauté. En contraste avec l'aspect casanier de son mari, la tenue de campagne à l'anglaise, la veste et le chapeau d'amazone conféraient à madame Dancenis un serein aplomb. Une contenance désinvolte et dispose. Et le livre de Rousseau sur son giron conduisait le regard du spectateur jusqu'à ses beaux yeux noirs encadrés de boucles de cheveux tout aussi noirs, sans poudre, qui se répandaient sous le bord étroit et la plume de faisan de son couvre-chef. On y lisait à la fois l'intelligence, la sérénité, la passion. J'ai compris qu'il allait m'être possible, devant ces yeux, de reconstruire ce qui s'était passé pendant le petit déjeuner avec l'Amiral.

C'est ainsi, avec tout ce dont je disposais, qu'une fois installé à Madrid devant le clavier sur ma table de travail, je pus enfin aborder cette situation. Retracer, avec l'aide, dans ce cas aussi, du plan de Paris d'Alibert, Esnauts et Rapilly, ce qui s'était produit ce matin-là, quand don Pedro Zárate, après s'être faufilé sous les arcades et les échafaudages du Palais-Royal en travaux pour se garder de la pluie, avait traversé la rue Saint-Honoré et franchi la vieille grille noire et dorée de l'élégant hôtel des Dancenis, à la porte duquel, après avoir tiré la sonnette, il remit à neuf heures précises sa carte à un suisse.

– Vous me trouvez en plein dilemme : je ne sais quel rouge mettre aujourd'hui. C'est un choix capital. Les artistes prennent celui qui les favorise sous les lumières de la rampe ; la courtisane élégante se contente d'une touche qui ne doit pas sembler excessive, la cocotte s'en barbouille jusqu'à ressembler à la femme d'un boucher… Le rouge dit tout à Paris, monsieur.

Beaux cheveux qui viennent d'être coiffés, traits fins avec un léger soupçon de fard, lumière flatteuse, combinaison de volets ouverts sur le jour gris et de bougies allumées, tout est disposé intentionnellement et avec goût, parce que madame Dancenis a le sens de la scène et des situations. Elle reçoit don Pedro assise sur son lit, la courtepointe tirée jusqu'à son giron, des oreillers dans son dos, vêtue d'un peignoir léger qui, plutôt que les cacher, fait ressortir les formes que l'on devine sous le déshabillé de satin. Près d'elle, il y a le plateau du petit déjeuner – deux couverts, argent et porcelaine ; à côté, un livre ouvert et, à portée de main, sur la table de nuit, les trois pots de rouge à propos desquels, avec le plus grand naturel, elle a lancé la conversation.

– Mais asseyez-vous donc, monsieur l'Amiral, dit-elle en montrant une chaise garnie de velours, à côté du lit. Vous prendrez du café ?

– S'il vous plaît.
– Avec du lait ?
– Noir.
– À l'espagnole, alors.
– C'est cela.

Elle lui en sert elle-même une tasse et la lui tend, fumante. En se penchant vers elle, don Pedro sent un parfum délicat qui aujourd'hui lui rappelle le jasmin. Puis, tandis qu'il porte la tasse à ses lèvres, il jette un regard autour de lui. L'alcôve est ornée de tableautins, de découpages, de miniatures et d'objets de prix typiquement parisiens : un jade de mage chinois, un nu de Klingstedt à l'encre noire, quelques figurines appelées « pantins » qui représentent Octave, Lucinde et Scaramouche, et une douzaine de boîtes laquées de diverses formes et grosseurs. La tapisserie qui orne la tête de lit – une scène galante champêtre – doit valoir au moins dix mille livres.

– Madame Tancredi, qui devait se joindre à nous, nous a fait faux bond. Elle est au lit avec une migraine, paraît-il. Et Des Veuves, mon perruquier, a dû partir il y a un instant, après m'avoir un peu arrangée. J'espère que cela ne vous ennuie pas, monsieur.

– Pas le moins du monde.

– Coëtlegon vient parfois prendre le café. C'est un fou de café. Mais aujourd'hui, il n'est pas en état, évidemment.

Elle converse, désinvolte, impassible, regarde don Pedro avec seulement un léger sourire aux commissures des lèvres. Sans rien dire, l'Amiral soutient son regard, calmement, tout en prenant une nouvelle gorgée de café. La lumière de la chambre, si artistiquement étudiée, comme dans un tableau, avantage beaucoup Margot Dancenis ; elle atténue les ravages encore peu sensibles du temps, efface les dernières traces de la nuit, rehausse l'expression de ses yeux noirs attentifs, la beauté de sa gorge et la blancheur de sa peau. Ainsi que les formes qui se devinent sous le peignoir. On dirait un peu, conclut l'Amiral, une attirante Diane sortant du sommeil. Ou du bain.

Elle paraît deviner ses pensées. Ou peut-être les devine-t-elle exactement, sans que rien ne lui en échappe.

– À Paris, dit-elle avec un sourire, toute femme du monde

fait chaque matin deux toilettes. La première est secrète, même les amants n'y assistent pas. Ils n'entrent qu'à l'heure convenue, parce que l'on peut tromper une femme, mais en aucun cas la surprendre… La seconde vient plus tard : c'est une sorte de jeu inventé par la coquetterie. Un peignoir qui glisse, un déshabillé plus ou moins suggestif… Tout cela au milieu de poudres de toilette, de gazes et de tulles subtils, de lettres à moitié lues et de livres ouverts sur la courtepointe, comme celui-ci… J'espère avoir été canonique, monsieur.

C'est maintenant l'Amiral qui sourit.

– N'en doutez point. Le bon goût et la beauté ont plus d'éclat ainsi qu'en tenue conventionnelle… Votre apparence, madame, est celle d'un délicieux hasard.

– Le hasard n'y est pour rien, dit-elle en faisant une moue faussement offensée. Ce mot est un synonyme d'ignorance. Le travail, la sagacité, la patience, le calcul sont ce qui permet à la nature de dévoiler ses trésors les plus précieux.

– Vous ne vous faites pas justice. Nul calcul ne vous est nécessaire. Vous vous montrez telle que vous êtes.

Il a parlé trop vite, sans trop réfléchir. Presque avec véhémence. Margot Dancenis le regarde sans rien dire, étrangement pensive.

– Je vous en sais gré, dit-elle enfin. Le matin, seul mon petit chien, Voltaire, et mes amis intimes ont la permission d'entrer ici. Les fenêtres ne sont pas ouvertes, et la journée ne commence pas avant midi. De nombreuses femmes, à Paris, ne se lèvent pas avant l'après-midi et se couchent à l'aurore. Des femmes décentes ; ou qui le sont du moins officiellement.

Parfois, elle s'interrompt un instant entre deux phrases, ou entre deux mots, le regard toujours fixé avec attention sur l'Amiral. Elle étudie chacune de ses expressions, ou l'effet que fait sur lui ce qu'elle dit. Chaque fois, don Pedro porte la tasse à ses lèvres, et fait stoïquement face à son observation.

– Avec toutes ces nourrices, ces gouvernantes, tous ces précepteurs, ces collèges et ces couvents, poursuit-elle, certaines de ces femmes ne se rendent même pas compte qu'elles sont mères… Ces femmes aux seins intacts… autrefois, un sein fané était beau ; il avait allaité des enfants, ce qui l'embellissait encore. Aujourd'hui… C'est vrai, je n'ai jamais connu ce bonheur… Je n'ai pas eu d'enfants et je ne crois pas en avoir un jour. Bientôt, mon apparence…

Elle s'interrompt, et ce silence voulu lui vaut un nouveau sourire tendre de l'Amiral.

– Votre apparence, madame, sera toujours des plus seyante. Avec ou sans enfants.

– Je m'épargne au moins, en attendant, la poitrine fanée.

Un autre silence suit, une courte pause qu'elle emploie à tordre entre ses doigts la dentelle de la courtepointe.

– À défaut de grossesses, quand je veux faire l'intéressante, je me déclare malade… être malade, à Paris, est un état normal. Les femmes trouvent que c'est souvent un moyen des plus adéquats. On lui donne le nom de vapeurs.

– *La mollesse est douce, et sa suite est cruelle*, dit l'Amiral.

– Tiens, tiens ! s'exclame-t-elle en le regardant avec surprise. Vous avez lu Voltaire ?

– C'est tout naturel.

Portant avec délicatesse une main à son cou, elle pouffe gracieusement de rire.

– Pour un Espagnol, lire Voltaire n'a rien de naturel.

– Vous seriez surprise, madame, par le nombre de ceux qui le lisent.

– À l'Académie ?

– Et ailleurs.

– Malgré les prohibitions ?

– Malgré tout.

– Mon père, bien sûr, ne le lisait pas. Aucun de ses amis non plus. *L'Impie Philosophe* n'était pas davantage apprécié dans mon collège de religieuses, qui allaient jusqu'à nous interdire de prononcer son nom… sous peine d'être battues de verges.

– Vous a-t-on un jour battue de verges ? demande imprudemment don Pedro, surpris.

Elle sourit avec aplomb, d'une façon si singulière qu'il en est renversé.

– Jamais dans mon enfance.

– Oh, bon, fait l'Amiral en remuant sur sa chaise, sans savoir comment se tirer d'affaire. Je veux dire que… Enfin… Les temps changent.

– Ils auront beaucoup à changer, là-bas, j'en ai peur… Encore un peu de café ?

– S'il vous plaît.

Il approche sa tasse, soulagé de changer de sujet, et Margot Dancenis verse le liquide sombre, déjà tiède.

– De toute façon, dit-elle, reprenant le fil de la conversation, le principe est établi : la faiblesse va bien aux femmes, et nous le savons. Il est de notre intérêt de paraître fragiles et en mal de soutien masculin.

– Ce qui flatte l'amour-propre du témoin de cette faiblesse, confirme l'Amiral.

Elle le regarde avec un intérêt renouvelé.

– Mais qui nous conduit à un ennui mortel. Une femme qui a ses vapeurs ne fait qu'aller du bain à la coiffeuse et de la coiffeuse à l'ottomane. Ici, à Paris, quand on suit en voiture la file interminable et lente des carrosses et que l'on entre dans une boutique de la rue Saint-Honoré, on appelle ça se promener. Il en est pour qui la condition de la femme n'est rien de plus que cette stupide langueur.

Levant la main, elle tire sur un cordon près de la tête du lit pour appeler sa femme de chambre. L'Amiral a observé que les maisons parisiennes sont pourvues, non de clochettes comme en Espagne, mais de *sonnettes** dont les cordons courent partout ; elles sont à la mode.

– Les Parisiennes sont minces, observe madame Dancenis ; leur désespoir, c'est de grossir à partir de trente ans et de tout devoir aux corsets et aux baleines. Certaines vont jusqu'à boire du vinaigre pour garder la taille fine, mais elles le paient cher.

Une soubrette jeune et jolie, vêtue avec grâce, entre dans l'alcôve, retape les oreillers de sa maîtresse et enlève le plateau du petit déjeuner.

– Vous avez là une jeune fille charmante, dit l'Amiral quand celle-ci est sortie.

– Les jeunes filles n'ont pas les vices des laquais. Elles adoptent les manières des dames qu'elles servent, et ainsi elles se cultivent… Quand elles se marient avec de petits-bourgeois, elles ont un air distingué qui impressionne ceux de leur classe et un œil peu exercé pourrait même les prendre pour des personnes du grand monde, pour des *demoiselles** ou des *dames**.

– J'ai remarqué qu'à Paris on abuse un peu de ces mots-là.

– Oui, on dit *mademoiselle** à toutes les jeunes filles que l'on ne tutoie pas. Comme l'on donne du *madame** à toutes les femmes, de la duchesse à la lavandière ou à la bouquetière, et l'on en viendra bientôt à appeler les jeunes filles *mesdames** parce qu'il y a tant de vieilles *demoiselles** que le mot devient équivoque... Que pensez-vous des femmes de Paris ?

– Je ne sais trop que vous répondre... Intéressantes, bien sûr. Désinvoltes, un peu effrontées. Beaucoup plus que ce que l'on rencontre en Espagne.

– Ici, habituées à fréquenter les endroits publics et au commerce des hommes, les femmes ont leur fierté, leur audace, et même leur opinion personnelle... Les bourgeoises, consacrées à leur mari et à leurs enfants, ainsi qu'à leur intérieur, sont économes, prudentes et travailleuses... Celles du grand monde écrivent dix ou douze billets par jour, envoient des sollicitations, assiègent les ministres pour placer leurs amants, leur mari, leurs fils...

– Rousseau a écrit des choses très dures sur les femmes de Paris.

Margot Dancenis bat des paupières, de nouveau surprise.

– Vous avez aussi lu le bon Jean-Jacques ?

– Un peu.

– Vous êtes une mine de surprises, monsieur... En tout cas, Rousseau n'a pas parlé sans raison. Le plus souvent nous, les Parisiennes, sommes dépensières, galantes et frivoles. Nous passons nos journées à demander et nos nuits à accorder. C'est le mari qui devait exercer son influence sur la femme, mais comme trois hommes sur quatre manquent de caractère, de force et de dignité, ce sont elles qui le plus souvent exercent sur tout leur empire... Ici, peu importe que l'on soit d'origine humble, la beauté d'une grisette ou d'une marchande de fleurs peut tenir la dragée haute à un duc, au maréchal de France, à un ministre et même au roi. Ce sont elles qui, par leur intermédiaire, commandent.

– Cela est impossible en Espagne, reconnaît l'Amiral.

– Vous dites cela comme si vous vous en réjouissiez.

– C'est vrai : je m'en réjouis. Avec tous nos défauts, nos rois et nos Grands ont leur dignité, parce que le peuple l'exige... Là-bas, les amants n'ont aucune incidence sur la politique. Ce serait irrespectueux. Intolérable.

Elle le regarde encore fixement, sans répondre aussitôt.

– Vous devez penser que je suis coquette.

– Pas du tout.

– Je ne suis pas coquette, approuve-t-elle avec un doux sourire. Je sais seulement que l'intérêt que les hommes portent aux femmes les rend plus ingénieux et amusants. Et même audacieux. C'est pourquoi je me laisse aimer. À mon âge. Devinez-vous quel est mon âge, monsieur ?

L'Amiral se lève de sa chaise, presque d'un bond.

– Jamais je n'oserais... Bien que vous soyez à un âge engageant pour tout homme, sans vouloir être discourtois.

Elle entrouvre les lèvres, ravie.

– Vous êtes un véritable gentilhomme.

– Vous exagérez, madame.

Don Pedro regarde un des tableautins aux figures noires accrochés au mur sur le papier peint. Dans un portrait à l'encre de Chine on reconnaît la maîtresse de maison : son profil est aisément identifiable, délicat, élégant ; elle est coiffée simplement et tient une ombrelle à la main. Madame Dancenis a suivi la direction de son regard et sourit de nouveau, flattée.

– Donnez-moi la quarantaine, à quelques années près, et vous ne vous tromperez pas de beaucoup.

Don Pedro remue la tête d'un côté à l'autre, pour nier presque avec douceur.

– Une belle femme n'a jamais quarante ans. Elle en a trente ou soixante.

– Eh bien, monsieur, vous ne manquez pas de talent. Ou plus exactement, de ce qui n'est guère traduisible en espagnol, *d'esprit**.

– Je n'ai rien d'autre que du bon sens.

Cette fois, la pause est plus longue. Elle regarde ses mains blanches et soignées, aux ongles parfaits. Puis elle touche légèrement le livre posé sur le lit, et soupire doucement avant de lever de nouveau les yeux sur l'Amiral, qui contemple le tableautin.

– Aimez-vous ce dessin ?

– Beaucoup.

– Il est de mon amie Adélaïde Labille-Guiard.

– Il est très délicat. Et vous rend entièrement justice.

Il la voit sourire, mélancolique.

– Il y a un moment cruel, dit-elle après un silence, pour toute femme qui a excité le désir des hommes et la jalousie de ses pareilles : celui où le miroir lui dit qu'elle n'est plus aussi belle qu'avant.

Don Pedro approuve avec précaution.

– C'est possible. Je suppose que ce sera un coup dur, quand ce moment viendra.

Madame Dancenis paraît alors assombrie, comme si la lumière de la fenêtre et celle du chandelier avaient brusquement cessé de la flatter.

– Vous n'imaginez pas à quel point. Beaucoup plus que celui que reçoit le ministre qui, du jour au lendemain, se voit privé du pouvoir ou de la faveur du roi. Et il n'y a plus, quand on en est là, que deux possibilités : la dévotion religieuse, ou le talent qui permet de vieillir dignement. C'est ainsi que, après avoir eu bon nombre d'amants, une femme doit s'estimer heureuse si elle sait faire de l'un d'eux, le plus intelligent, un fidèle et loyal ami.

– Voilà quelque chose qui me semble avoir été longuement médité.

– Et qui l'est. Parce que, quand se dissipe le mirage des premières passions, la raison se perfectionne… Une femme de quarante ans peut devenir une excellente amie, se lier à l'homme dont elle estime l'amitié, et lui rendre mille services.

– C'est bien normal, estime l'Amiral. Il y a des femmes admirables, rompues à la réflexion. Des dames intelligentes, libres d'esprit, qui se situent au-dessus des préjugés et combinent l'âme forte de l'homme à la sensibilité de leur sexe.

– Voilà qui est très bien vu. Et qui explique pourquoi les femmes de talent aiment plus tendrement leurs vieux amis que leurs jeunes amants… Elles peuvent parfois tromper leur mari ou leur amant, mais jamais leur ami.

Nouvelle pause. Madame Dancenis regarde de nouveau le livre, dont l'Amiral ne peut, de la place qu'il occupe, déchiffrer le titre.

– Ah, oui : je vous ai écrit un mot très court parce que j'avais peur de faire une faute d'orthographe… Mon espagnol faiblit, par manque d'usage, et, m'adressant à un académicien, je n'aurais pu me pardonner la moindre erreur.

– Une femme telle que vous peut faire une faute d'orthographe, elle ne fera jamais une faute de style.

Le sourire de Margot est maintenant radieux. Il ferait fondre, songe don Pedro, non plus tout le chocolat de la rue Saint-Honoré, mais toute la glace de l'Arctique.

– Vous me plaisez, monsieur. Vous souriez souvent au lieu de répondre. Vous ne cherchez pas à vous montrer ingénieux, à faire preuve d'esprit. Vous êtes de ceux qui laissent parler les autres et savent écouter, ou en donner l'impression.

Incapable de répondre à cela, don Pedro se contente de soutenir le regard de son interlocutrice. Margot Dancenis fait un léger mouvement pour mieux s'adosser aux oreillers, et ses formes se dessinent avec plus de précision sous le vaporeux satin du déshabillé.

– Une femme perspicace, poursuit-elle, devine le pédant dès la troisième phrase, et peut pénétrer le talent de qui garde le silence.

Elle a pris le livre et le lui montre, comme pour partager un secret.

– Chaque matin, je lis pendant une demi-heure avant de me lever, ajoute-t-elle. En ce moment, c'est ce livre-ci. Le connaissez-vous ?

L'Amiral le lui prend des mains. C'est un in-octavo relié pleine peau, avec des illustrations. *Thérèse philosophe*, lit-il sur la couverture. Par Boyer d'Argens.

– Je ne le connaissais pas.

– C'est ce que l'on appelle ici une *lecture philosophique*… ou galante.

– Un livre libertin ? demande don Pedro, surpris.

– Oui, répond-elle en riant. Cela paraît plus juste.

L'Amiral tourne quelques pages. À sa surprise, les illustrations sont ouvertement pornographiques. Quand il lève les yeux sur madame Dancenis, il s'avise qu'elle en étudie les effets sur son visage, amusée.

– Il y a des lectures galantes conventionnelles, ou quasi innocentes, comme *Paméla*, *Clarisse Harlowe* ou *La Nouvelle Héloïse*... Celui-ci va un peu plus loin.

Beaucoup plus loin, constate don Pedro en continuant de tourner les pages en s'efforçant de garder une expression impassible. Une des illustrations, absolument explicite, montre une femme nue dans les draps, pénétrée par un homme.

– Certaines croient qu'elles peuvent choisir un livre comme elles choisissent une boîte de poudre ou un ruban pour leur chapeau, selon sa couleur et sa reliure, dit madame Dancenis avec naturel. Ce sont celles qui disent très sérieusement qu'elles préfèrent Racine à Corneille, ou le contraire... Les femmes réellement distinguées ont renoncé à ces ridicules de *femmes savantes**, qui étaient tellement à la mode il y a une trentaine d'années, et laissent les épouses des académiciens défendre la réputation de leur mari et juger du talent des jeunes et des vieux auteurs... Ces romans-là ne sont pas seulement plus amusants, mais nous rendent plus conscientes de nous-mêmes. Plus libres.

Don Pedro continue de tourner les pages. Sur une autre illustration, une jeune femme aux seins découverts caresse le dos d'un homme qui honore en profondeur et par-derrière une autre femme, agenouillée. Quand il arrive à la troisième estampe – trois moines qui caressent à divers endroits l'anatomie d'une jeune fille qu'ils troussent – l'Amiral cesse de feuilleter le livre et le pose sur la courtepointe, sans commentaire.

– À Paris, poursuit Margot Dancenis, l'amour n'est que libertinage mitigé, exercice social qui soumet les sens sans engager la raison ni le devoir. Délicat par son inconstance, il n'exige aucun de ces sacrifices qui coûtent si cher. Le séducteur n'est tel que pour celle qui veut être séduite, et la véritable vertu peut rester intacte avec tout cela. L'amour est léger, volatil, et s'évapore avec l'ennui... Comprenez-vous ce que je veux dire ?

La pause est brève, juste ce qu'il faut pour que l'Amiral, avec une présence d'esprit remarquable, avale sa salive avant de répondre. Ou essaie de l'avaler, parce qu'il a la bouche sèche.

– Il me semble, dit-il enfin en reprenant comme il le peut

contenance. Vous voulez dire que l'amour atteint si légèrement qu'il ne blesse plus que les cœurs qui veulent bien l'être.

Elle fait le geste d'applaudir, silencieusement.

– C'est bien ça. Voilà pourquoi, pour autant que les choses se passent avec discrétion, un mari n'en est absolument pas responsable, et nul ne se moque de lui. Dans le monde, à Paris, un mari n'est pas le maître de son épouse et celle-ci n'est pas soumise à l'obéissance. Chacun a sa vie, ses amis, ses plaisirs. Mari et femme se respectent. Surveiller et harceler une épouse est considéré comme une vulgarité bourgeoise… Comprenez-vous ?

– Parfaitement.

– En fin de compte, la vertu ne donne que des tableaux froids et figés. Ce sont les passions et les vices qui animent les toiles du peintre, les vers du poète, les compositions du musicien. Ceux qui inspirent l'amant audacieux.

– Cela, vous l'avez déjà dit l'autre jour, pendant ce repas…

– Vous avez bonne mémoire.

– Parfois.

Nouvelle pause. Le silence est maintenant plus tendu, au point que don Pedro, bien droit sur sa chaise depuis un bon moment, commence à avoir mal au dos.

– Êtes-vous audacieux, Amiral ?

Celui-ci ébauche un sourire triste.

– Je ne l'ai pas été depuis bien longtemps.

– Et honnête ?

– Il y a des jours où je m'y essaie.

– Je sens en vous quelque mélancolie, dit-elle doucement, songeuse. Et je crois qu'elle n'a rien à voir avec les années.

Remis de son émotion, plus maître de lui – l'allusion à son âge l'a paradoxalement réconforté –, l'Amiral lève les épaules avec un certain dédain.

– Dans ma jeunesse, j'ai couru une grande partie du monde avec pour équipage une certaine mélancolie… La certitude prématurée, ou le pressentiment que la vie me ferait perdre les belles choses que j'allais découvrir.

– Lesquelles ?

– Aucune ne me revient à l'esprit, répond-il quelques instants plus tard.

– En êtes-vous sûr ?

– Oui.

Adossée à ses oreillers, elle le tient sous son regard inquisiteur, très attentive, et son sourire est à présent approbateur. La chair de sa gorge et de ses bras paraît tiède. Accueillante. Elle est très belle, se dit brusquement l'Amiral. À nouveau. En ce lieu. Dans cette lumière.

– Rousseau conseille de voyager pour mépriser l'être humain, remarque-t-elle.

– Je ne le méprise pas, dit l'Amiral qui a recouvré son sang-froid. Je me contente d'essayer de le connaître. De l'observer.

Margot Dancenis prend une nouvelle fois le livre et en tourne les pages, y compris celles des gravures, avec une expression indifférente. Tout à coup, elle lève les yeux comme si elle voulait surprendre chez l'Amiral une expression incontrôlée.

– Ce que vous êtes sans nul doute, vous, dit-elle, c'est un bel homme.

– Je ne sais ce que vous entendez par là, répond-il, gêné. À mon âge...

– Un bel homme est celui à qui la nature a donné tout ce qu'il faut pour remplir deux fonctions principales : la conservation de l'individu, dont le champ bien vaste inclut la guerre, et la propagation de l'espèce, qui ne concerne qu'une chose... Avez-vous embrassé une femme à Paris, monsieur ?

Il la regarde maintenant, déconcerté. Presque au bord de la panique.

– Il me semble que ça... Seigneur, madame... Bien sûr que non.

– Bien sûr ? Contrairement à ce qu'il en est en Espagne, on embrasse très facilement, à Paris. Rien de plus naturel, ici, que cette marque d'affection.

Elle tend le livre à l'Amiral, insiste pour qu'il le prenne de nouveau.

– Lisez un peu pour moi, monsieur, je vous en prie. Mes amis ont l'habitude de le faire à haute voix.

– Je ne sais si je dois, s'excuse don Pedro, confus. C'est en français...

– Vous parlez très bien français. Et j'aimerais écouter ce texte lu par vous.

Elle lui a donné le livre ouvert à une certaine page, doigt pointé sur un passage. L'Amiral lit enfin, en ménageant les pauses adéquates et en s'efforçant de bien prononcer :

> *Elles ont, direz-vous, leurs besoins comme les hommes, elles sont de même pâte ; cependant, elles ne peuvent pas se servir des mêmes ressources : le point d'honneur, la crainte d'un indiscret, d'un maladroit, d'un faiseur d'enfant, ne leur permet pas d'avoir recours au même remède que les hommes.*

– Continuez, s'il vous plaît, dit Margot Dancenis quand il lève les yeux pour la regarder. Quelques lignes plus loin, je vous en prie...

– Comme vous voudrez. Voyons...

> *Le sang, les esprits, le nerf érecteur, ont enflé et roidi son dard : tous deux d'accord, ils se mettent en posture : la flèche de l'amant est poussée dans le carquois de sa maîtresse, les semences se répandent par le frottement réciproque des parties. L'excès du plaisir les transporte ; déjà l'élixir divin est prêt à couler...*

Don Pedro s'arrête là, confus. La confusion, imagine-t-il – et il ne lui plaît guère de l'imaginer –, doit se peindre sur son visage. Elle l'observe avec la plus grande attention.

– Qu'en dites-vous ? demande-t-elle.

Il hésite, tout en cherchant la réponse adéquate.

– Stimulant, conclut-il. Il me semble.

– Il vous semble, monsieur ?

– Oui.

Le sourire de Margot Dancenis s'élargit.

– Littérature philosophique. C'est le nom qu'on lui donne.

Maintenant, l'Amiral ne répond plus. Les lèvres sans maquillage de madame Dancenis découvrent la pointe de ses incisives, très blanches. Très luisantes. Il y a aussi, dans ses yeux, un éclat nouveau.

– Continuez, voulez-vous bien. Lisez pour moi à partir de la marque que j'ai faite sur cette page-là.

Don Pedro la regarde, patient. Il a recouvré son sang-froid.

– Êtes-vous sûre, madame ? Cela vous semble-t-il judicieux ?

– On ne peut plus judicieux.

Il se remet à lire à haute voix, avec application, en détachant bien les phrases. Sans hâte et sans difficulté.

> *À l'instant, vous tombâtes entre mes bras ; je saisis, sans hésiter, la flèche qui jusqu'alors m'avait paru si redoutable, et je la plaçai moi-même à l'embouchure qu'elle menaçait ; vous l'enfonçâtes, sans que vos coups redoutés m'arrachassent le moindre cri ; mon attention, fixée sur l'idée du plaisir, ne me laissa pas apercevoir le sentiment de la douleur.*
>
> *Déjà l'emportement semblait avoir banni la Philosophie de l'homme maître de lui-même, lorsque vous me dites avec des sons inarticulés : « Je n'userai pas, Thérèse, de tout le droit qui m'est acquis : tu crains de devenir mère, je vais te ménager : le grand plaisir s'approche ; porte de nouveau ta main sur ton vainqueur, dès que je le retirerai, et aide-le par quelques secousses à... il est temps, ma fille, que je... de plaisirs... » Ah ! je meurs aussi, m'écriai-je, je ne me sens plus, je... me... pâ... me.*
>
> *Cependant, j'avais saisi le trait, je le serrai légèrement dans ma main, qui lui servait d'étui, et dans laquelle il acheva de parcourir l'espace qui le rapprochait de la volupté.*

Arrivé sur ce point, après avoir doucement fermé le livre, l'Amiral se lève et demeure ainsi quelques instants, immobile, sérieux et pensif. Puis, s'approchant lentement de Margot Dancenis, comme pour lui laisser la possibilité de l'arrêter d'une parole ou d'un regard, il parcourt, sans rencontrer d'obstacle, l'espace qui le sépare de la volupté.

La pluie tend un rideau gris tout au long de la rue Vivienne, dissimulant par vagues les édifices qui la bordent. Rasant les façades du côté gauche, abrité de la pluie par sa capote et son chapeau, Pascual Raposo suit de loin don Hermógenes Molina et l'abbé Bringas qui avancent rapidement en se tenant par le bras sous un grand parapluie noir qui les protège des ondées. D'un bref regard sur sa droite, Raposo s'assure que Milot, en compagnie de deux autres hommes – des truands qui ont sa confiance, a assuré le policier –, les suit aussi, de l'autre côté, de son regard d'épervier, en évitant les chutes d'eau qui tombent des gouttières et des toits. Il y a peu de gens dans les rues, seulement de temps en temps une voiture qui les éclabousse de boue, et des passants isolés qui se meuvent avec une rapidité quasi furtive ou courent se mettre à l'abri de la pluie. La lumière grisâtre laisse les portes cochères dans la pénombre, et certaines devantures montrent des étalages éclairés à l'intérieur par des bougies. Tout a un aspect froid, humide, désolé et triste.

Raposo se livre à quelques calculs en guettant l'occasion. La rue Vivienne s'achève rue Neuve-des-Petits-Champs, près du Palais-Royal. L'abbé et l'académicien sont sortis il y a moins de cinq minutes des bureaux de la Vanden-Yver et se dirigent vers la Seine. Sans doute ont-ils maintenant sur eux l'argent destiné à l'achat de l'*Encyclopédie* de la veuve Hénault, qui, d'après Milot, sur les renseignements duquel on peut toujours compter, doit être remis au fils de cette dame, dont le bureau est proche du palais de Justice. Cela offre tout un éventail de possibilités intéressantes pour ce que Raposo prépare, et il en sourit d'avance, de son sourire carnassier, quand il y pense. Tout a été discuté, tout est prêt, il ne manque plus que l'endroit idoine pour passer à l'action. Toutefois, à mesure que l'abbé et le bibliothécaire se rapprochent du fleuve et du centre de la ville, les possibilités d'intervention vont en s'amenuisant. Aux abords du Louvre, il y aura plus de gens et plus de voitures, même avec cette pluie, et aussi un piquet de Gardes françaises gênant au pont Neuf. L'affaire doit être faite avant, sans doute, dans une zone dont Milot a établi la frontière imaginaire rue Saint-Honoré. C'est là, d'après le policier, que se situe le point limite. L'ultime opportunité de leur tomber dessus et de déguerpir sans difficultés.

Ce qui ne laisse pas d'être surprenant, songe Raposo en esquivant – tout en ne se privant pas de lâcher un juron obscène – l'épais jet d'eau que crache une gouttière, c'est l'absence de don Pedro Zárate. Bien que Milot, ses deux acolytes et lui-même suivent l'abbé et le bibliothécaire depuis que ceux-ci sont sortis de la banque après être restés plus d'une heure à l'intérieur, l'ancien marin ne s'est pas montré. Cela n'a pas trop d'importance, parce qu'il est évident que l'argent obtenu après remise de la lettre de change des académiciens ne peut être qu'aux mains des deux hommes qui seront bientôt rattrapés. Mais Raposo est quelqu'un de méthodique, qui ne peut souffrir que quoi que ce soit lui échappe. Peut-être ces deux-là ont-ils rendez-vous avec lui, conclut-il. Ou peut-être est-il malade, ou encore chez l'avocat, et pourquoi pas dans le Marais, avec la veuve Hénault ? Cette dernière pensée l'inquiète un peu. J'espère, se dit-il, soupçonneux, qu'il n'empaquette pas, à l'heure actuelle, les volumes de ce fichu livre.

L'abbé et le bibliothécaire sont arrivés au bout de la rue. Les échafaudages des maçons leur barrent le passage vers les jardins et les galeries du Palais-Royal, et Raposo les voit tourner à gauche. Pressant le pas pour éviter d'être semé, il file rapidement dans leur direction en pataugeant dans les flaques, et il voit Milot et ses hommes s'animer aussi. En atteignant l'échafaudage, il a le temps d'apercevoir les deux hommes qui s'engagent et s'engouffrent dans la rue des Bons-Enfants. C'est une de celles que le policier et lui ont inspectées attentivement la veille, comme toutes celles du voisinage, en prévision des mouvements probables ou improbables d'aujourd'hui. Et celle-ci, avec son tournant et le passage étroit qui la coupe juste en son milieu, est parfaite pour leur projet. Raposo lève une main pour prévenir Milot, mais avant d'avoir achevé son geste, il s'aperçoit que celui-ci a compris la situation et donne des instructions à ses deux sbires, lesquels filent au pas de course en semant des éclaboussures, se glissent entre les échafaudages du Palais-Royal et disparaissent. Puis Milot se tourne vers Raposo et lui fait signe que tout est arrangé ; alors celui-ci presse de nouveau l'allure, tourne le coin et voit les deux pigeons qui continuent d'avancer en se tenant par le bras à l'abri de leur parapluie, sans se douter de ce qui se prépare dans leur dos. Ils se trouvent à une vingtaine de pas de lui, aussi Raposo se hâte-t-il pour les rattraper, tandis que la pluie lui fouette le visage sous le bord avachi de son chapeau, et que l'eau dégouline sur les pans de sa capote et lui mouille les jambes jusqu'aux cuisses malgré ses guêtres. Tendu comme un ressort, déterminé, féroce, il entend son sang battre violemment à ses tempes, dans sa poitrine, et songe fugitivement qu'il est parfois bon de retrouver ses vieilles habitudes. Ses vieux instincts. Tout en avançant il jette un coup d'œil derrière lui, pour s'assurer si Milot tient parole et suit, et il le voit tourner le coin avec le plus grand calme, prêt à tout surveiller de loin. Comme prévu. De cette manière, il n'y aura pas de problème si l'affaire tourne mal et si quelqu'un appelle la police. En fin de compte, lui a-t-il dit hier soir, une pute assise sur chacun de ses genoux, tout en sifflant sa bière dans le vieux cabaret de Ramponeau, la police, c'est moi.

Jamais don Hermógenes n'avait vu pleuvoir autant. Malgré le parapluie qui les couvre, lui et l'abbé – Bringas le soutient avec une sollicitude pleine d'abnégation –, il a les jambes et la moitié du corps trempés sous sa cape espagnole qui laisse passer l'eau de toute part. Malgré sa capote boutonnée jusqu'au cou, Bringas n'est pas moins trempé que lui. Il n'y a pas eu moyen de trouver un fiacre, toutes les voitures libres semblent avoir été dissoutes par la pluie, aussi marchent-ils épaule contre épaule, en se protégeant comme ils le peuvent d'un pas aussi rapide que possible.

– En arrivant au Louvre nous serons à l'abri, dit Bringas, encourageant. Nous prendrons par les arcades.

Don Hermógenes, à qui les arcades du Louvre paraissent en ce moment aussi lointaines que les mines du Pérou, hoche la tête, peu convaincu. De la main gauche, il s'accroche au bras de l'abbé qui tient le parapluie, et de la droite, plongée dans une poche de sa cape, il touche, inquiet, les lourds rouleaux de louis que leur a remis la banque Vanden-Yver en échange de presque toute la valeur de la lettre de change émise par l'Académie. Don Hermógenes porte trois rouleaux dans chaque poche, pour équilibrer le poids des mille cinq cents livres de bon or français frappé aux effigies de Louis XV et de Louis XVI. Trop de louis pour pouvoir se promener tranquillement, de toute façon, avec cette somme sur lui et la seule protection de l'abbé. Bien qu'ils ne croisent que de rares passants, ou peut-être justement à cause de ça, le bibliothécaire n'en mène pas large. Il n'a ni l'habitude ni l'assurance nécessaires : jamais il n'a dû veiller sur autant d'argent à la fois, jamais il n'en a vu autant ; cet or, constate-t-il, est aussi lourd qu'un carcan ou qu'une autre condamnation qui pèserait sur sa tête. Ou qu'une menace. Aussi la pluie et ses incommodités ne sont-elles pas les seules raisons qui le poussent à inciter son compagnon à presser le pas, déterminé à rejoindre au plus vite le café où ils doivent retrouver l'Amiral avant de conclure l'affaire avec maître Hénault.

Ils sont arrivés au milieu de la rue quand le bibliothécaire entend un clapotis derrière lui, malgré le tambourinement de la pluie. Il est sur le point de se retourner pour voir qui les suit quand d'un passage étroit et obscur, sur sa droite, se détachent deux ombres qui se déplacent rapidement, se rapprochent. Brusquement, la grisaille du jour devient sinistre, comme si l'eau qui tombe du ciel venait de se changer en cendre, et un frisson d'alarme et de panique, qu'il n'avait jamais encore éprouvé, parcourt l'aine du bibliothécaire, lui tord le ventre et semble arrêter le battement de son cœur.

– Cours, l'abbé ! crie-t-il.

Cette subite présence d'esprit – insolite chez un homme aussi pacifique que lui – se révèle vaine. Il n'a pas fini sa phrase que le barbotement qu'il avait entendu derrière lui devient plus rapide, plus proche, et qu'un coup terrible, retentissant, l'atteint à la base du crâne, faisant éclater devant ses yeux, ou en eux, un jaillissement de points lumineux. Vacillant, il essaie de se retenir au bras de Bringas pour ne pas chuter, mais celui-ci, ébranlé, pousse un gémissement et laisse tomber le parapluie, qui vient couvrir don Hermógenes d'un voile noir, tandis que continuent de pleuvoir les petits points lumineux qui filent comme des étincelles en criblant son cerveau.

Il entend alors Bringas crier :

– Au voleur ! À moi ! Au secours ! Au secours !

La voix semble venir de très loin. Pendant que don Hermógenes gesticule pour se débarrasser du parapluie et ouvre grand la bouche pour essayer de reprendre souffle, car il a l'impression que l'air va lui manquer, il sent ses genoux fléchir, des mains vigoureuses le saisir et le maintenir debout. Quand il réussit enfin à entrouvrir les yeux, il aperçoit à travers la précipitation des étincelles qui brouillent sa vue trois formes sombres, trois silhouettes : dans le contre-jour du passage étroit et noir vers lequel elles le traînent, elles tapent sans merci sur l'abbé et lui assènent pour sa part un nouveau coup, cette fois au creux de l'estomac, qui le fait se recroqueviller comme un animal blessé et tomber à terre. Il reste là, immobile, sur le flanc, si perclus de douleur et de terreur que, pendant qu'il se pisse dessus – un liquide chaud, quasi agréable, qui gagne doucement son aine –, il sent à peine, comme dans un cauchemar, des mains lointaines et cupides fouiller ses poches et lui prendre les rouleaux de pièces d'or.

11

L'hôte de l'hôtel de Montmartel

> L'obscurité se terminera par un nouveau siècle de lumière. Nous serons plus frappés du grand jour après avoir été quelque temps dans les ténèbres.
>
> JEAN LE ROND D'ALEMBERT,
> *Discours préliminaire de l'*Encyclopédie

Les perruques sont blanches et les vestes sobres et sombres. À cause de la proximité du palais de Justice, la clientèle habituelle du café du Parnasse a une apparence austère, si ce n'est solennelle. L'air est lourd de fumées de tabac, de bourdonnements de conversations, des odeurs de la foule, de la sciure et des vêtements mouillés. Il y a des manteaux sur toutes les patères, des parapluies fermés qui gouttent, appuyés contre les murs du vestibule et, à l'intérieur, autour de tables couvertes de dossiers, de papiers et de tasses de café, toutes sortes d'hommes de loi, qui écrivent, lisent, fument et dialoguent.

– C'est un coup terrible, résume don Pedro Zárate. Un désastre.

Ils sont assis tous les trois dans un compartiment au fond de la salle, près d'un poêle malodorant, sous un tableau de facture médiocre qui représente une scène de chasse. Face à l'Amiral, les coudes appuyés sur la table et le visage dans ses mains, don Hermógenes vient de finir d'évoquer les dernières circonstances de l'épisode. Ses vêtements sont boueux et encore mouillés en dépit de la chaleur du poêle, et il y a une déchirure à l'épaule de sa veste. En plus de son expression contrite, le visage du bibliothécaire porte les marques de l'aventure récente : paupières tuméfiées, œil rougi par l'éclatement d'un vaisseau, l'air toujours abasourdi. Près de lui, l'abbé n'a pas meilleure apparence : il a ôté sa perruque et entre les mèches de cheveux coupés à la diable se devine l'enflure d'une grosse bosse. Il a également un hématome violacé sur une pommette et ne peut remuer sans grimacer de douleur, avec les précautions de ceux qui ont été battus comme plâtre.

– Ils nous ont tout volé, bredouille don Hermógenes, désemparé. Absolument tout. Ils m'ont même pris ma montre. Et ma boîte de tabac à priser.

– Ils nous suivaient sans doute depuis notre sortie de la banque, remarque l'abbé.

– Mais comment ont-ils pu apprendre que vous aviez tout cet argent sur vous ?

– Je ne sais pas, dit le bibliothécaire en remuant la tête, désolé. Je ne peux me l'expliquer.

– L'important, c'est que vous alliez bien.

– Bien roués de coups, se lamente Bringas.

– Même ainsi, il n'y a pas eu de dommages trop graves. Il faut s'en estimer heureux. En de pareils cas, le pire peut toujours se produire. Vous leur avez résisté ?

Le bibliothécaire fait un mouvement et étouffe une plainte.

– Autant que nous l'avons pu. Monsieur l'abbé plus que moi, bien sûr. Je l'ai entendu se débattre dans la bagarre comme un diable dans l'eau bénite.

– Bagarre, vous y allez un peu fort, nuance l'abbé avec dépit. Ils ne nous ont pas laissé la moindre chance… Ah ! Si je les avais vus venir ! Il fut un temps où je… Bon. Le fait est que les trois canailles ont été rapides et efficaces. Ils savaient ce qu'ils faisaient.

– Ils n'étaient que trois ? fait don Hermógenes sur un ton plaintif. Moi, d'après les coups reçus, je dirais qu'ils étaient trente.

Ils restent en silence à se regarder, sombres, indécis.

– Qu'allons-nous faire ? demande enfin don Hermógenes.

L'Amiral remue lentement la tête d'un côté à l'autre.

– Je ne sais pas.

– Il faudrait dénoncer le vol.

– Ça ne servirait pas à grand-chose. À l'heure qu'il est, l'or s'est envolé très loin.

– De toute façon, nous déposerons une plainte officielle à l'ambassade, suggère Bringas.

– Ce qui ne résout pas le principal problème, répond l'Amiral. Nous nous sommes engagés à acheter l'*Encyclopédie* de la veuve Hénault... Et son fils attend l'argent.

– Dites-leur que le paiement est retardé. De deux jours.

– Et dans deux jours, le problème sera le même : nous n'avons pas mille cinq cents autres livres.

– Ni le moyen de les avoir, ajoute don Hermógenes.

– Exact.

Le bibliothécaire replonge son visage dans ses mains.

– Je n'arrive pas à avaler ce qui nous arrive. Ce guignon.

– C'est ma faute, dit l'Amiral pour tenter de le consoler. J'aurais dû être avec vous.

– Ça n'aurait rien changé, mon ami... Nous serions trois à avoir été roués de coups, au lieu de deux. Et l'or se serait tout aussi bien volatilisé.

– À trois, nous nous serions mieux défendus.

– Je vous assure qu'il n'y avait aucun moyen de se défendre, insiste Bringas. Ils nous sont tombés dessus comme des tigres du Bengale.

L'abbé et don Hermógenes regardent alors l'Amiral, pour demander de sa sérénité un diagnostic de la situation. En manière de résumé, celui-ci lève les épaules.

– Il nous reste environ six cents livres, destinés à nos dernières dépenses à Paris et au voyage du retour, en incluant le logement du cocher, la remise de la berline et les chevaux de poste.

– Ça ne suffirait pas, admet le bibliothécaire, et ça nous laisserait dans l'indigence.

– Complète, oui.

– Peut-être pourrions-nous en donner la moitié aux Hénault comme avance, pour qu'ils acceptent d'attendre quelques jours.

– Combien ? Réunir le reste est impossible.

– Écrivez à Madrid. Racontez ce qui est arrivé, propose Bringas. Que l'Académie décide.

L'Amiral hoche la tête, bien que sceptique.

– Il faudra le faire, évidemment. Mais recevoir la réponse demandera du temps. Et nous risquons de voir en attendant l'*Encyclopédie* nous filer sous le nez… Par ailleurs, il est difficile d'expliquer ce qui est arrivé, les difficultés passées et présentes, dans une seule lettre. Je ne sais si nos collègues de l'Académie pourront le comprendre.

– Mon Dieu, gémit don Hermógenes, désespéré. Quelle honte… Quel déshonneur.

Bringas fronce les sourcils ; on dirait qu'une idée s'est présentée à son esprit, et il regarde don Pedro.

– Croyez-vous que quelqu'un de vos connaissances, comme les Dancenis, pourrait… ?

L'Amiral se rejette en arrière sur sa chaise, le visage impassible. Sec.

– Il n'en est pas question.

Un nouveau silence s'appesantit. Tous trois se regardent, abattus.

– Nous sommes dans une impasse, conclut don Pedro. Il faudrait renoncer.

Ils se taisent une nouvelle fois. Bringas, après avoir palpé sa bosse, songeur, cesse de faire tourner sa perruque et, avec la plus grande délicatesse, la remet sur sa tête.

– Je vous ai dit tout à l'heure de déposer plainte à l'ambassade.

– Et nous le ferons, répond l'Amiral. C'est raisonnable.

– Oui. Mais il y a d'autres choses que vous pouvez tenter, à l'ambassade.

Don Pedro le regarde avec curiosité.

– Expliquez-vous.

– Vous êtes des membres de l'Académie royale d'Espagne… pas n'importe qui.

– Des académiciens bastonnés, intervient don Hermógenes. Du moins en ce qui me concerne.

L'Amiral regarde encore l'abbé avec une curiosité accrue.

– Où voulez-vous en venir ?

Bringas sourit, du coin des lèvres. Presque avec ruse.

– L'ambassadeur, le comte d'Aranda, est mon pays ; il ne peut refuser de nous recevoir. Surtout pour une pareille affaire. Il est également de son devoir de nous conseiller. Et, le cas échéant, de nous porter secours.

– Vous pensez à une aide pécuniaire ?

– Exactement. Quelqu'un qui, comme lui, dispose de deux cent mille livres par an pour ses dépenses, et cela sans compter les libéralités discrètes, peut bien vous procurer les moyens nécessaires. Si vous l'en persuadez, bien entendu. Parce qu'il a une réputation d'avaricieux.

L'Amiral reste un moment silencieux, à considérer la proposition, pendant que don Hermógenes les regarde à tour de rôle, reprenant espoir.

– Nous ne perdons rien à essayer, dit-il. Acceptera-t-il de nous recevoir à nouveau ? La dernière fois, il ne nous a pas prêté grande attention.

Bringas a une expression de suffisance.

– Ah, pour ce qui est de la réception, je peux vous la garantir. Ce serait un scandale, après tout ce qui s'est passé, que l'ambassadeur d'Espagne ne s'intéresse pas aux difficultés que rencontrent à Paris deux membres de l'Académie royale d'Espagne… Quant à le convaincre de délier les cordons de sa bourse, c'est une autre paire de manches.

Don Hermógenes approuve, convaincu, sans quitter l'Amiral des yeux.

– Pourquoi pas ? hasarde-t-il. Qui ne tente rien…

Bringas s'appuie sur la table, subitement très animé.

– On ne se présente pas comme ça là-bas… Mais laissez-moi faire, je connais mes classiques. Pas question d'y aller en humbles plaideurs qui sollicitent une audience par la voie ordinaire. Allons-y tout de suite, vous deux avec autorité, et beaucoup d'indignation, en exigeant auprès d'Heredia de voir le comte immédiatement pour une affaire d'une extrême gravité, et tout ça en flanquant de grands coups de pied dans la porte.

– Des coups de pied, monsieur l'abbé… se rebelle don Hermógenes.

– C'est une figure de rhétorique. Mais je vous assure que dans le corps diplomatique, cette attitude, c'est la main de Dieu.

– Si vous le dites…

– Je le dis et je le garantis. Comme vous le savez, j'ai certaines facilités pour entrer à l'ambassade. Et je puis vous assurer que…

– D'accord, allons-y, l'interrompt brusquement l'Amiral.

Bringas ouvre de grands yeux, surpris par le ton.

– Vous en êtes sûr, monsieur ?

– Tout à fait. Vous avez raison. Perdus pour perdus, jetons-nous à l'eau. Et ce n'est pas peu dire, à Paris, avec cette pluie.

Dans tout roman, il y a des personnages secondaires qui demandent certains efforts, le comte d'Aranda, ambassadeur d'Espagne à Paris, fut l'un de ceux-là. Arrivé à cet épisode de l'aventure des deux académiciens, j'eus besoin de quelques données spécifiques sur la mission diplomatique d'Aranda dans la France prérévolutionnaire et de certaines informations pratiques sur la vie du personnage. Engagé dans le mouvement de réforme avec les encyclopédistes, correspondant de Voltaire et d'autres philosophes, la figure de Pedro Pablo Abarca de Bolea, comte d'Aranda, m'était familière pour de nombreuses raisons, entre autres le rôle clef que, plusieurs années avant ces événements, il avait joué dans l'expulsion des jésuites d'Espagne, affaire liée, celle-là, à l'un de mes romans précédents : *L'Énigme du Dei Gloria*. J'avais donc gardé, concernant Aranda, un abondant matériel dans ma bibliothèque, dont deux biographies notables, comme *Le Comte d'Aranda*, œuvre monumentale de Rafael Olaechea et José A. Ferrer, amplement documentée sur les dix années pendant lesquelles don Pedro Pablo avait régné sur l'ambassade espagnole à Paris ; j'avais également déniché divers portraits qui me permettaient de donner forme au personnage. Je me suis servi de tout cela pour reconstituer avec précision son portrait – déjà ébauché au cinquième chapitre de cette histoire : soixante-deux ans apparemment mal portés, voûté, bigle, légèrement dur d'oreille et édenté – et boucler ainsi, avec mes documents et mon imagination, le second et dernier entretien que don Pedro Zárate et don Hermógenes Molina avaient eu avec l'ambassadeur d'Espagne en l'hôtel de Montmartel, siège du corps diplomatique espagnol qui allait bientôt déménager dans ce qui est aujourd'hui l'hôtel Crillon, place de la Concorde. Un entretien dont le bibliothécaire don Hermógenes Molina allait rendre compte dans un mémoire qu'il devait par la suite remettre à l'Académie et dont j'ai pu consulter l'original, conservé dans les archives de l'illustre maison, pour reconstituer avec une fidélité suffisante la scène à propos de laquelle le bibliothécaire écrivit de sa main :

> *C'est avec une courtoisie distraite, légère, qu'il nous a tout d'abord reçus. Comme quand on a en tête des affaires beaucoup plus graves et importantes.*

Et le comte d'Aranda en avait à traiter de telles, certes. À ce moment-là, il ne s'occupait pas seulement des relations entre les cours de Madrid et de Versailles, de renforcer les liens entre l'Espagne et le monde des Lumières, de soutenir les colonies rebelles américaines dans leur lutte avec l'Angleterre, de s'assurer de l'appui des Français dans les guerres de Gibraltar et de Minorque et d'autres sérieuses affaires d'État, mais aussi de conspirer pour couper l'herbe sous le pied de ses adversaires politiques en Espagne, en particulier le secrétaire d'État Floridablanca, et le ministre des Finances Campomanes. À l'époque où les deux académiciens avaient séjourné à Paris, le comte était encore un homme des Lumières réformiste, temporairement éloigné de la cour d'Espagne, mais toujours influent, revêtu de prestige, avec de nombreuses relations et de solides contacts en Europe, et il s'attendait à une position brillante à son retour en Espagne, alors même que sa sympathie pour les idées progressistes qui allaient bientôt déchaîner la Révolution française devait le ruiner politiquement une décennie plus tard.

Le comte d'Aranda était indéniablement un homme encore puissant le jour où il reçut, dans la lumière cendreuse que laissait entrer une pluie battante derrière les carreaux de la pièce où le feu d'une énorme cheminée rendait la température suffocante, don Pedro Zárate et don Hermógenes Molina. Ceux-ci prirent place de l'autre côté d'une table couverte de livres et de papiers après que l'Amiral, avec une insistance tenace, eut fait savoir au secrétaire, Heredia, qu'ils ne quitteraient pas l'hôtel avant d'avoir été reçus par l'ambassadeur pour une affaire grave qui tenait presque de la raison d'État. Et ils en étaient là : à essayer de le convaincre que tel était bien le cas.

– Déplorable, dit le comte d'Aranda. Ce qui vous est arrivé est déplorable.

L'adjectif semble lui plaire, parce qu'il le répète pour lui-même tout en prenant une pincée de tabac à priser – sans en offrir à ses visiteurs – dans une tabatière en or et émail aux armes de la couronne d'Espagne.

– Déplorable, ajoute-t-il de nouveau après s'être mouché dans un carré de batiste orné de dentelle.

La lumière sale des fenêtres rend ses yeux encore plus gris – le droit est légèrement louche. Sa perruque blanche, frisée à la perfection, s'accorde admirablement avec sa veste de soie verte lisérée d'or aux poignets et aux revers, sur laquelle luit la plaque de l'ordre du Saint-Esprit.

– Que pensez-vous faire à présent ?

L'Amiral regarde son compagnon, indécis. La question du comte d'Aranda a été posée sur le ton de la conversation courtoise plus que sur celui de l'intérêt véritable. De temps en temps, l'ambassadeur pose un regard discret, furtif, sur les papiers et les journaux posés sur sa table de travail ; ils réclament de lui une attention que ses visiteurs ont détournée quand Heredia les a introduits dans son bureau en alléguant une affaire grave.

– Nous avons besoin d'argent, dit simplement l'Amiral.

L'œil gauche d'Aranda cligne un instant avant l'autre. Argent. C'est un des rares mots qui peuvent faire ouvrir de grands yeux à un homme tel que lui, rompu à toutes sortes d'attaques. Sa quasi-surdité semble lui accorder quelques secondes de trêve.

– D'argent, avez-vous dit ?

– Oui, excellence.

– Hum… Combien ?

– Ce qui nous a été volé. Mille cinq cents livres.

Aranda se touche le nez comme si le tabac à priser le piquait encore. Il est grand, voûté, et le ton citrin de la peau de son visage saute aux yeux. Un moment, sans répondre, il étudie les deux hommes assis devant sa table, le regard flegmatique de don Pedro Zárate et celui, candide, bon et plein d'espoir de don Hermógenes Molina. Mille cinq cents livres, c'est une somme, par les temps qui courent. Même pour l'ambassade. Aussi plisse-t-il le front, ennuyé.

– Comptez-vous que ce soit moi qui endosse cette dépense ?

Don Hermógenes, qui n'a toujours pas recouvré tous ses esprits, regarde de nouveau son collègue. Grave et rigide sur sa chaise, celui-ci ne dit mot, les yeux rivés sur l'ambassadeur qui, curieux, observe les traits réguliers de l'académicien, ses cheveux gris ramassés en catogan et son menton soigneusement rasé, la sobre veste bleue qui lui donne une apparence sévère, presque martiale, qui contraste avec la tenue négligée de son collègue. Brigadier des armées navales du roi, conclut Aranda, avec sa longue expérience. Un de ces grands et beaux marins reconnaissables même en civil. Même la chaleur du feu ne semble pas l'affecter.

– Nos moyens sont limités, dit l'ambassadeur au bout d'un moment. La vie à Paris est quatre fois plus chère qu'à Madrid. Représenter dignement notre roi coûte une fortune. Savez-vous ce que dépense cette légation seulement en cuisine, éclairage, chauffage et attelages ? Eh bien, la bagatelle de soixante mille livres par an. Et je vous épargne le reste… Ici se traitent les affaires de la politique continentale, et les dépenses sont monstrueuses.

– Nous avons besoin de cet argent, excellence, souligne don Pedro Zárate, sèchement.

Dite par un autre, la phrase aurait semblé outrecuidante. « Comme s'il n'avait pas entendu ce que je viens de lui expliquer », semble se dire Aranda, vexé. Aussi hausse-t-il un peu le menton, altier.

– Cette ambassade n'est pas une banque, chers messieurs. J'ai bien peur que sur cette question pécuniaire, nous ne puissions rien faire pour vous.

L'Amiral se tient coi un moment, son attention attirée par les exemplaires du *Courier de l'Europe* et de *La Gazette d'Amsterdam*, entre les papiers qui couvrent la table.

– Permettez-moi de vous raconter une histoire, monsieur l'ambassadeur.

Aranda regarde les aiguilles de la pendule dorée, baroque, sur la tablette du manteau de la cheminée dans laquelle brûle l'énorme feu.

– Je dois aller voir le roi à Versailles cet après-midi, objecte-t-il, et le chemin à parcourir, pour y arriver, est hum… aussi long qu'ennuyeux. Je ne sais si j'en ai le temps.

– Nous espérons de votre noblesse que vous l'ayez.

Aranda porte une main derrière le pavillon de son oreille droite.

– Pardon ?

– Votre noblesse, excellence.

Les yeux clairs de l'Amiral soutiennent ouvertement le regard gêné de l'ambassadeur. Enfin, de mauvais gré, celui-ci fait un geste hésitant.

– Dites, alors.

Et don Pedro parle :

– Il y a près de soixante-dix ans, raconte-t-il, onze hommes de bien qui se réunissaient tous les jeudis pour parler de lettres ont décidé d'enrichir la langue espagnole d'un dictionnaire, comme l'avaient fait les Anglais, les Français, les Italiens et les Portugais. Sans doute l'Espagne les avait-elle tous précédés, un siècle auparavant, quand le dictionnaire monolingue en langue romance de Sebastián de Covarrubias avait mérité l'estime universelle. Mais avec le temps l'œuvre de Covarrubias était devenue vétuste, et l'Espagne manquait d'un instrument efficace pour recueillir dans toute sa perfection la richesse de la langue castillane…

– Je connais tout cela très bien, l'interrompt l'ambassadeur avec une expression d'ennui.

Mais l'Amiral demeure imperturbable.

– Nous savons que votre excellence connaît tout cela très bien, poursuit-il, et c'est justement à cela que nous en appelons… Parce que vous savez sans doute aussi que ces précurseurs, ces onze premiers académiciens, s'étaient donné pour directeur le marquis de Villena et s'étaient placés sous la protection du roi Philippe V.

– Oui, je sais cela aussi.

– Bien entendu… Comme vous devez également savoir, je suppose, que Sa Majesté leur avait commandé *un dictionnaire précis et ponctuel de la langue espagnole*, un dictionnaire qui a d'abord été imprimé en six volumes, puis en un seul, à partir duquel l'Académie prépare une nouvelle édition qui, espérons-nous, verra le jour l'an prochain ou dans deux ans tout au plus.

Aranda s'impatiente et lance un nouveau regard courroucé à la pendule.

– Où voulez-vous en venir, monsieur ?

– À ce que, en matière de dictionnaires, nous avons vécu longtemps, nous, Espagnols, avec la honte d'avoir été les premiers, mais pas les meilleurs… Et c'est ce que cherche présentement l'Académie : obtenir qu'à partir de la première édition avec ses citations des plus grandes autorités de la langue, et de la deuxième réduite à un seul volume pour être plus maniable, celle qui verra bientôt le jour soit la meilleure possible. La plus parfaite de tous les temps… Voilà pourquoi, cette fois, nous ne pouvons tourner le dos à l'avant-garde des idées en Europe, que rassemble avec une si grande pertinence l'*Encyclopédie*. C'est une commande du roi, monsieur l'ambassadeur. Un devoir en tant que sujets, un honneur en tant qu'Espagnols.

– Je comprends tout ça très bien, et je suis… hum, d'accord, argumente Aranda. Mais pour l'argent…

– L'argent est un sacrifice, nous le concevons bien. Ce sont deux humbles académiciens qui n'avaient jamais vu mille cinq cents livres de leur vie qui vous le disent. Le mauvais sort nous a frappés, ce qui nous déshonore devant nos collègues de l'Académie, devant notre roi, devant notre nation… Mais nous ne méritons pas ce déshonneur, monsieur. Je vous donne notre parole d'honneur que nous ne le méritons pas. Peut-être la tâche était-elle au-dessus de nos forces, mais nous l'avons assumée avec la meilleure volonté… C'est pourquoi nous sommes accourus aujourd'hui vers votre excellence, vers l'Espagnol et l'homme d'honneur que vous êtes.

Aranda lui oppose un nouveau geste évasif.

– Je ne suis qu'un ambassadeur.

L'Amiral a un léger sourire, absorbé comme s'il réfléchissait à voix haute.

– Pour ceux qui sont en terre étrangère, un ambassadeur est un père, et une ambassade une maison où trouver refuge… Retourner en Espagne sans l'*Encyclopédie* que l'on nous a demandée est pour nous une perspective intolérable.

– Diable ! lance Aranda en se rejetant en arrière sur son siège. Vous êtes éloquent, monsieur !

– Je suis, comme mon collègue don Hermógenes, un homme au désespoir.

Le bibliothécaire acquiesce timidement en entendant l'Amiral le mentionner, tout en épongeant la sueur de son cou avec un mouchoir. Puis un silence se fait, pendant lequel don Pedro regarde très fixement l'ambassadeur.

– Et je suis aussi un homme qui a regardé la torche resplendissante, ajoute-t-il.

La surprise avec laquelle don Hermógenes se tourne vers son compagnon, en entendant ces mots, n'est rien comparée à celle que montre l'ambassadeur. Avec un geste d'individu dur d'oreille, il ouvre démesurément les yeux, même le droit. Puis il se penche un peu au-dessus de la table vers l'Amiral, en l'observant, perplexe. Alors, de son index et de son majeur joints, il touche le revers gauche de sa veste.

– *Murator ?* demande-t-il enfin, presque à voix basse.

– Des Trois Lumières.

– Grade ?

– Troisième.

Les yeux asymétriques de l'ambassadeur restent attentivement rivés sur l'Amiral.

– Alors, vous connaissez… ?

Sur ce, il s'interrompt, sans cesser de regarder l'Amiral, pendant que celui-ci opine doucement du chef, après quoi, avec les mêmes doigts joints, il touche le revers droit de sa veste.

– Stupéfiant, conclut enfin Aranda.

– Pas tant que ça, rétorque don Pedro avec un geste vague englobant le temps et les distances. Avant d'être académicien, j'ai été marin… Jadis, j'ai beaucoup voyagé en France et en Angleterre.

L'ambassadeur scrute brièvement don Hermógenes, avec une visible inquiétude.

– Votre collègue serait-il… ?

– Pas du tout. Mais c'est un homme d'honneur, qui sait se taire.

Aranda pousse un soupir, tripote la boîte de tabac à priser, pendant que don Hermógenes les regarde l'un et l'autre, déconcerté. Finalement, l'ambassadeur ouvre la tabatière et la présente à l'Amiral, qui refuse d'un mouvement de tête. En se tendant en avant, le bibliothécaire prend une pincée de tabac qu'il porte à ses narines.

– Il n'est pas facile de construire, en Espagne, remarque Aranda tandis que don Hermógenes sort de nouveau son mouchoir et se mouche bruyamment.

L'ambassadeur a parlé en regardant don Pedro avec curiosité, guettant sa réaction. L'Amiral sourit avec douceur, mélancolique.

– Je sais, répond-il. Mais c'est à peine si je m'en occupe... Mon appartenance a été brève, et elle est lointaine.

– Voulez-vous dire que vous n'êtes pas un constructeur actif ?

– Plus depuis longtemps. Mais je garde les souvenirs, les codes et la sympathie.

Un long silence suit, pendant lequel l'ambassadeur et l'Amiral se regardent avec une complicité sereine tandis que don Hermógenes ne peut croire à la réalité de ce à quoi il assiste. Puis Aranda saisit une plume d'oie et la promène sur le dos de sa main gauche, pensif. Enfin, il ouvre un portefeuille en cuir, frappé de son blason à l'or fin, et il en tire une feuille de papier.

– À quel nom voulez-vous la lettre de change ?

– À celui de madame veuve Hénault, dit l'Amiral, impassible. C'est plus sûr.

L'ambassadeur plonge la plume dans l'encrier et écrit, lentement. Pendant une minute, on n'entend que le grattement de la pointe sur le papier.

– J'aurai besoin d'un reçu, signé de vos noms. Avec une obligation de remboursement de la part de l'Académie, dit-il en levant le visage et en les regardant l'un après l'autre. Pouvez-vous assumer un tel engagement ?

– Bien entendu, affirme don Pedro avec froideur. Mais ce ne sera pas l'Académie, ce sera moi, qui en répondrai. Je m'y engage, en signant de mon nom.

– Et du mien, naturellement, ajoute don Hermógenes, piqué de se voir exclu de l'accord.

Aranda les regarde avec bienveillance.

– Disposez-vous à Madrid de cette somme ?

L'Amiral acquiesce.

– J'ai des moyens personnels suffisants pour la réunir, sous ma responsabilité exclusive… La signature de mon collègue n'est pas nécessaire.

– Vous déraisonnez, cher ami, proteste le bibliothécaire. Je ne vais pas permettre que cette obligation retombe sur vous seul.

– Nous en discuterons plus tard, don Hermès. Ce n'est ni le lieu, ni le moment.

L'ambassadeur signe, ouvre la boîte à sable, la secoue au-dessus de la lettre, qu'il agite ensuite en l'air.

– Hum. Alors, tout est réglé.

Saisissant une clochette de bronze entre les papiers, il appelle. Aussitôt le secrétaire se montre à la porte.

– Don Ignacio, ayez la bonté de porter cet ordre à Ventura, et de pourvoir ces messieurs de ce qui est détaillé ici.

Heredia prend le papier, le lit et regarde l'ambassadeur, bouche grimaçante, comme s'il avait une rage de dents.

– Mille cinq cents livres, excellence ?

– C'est bien ce que j'ai écrit, non ? Allez, expédiez ça au plus vite, le temps presse.

– Entendu, répond le secrétaire, obéissant, sans opposer plus de résistance.

Aranda se lève en lissant les pans de sa veste. Les académiciens l'imitent.

– J'espère que tout va se terminer le mieux du monde. Don Ignacio est d'une grande efficacité, et il s'occupera de tout… De retour à Madrid, saluez de ma part le marquis d'Oxinaga, qui est de mes amis. Et quand sera publiée cette nouvelle édition du Dictionnaire, envoyez-m'en un exemplaire. – L'œil bigle cligne à l'adresse de l'Amiral. – Je crois l'avoir bien mérité.

– Sans aucun doute.

– Ah, encore un point… J'ai ici, sur la table, un rapport sur un incident désagréable dans lequel a été impliqué il y a quelques jours un citoyen espagnol de passage à Paris. Un duel, ai-je cru comprendre… Est-ce bien cela, don Ignacio ?

– En effet, excellence, répond le secrétaire en levant un sourcil. C'est du moins ce que l'on raconte.

L'ambassadeur se tourne du côté des académiciens.

– Sauriez-vous par hasard quelque chose à ce sujet ?

– Peu de chose, dit l'Amiral tout tranquillement.

– Encore que nous en ayons entendu parler, ajoute, inquiet, don Hermógenes.

– Eh bien oui, dit l'ambassadeur, dont l'œil louche regarde don Pedro avec autant de pénétration que l'autre. Un duel avec un gentilhomme au cordon rouge auquel, apparemment, est échue la plus mauvaise part… Il y a un rapport de police, qui suggère à cette ambassade de se livrer à une petite enquête afin que les conséquences de l'affaire retombent sur le responsable.

– Et que pense faire votre excellence ? demande l'Amiral avec le plus grand sang-froid.

L'ambassadeur le regarde longuement sans rien dire, comme s'il n'avait pas bien entendu. Puis il lève les deux mains en signe d'impuissance.

– À vrai dire, je n'avais pas l'intention de faire quoi que ce soit, parce que bien d'autres occupations m'attendent, n'est-ce pas, monsieur le secrétaire ? Comme d'aller voir le roi à Versailles, dans un moment…

Il s'interrompt, retourne vers la table, fourrage les papiers jusqu'à ce qu'il ait trouvé celui qu'il cherchait. Il le parcourt du regard en hâte, puis l'agite tout doucement en l'air.

– Je voulais seulement vous en toucher un mot, et vous dire que… Bon… Si la chose m'était indifférente, et si je pensais il y a encore quelques heures la classer sans diligenter la moindre enquête, je déchire maintenant ce papier avec le plus grand plaisir… Bonjour, messieurs.

L'abbé Bringas se mouche sans discrétion aucune tout en maudissant le temps de chien et Paris. Tous les trois debout, trempés comme des soupes, ont trouvé refuge près des marchands de livres, d'estampes et de tableaux médiocres qu'abritent les arcades du Louvre, et ils regardent tomber l'averse en secouant manteaux et parapluie, dans une odeur de papier mouillé, de cadres moisis et de boue. Sous la faible lumière cendreuse qui vient de dehors, don Hermógenes observe l'Amiral du coin de l'œil.

– Jamais je ne l'aurais imaginé, dit-il.

Comme s'il revenait de très loin, don Pedro se tourne lentement vers son collègue et le regarde sans rien dire. Bringas, qui examine d'un œil critique le contenu de son mouchoir, le plie, le glisse dans sa poche et reporte son attention sur les académiciens.

– À quoi faites-vous allusion ? demande-t-il.

Le bibliothécaire ne lui répond pas, les yeux fixés sur l'Amiral. Il a l'expression, vaguement blessée, de qui se sent trahi, ou mis à l'écart.

– Vous ne m'avez pas prévenu, dit-il enfin.

– Il n'y avait pas de raison de le faire, répond enfin don Pedro.

Tous deux continuent de se regarder en silence et, pendant un moment, on n'entend rien d'autre que le bruit de la pluie.

– Je crois qu'un épisode m'a échappé, remarque Bringas.

Personne n'éclaire sa lanterne. Don Hermógenes continue d'observer attentivement l'Amiral.

– Nous avons passé bien du temps ensemble, dit-il avec amertume, et il y a des choses…

Il ne va pas plus loin. Son ton est peiné. Il n'obtient pas de réponse. Bringas se tourne vers l'un, puis vers l'autre, avec une curiosité toujours plus vive.

– Pourriez-vous me dire de quoi diable il est question ?

– Don Hermès vient d'apprendre que je suis maçon, dit l'Amiral, ou du moins que je l'ai un jour été.

L'abbé en reste pantois.

– Vous ?

– C'est une vieille histoire. De jeunesse, pour ainsi dire… J'ai passé un certain temps en Angleterre. Où je me suis lié avec d'autres marins qui l'étaient.

– Ça alors ! – Bringas glisse un doigt sous sa perruque et se gratte vigoureusement. – Je vous admire, monsieur.

– Pourquoi ? fait don Pedro avec un geste d'indifférence. Ce fut une bêtise de ces années-là… J'ai cédé à l'engouement, comme tant d'autres. Rien de bien sérieux.

– Vous avez été initié, et tout le reste ?

– Oui, à Londres. Et j'ai refait acte d'obédience à Cadix, avec d'autres compagnons de l'Observatoire de la Marine.

Bringas passe la langue sur ses lèvres, dans son appétit d'émotions conspiratives.

– Et après ?

– Après, rien. J'ai déjà dit que ce n'était pas sérieux. Tout cela s'est dissipé peu à peu. C'est du passé.

– Pourtant, avec l'ambassadeur, ç'a été utile, observe don Hermógenes, toujours blessé.

– C'est vrai ? s'écrie Bringas, surpris. C'est pour cette raison que… ?

L'Amiral acquiesce.

– L'ambassadeur est maçon, ai-je cru comprendre. Ou il l'a été. Du moins, il a de la sympathie pour ceux qui le sont. J'ai pensé que c'était un coup à tenter. Qui a réussi.

L'abbé ouvre tout grand la bouche.

– Vous l'avez fait savoir comme ça… au comte d'Aranda, tout simplement ?

– Oh, non, dit don Hermógenes sur un ton sarcastique qui ne lui ressemble pas. Il l'a fait en employant leurs codes secrets. Tous ces petits signes bizarres qu'ils utilisent entre eux.

L'Amiral prend une expression tranquille.

– Tout le monde les connaît. Un enfant pourrait s'en servir. Et c'est ce que j'ai fait.

– Avec un aplomb qui m'a sidéré, insiste don Hermógenes.

– Ça n'a été qu'un tir à l'aveugle.

– Qui vous a valu mille cinq cents livres, observe l'abbé, et ce avec le comte d'Aranda, qui dépense moins que le Grand Turc en catéchismes… Vous pourriez lui en être reconnaissant, don Hermógenes.

Mais le bibliothécaire est toujours blessé.

– Je ne le peux pas, reconnaît-il, le menton sur sa poitrine. Pas à ce prix-là.

– Quel prix ?

Un silence gêné s'installe, seulement rompu par les échos des voix des libraires sous les arcades. Dehors, la pluie continue de tomber.

– Je peux comprendre beaucoup de choses, Amiral, dit enfin

don Hermógenes, mais, sur ma foi, la maçonnerie reste au-delà de ce que je puis admettre.

– Pourquoi ? demanda l'Amiral, avec curiosité.

– Parce que deux bulles papales la condamnent. Et qu'elle est frappée d'excommunication.

– C'est ça, votre argument ? Vous parlez sérieusement ?

– Tout à fait.

– Raison de plus pour se faire maçon, déclare Bringas.

– Ne dites pas de sottise, lance un don Hermógenes exaspéré à l'abbé. La franc-maçonnerie est pernicieuse pour l'Église et pour l'État. Elle sape les obédiences dues à Dieu et au roi.

– Sur les obédiences, il y aurait beaucoup à dire et à redire, réplique Bringas.

Don Hermógenes l'ignore et se tourne vers l'Amiral.

– Je ne vous imagine pas dans ces réunions secrètes, en train de conspirer à la lueur d'un chandelier, de parler du Grand Architecte et autres inepties.

Don Pedro rit, d'un rire neutre, entre ses dents.

– Vous avez trop lu le père Feijoo, me semble-t-il.

Le bibliothécaire hausse les sourcils, piqué.

– Ce que j'ai lu, c'est le *Surveillant des Francs-maçons* du père Torrubia.

– Vous me rendez les choses encore plus faciles. Je ne doute pas qu'il y ait des loges extravagantes ; mais dans celle que j'ai connue, tout était beaucoup plus simple. Outre-Manche, certains maçons se réunissent dans les cafés, d'autres dans une loge. La mienne était une sorte de Club anglais, qui comptait des militaires, mais aussi des hommes d'affaires aisés et quelques aristocrates… On y parlait de livres, de science et de fraternité entre gens cultivés et sans distinction de patries ni de drapeaux. L'atmosphère était assez agréable. L'occulte y était plutôt considéré comme une mascarade.

Don Hermógenes ne se donne pas pour vaincu.

– Et tous ces serments et ces complots confraternels ?

– Ce sont des sottises. Des affabulations de simplets et de vieilles femmes. – L'Amiral pointe un doigt sur son visage. – Ai-je une tête à aller saper les trônes et les autels ou à réciter des formules magiques médiévales ?

– Il y a pourtant des fanatiques dans les loges, insiste le bibliothécaire. Des gens aux idées extrêmes et destructrices.

– Il y a partout des insensés, don Hermès… Dans les loges comme ailleurs. Mais je vous assure que la Grande Conspiration universelle est du boniment.

Ils se taisent et regardent tomber la pluie. Don Pedro sourit de nouveau, absorbé dans ses pensées.

– Quoi qu'il en soit, en ce qui me concerne, tout cela est très vieux. Ce n'est plus pour moi, aujourd'hui, qu'un souvenir amusant. Rien d'autre.

– Et qui a été étonnamment utile, ajoute l'abbé.

– Tous les souvenirs le sont… Tout ce que l'on a vécu nous fait profit d'une manière ou d'une autre. Excepté pour les fanatiques et les imbéciles.

Pascual Raposo retire sa main d'entre les cuisses de la blonde à demi nue qu'il a assise sur ses genoux, et il boit à longs traits son vin, jusqu'à ce que le verre soit vide.

– Ouvre une autre bouteille, Milot.

Repoussant la femme qui est avec lui, Milot se lève, va d'un pas incertain prendre une bouteille dans le panier qui est sur la table et fredonne, pendant qu'il s'affaire avec le tire-bouchon, une chanson grivoise.

– Et voilà, mon gars, fait-il en remplissant les verres.

Puis il rit aux éclats, de grands éclats de rire avinés ; les femmes en font autant. Il y a plusieurs heures que les deux larrons se sont enfermés avec elles dans un bordel de la Chaussée-d'Antin, un endroit mal famé du nord de la ville. Ils fêtent la réussite de leur coup comme il se doit : vin de qualité, nourriture à foison, grand lit et deux femmes de belle apparence, le tout pour trente livres. Au diable demain.

– À notre succès, dit Milot en levant son verre. Aux mille cinq cents livres.

– Tu parles trop, lui reproche Raposo, en regardant les femmes du coin de l'œil.

– Ne t'inquiète pas. On peut leur faire confiance.

– Moi, je n'ai encore jamais connu de pute à laquelle on puisse se fier.

Celle qui est assise sur ses genoux s'agite, blessée d'être traitée ainsi. Raposo la regarde de tout près, cruel, avec une dureté froide.

– Oui, tu m'as bien entendu, lui dit-il. *Putain**, *salope**... Tu n'es qu'une pute, comme la mère qui t'a mise au monde.

La femme cherche à se lever, furieuse, en ramassant ses vêtements. Raposo l'attrape par les cheveux, l'immobilise.

– Si tu bouges, je t'arrache la tête, espèce de garce.

Milot ressert du vin, lâche un rapide commentaire en argot que son compère ne comprend pas vraiment, et l'atmosphère se détend. La femme qui est avec Raposo change d'expression, et finit par rire.

– Que leur as-tu dit ?

– Que nous allions leur remplir le con de pièces d'or.

Raposo lance un nouveau regard censeur sur son acolyte.

– J'ai encore l'impression qu'aujourd'hui tu es trop bavard.

– Du calme, l'ami, fait le policier en riant. Nous sommes sur mon territoire. Ces filles sont bien. Et elles savent tenir leur langue, à ce prix-là.

Raposo boit, peu convaincu, en caressant distraitement les seins de la femme qui a repris place sur ses genoux.

Il pense aux académiciens, à quel point il a été facile de les délester de leur argent, et à ce qui l'attend à présent. Pour ce qui est de l'argent, la partie semble gagnée. Elle *semble* l'être, insiste-t-il mentalement en répétant ce mot. La question est maintenant de savoir si l'ex-brigadier de marine et le bibliothécaire vont quitter Paris ou y rester pour essayer de se procurer les livres par d'autres moyens. Même s'il n'arrive pas à imaginer ce qu'ils pourraient bien être. Mille cinq cents livres ne se trouvent pas sous le pas d'un cheval. Il devrait suffire de ne pas les perdre de vue pendant les prochaines heures, et les mouches de Milot s'y emploient.

– Arrête de faire cette tête, compère, lui dit le policier. L'affaire est réglée, tu ne crois pas ?

– On ne sait jamais.

– C'est vrai. Jamais. Mais dans ce cas, reconnais-le, tes académiciens n'ont pas la partie belle.

– Je te l'ai dit : on ne sait jamais.

– Comme tu voudras. Moi, je sais quelque chose.

– Ah, oui ? Quoi ?

– Que sans attendre, je vais coucher une autre fois cette garce sur le dos et lui donner son dû par-devant et par-derrière. Avec ta permission.

– Tu l'as.

– Eh bien, je commence... Regarde bien, et prends-en de la graine.

Raposo boit encore du vin. La blonde lui glisse une langue mouillée et tiède sur l'oreille, en l'invitant tout bas à aller rejoindre les autres, mais il la repousse, fâché. Il pense aux académiciens, à ce qui va se passer à partir de maintenant. Son instinct lui répète que les choses ne sont pas aussi faciles qu'elles semblent l'être. Qu'elles ne sont pas terminées, comme le soutient Milot. Ce don Pedro Zárate, ce grand type maigre qui manie l'épée de cour sur le carré des Champs-Élysées et qui décharge froidement ses pistolets sur les malandrins de la rouvraie de la Riaza n'a pas l'air d'être de ceux qui se donnent facilement pour vaincus. Croire que les dépouiller de leur argent met fin à la partie peut être une erreur. Et Raposo n'aime pas commettre des erreurs, surtout quand il est payé pour ne pas en commettre.

– Allons les rejoindre, insiste la pute, en montrant le lit où Milot s'est couché avec sa compagne.

Raposo refuse d'un mouvement de tête sans pour autant se priver de regarder faire le policier qui s'adonne vraiment avec ardeur à la besogne. Peu après, réflexion faite et comme s'il reprenait ses esprits, il ouvre d'une main le pont de sa culotte et de l'autre pousse la femme vers le sol.

– À genoux, lui ordonne-t-il.

À ce moment-là, on frappe à la porte. On le fait avec insistance, au point que Milot, dans le lit, interrompt ses activités et que Raposo, écartant la femme qui se penchait sur sa culotte ouverte, lâche un blasphème, se lève et va jusqu'à la porte, en refermant n'importe comment sa chemise.

– Que diable se passe-t-il ? crie Milot, encore couché.

C'est un des indicateurs du policier qui est venu cogner à la porte, s'avise Raposo quand il ouvre : un petit sbire tout menu à tête de fouine, qu'il a déjà vu plusieurs fois. L'homme est coiffé d'un chapeau trempé, déformé par la pluie, et couvert d'un manteau qui goutte sur ses bottes boueuses. En le voyant, Milot se lève, nu comme il l'est, en se grattant avec vigueur l'entrejambe – il a un torse replet, poilu, et des jambes courtes –, traverse la pièce, s'approche de l'indicateur et sort avec lui sur le palier, pendant que Raposo les regarde, de l'autre côté du seuil. Le gringalet à tête de fouine souffle à l'oreille de Milot quelque chose qui pousse celui-ci à porter une main à son front, d'un geste soucieux, avant de regarder Raposo, tout en continuant d'écouter avec attention ce que l'espion a encore à lui dire. Au bout d'un moment, il le renvoie, rentre dans la chambre et en referme la porte. Les vapeurs du vin semblent l'avoir brusquement abandonné.

– Ils sont allés à l'ambassade d'Espagne. Tes académiciens.

Raposo hoche la tête, impassible.

– Il fallait s'y attendre.

– Oui. Mais, après, ils se sont rendus tout droit au cabinet de l'avocat, ce Hénault.

Raposo en a aussitôt la bouche cartonnée. Il ne peut pas y croire.

– On leur a donné de l'argent à l'ambassade ?

Milot regarde du côté de la femme qui l'attend dans le lit et se gratte l'entrejambe.

– Ça, je ne le sais pas... Mais, en sortant du cabinet, ils ont pris un fiacre et, en compagnie de l'avocat, ils sont allés chez la veuve. Tous, y compris ce Bringas.

Le monde s'écroule sur la tête de Raposo.

– Ça s'est passé quand ?

– Il y a environ une heure et demie.

– Où sont-ils en ce moment ?

– Toujours chez la veuve. Du moins, ils y étaient encore quand ce minus s'est décidé à venir m'en avertir.

Ils en restent cois. Le policier regarde les putes, pendant que Raposo le regarde.

– Ils y sont arrivés, murmure-t-il enfin, abattu. Ils ont l'argent.

Les lèvres de Milot, sceptique, se tordent.

– Es-tu en train de me dire que votre ambassade leur a donné mille cinq cents livres sur leur bonne mine ?

– Ce sont des membres de l'Académie royale d'Espagne. Des gens respectables. Ça n'a rien d'extraordinaire.

– Merde ! crache pour ainsi dire Milot. Nous ne comptions pas là-dessus.

La pute blonde est allée rejoindre l'autre, maintenant à demi couverte. Toutes deux s'asseyent sur le lit et les observent d'un air ennuyé. Milot leur jette un dernier regard, faisant mélancoliquement ses adieux à la fête. Puis il se penche à contrecœur, ramasse sa chemise qui traînait par terre, la met.

– Que comptes-tu faire à présent ? demande-t-il à Raposo.

Celui-ci grimace d'impuissance.

– Je ne sais pas.

– S'ils ont l'argent et s'ils ont payé, les recours vont nous manquer de ce côté-là. Les livres seront à eux dans quelques heures. Tu ne pourras rien faire à Paris.

– N'y a-t-il pas moyen de leur créer quelque difficulté… De leur voler les livres ?

Le policier secoue la tête, le front barré d'un pli soucieux.

– Je n'irai pas jusque-là, mon gars. Vingt et quelques volumes ne s'escamotent pas comme ça. Cette ville a ses limites. S'ils les ont achetés, ils en sont les propriétaires légitimes.

– Et une fausse dénonciation ? Quelque chose qui les plonge dans de gros embarras ?

– Tu ne réussiras à gagner que quelques jours, et encore… s'ils sont en contact avec l'ambassade, et propriétaires des livres, il n'y a rien à faire.

– N'y aurait-il pas un moyen de les leur confisquer ?

– Pas sans de bonnes raisons, et je te rappelle que c'est un avocat, ou sa mère, qui les leur vend. Tout sera légal, inattaquable. Rien à gratter de ce côté.

Milot finit de se vêtir lentement. Pensif. Peu après, il semble qu'une idée se présente à son esprit et, soudain, un demi-sourire s'affiche sur son visage.

– De toute façon, fait-il après une sinistre réflexion, le voyage de retour va être long. Rappelle-toi ce dont nous avons parlé.

Il a baissé la voix pour se garantir de l'indiscrétion des deux femmes, et s'incline un peu vers Raposo pour lui parler confidentiellement à l'oreille.

– De nombreux jours, de nombreuses lieues, ajoute-t-il. Et les chemins, d'ici à Madrid, sont pleins de dangers : les loups, les bandits, tu vois. Quoi de plus naturel, en de tels parages.

– C'est vrai, admet Raposo, souriant enfin.

– Bon, à moins que je te connaisse bien mal, il serait étonnant qu'aucun accident ne se présente… Quelque terrible infortune.

Tout en parlant, Milot s'est approché de la table où est posée la bouteille de vin. Il remplit généreusement deux verres, lance un clin d'œil aux putes, et se tourne vers Raposo en lui tendant la boisson.

– Les livres sont si fragiles, tu ne trouves pas ?

– Terriblement, reconnaît Raposo.

– Ils sont à la merci des souris et même des vers.

– C'est vrai, ça.

– Et aussi des inclémences du temps, du feu, de l'eau, si je ne me trompe.

Le sourire de Raposo se change en éclat de rire.

– Tu ne te trompes absolument pas.

Milot rit à son tour en levant son verre pour trinquer avec son complice.

– Dans ce cas, je suis sûr que tu sauras te débrouiller, si l'occasion se présente. Ou que tu la provoqueras, si elle ne se présente pas… Que je sache, comme dirait un de ces philosophes, la plus précieuse de tes vertus est ta fermeté de caractère.

Il a cessé de pleuvoir depuis deux heures, et les lanternes éclairées ponctuent les longs intervalles d'obscurité des berges de la Seine, tandis que leurs éclats se reflètent sur l'eau noire du fleuve et le sol mouillé du quai de Conti. Plus loin, on aperçoit la lueur du poste de garde du pont Neuf, dont le fanal allumé éclaire d'en bas la statue équestre qui le domine.

– Quelle belle ville, remarque don Hermógenes, son chapeau à la main, en arrangeant les plis de sa cape. Je vais finir par regretter de partir.

Ils viennent de sortir du restaurant où les deux académiciens ont fêté avec l'abbé Bringas leur dernière soirée à Paris. Tout est prêt pour le départ, le lendemain matin : les vingt-huit gros volumes de l'*Encyclopédie*, noués dans sept ballots bien protégés avec de la paille, du carton et de la toile cirée, sont prêts à être hissés sur le toit de la berline, le cocher Zamarra est prévenu et les chevaux de l'attelage attendent à l'écurie. Don Hermógenes et don Pedro ont tenu à se séparer de la façon la plus honorable de l'abbé Bringas, en le remerciant pour sa collaboration de la meilleure des manières, en l'invitant à un dîner d'adieu dans un restaurant de la rive gauche. L'hôtel de Corty, que l'abbé a lui-même suggéré, est réputé pour ses délices de mer, et la table a été bien pourvue d'huîtres de Bretagne et de poissons de Normandie, incluant un turbot qui a fait verser des larmes de gratitude à l'abbé, ce qu'ont facilité les bouteilles de chambertin et de Nuits-Saint-Georges qu'ils ont vidées systématiquement tout au long de la soirée. Même don Hermógenes a bu un peu plus que d'habitude, et le ton rosé du visage de l'Amiral s'est un peu intensifié.

– Un repas splendide ! s'exclame Bringas, heureux, en tirant goulûment sur le cigare qui fume entre ses doigts.

– Vous le méritez bien, répond don Hermógenes. Vous vous êtes montré un loyal compagnon.

– Je n'ai été que ce que je dois être… Les deux cents livres exceptées.

Tous trois se sont arrêtés devant le parapet du quai, pour y respirer l'air froid et humide. Au-dessus de leurs têtes, le ciel est toujours plus dégagé, parsemé d'étoiles. Par un vieux réflexe professionnel, l'Amiral lève les yeux et reconnaît Orion, déjà bas sur l'horizon, prêt à disparaître, et la brillante Sirius, bien nette dans le firmament.

– C'est de bon augure pour le voyage, dit Bringas en regardant lui aussi vers le haut. À quelle heure avez-vous prévu de partir ?

– À dix heures.

– Peut-être vais-je vous regretter.

Après ces paroles, ils contemplent en silence le fleuve et les lumières lointaines. Puis l'abbé pousse un soupir et jette le reste de son cigare dans l'eau.

– Ah, oui. Un jour cette ville ne sera plus la même, dit-il, songeur.

– Moi, je l'aime beaucoup telle qu'elle est, reconnaît un don Hermógenes serein.

Bringas se tourne pour le regarder. Au-dessus du col relevé du manteau dans lequel il est engoncé, la clarté d'une lanterne découpe entre les ombres son profil, accentuant ses traits creusés sous la perruque difforme, et se reflète dans ses yeux de rapace.

– Vous avez passé quelques jours ici, et j'ai été en quelque sorte votre Virgile... Ne voyez-vous vraiment pas ce qu'il y a derrière tout ça ?... Suis-je si maladroit, par ma foi, pour avoir manqué de vous faire voir sous les apparences de ce Paris que vous aimez tant, monsieur, la force terrible qui peu à peu émerge, et qui un jour ne laissera rien de toute cette tranquillité trompeuse ? Mes remarques et tous mes arguments ne suffisent-ils pas à vous faire comprendre que cette ville, ou le monde qu'elle représente, est condamnée à mort ?

Un silence tendu suit ces paroles. L'Amiral, qui s'est tourné vers Bringas, guette ce que celui-ci va encore dire, pendant que don Hermógenes, pris au dépourvu, cligne des yeux, abasourdi. Ce n'est pas du tout le genre de conversation à laquelle il s'attendait.

– Le poison opportun, poursuit Bringas, brutal, la potion salvatrice qui mettra fin à ce monde de mensonge et d'injustice, abattra ce décor de théâtre, va demain voyager avec vous. Et je suis fier d'avoir contribué à votre entreprise... Je ne peux imaginer de plus noble cause : apporter cette *Encyclopédie*, et plus encore tout ce qu'elle contient et représente, au cœur de cette Espagne obscurantiste et scurrile qui m'a poussé à l'exil.

Don Hermógenes semble se tranquilliser un peu.

– Vous êtes d'une extrême noblesse, monsieur l'abbé.

Bringas frappe du plat de la main le parapet de pierre.

– Malédiction ! N'employez pas, en parlant de moi, ce mot si souillé par ceux qui s'en font un titre.

– La pureté de vos sentiments, alors, suggère le bibliothécaire.

– Pas davantage.

– Voyons, disons plutôt... votre amour de l'humanité.

Bringas ouvre et met ses bras en croix, presque sacerdotal, comme pour prendre la Seine à témoin.

– Je croyais avoir été clair, cristallin, pendant ces jours que nous avons passés ensemble. Non, je ne suis pas animé par l'amour de l'humanité, mais par le mépris qu'elle m'inspire.

– Vous exagérez, fait don Hermógenes, choqué. Vous…

– Je n'exagère en rien. Ah, non. L'être humain est une bête brute que n'animent pas les bons sentiments, mais le fouet. Forger l'homme nouveau, celui qui changera véritablement le monde en une terre d'harmonie où il fera bon vivre, va nécessiter une étape intermédiaire. Une période de transition pendant laquelle les individus tels que moi, les paladins de l'absolu, lui feront voir ce qu'il se refuse à regarder.

– Pour forger l'homme nouveau, il y a les écoles, mon cher abbé, intervient aimablement l'Amiral.

– Il n'y aura d'école possible que là où l'on aura auparavant dressé un bon échafaud.

Don Hermógenes sursaute, scandalisé.

– Seigneur !

Cette invocation fait éclater Bringas d'un rire sauvage.

– Il n'a rien à voir à l'affaire, à supposer qu'il ait à voir à quelque affaire que ce soit… Comment pouvez-vous en appeler au Dieu dont les ministres s'opposent encore à la vaccination contre la petite vérole, parce qu'elle est contraire à la volonté divine ? Qui se mêlent même de ça ?

– Je vous en prie, laissons Dieu et ses ministres en dehors de cette discussion.

– Ah, c'est justement ce que je voulais. Parce que changer l'esprit du temps n'est pas l'affaire de Dieu, mais des hommes. C'est ce que vous êtes venus faire ici, et c'est le précieux bagage que vous apportez en Espagne. Mais l'Espagne, fichtre… tout ce que l'on demande, là-bas, c'est du pain et des corridas. On y déteste le changement, et on déteste plus encore être bousculé dans son oisiveté, sa paresse, son peu d'attachement à l'effort.

– Notre voyage à Paris prouve que tout n'y est pas comme vous le dites, proteste don Hermógenes.

– Il faudra bien plus que quelques livres pour réveiller notre malheureuse patrie, messieurs : une violente secousse qui tirera de sa léthargie un peuple misérable et pitoyable, auquel l'Europe ne doit plus rien depuis un siècle. Aussi inutile pour le monde que pour lui-même.

– Vous revoilà avec votre révolution et sa conflagration, se lamente le bibliothécaire.

– Évidemment. Avec quoi d'autre, sinon ?... Ce qui manque, là-bas, c'est une commotion générale, un choc épouvantable, une révolution régénératrice. L'atonie espagnole n'est pas de celles auxquelles on remédie avec des méthodes civilisées. Il y faut le feu pour cautériser la gangrène qui la ronge.

– Vous voudriez que l'on dresse des échafauds dans notre patrie ?

– Pourquoi pas ?... Dites-moi ce qui autrement pourrait changer un peuple où, quand on entre dans le métier, que l'on soit médecin ou chirurgien, on exige de vous le serment de défendre l'immaculée conception de la Vierge Marie ?

Ils se sont remis en marche en direction du pont, et longent le parapet.

– Je fais encore quelques pas avec vous, dit Bringas. Notre ultime promenade.

Ils avancent sans dire un mot, en songeant à ce dont il vient d'être question. La lune, qui paraît au-dessus des toits, éclaire le cours du fleuve entre les quais et découpe au loin, sur une clarté fantasmatique, les tours de Notre-Dame.

– En fin de compte, dit tout à coup l'abbé, les voyages comme celui que vous faites seront totalement inutiles aussi longtemps que ne sera pas passée, avant, la grande faucheuse, l'épuratrice de tous ceux qui ne peuvent être éduqués... de tout ce qui constitue la part la plus obscure, irrécupérable, de la race humaine.

– C'est un peu fort, estime l'Amiral.

– Ça le serait encore plus s'il était en mon pouvoir de le faire entendre.

– Vous parlez bien de tuerie collective ?

– Pourquoi pas ?... Collective et surtout expéditive, puis, à partir de là, les écoles. Les enfants arrachés à leurs mères, comme dans l'ancienne Sparte. Éduqués en citoyens dès leur plus jeune âge. Dans la vertu et l'inflexibilité. Et celui qui ne...

– Ne croyez-vous pas que n'importe quel être humain peut

être éduqué à la manière douce ? En définitive, la culture est source de bonheur, puisqu'elle développe la lucidité du peuple.

– Je ne crois pas. Du moins dans la première phase. Parce que la populace n'est pas faite pour penser.

Le rire serein, doux et aimable de l'Amiral se fait entendre.

– Je vois que vous baissez un peu la garde, monsieur l'abbé. Vous vous contredisez. Ce propos sur la populace, c'est Voltaire qui l'a tenu, et vous ne le tenez pas en haute estime.

– Sur certains chapitres, cet opportuniste attaché au luxe et aux rois a vu juste, répond Bringas prestement. En fait, l'être humain, cet infortuné accoutumé aux plaisirs grossiers, n'est éduqué que par la raison et la peur… ou, plus exactement, par la peur des conséquences de l'insoumission à la raison et à ceux qui l'incarnent… Rappelez-vous que le grand Jean-Jacques, le véritablement grand, avait ses doutes, plus que raisonnables, sur les bénéfices de la culture semée à tout vent.

– Mais Rousseau ne parlait pas de tueries ni d'horreurs pareilles.

– Qu'importe. Nous sommes devenus assez grands pour ne plus y aller avec le dos de la cuiller.

– Même s'il faut en venir au sang.

– Oui.

Ils s'attardent un moment près de la guérite des Gardes françaises, au pied de la statue d'Henri IV. La lanterne accrochée à la grille illumine dans la pénombre les uniformes bleus des hommes qui somnolent, assis sur les marches. Un soldat, armé d'un fusil, baïonnette au canon, s'approche d'eux un instant, les regarde et retourne à son poste sans dire un mot, une fois que l'Amiral lui a souhaité le bonsoir et l'a salué en touchant le bord de son chapeau.

– Vous croyez de bonne foi, reprend Bringas, qu'en apportant l'*Encyclopédie* à votre Académie, en faisant des dictionnaires et tout le reste, le peuple, éduqué à partir de là, ou de ce que cela symbolise, atteindra peu à peu au bonheur ?

– Il se peut que l'Amiral ait quelques doutes sur ce point, dit don Hermógenes. Moi, soyez-en sûr, je n'en ai aucun.

– Ah, moi, je les ai tous… Une nation qui aurait ses manufactures, ses arts florissants, ses philosophes et ses livres ne serait pas mieux gouvernée pour autant. Elle pourrait tout aussi bien demeurer dans les mains des privilégiés de toujours. La tyrannie, aussi éclairée qu'elle soit, n'en demeure pas moins de la tyrannie… C'est ce qu'il faut éradiquer, toute l'affaire est là. Il faut éliminer les ennemis du progrès. Faire tomber les têtes.

– Par quel moyen ? s'intéresse l'Amiral, toujours courtois, mais froidement.

– En séduisant en premier lieu les membres de la classe dirigeante actuelle, ceux que leur cœur, leurs intérêts ou l'air du temps conduisent vers les lumières. Puis, une fois sur un plan d'égalité avec eux, se substituer à eux.

– Et pour ce faire, comment vous y prenez-vous ?

– C'est bien simple : on les extermine sans pitié.

Don Hermógenes se signe, horrifié.

– Mon Dieu.

– Et c'est ce que vous voulez pour la France ? demande l'Amiral. Et pour l'Espagne ?

Bringas tient bon.

– C'est ce que je veux pour le monde. Ici et en Chine… C'est la seule voie sans retour pour la prospérité publique : un bain de sang qui précède le bain de raison.

– Un peu comme si on rendait libre à coups de trique quelqu'un qui ne veut pas l'être ?

– Ma foi, oui, c'est une façon de le dire.

– Et qui manierait le fouet ?

– Les lycurgues justes et lucides… Les incorruptibles. Les irréprochables.

– Je crois que nous avons un peu abusé de vin, monsieur l'abbé.

– Au contraire. *Vinum animi speculum*… Je ne me suis jamais senti aussi lucide que cette nuit.

Bringas s'est arrêté au milieu du pont et montre d'un geste énergique les lumières éparses qui ponctuent les rives.

– Regardez ces lanternes et leurs poulies, d'ici. Elles sont un bon symbole du progrès. De l'avenir.

– C'est vrai, reconnaît don Hermógenes, soulagé de changer de sujet. Le système me paraît ingénieux, et l'huile de navette qu'elles brûlent…

– Ce n'est pas à ça que je pensais, mon pauvre ami... Où vous voyez huile et confort, je vois des endroits parfaits pour y pendre les ennemis du peuple. Ou ceux qui s'opposent au progrès... Imaginez-vous cette ville avec un noble ou un évêque pendu à chacune de ces lanternes ? Quel spectacle grandiose ! Quelle leçon pour le monde !

– Vous êtes un homme dangereux, monsieur l'abbé, conclut l'Amiral.

– Je le suis, en effet, et j'en suis très fier. Être dangereux est mon seul titre de gloire.

– Un de ces hommes maigres et inquiets qui dorment mal, comme ceux de Shakespeare, dans *Jules César*.

– Oui, Brutus et Cassius. Nous sommes ceux qui gardent les yeux ouverts, ceux de la vertueuse souche. Gare aux rois et aux tyrans, si nous les trouvons un jour sous la statue de Pompée ! Je peux vous assurer que le glaive républicain ne tremblera pas dans ma main.

Il se remet brusquement à marcher, décidé, comme si le glaive l'attendait au bout du pont. Les académiciens le suivent.

– Vous avez été un fidèle compagnon, lui dit l'Amiral en se mettant à sa hauteur. Bien que vous apparteniez, j'en ai peur, à ce type d'hommes qui, très attachants aussi longtemps qu'ils sont vos amis, peuvent aussi bien devenir des ennemis implacables... Le problème, j'imagine, est de deviner le moment où ils cessent d'être l'un pour devenir l'autre.

Bringas secoue la tête avec vigueur, comme offensé.

– Vous deux, jamais...

Il s'interrompt brusquement et continue d'avancer comme si de rien n'était. Peu après, il ralentit le pas.

– Quoi qu'il advienne, ç'a été un privilège de vous connaître, dit-il en levant les épaules. De vous aider, dans votre recherche... Vous êtes des hommes de bien.

L'Amiral sourit dans l'ombre.

– J'espère que vous vous en souviendrez quand vous commencerez à pendre les gens aux réverbères, à Madrid.

– Ce ne sera pas avant longtemps. Quoique dans un temps moins lointain que vous ne le supposez.

Leurs pas résonnent sur le pavé de la place vide : ils longent à présent la longue et sombre façade du Louvre, où pas une fenêtre n'est éclairée. Seule luit une lanterne solitaire, et l'obscurité accentue l'aspect sinistre de l'édifice.

– Retournerez-vous un jour en Espagne ? s'enquiert don Pedro. Chez vous ?

– Chez moi ? – Le ton de l'abbé est plein de mépris. – Je ne crois pas en ceux qui ont, ou croient avoir une maison, une famille, des amis... En outre, je ferais en Espagne une triste fin. En prison, tout au mieux... J'ai assez vécu pour savoir que là-bas, la différence et l'indépendance engendrent la haine.

Bringas se tait et se remet à regarder autour de lui comme pour interroger les ombres.

– Je suis condamné à errer sur ces rives, comme les âmes en peine de l'*Énéide*.

À la lumière du réverbère le plus proche, l'Amiral voit don Hermógenes poser affectueusement la main sur l'épaule de l'abbé.

– Peut-être, un jour... dit-il.

– Si je reviens un jour, l'interrompt Bringas, bourru, ce sera monté sur un des chevaux de l'Apocalypse.

– Pour régler vos comptes, suggère l'Amiral.

– C'est juste.

Ils se sont encore arrêtés. La lune, maintenant un peu plus haute, répand une clarté argentée sur les hauts toits d'ardoise sombre. Les silhouettes des trois hommes se profilent vaguement sur le sol, jointes.

– Je vous souhaite de trouver enfin ce que vous cherchez, cher abbé, dit l'Amiral. Et de survivre dans la déroute, si elle advenait.

De nouveau, tous trois se taisent. Cette fois, Bringas tarde beaucoup à répondre.

– Survivre à une déroute implique toujours quelque manquement, dit-il enfin, sur un ton accablé. Je ne sais quelles sont vos impressions, mais moi, quand je vois un survivant, je ne peux éviter de me demander quelles vilenies il a pu commettre pour s'en tirer. Souhaitez-moi plutôt, si je suis vaincu, de finir fidèle à ce que je suis, souhaitez-moi de ne pas survivre... Car alors il ne me restera rien à faire d'autre, en ce monde, que de lui tirer ma révérence.

– Ne dites pas cela, prie don Hermógenes, d'une voix émue.

Bringas remue doucement la tête.

– Un jour, le matin viendra, le matin d'un jour nouveau. Des hommes s'en réjouiront, les yeux au ciel, reconnaissants, sous les premiers rayons de soleil… Mais ceux qui auront permis que vienne ce matin-là ne seront plus. Nous aurons succombé dans la nuit, ou nous ne verrons se lever cette aube que blêmes, épuisés, détruits et inaptes au combat.

Quand l'abbé se tait, la voix de l'Amiral se fait entendre, au bout d'un long moment de silence.

– Nous vous souhaitons de voir ce matin, cher ami.

– Oh, non. Souhaitez-moi seulement que, quand le moment de défendre ma foi sera venu, je fasse une belle mort, sans avoir honte au chant du coq… sans l'avoir reniée.

Il s'est approché de don Pedro et lui serre la main, pendant que celui-ci ôte son chapeau. La main de Bringas est glacée, comme si le froid de la nuit s'était infiltré dans ses veines. Puis l'abbé se tourne vers don Hermógenes et lui serre également la main.

– Ç'a été un honneur de vous aider, messieurs, dit-il sèchement.

Puis il fait volte-face et s'éloigne dans l'obscurité jusqu'à se fondre avec elle, comme un spectre tragique dont les épaules ploieraient sous le poids trop lourd de la lucidité et de la vie.

12

La Gorge aux loups

En dépit de toutes ces mesures, les livres français pénétrèrent en territoire espagnol en surmontant les difficultés.

NICOLÁS BAS MARTÍN,
Le Courrier des Lumières

J'abordai le dernier chapitre de cette histoire avec un nouveau problème à résoudre. L'un des épisodes déterminants de l'aventure des académiciens, relaté seulement en partie – bien qu'avec des précisions intéressantes – dans le mémoire que le bibliothécaire remit à l'Académie à son retour, était présenté assez confusément, avec plusieurs imprécisions topographiques qui me déconcertèrent, parce qu'il faisait mention d'un *endroit proche de la frontière de l'Espagne*, auquel il donnait pourtant le nom d'un lieu-dit plutôt éloigné de celle-ci. Il m'en coûta un certain travail pour établir précisément, sur l'ancienne carte de France, et en m'aidant aussi du guide des routes et des postes de l'époque, la situation de l'endroit où s'étaient déroulés les faits notables qu'il me restait encore à narrer.

À ce moment du récit, les deux académiciens, dans la berline conduite par Zamarra, le cocher, avec leurs bagages et les vingt-huit volumes de l'*Encyclopédie* empaquetés et arrimés sur le toit de la voiture, ont parcouru la plus grande partie de la distance entre Paris, Bayonne et la frontière. Le voyage, d'après ce que l'on peut déduire de l'absence d'incidents consignés dans le dernier rapport, s'est déroulé sans rien de particulier à signaler pendant que l'équipage allait de Paris à Orléans par la grand-route et, de là, descendait la Loire en la longeant, sans autres ennuis que ceux, habituels, de ces longs voyages, les secousses de la caisse, la poussière, les incommodités de certaines auberges et relais, pas toujours des plus recommandables. Nous savons que don Hermógenes souffrit d'une légère rechute de cette fièvre catarrhale qui l'avait déjà affecté à Paris, ce qui leur fit perdre deux jours à Blois, où ils durent attendre son rétablissement, et qu'une crue du fleuve et la rupture d'un pont de bois, auxquelles vinrent s'ajouter de fortes pluies et une surabondance de boue sur les chemins, les firent dévier de leur route et perdre deux autres jours aux environs de Tours. Quoi qu'il en soit, ce sont là les inconvénients habituels des voyages de cette époque, que les deux académiciens affrontèrent avec la résignation tout aussi habituelle des voyageurs de ce temps-là. Ainsi, changeant de chevaux aux relais de poste, lisant, sommeillant ou conversant dans la berline avec l'intimité amicale que l'aventure avait établie entre eux, don Hermógenes et don Pedro avaient couvert les étapes en un temps raisonnable : ils avaient dépassé Poitiers, Angoulême et Bordeaux, et, le quatorzième jour de voyage, s'étaient engagés dans les landes boisées du sud de la Garonne.

C'est là que le problème que je viens d'évoquer m'arrêta. Le récit du bibliothécaire, aux informations plutôt vagues, me fit tout d'abord croire que les événements qui devaient suivre s'étaient passés quelque part sur les reliefs accidentés des contreforts pyrénéens. Mais, après avoir examiné de plus près ce rapport, les guides des routes, les cartes de l'époque, une fois retracé tout le chemin parcouru, je compris que le bon don Hermógenes, sans doute trop impressionné par ce qui était arrivé, avait confondu noms et lieux, en les rapprochant de la frontière plus qu'ils ne l'étaient en réalité. Cependant, la description de l'un des moments décisifs de l'incident, quant au cadre dans lequel il avait eu lieu, me fournit quelques pistes concrètes qui, les cartes modernes et les vues aériennes une fois consultées, me menèrent à des conclusions satisfaisantes. En particulier, la description d'un tronçon de route – *en passant près d'un château, d'un pont et puis, à droite et près d'une rivière, d'une église médiévale avec un haut clocher, entièrement entourée de pins, de chênes verts, de vergers et de potagers* – correspondait point par point à l'une des images satellite trouvées sur Google. Les espèces d'arbres mentionnées par don Hermógenes étaient encore présentes, bien qu'elles eussent considérablement reculé à cause de l'expansion urbaine de la localité *de quelque trois cents âmes* pendant les deux siècles et demi qui s'étaient écoulés depuis lors. Le bibliothécaire parlait d'un site appelé *La Gorge aux loups*, où coulait une rivière, mais je ne pus localiser l'endroit, probablement disparu avec la déforestation et les constructions modernes. Mais le château, ou plutôt la luxueuse résidence d'un noble de ce temps, était encore là ; et après le coude de la rivière, une fois passé le pont, sur la droite, se dressait le clocher de l'église gothique qui dominait ce qui avait dû être le vieux centre du petit village qui alors l'entourait. Il s'appelait Tartas, et j'en conclus que c'était sans doute l'endroit évoqué par le bibliothécaire.

Ce qui s'était déroulé là, dans le village et ses alentours, était important : décisif pour le dénouement de cette histoire. C'est ainsi que, prêt à la mener à son terme avec la plus grande exactitude, je me suis rendu à Tartas avec mes cartes, mes notes et une copie du dernier rapport rédigé par don Hermógenes Molina, de l'Académie royale d'Espagne. Je l'ai fait dans une voiture louée à Saint-Sébastien, avec laquelle j'ai franchi la frontière puis conduit jusqu'aux rives de l'Adour, dont j'ai suivi le cours en empruntant des routes secondaires, jusqu'à sa confluence avec la Midouze, et le village de Tartas. Lequel avait considérablement changé depuis le XVIIIe siècle, bien entendu, mais les indications principales étaient là. J'eus aussi la chance d'y trouver une des *messageries*, ou relais de poste pour les diligences et autres voitures sur la route de Paris à Hendaye, mentionnée par le marquis d'Ureña dans son *Voyage en Europe*, et décrite avec une grande précision. Je pus ainsi établir que, très probablement, l'auberge qualifiée de *bonne, propre, pour quarante personnes ou plus, et pourvue de tout le nécessaire pour les bêtes*, était bien celle devant laquelle s'était arrêtée la berline des académiciens par un soir pluvieux, après un trajet de cinq lieues depuis Mont-de-Marsan. Une fois arrivés, don Pedro et don Hermógenes, fatigués et affamés, moulus par les cahots, étaient descendus de la voiture éclaboussée de boue pour prendre un peu de repos, sans se douter que la nuit et le jour suivants allaient être prodigues en terribles commotions.

De son côté, Pascual Raposo est déterminé à faciliter ces commotions aussitôt que possible. Appuyé contre l'arçon de son cheval, les basques de sa redingote remontées jusqu'aux oreilles et son chapeau enfoncé jusqu'aux sourcils, le cavalier solitaire observe de loin la berline arrêtée devant l'auberge de Tartas. Le soleil déjà bas touche presque l'horizon derrière les nuages qui semblent se fondre avec les forêts environnantes, les ombres commencent à ramper sur les champs gris boueux de pluie, s'étendent jusqu'au petit village qui se dresse de l'autre côté de la rivière et duquel on ne distingue bientôt plus nettement que le clocher pointu. Raposo se trouve en terrain très plat, près du cours de la Midouze, et la lumière cendrée du couchant, criblée par un crachin fin et intermittent qui trempe entièrement sa redingote comme la robe de sa monture, étale son reflet de mercure dans les flaques et les ornières parallèles laissées par le passage des voitures, dont la boue gicle sur les pattes du cheval fourbu et sur les bottes du cavalier.

Après être resté un moment immobile, Raposo pique des deux et avance en écoutant le clapotage des sabots dans la fange sur le chemin qui le conduit à l'auberge. Quand il passe devant, sans s'arrêter, il jette un regard attentif sur la berline arrêtée devant la porte, que le cocher, couvert d'une cape cirée, se prépare à conduire dans la remise des attelages. Les deux voyageurs ont déjà disparu à l'intérieur de la construction, une grande bâtisse isolée, quadrangulaire, avec une cheminée qui fume et fait regretter à Raposo, excédé par l'humidité et la fatigue du voyage, le feu devant lequel les académiciens doivent être en ce moment en train de se chauffer, en attendant leur dîner. Tout en continuant d'avancer, il tient la bride haute et examine avec grand soin l'écurie des chevaux de poste et les appentis sous lesquels on range pour la nuit les voitures qui font étape ; puis il talonne légèrement le cheval et se dirige vers le pont de pierre que l'on aperçoit au loin, entre les rideaux de bruine. Ce n'est pas la première fois qu'il passe par là – c'est pour cela qu'il a choisi cet endroit –, et il reconnaît le petit château solitaire qui s'élève d'un côté du chemin, à quelque distance, derrière un mur de pierre et les quelques frondaisons qui en émergent.

Le bruit des sabots devient très net et dur quand il résonne sur le pavé du pont. Sous les arches l'eau court, trouble et haute, entraînant des branches d'arbre. Quand il a traversé la rivière, Raposo dirige son cheval sur un chemin, à sa droite, vers le village : une cinquantaine de maisons où, dans la pénombre qui précède la nuit, il n'y a guère de lanternes allumées. En s'orientant sur la flèche du clocher, Raposo va vers la grand-place, où il sait que se trouve la mairie. Tout est plongé dans l'obscurité quand il met pied à terre, noue la bride à un anneau dans le mur, en regardant autour de lui pour se repérer entre les maisons qui entourent la place ténébreuse. Enfin, il secoue sa redingote pour en faire tomber les gouttes de pluie, se dirige vers l'une des façades, sous le linteau de laquelle pend une petite lanterne qui éclaire une enseigne, *Aux amis de Gascogne*, peinturlurée sur la porte qu'il pousse, et il entre dans la taverne.

– Ventrebleu, Raposo, c'est vraiment toi ou ton fantôme ? Ça fait un sacré bail.

Le tavernier, qui était assis devant la cheminée où il tirait sur sa pipe, a ôté celle-ci de sa bouche et s'est levé en le voyant entrer. Surpris, d'abord. Puis souriant. Et pour finir, main tendue – l'index de la main droite manque. L'individu s'appelle Durán. Il est maigre, osseux, a une épaisse tignasse pleine de cheveux blancs. Des yeux battus de vieux chien. C'est un homme auquel certains hommes peuvent se fier, selon les circonstances. Un Espagnol de Valence, marié à une Française, établi ici depuis longtemps. C'est aussi un ancien compère du voyageur qui ôte sa redingote mouillée et va s'asseoir devant le feu, vers lequel il tend ses bottes crottées pour réchauffer ses pieds engourdis. La taverne est un endroit agréable, avec des trophées de chasse accrochés aux murs, une longue table massive, bien entretenue et des bancs de part et d'autre. Il n'y a là que le tavernier et au bout de la table un individu qui, totalement absent, la tête lovée entre ses bras, près d'un pichet de vin, somnole.

– D'où sors-tu ?

– De cette chienne de pluie.

Dans le monde personnel de Pascual Raposo, certaines paroles sont de trop. Avec lui, mieux vaut en règle générale s'en passer et s'en tenir à l'indispensable, surtout quand le compère resurgi du passé apparaît à l'improviste et, avec l'assurance que donnent les vieilles habitudes, va s'installer près du feu, puis tend une main pour qu'on lui apporte un verre de vin chaud. C'est pourquoi Durán ne va plus poser que les questions indispensables et Raposo ne fournir que les réponses qui lui conviennent. Pendant que les vêtements du nouveau venu commencent à fumer sous l'effet de la chaleur – au bout d'un moment, il se lève, se met dos à la cheminée, tout près du feu afin de sécher entièrement –, il n'est plus question que d'un échange de propos sur ce que les deux hommes ont en commun : amis, endroits, souvenirs. Tout ce qui met de l'huile dans les rouages grippés des amitiés lointaines.

– On a pendu Nicolás Augé.

– Sans blague.

– Comme je te le dis. L'an passé.

– Et son frère ?

– Il traîne un boulet au pénitencier de Toulon.

La bouche de Raposo se tord à cette nouvelle.

– La poisse.

– Oui.

– On ne peut pas toujours gagner.

– C'est vrai... Et il arrive même qu'on ne gagne jamais.

Le nouveau venu pose un regard suspicieux sur le type qui dort au bout de la table. Durán, qui surprend ce regard, fait un geste indiquant qu'il ne faut pas s'en soucier.

– Qu'est-ce qui t'amène dans le coin ?

– Les affaires.

– De quel genre ?

Nouveau regard de Raposo sur l'homme qui sommeille. Durán, après quelques instants de réflexion, va vers celui-ci et le secoue.

– Debout, Marcel, je vais fermer. Va chez toi continuer ton somme. Allez.

Le type se lève, étourdi, et se laisse conduire par le tavernier jusqu'à la porte, sans protester. Quand ils sont seuls, Durán sert encore du vin à Raposo, qui est retourné s'asseoir.

– Tu veux manger quelque chose ?

– Pas tout de suite, répond Raposo en passant une main sur ses favoris et sur le reste de son visage qui n'est pas rasé et dont la peau grasse luit à la lumière du feu. Pour le moment, j'aimerais que tu me donnes un ou deux renseignements.

Durán le regarde avec un intérêt renouvelé.

– Tu as l'air fatigué, conclut-il.

– Je le suis, et pas qu'un peu. Je viens de m'encaisser cinq lieues à cheval avec un temps de chien.

– Ce doit être pour une bonne raison, observe le tavernier, à présent souriant, dans l'expectative.

– Je te crois.

Une gorgée de vin. Une autre. Le voyageur se réchauffe les mains en tenant étroitement le verre.

– Et maintenant les questions, annonce-t-il.

Durán cligne de l'œil en rallumant sa pipe, qui s'est éteinte, avec une braise de la cheminée.

– Si je sais les réponses…

– Tu les sais.

Raposo glisse les doigts dans une poche de son gilet, en sort trois louis d'or, les fait tinter dans la paume de sa main, et les remet où ils étaient. Le tavernier lève la tête en soufflant la fumée, d'un geste de qui connaît la musique.

– Dis toujours.

– Tu t'entends bien avec les autorités locales ?

– On ne peut mieux : le maire est un ami, il vient ici souvent. Il s'appelle Rouillé, et c'est le parrain de ma fille. Ici, tout le monde se connaît… Nous ne sommes que trois cent quatre-vingts, en comptant les habitations des alentours.

– Et votre police ?

Durán regarde avec une soudaine défiance son interlocuteur, puis tète sa pipe pour en raviver le fourneau. Au bout d'un moment, son front redevient lisse.

– Un sergent, quatre soldats de cette garde rurale que l'on appelle ici la maréchaussée. Ils surveillent les relèves au relais de poste, l'auberge qui est de l'autre côté de la rivière, et les gens de passage. Mais on ne peut pas dire qu'ils se démènent.

– Où sont-ils casernés ?

– Ici, à la mairie… Près de l'église.

– Les gardes dépendent du maire ?

Le tavernier souffle un nouveau nuage de fumée.

– Pratiquement, oui. Ils sont rattachés à la garnison de Dax, mais ce sont tous des gars du village. Y compris le sergent.

Alors, Raposo a un sourire en coin, carnassier, dangereux.

– Et que crois-tu qu'ils feraient s'ils apprenaient qu'au relais de poste il y a deux espions anglais ?

– Ne charrie pas ! s'exclame Durán.

Malles et mallettes sont ouvertes sur un grand coffre en bois, ils ne les ont pas défaites, et ils conversent comme d'habitude avant d'aller se coucher. Le dîner a été raisonnable : civet de lièvre, saucisse et fromage, arrosés d'un peu de vin de pays, et ils sont restés un moment à s'entretenir près du feu. Don Pedro et don Hermógenes sont maintenant dans la chambre qu'ils partagent, une pièce spacieuse, avec deux lits séparés par un paravent de canne et toile peinte, et un poêle en fer qui chauffe à peine, alors qu'ils viennent d'y enfourner de gros morceaux de bois. C'est pour cela qu'ils attendent un peu avant de se coucher et qu'ils continuent de dialoguer, assis sur des chaises près du chauffage, à la lueur de l'unique bougie du chandelier posé sur la table en pin non verni, à côté des piles de livres et du mémoire de leur voyage que don Hermógenes rédige pour l'Académie. Ils sont détendus, l'Amiral en chemise et gilet, le bibliothécaire protégé du froid par une couverture jetée sur ses épaules. Sur le ton affectueux dont ils usent toujours, entre eux, ils parlent de zoologie, de mathématiques, du nouveau jardin des plantes qui, par privilège du roi, va être ouvert à Madrid, de la nécessité de créer une Académie des sciences en Espagne, dans laquelle devraient œuvrer les géomètres, les astronomes, les physiciens, les chimistes et les botanistes les plus distingués, quand ils entendent des pas dans l'escalier et de grands coups frappés à leur porte.

– Que se passe-t-il ? s'inquiète don Hermógenes.

– Je n'en ai pas la moindre idée.

L'Amiral se lève et va ouvrir. Il y a sur le seuil quatre hommes en uniforme bleu avec des parements rouges et des cordons blancs. Leur aspect n'est guère amène. Les baïonnettes aux canons de leurs fusils reflètent la lumière de la lanterne que l'un des hommes tient levée à bout de bras. Celui-là arbore l'insigne de sergent sur sa veste, et son autre main est refermée sur la poignée de son sabre, qui n'est pas dégainé.

– Habillez-vous et suivez-nous.

– Pardon ?

– Je vous dis de vous habiller et de nous suivre.

Don Pedro échange un regard stupéfait avec don Hermógenes.

– Peut-on savoir pourquoi... ?

Sans lui laisser le temps de terminer sa phrase, le sergent pose une main sur la poitrine de l'Amiral et le pousse, l'écartant de la porte.

– À quoi rime cette bousculade ? demande don Pedro, indigné.

Nul ne lui répond. Le sergent reste près de lui, dans une attitude menaçante, pendant que les trois gardes entrent dans la chambre et se mettent à fouiller partout, retournant les papiers et le contenu des bagages. Sidéré, don Hermógenes recule jusqu'au lit en regardant l'Amiral avec angoisse.

– J'exige de savoir ce qui se passe, dit celui-ci.

– Il se passe, répond le sergent, brutal, que vous êtes arrêtés.

– C'est une absurdité.

Le chef des gardes lui fait face avec hostilité. C'est un vétéran à l'air borné, avec une moustache poivre et sel et des traits avachis.

– Habillez-vous, vous dis-je, ou nous vous emmenons tels que vous êtes.

– Nous emmener ? Où ? Et pour quel motif ?

– Nous en parlerons plus tard. Nous avons tout notre temps.

Sur un signe du sergent, l'un des gardes vient pointer sa baïonnette sur don Pedro. Encore décontenancé, impuissant, le visage rouge de honte et d'indignation, don Pedro enfile de mauvais gré sa veste, prend son manteau et son chapeau. De son côté, pendant qu'il finit de s'habiller, don Hermógenes voit avec désolation les gardes s'emparer de tous les papiers qu'ils trouvent dans la chambre et les fourrer dans un sac en toile.

– Vous n'avez pas le droit de faire ça, balbutie-t-il. Ce sont des documents personnels, et nous sommes des gens respectables. Seigneur ! Je proteste contre cette sauvagerie !

Le sergent ne daigne même pas le regarder.

– Vous pouvez protester autant que vous le voudrez… On prendra note de tout dans la diligence. – Il montre la porte. – Et maintenant, sortez.

Ils descendent l'escalier, précédés par le sergent et suivis par les trois gardes. En bas, l'aubergiste, les serviteurs et quelques hôtes à moitié vêtus ou en chemise de nuit les regardent avec surprise et méfiance. Ils voient Zamarra, leur cocher, assis à une table sous la surveillance d'un garde, interrogé par un individu couvert d'une longue redingote grise. En les voyant apparaître, Zamarra leur adresse un regard de détresse.

– Cet homme est notre cocher, dit don Pedro au sergent. Il n'a rien fait de mal, à notre connaissance.

– C'est ce que nous verrons, répond sèchement le militaire.

Ils sortent dans la nuit, où les attend la morsure du froid et de l'humidité. Le sergent va devant, lanterne en main, et les conduit jusqu'à une diligence dans laquelle ils montent tous.

– Où nous conduisez-vous ? demande l'Amiral.

Personne ne lui répond. La voiture roule dans la nuit, traverse un pont, puis file le long d'une succession de maisons que l'on distingue à peine dans le noir. Elle arrive sur une place, également plongée dans l'obscurité, près de laquelle se dressent dans les ténèbres les murs d'une vieille église. Une cinquantaine de pas plus loin, l'attelage s'immobilise devant une dépendance de la mairie, et l'on fait descendre les académiciens. À l'intérieur, dans une pièce encrassée mal éclairée par une veilleuse à huile, il y a une table en piteux état, quelques chaises, une horloge arrêtée, un râtelier à fusils et deux armoires ouvertes, dont les rayons sont emplis de dossiers, l'ensemble présidé par une estampe colorée de Louis XVI. De l'autre côté d'un passage voûté, on aperçoit la lourde porte grillagée d'un cachot.

– Nous sommes en prison ? s'enquiert don Hermógenes, stupéfait.

– On dirait bien, remarque l'Amiral avec inquiétude.

Le sergent prend deux chaises et les place devant la table.

– Vous allez vous asseoir ici… Et tenir votre langue, pour le moment.

– Vous êtes un insolent, et ce que vous faites est un abus, dit don Pedro, qui refuse d'obtempérer jusqu'à ce que l'un des gardes le force à s'asseoir. J'exige que vous me disiez ce qui se passe ici.

Le sergent l'examine en approchant exagérément son visage de celui de l'Amiral, avec force goguenardise.

– Vous exigez, avez-vous dit ?

– C'est bien ce que j'ai dit, oui. J'ignore ce qui arrive, mais vous allez trop loin.

– Tiens, tiens… Comment ça, trop loin ?

– Au-delà de ce que permettent la dignité et la décence.

Le militaire cesse de sourire et regarde l'Amiral de travers. Puis il va s'asseoir sur un coin de la table et croise les bras.

– Dans ce cas, un peu de patience, on va vous expliquer tout ça très vite, réplique-t-il, moqueur. Et maintenant, soyez bien sages et fermez votre caquet, dans votre intérêt, pendant que nous attendons.

– Que nous attendons ? Qui ? demande don Hermógenes.

– L'autorité compétente.

L'autorité mentionnée se présente un quart d'heure plus tard. Il s'agit de l'individu en redingote grise que les académiciens ont aperçu pendant qu'il interrogeait Zamarra, au moment où on leur faisait quitter l'auberge. Il n'a pas de chapeau, il est mal rasé, il semble être de mauvaise humeur, et son apparence vile est accentuée par des lèvres trop fines, quasi inexistantes, sous un petit nez camus, un front étroit et des yeux noirs méfiants. Il arrive en compagnie d'un greffier, un homme âgé, chauve, avec des lunettes sur le nez et entre les mains une liasse de papiers qui dénote sa profession. Après être entré dans la pièce sans les regarder ni les saluer, l'homme en redingote grise s'assied de l'autre côté de la table, déboutonne son manteau, ouvre un portefeuille qui contient des feuilles couvertes de notes, et c'est seulement alors qu'il les examine longuement, sans rien dire.

– Donnez-moi vos noms, ordonne-t-il enfin.

– Donnez-nous d'abord le vôtre, réplique l'Amiral, et dites-nous ce que nous faisons ici.

– Je suis Lucien Rouillé, maire de ce village. Et les questions, c'est moi qui les pose… Vos noms ?

L'Amiral montre le monticule de papiers que les gardes ont posé sur la table, près de ceux sur lesquels court la plume du greffier, qui note tout ce qui se dit.

– Pedro Zárate y Queralt et Hermógenes Molina. Vous avez ici nos documents de voyage, monsieur.

– Nationalité ?

– Espagnole.

En entendant cela, le sieur Rouillé échange un regard d'intelligence avec le sergent, qui s'est levé en le voyant entrer et qui maintenant assiste à l'interrogatoire debout auprès de ses hommes.

– Que faites-vous à Tartas ?

– Nous voyageons de Paris à Madrid, par Bayonne.

– Dans quel but ?

– Nous apportons des livres achetés à Paris. Parmi ces documents, vous trouverez des lettres qui nous accréditent en tant que membres de l'Académie royale d'Espagne.

– De la quoi ?

Don Pedro se penche légèrement au-dessus de la table. Rigide, circonspect.

– Monsieur le maire, puisque vous affirmez que c'est là votre charge : j'exige que vous nous disiez pourquoi on nous a conduits ici.

Sans prêter attention à ce que dit l'Amiral, Rouillé regarde quelques-uns des documents qui sont sur la table, avec indifférence, comme si leur contenu ne l'intéressait pas beaucoup.

– L'un de vous parle-t-il anglais ?

– Moi, dit don Pedro.

– Couramment ?

– Assez bien.

Rouillé se tourne un moment du côté du greffier, pour s'assurer que celui-ci a bien noté ce qui vient d'être dit. Puis il pose sur don Hermógenes un regard féroce.

– Et vous ? demande-t-il en faisant l'entendu.

Le bibliothécaire nie, déconcerté.

– Non, pas un mot.

– Comme c'est étrange.

Don Hermógenes ouvre tout grand les yeux et la bouche.

– Pourquoi serait-ce si étrange ?

Le maire fait la sourde oreille. Il s'adresse à l'Amiral.

– Ainsi, vous prétendez être espagnols ?

– Je ne le prétends pas, réplique don Pedro, indigné. Nous le sommes. Quant à moi, je suis un ancien brigadier des armées navales du roi.

– Brigadier, rien que ça.

Le sang monte brusquement au visage de l'Amiral. Don Hermógenes le voit serrer le poing jusqu'à ce que les articulations blanchissent.

– Nous ne sommes pas habitués à être traités de la sorte, dit don Pedro, suffoqué par la colère.

Rouillé le regarde avec la plus franche insolence.

– Eh bien, il faudra vous y habituer.

L'Amiral a un geste brusque pour se lever, mouvement qu'interrompent le sergent en faisant un pas vers lui et l'un des gardes en baissant son fusil et en pointant la baïonnette sur la poitrine de don Pedro. Bouleversé, don Hermógenes s'aperçoit que sur le front de son compagnon brillent de minuscules gouttes de sueur. Jamais encore il ne l'avait vu se couvrir de transpiration. Les coudes sur la table, les doigts de ses mains entrecroisés, sur lesquels il a appuyé son menton, Rouillé assiste, indifférent, à la scène.

– L'homme qui est sous bonne garde à l'auberge, demande-t-il, est votre cocher ?

Don Hermógenes, avec abnégation, prend la parole, pour essayer d'apaiser les esprits.

– En effet, confirme-t-il. Il est venu avec nous de Madrid, et c'est un serviteur du comte d'Oxinaga. Il pourra vous expliquer…

– Oh, celui-là n'explique rien, lance Rouillé avec un rire sardonique. Il a bien trop peur, me semble-t-il, et sans doute pas sans raison. Pour le moment, il soutient la même chose que vous.

– C'est normal. Il n'y a rien d'autre à…

– Que sont ces livres que vous transportez ?

– Les vingt-huit volumes de l'*Encyclopédie*, une œuvre que vous devez sans doute connaître. Et quelques autres ouvrages d'esprit, que nous avons achetés à Paris.

– Et vous dites que vous apportez ces livres en Espagne ?

– Oui.

Rouillé sourit, affichant un air plein d'astuce.

– L'*Encyclopédie* est interdite là-bas, fait-il, triomphant. Je doute que l'on vous permette de passer la frontière.

– Nous y sommes autorisés, précise l'Amiral, qui a recouvré son calme.

– Ah oui ? fait Rouillé en se tournant vers lui. Et par qui ?

– Par ordre du roi.

– C'est ça. Du roi d'Espagne ou du roi d'Angleterre ?

Conscient que la discussion ne mène nulle part, don Pedro a une expression de renoncement.

– Tout ceci est absurde, conclut-il en levant légèrement les mains. Ridicule.

– Peut-on savoir ce qui vous paraît ridicule ?

L'Amiral montre d'abord Rouillé, puis le sergent et ses hommes.

– Cette conversation. Ces gardes avec leurs baïonnettes… Monsieur le sergent et son comportement grossier à l'auberge.

La bouche de Rouillé se tord en un mauvais sourire.

– Tu entends, Bernard ? dit-il au sergent. Monsieur te trouve grossier.

Le dénommé Bernard fait claquer sa langue et arbore un sourire sinistre.

– Hum… Il faudra remédier à ça, le moment venu.

L'Amiral soutient son regard, avec dédain. Puis il se tourne vers le maire.

– Vous aussi, monsieur, avec vos manières…

Il s'arrête là, mais la grimace du maire s'accentue. Son œil soupçonneux brille de dépit.

– Ah bon ? Moi aussi je vous parais grossier, comme Bernard ? Ou peut-être ridicule, comme ma conversation ?

– Je n'ai pas dit ça. Je dis que vous, avec cet interrogatoire…

– Savez-vous ce qui est ridicule, monsieur ?… Que vous puissiez croire que dans ce village il n'y a que des imbéciles.

Don Pedro et don Hermógenes se regardent, de nouveau déconcertés.

– Jamais nous… commence à dire le bibliothécaire.

– C'est un endroit de peu d'importance, humble, l'interrompt Rouillé. Mais nous sommes de bons sujets de notre roi. D'honnêtes gens éveillés. Rien ne nous échappe… – Il joint son index et son pouce. – Pas ça.

– C'est un malentendu, dit don Pedro après un moment de stupeur. Vous nous prenez sans doute pour d'autres… de je ne sais quel genre, mais vous commettez une grave erreur, monsieur le maire.

– C'est ce que nous verrons. Pour le moment, il y a trop de points obscurs dans cette histoire.

L'Amiral montre les papiers amoncelés sur la table.

– Dans ces documents, vous trouverez toutes les explications que vous cherchez.

Rouillé hausse les épaules.

– Ces documents seront examinés le moment venu, je peux vous l'assurer. Et avec le plus grand soin. En attendant que tout cela soit éclairci, vous allez rester ici.

– Que voulez-vous qui soit éclairci… Pouvez-vous nous dire une bonne fois ce qui se passe ?

– C'est très simple : vous êtes arrêtés au nom du roi.

– Que dites-vous ? proteste don Hermógenes. Dans un pays de grande culture comme la France un roi se doit d'être un père qui punit quand il le faut, pas un maître barbare qui emprisonne les gens sans garant ni justice…

– Ne vous fatiguez pas, don Hermès, dit l'Amiral, ces gens ne semblent pas perméables aux subtilités de la rhétorique.

– Enfermez-les, ordonne Rouillé aux gardes.

– Nous enfermer ? Avez-vous perdu l'esprit ? dit l'Amiral, qui s'est levé. Nous sommes des académiciens, je vous l'ai dit. Je vous donne ma parole que…

Il est interrompu par la main du sergent, qui le saisit sans plus de considération par l'épaule. Blessé dans sa dignité, par pur instinct, don Pedro le repousse d'une torgnole. Bernard essaie de le saisir plus violemment, mais l'Amiral résiste avec une énergie insoupçonnée, en tenant à distance les gardes qui se jettent sur lui. Voyant son ami traité de la sorte, don Hermógenes se lève pour se porter à son secours, mais il reçoit un coup de crosse qui le fait retomber sur sa chaise. Tout n'est plus alors que confusion et lutte : Rouillé donne de la voix, les gardiens ne ménagent plus leurs efforts, et les deux académiciens, cernés par les baïonnettes, sont saisis fermement, entraînés de force, presque traînés, et jetés dans le cachot voisin.

La nuit est noire, sans étoiles. Il a cessé de pleuvoir, mais le sol est boueux et la lanterne qui éclaire l'entrée de l'auberge se reflète dans les flaques du chemin. C'est la seule lumière visible, et Pascual Raposo est immobile devant elle, pensif, enveloppé dans sa capote et son chapeau de Calañas enfoncé jusqu'aux sourcils. La braise du cigare éclaire la partie inférieure de son visage chaque fois qu'il aspire une goulée.

Un bruit, derrière lui, lui fait tourner la tête ; une ombre venue du pont se profile dans l'obscurité, s'en détache et prend forme. Un moment plus tard, Durán, le tavernier, qui blasphème parce qu'il a enfoncé ses bottes dans la boue, serre la main de Raposo.

– Que se passe-t-il au village ? demande celui-ci.

– Tout va bien. Tes deux oiseaux sont au cachot et le maire plus heureux que jamais.

– Que vont-ils faire d'eux ?

– Les garder là jusqu'à ce que l'on ait prévenu, demain matin, le chevalier D'Esmangart.

– Qui est-ce ?

– Un type qui vit dans le château, après l'auberge, celui que l'on aperçoit de la route quand on vient de Mont-de-Marsan. C'est un noble, qui possède la moitié du village, sans compter les forêts et les réserves de chasse, et qui tient parfois lieu de préfet dans toute la région : notre autorité officielle pour les affaires locales. Rouillé, le maire, est en train d'écrire un rapport que l'on portera chez lui.

– Et quand ira-t-il les voir et décider de leur sort, ce chevalier ?

– Ma foi, il est de ceux qui se lèvent tard, sauf quand il va à la chasse. Je doute qu'il se dérange avant midi.

Raposo tire une nouvelle fois sur son cigare.

– Comment ont-ils pris la chose, ces deux-là ?

– Assez mal, je crois. D'après ce que l'on m'a raconté, ils se sont même rebellés et il a fallu en venir aux mains.

Raposo sourit, dans l'ombre, en imaginant la scène.

– Comment ça, aux mains ?

– Avec assez de poigne pour qu'ils se calment. Apparemment, Bernard, le sergent, en mourait d'envie. Ils étaient très hautains, surtout le grand.

Après avoir tiré une dernière fois sur son cigare, Raposo le laisse tomber par terre, entre ses bottes.

– Tu connais le garde qu'ils ont posté ici ?

– Oui. Jarnac. Un brave type. Marié avec la fille du boulanger, qui est la cousine de ma femme.

– Diable ! Vous êtes tous parents ou apparentés, ici.

– Presque. Comme tu vois, ça a ses avantages.

– Allons un peu prendre langue avec ton parent.

– Comme tu voudras, consent Durán, pendant que les deux hommes se dirigent vers l'auberge. Dis-moi… C'est vrai que ces deux grands-pères sont des espions anglais ?

– C'est ce que j'ai cru comprendre.

– J'espère que ça ne va pas trop me compliquer la vie, tu vois ce que je veux dire.

– Pourquoi veux-tu que ça te la complique ? Rappelle-toi que tu n'as rien fait d'autre que de remettre aux autorités une lettre anonyme qu'un voyageur a laissée à ta taverne.

– Oui. Mais si on m'interroge sur son compte…

– Si on t'interroge, tu diras qu'il a laissé le billet et s'en est allé. Tu n'es responsable de rien. Tu as seulement fait ton devoir de bon voisin et de bon citoyen.

– Mais ce sont vraiment des espions ou pas ?

– Écoute, Durán… Pense aux louis que tu t'es mis dans la poche et lâche-moi la grappe.

Ils trouvent Jarnac en train d'échanger quelques mots avec l'aubergiste, assis devant la cheminée, son fusil appuyé contre le mur. C'est un homme d'âge moyen et d'apparence simple. Il a déboutonné sa veste et grignote des morceaux de fromage entre des gorgées de vin. Durán lui présente Raposo comme une vieille connaissance et un voyageur de passage qu'intrigue l'incident des deux espions anglais et, pendant un moment, la conversation roule sur le sujet. Jarnac confirme que le cocher qui accompagnait les deux voyageurs est en haut, enfermé dans une chambre, que la voiture est dans la remise, et les chevaux dételés dans l'étable du relais de poste.

– Qu'a-t-on fait des bagages ? demande Raposo.

– Rien, répond le garde. Ceux des détenus sont dans leur chambre, excepté les papiers que mes camarades ont réquisitionnés et emportés, le reste est toujours sur le toit de la berline... On s'en occupera demain, je suppose.

Ils bavardent encore pendant un bon moment, que l'aubergiste emploie à se lamenter sur l'insécurité des temps qui courent, tous les gens si bizarres qui font étape chez lui, la perfidie des Anglais et la chance d'avoir ici des gens comme son cher ami Jarnac, ses camarades et leur sergent, qui se chargent de faire respecter la loi et l'ordre. Le temps passe et, quand il considère que l'atmosphère est suffisamment détendue, Raposo se lève, paie le vin bu et dit qu'il va jeter un œil sur son cheval, laissé sans avoine dans l'écurie. Après avoir échangé avec lui un regard d'intelligence, Durán s'offre de l'accompagner. Raposo boutonne sa capote, allume une lanterne et sort en compagnie du tavernier dans le froid humide de la nuit, toujours obscure et couverte, et se dirige vers la remise. Celle-ci n'est qu'une construction de bois et de tuiles qui protège les voitures des intempéries. Il n'y a sous l'abri que la berline des académiciens, noire, immobile, avec le timon de l'attelage appuyé contre une pièce de bois.

– Que cherches-tu ici ? veut savoir Durán.

– Tais-toi et ouvre l'œil. Même si, après, tu n'auras rien vu.

Sur le toit de la berline, couvert par une bâche, il y a le reste des bagages des académiciens. Raposo monte sur le marchepied, soulève un peu la toile et éclaire les ballots avec la lanterne.

– Tu ne devrais pas toucher à ça, dit le tavernier.

– Ferme ta gueule, bordel !

L'*Encyclopédie* est emballée dans sept gros ballots bien enveloppés dans de la toile cirée nouée avec des cordes. Raposo les palpe et s'offre seulement un petit sourire de satisfaction, tout en faisant ses calculs : poids et dimensions, moyens de les emporter. Il suffirait d'un cheval de plus, conclut-il. Deux paquets sur la croupe de sa monture, cinq sur le dos d'une autre bête. Ses plans sont faits, il connaît la région et, de toute façon, il n'a pas à aller bien loin.

– Je vais avoir besoin d'une mule, Durán.

Le jour se lève enfin. La lumière grise qui entre par une lucarne aux vitres sales éclaire les traits fatigués de l'Amiral, après une nuit de demi-sommeil éprouvante, où il a grelotté couché sur un banc de pierre pourvu d'une paillasse de feuilles de maïs, couvert de son manteau et d'une vieille couverture malpropre. Maintenant, engourdi, en se demandant si ce qu'il est en train de vivre est réel ou n'est qu'un cauchemar, don Pedro passe sa main sur son visage où pointe la barbe, cligne des yeux et regarde don Hermógenes, couché sur une autre paillasse, à l'abri de sa cape et d'une autre couverture tout aussi crasseuse que la sienne, et dont les yeux chassieux d'insomniaque sont posés sur lui.

– Vous êtes réveillé depuis longtemps ? lui demande don Pedro.

– Je n'ai pas dormi de la nuit.

En faisant un pénible effort, l'Amiral écarte la couverture et s'assied, la tête entre les mains.

– Combien de temps va durer cette aberration ? demande don Hermógenes.

– Je n'en sais rien.

La porte du cachot a un judas grillagé dans la partie haute, par lequel on peut voir un couloir plongé dans l'ombre et une porte fermée. Don Pedro se lève, étire comme il le peut ses membres endoloris, retape un peu ses vêtements, regarde autour de lui et s'approche de la grille. Une fois là, accroché aux barreaux, il appelle, sans que nul ne lui réponde. Quand il se retourne, impuissant, son regard croise celui de don Hermógenes, qui l'observe comme si de ses mains et de sa volonté dépendait l'issue de l'affaire.

– Que s'est-il passé ? demande-t-il.

– Il est évident qu'ils nous ont confondus avec d'autres.

– Quelle insanité ! Mais avec qui ?

– Je n'en ai pas la moindre idée.

La cellule est longue et étroite, ses murs humides sont couverts d'incisions et d'inscriptions obscènes. Dans un coin, il y a un seau en fer-blanc dans lequel les prisonniers peuvent faire leurs besoins. Tous deux s'en servent pour uriner, en se soustrayant avec toute la pudeur possible au regard de l'autre.

– C'est indigne, dit don Hermógenes.

L'Amiral s'efforce de récapituler, pour essayer de reconstruire ce qui s'est passé. Les circonstances qui les ont conduits ici. Encore troublé, intrigué, il tâche d'interpréter l'attitude des gardes, la grossièreté du sergent, la mauvaise foi du maire.

– Ces allusions à l'Angleterre, conclut-il, me tracassent.

– Qu'y voyez-vous ?

– La France est en guerre, comme l'Espagne. Il se peut qu'ils nous prennent pour des agents de l'étranger.

Don Hermógenes en tombe des nues.

– Vous et moi ? Quelle idée singulière ! Que ferions-nous dans ces parages ?

L'Amiral est retourné s'asseoir sur le banc de pierre, son manteau sur les épaules. Il réfléchit.

– Nous jouons étrangement de malheur, constate-t-il. Tout d'abord ce vol, à Paris, et maintenant ça…

– Par le Ciel ! s'exclame, secoué, le bibliothécaire. Pensez-vous qu'il puisse y avoir un lien entre les deux choses ?

Don Pedro réfléchit encore.

– Non, je ne crois vraiment pas, répond-il, et il ajoute : Mais ces incidents, ce mauvais sort sont surprenants.

– Se pourrait-il que…

Un bruit de clefs et de serrure interrompt le bibliothécaire. Une lanterne éclaire le couloir, où quelques personnes apparaissent. Don Pedro reconnaît le maire, Rouillé, le sergent Bernard et l'un des gardes de la veille au soir. Ils sont accompagnés d'un homme de haute taille, d'âge moyen et d'aspect distingué, en tenue de campagne, ou de chasse, dont les cheveux non poudrés sont noués en catogan.

– Les bougres sont là, dit Rouillé, grossier.

L'inconnu s'approche de la grille et examine longuement les deux académiciens, à la fois curieux et défiant.

– Je suis le chevalier D'Esmangart, et je fais office de préfet dans la région, dit-il sèchement. Je partais pour la chasse quand on est venu me prévenir… Qui êtes-vous ?

– Je suis le brigadier de marine Zárate y Queralt, et voici don Hermógenes Molina, répond l'Amiral, tous deux membres de l'Académie royale d'Espagne.

Le chevalier les regarde, perplexe. Il a, remarque don Pedro, des yeux gris et sereins d'homme intelligent.

– Celle de la langue castillane, de Madrid ? Celle qui édite le Dictionnaire ?

– Celle-là même.

– Et que faites-vous à Tartas ?

– Nous nous rendons à Bayonne, avec un chargement de livres achetés à Paris.

Le chevalier D'Esmangart prend quelques instants pour méditer ce qu'il vient d'entendre. Puis il jette un coup d'œil sur le maire, avant de reporter son regard sur les académiciens.

– Pouvez-vous prouver votre identité ?

– Bien évidemment, répond l'Amiral avec le plus grand calme. Nos sauf-conduits, visés par les autorités françaises, nous ont été confisqués avec nos autres documents… Hier soir, ils étaient sur la table de cette pièce, au bout du couloir.

D'Esmangart demande d'un geste qu'on les lui apporte, et le sergent va les chercher. Pensif, le chevalier regarde de nouveau Rouillé.

– Qui les a dénoncés ?

– Un voyageur. À la taverne de Durán.

– D'où venait ce voyageur ?

– Je ne sais pas. – Le maire hésite. – Il se peut qu'il ait poursuivi sa route. Mais il a laissé un billet.

Il le sort de sa poche, et le remet au chevalier. Celui-ci le lit, fronce les sourcils, puis le passe à don Pedro, derrière la grille. Le mot est écrit en français :

> *C'est mon devoir comme bon subject de notifiquer que dans l'alberge il y a des espiones qui voiagent de Paris à la frontère. Vive la France et vive le rei.*

– C'est bien ce que nous imaginions, don Hermès, dit l'Amiral, indigné, en rendant le billet au chevalier. On nous a dénoncés comme espions.

– Ce n'est pas possible... Qui a signé cette infamie ?

– Je l'ignore. Il n'y a pas de signature. C'est une lettre anonyme.

– Seigneur Dieu... Nous sommes traités comme ça à cause d'une lettre anonyme ?

Le sergent revient avec quelques-uns des documents les plus importants, parmi lesquels l'Amiral reconnaît les passeports et les sauf-conduits. À la lumière de la lanterne que lève le maire, D'Esmangart lit tout avec attention, regarde les prisonniers, se remet à lire. Après quoi, il replie les papiers, ordonne que l'on ouvre la cellule, et tout le monde se retrouve bientôt dans la pièce où don Pedro et don Hermógenes ont été interrogés le soir précédent. Après avoir invité les académiciens à s'asseoir sur les mêmes chaises que la veille, le chevalier va prendre place de l'autre côté de la table, et Rouillé, le sergent et le garde restent debout.

– Avez-vous mangé quelque chose ?

Le ton du chevalier s'est adouci. Il est maintenant courtois.

– Rien depuis hier soir, répond don Hermógenes.

– Nous allons y remédier immédiatement.

D'Esmangart donne l'ordre au garde d'aller chercher deux pots de bouillon, du pain, une cruche d'eau et des serviettes, puis il s'adresse au maire.

– Qui vous a apporté cette lettre ?

– Durán, comme je vous l'ai dit... D'après ce qu'il nous a raconté, un voyageur de passage a reconnu ces individus, et il a cru de son devoir de le signaler.

Le chevalier plisse de nouveau le front.

– Pourquoi Durán n'est-il pas ici ?

– Je ne sais pas, monsieur.

– Faites-le venir.

– On peut se fier à lui, monsieur. Je suis le parrain de sa fille. C'est pour ça...

– Qu'on l'amène, ai-je dit.

Le garde revient avec le déjeuner, l'eau et les serviettes, que D'Esmangart offre courtoisement aux académiciens. Ceux-ci font un peu de toilette, émiettent le pain dans les pots et déjeunent sans cérémonie sur la table du bureau, tout en conversant avec le chevalier. Celui-ci, un noble de province qui se révèle bien éduqué et cultivé, est surpris d'apprendre que ces deux messieurs apportent une première édition de l'*Encyclopédie* à Madrid avec l'autorisation de Charles III et de l'Inquisition. Quand il s'intéresse à leur séjour à Paris, don Pedro et don Hermógenes évoquent des épisodes dans lesquels apparaissent des connaissances communes, comme l'encyclopédiste Bertenval, qui est en correspondance épistolaire avec l'un des oncles du chevalier, magistrat à Lille. Le tavernier Durán se présente sur ces entrefaites, dans ses petits souliers, et il répond non sans inquiétude aux questions que lui pose froidement le chevalier, qui finit par le rendre encore plus nerveux. Finalement, l'homme s'enferre dans des contradictions et affirme une nouvelle fois qu'il a à peine vu le visage de l'auteur de la dénonciation anonyme. D'Esmangart le renvoie, visiblement fâché, regarde les académiciens d'un air désolé et s'adresse à Rouillé.

– En conclusion, monsieur le maire : vous avez reçu ce billet anonyme que l'on a donné au tavernier, et vous avez décidé de mettre au cachot ces deux messieurs sans même vous être assuré de leur identité… C'est bien ça ?

Rouillé est devenu blême.

– L'affaire était grave, monsieur le chevalier, balbutie-t-il. J'ai cru qu'il fallait agir sans tarder.

– Je le vois bien, dit D'Esmangart en pianotant sur la table tout en regardant, pensif, le sergent Bernard. Avez-vous été maltraités, messieurs ?

– Légèrement, confirme don Hermógenes. En paroles et en actions.

– C'est le maire qui a décidé de tout, s'excuse Bernard. J'ai seulement exécuté ses ordres.

– Je continue de croire… intervient Rouillé.

D'Esmangart l'interrompt, agacé.

– Il y a là des preuves, monsieur le maire. Ces documents sont en règle. Ils sont visés et scellés comme il se doit… Et ces messieurs, en dépit de la triste apparence que leur a laissée la nuit passée ici, ont tout à fait l'air de gens respectables. Je crois que vous avez eu hier soir la main un peu lourde.

– Mais c'est que Durán…

– Est le père de votre filleule, je sais. – D'Esmangart le foudroie du regard. – Vous l'avez déjà dit.

Puis le chevalier se tourne du côté des académiciens, qui finissent de déjeuner. Don Hermógenes mâche le dernier morceau de pain et l'Amiral pose sur la table le pot de bouillon vide.

– Pouvez-vous expliquer cette affaire ?

– Je ne sais que dire, monsieur, répond don Pedro, soucieux, en s'essuyant la bouche avec la serviette chiffonnée. Il est vrai que ce n'est pas le premier incident étrange qui nous arrive. Mais je ne peux imaginer qui pourrait vouloir…

Là-dessus, il s'interrompt brusquement, parce qu'une idée s'impose à lui : il croit se rappeler un cavalier solitaire qu'il a entrevu, après leur départ de Paris, dans deux ou trois auberges ou relais de poste. L'Amiral a la vague image d'un individu taciturne avec des favoris en forme de hache et un chapeau de Calañas, vêtu à l'espagnole. Et il se pourrait, même s'il n'en jurerait pas, qu'il l'ait déjà aperçu avant, pendant le voyage de l'aller.

– Où est notre équipage ? demande-t-il, frémissant. Où sont les livres empaquetés attachés sur le toit de la berline ?

– Dans la remise des voitures de la poste, je suppose, répond le sergent Bernard, sur un regard du chevalier. À côté de l'auberge.

– Quelqu'un les surveille ?

– Nous avons laissé là un garde, non ? demande Rouillé.

– Si, Jarnac, confirme le sergent.

À la surprise de tous, y compris de don Hermógenes, l'Amiral s'est levé précipitamment, a failli renverser sa chaise. Son visage est crispé, pâle. Il s'adresse à D'Esmangart.

– Je vous en prie, monsieur. Allons là-bas tout de suite. J'ai un mauvais pressentiment.

Jarnac met un bon moment à reprendre ses esprits. Ils l'ont trouvé dans la remise des voitures quand, après avoir passé le pont, ils sont arrivés en hâte du village à l'auberge. Une fois revenu à lui et interrogé, le garde raconte que, sorti pour faire sa ronde, il a surpris quelqu'un en train de fouiller la berline, un type qu'il a reconnu pour l'avoir déjà vu à la taverne de Durán en compagnie du patron. En l'apercevant, le garde lui a demandé ce qu'il faisait là, l'autre s'est approché, souriant, pour lui fournir une explication et, tandis qu'il l'écoutait, un coup à la base du crâne l'a fait s'écrouler comme un sac de maïs. Jarnac ne se souvient de rien d'autre, sauf de l'individu qui l'a frappé : tenue de route, épais favoris, visage dur et très contrarié. Pour le reste, il ne sait ni ce que l'homme faisait dans la remise, ni quelles étaient ses intentions. Mais Durán devrait bien en savoir quelque chose, parce qu'il était venu avec lui à l'auberge. À moins que…

– L'*Encyclopédie* ! s'écrie avec angoisse don Hermógenes.

Tous regardent dans la direction qu'il indique. La bâche a été retirée du toit de la berline, jetée à terre sur le côté, près d'une roue. Et les ballots ne sont plus là.

– C'est ce qu'il voulait ? demande le chevalier D'Esmangart, incrédule. Vous voler les livres ?

– Il semble bien, dit l'Amiral, les traits défaits.

– Qu'ont-ils de si particulier ?

– Je ne sais pas… Je vous assure que je n'en ai pas la moindre idée.

Ils se regardent, navrés. Les académiciens sont plongés dans la désolation.

– Qu'allez-vous faire ?

– Je ne sais pas non plus. – Don Pedro contemple tout autour de lui le paysage mouillé et gris, inhospitalier sous les nuages bas et noirs. – Mais nous devons aller à leur recherche.

Le maire se montre confus : il ne pouvait imaginer que tout cela, la dénonciation et le reste, était une conspiration. Le tavernier, assure-t-il, va avoir droit à autre chose qu'à des reproches, père de sa filleule ou pas. Le misérable, et cætera.

– Je me sens comme un imbécile, conclut-il.

– Et avec juste raison, rétorque D'Esmangart sur un ton aigre. Le mal est fait. Il ne reste plus qu'à savoir s'il est possible de se lancer aux trousses de l'étrange voleur.

– Savons-nous où il est allé ?

Interrogé, un serviteur de l'auberge, venu avec le patron voir à quoi tient toute cette agitation, dit que, sans savoir ce qui est arrivé au garde, il a vu il y a un moment un cavalier s'éloigner, avec une seconde monture, le long de la rivière, vers la Gorge aux loups. Et il vient de s'apercevoir qu'il manque une mule dans l'écurie.

– La Gorge est à une demi-lieue d'ici, dit le sergent Bernard après réflexion. S'il va dans cette direction, on pourrait peut-être le rattraper.

Jarnac, blessé dans son amour-propre, en plus du coup reçu sur la tête, se porte volontaire pour donner la chasse à son agresseur. D'Esmangart, en accord avec le maire, décide qu'au moins le garde et le sergent devront y aller. Pendant que Jarnac va chercher son fusil, le chevalier ordonne à l'aubergiste de seller les chevaux disponibles dans l'écurie. Ce dernier répond qu'il y en a quatre qui feront l'affaire ; deux pour les gardes, les autres pour ceux qui voudront les accompagner.

– Je dois y aller, dit l'Amiral, et il est hors de question que cela se discute.

– L'agresseur de Jarnac semble être un individu dangereux, objecte le maire.

– Peu m'importe. Ce sont nos livres, et il faut que je sache pourquoi il cherche à nous les dérober.

– Comme il vous plaira, dit D'Esmangart. Vous en avez parfaitement le droit, bien sûr... Vous montez bien à cheval ?

– Oui.

– Magnifique. Et qui sera le quatrième ?

Tous regardent don Hermógenes, qui a levé timidement la main.

– Il n'en est pas question, dit l'Amiral, dont le refus est aimable.

– Je ne vois pas pourquoi je ne pourrais pas y aller, proteste le bibliothécaire. Je suis aussi responsable que vous de ces livres. Nous sommes deux, dans cette affaire.

– Elle comporte certains risques.

– Mais c'est justement pour ça, sapristi ! Il y en a eu d'autres à Paris, et nettement à mes dépens. Et puis, je me demande comment je pourrais me présenter à l'Académie, ensuite, en disant que je vous ai laissé les affronter seul.

– Vous montez à cheval ? demande D'Esmangart avec curiosité.

Le bibliothécaire acquiesce avec un stoïcisme héroïque.

– J'arrive à ne pas tomber, et c'est déjà quelque chose.

L'Amiral n'est toujours pas d'accord, les deux amis discutent pendant que l'aubergiste et le serviteur s'approchent avec quatre chevaux sellés qu'ils mènent par la bride. Jarnac est revenu avec son fusil, et le sergent Bernard, renfrogné, vérifie l'amorce du pistolet qu'il porte à la ceinture.

– Décidez-vous, dit-il en montant sur l'une des bêtes, sinon cette canaille va nous échapper.

On voit sur son visage qu'il est de ceux qui ne souffrent pas que l'on se moque d'eux, et pas davantage que l'on accable les subalternes, aussi fait-il de l'aventure une affaire personnelle. Jarnac monte sur un autre cheval, fusil en bandoulière ; mais l'Amiral, qui lutte encore contre l'entêtement de don Hermógenes, reste hésitant.

– Votre ami a raison, estime D'Esmangart, équanime. S'il veut y aller, il en a le droit.

– J'en ai le droit, insiste le bibliothécaire, buté.

Don Pedro étudie le visage déterminé qui lui fait face : le menton bleu, des cernes sombres et des poches sous les yeux après la mauvaise nuit qu'ils viennent de passer, don Hermógenes serre les dents et affronte avec fermeté l'examen auquel il est soumis. Il semble avoir brusquement vieilli de dix ans, mais jamais encore don Pedro ne l'avait vu aussi résolu. Aussi sûr de lui.

– Vous en êtes bien certain, don Hermès ?

– Absolument. Qu'avez-vous cru ? J'essaierai de ne pas gêner.

Résigné, sans ajouter un mot, don Pedro fait un geste affirmatif, met le pied à l'étrier et enfourche un cheval. Don Hermógenes, aidé par D'Esmangart, fait de même et, une fois en selle, s'enveloppe dans sa cape d'un geste assez gaillard.

– Vous ne prenez pas d'arme, remarque le chevalier.

– J'ai ma canne à épée, dit l'Amiral. Et je compte bien que mon collègue s'en passe.

– Moi aussi je compte bien m'en passer, confirme don Hermógenes en poussant un soupir d'exaspération.

D'Esmangart tend alors à don Pedro un pistolet à canon court, une arme de poing qu'il tire de sa veste de chasse.

– Je vous prie de l'accepter, monsieur. Il est chargé. On ne sait jamais.

– Vous êtes très aimable, répond l'Amiral avec un sourire courtois, en touchant une pointe de son tricorne. J'essaierai de vous le rendre dans un moment. Sans avoir dû m'en servir, je l'espère.

– Nous serons à l'auberge, à attendre de vos nouvelles… Veillez bien sur vous.

D'Esmangart s'adresse alors au sergent :

– Et toi, Bernard, tu sais que je te rends responsable de tout… Ces messieurs ne doivent courir aucun risque.

– Ne vous inquiétez pas, monsieur le chevalier, je m'en charge, répond le garde.

Et, piquant des deux, sous un ciel gris qui distille encore une vague bruine, les quatre cavaliers quittent la grand-route, descendent sur le bord de la rivière en suivant les traces des sabots visibles sur le sol boueux, entre les arbres, et se dirigent vers la Gorge aux loups.

La Midouze en crue roule ses eaux troubles ; à la droite de Pascual Raposo, il y a la rumeur de l'eau couleur de plomb, inquiète, violente, qui par endroits envahit la berge et noie le sol entre les arbres. Dans la gorge où débouche la rivière se montrent çà et là des bancs de sable boueux que les bêtes peinent à traverser, puis le sentier continue en serpentant entre les peupliers noirs aux feuilles vertes et glabres, dans les hautes branches desquels semblent encore s'accrocher les derniers lambeaux de brume. Parfois, une pie surgit, volette au ras de l'herbe, et disparaît en agitant les fougères.

À un emplacement touffu, où les arbres sont nombreux, la berge s'élève et forme une bosse, avec un escarpement au bord de la rivière. Raposo étudie attentivement l'endroit avant de diriger les bêtes de ce côté, en s'écartant du sentier. Il descend de sa monture, attache la bride à une branche et fait de même avec la mule. Il commence par décharger les ballots qui sont sur la croupe de son cheval, puis les cinq que porte la mule, en les laissant tomber sur l'herbe mouillée. Ils sont lourds, sans doute. Jamais il n'aurait cru que des livres puissent peser autant. Il déplie la lame de sa navaja, coupe la corde qui entoure l'un des paquets, puis défait la toile cirée, écarte la paille et le carton qui les enveloppe. Il trouve que ce sont de beaux livres : de taille respectable, reliés en cuir avec de belles lettres dorées sur les dos. *Encyclopédie*, lit-il. Il ouvre le premier volume du paquet, et lit quelques lignes :

> *Aussi fallut-il au genre humain, pour sortir de la barbarie, une de ces révolutions qui font prendre à la terre une face nouvelle : l'Empire grec est détruit, sa ruine fait refluer en Europe le peu de connaissances qui restaient encore au monde ; l'invention de l'imprimerie, la protection des Médicis et de François Ier raniment les esprits et la lumière renaît de toutes parts...*

Raposo laisse le livre, sur les pages ouvertes duquel les branches des arbres font tomber quelques gouttes de rosée, il se lève, va jusqu'à son cheval et prend dans la sacoche le nécessaire pour fumer. Peu après, il est debout au bord de l'escarpement et regarde filer le courant, en tirant sur son cigare. L'endroit convient, estime-t-il. Hier soir, il a tout d'abord pensé mettre le feu à la remise avec la berline à l'intérieur, pour tout réduire en cendres. Puis il s'est dit que ce serait chasser les mouches à coups de canon, pousser inutilement aux extrêmes. Ne faire qu'accroître les difficultés, trop attirer l'attention. Les jeter à la rivière est plus discret. Impeccable. De là où il se trouve, il peut les lancer un par un, ou balancer directement les ballots à cet endroit, où ils couleront facilement dans les fonds. Il suffira de couper la toile cirée qui les enveloppe pour que leur contenu s'imprègne bien. Sous l'escarpement, la rivière paraît profonde, et l'eau, de toute manière, finira par tout ravager.

Décision prise, cigare entre les dents, Raposo commence à cisailler avec sa navaja la toile qui enveloppe les autres ballots et traîne le premier, en le faisant glisser sur l'herbe, jusqu'au bord de la déclivité. *Aussi fallut-il au genre humain, pour sortir de la barbarie, une de ces révolutions qui font prendre à la terre une face nouvelle,* se rappelle-t-il en jetant un dernier regard au livre qui est sur le dessus du paquet. Dommage, conclut-il, de n'avoir pas le temps d'en lire davantage. Ce n'est pas que Raposo soit porté sur la lecture – il dédaigne même les gazettes des cafés –, et encore moins si les livres traitent de sujets qui peuvent présenter un risque dans le monde où il tâche de tirer son épingle du jeu. Mais ces quelques lignes l'ont fait réfléchir. Et il n'en pense pas moins, conclut-il en souriant de son sourire de loup. Bien que ce ne soit pas son affaire, il se peut que, comme le dit ce livre avec beaucoup de hardiesse, le genre humain ait parfois besoin de partir en déconfiture, d'aller très loin, et de quelqu'un qui le pousse un peu pour faciliter le voyage. Cette pensée le conduit à faire le lien entre le contenu de ces livres et les hommes auxquels il les a dérobés. Il n'y a encore qu'un moment, avant d'avoir lu ces lignes, le mot *Encyclopédie* ne voulait rien dire pour lui ; et les deux académiciens n'étaient que des individus quelconques, deux vieux débris qu'il était payé pour tourmenter. Et maintenant, brusquement, à cause de ce qu'il a lu, de ces livres qu'il est sur le point de jeter à l'eau, ces deux-là prennent vie et sens, deviennent des gens avec des idées et des objectifs, peut-être de ceux qui ajoutent foi aux choses, de ces originaux gênants pour les autres hommes, persuadés que les bouleversements sont nécessaires pour donner au monde un nouveau visage. Et personne n'aurait pu le dire, à les voir. Ces deux vieux fossiles.

Alors qu'il va jeter à l'eau le premier des ballots, un hennissement de son cheval l'immobilise, le fait se retourner et jeter un regard méfiant en direction du sentier qui court entre les arbres au bas de l'escarpement. Pendant un long moment, Raposo reste immobile, sur le qui-vive, encore penché sur un paquet de livres. Il tend l'oreille. On n'entend rien d'autre que la voix de la rivière et le frouement soudain d'un oiseau. Toutefois, soupçonneux d'office et de nature, il demeure à l'écoute jusqu'à ce qu'il perçoive deux bruits lointains, un écho de voix et de barbotages de chevaux qui traversent une zone inondée. Alors, jurant en sourdine, il se lève brusquement, tire une dernière goulée de son cigare, qu'il jette à l'eau. Puis il ôte son chapeau, sa capote, s'approche du cheval, fouille dans la mallette attachée derrière la selle, en sort un pistolet à double canon, déplie aussi la couverture dans laquelle il a enveloppé son sabre de cavalerie, en jette la gaine par terre et s'éloigne en veillant à ne faire aucun bruit jusqu'au couvert des arbres, tapissé de hautes fougères, d'où il peut surveiller le sentier qui passe, à une trentaine de pas, sous la bosse du terrain. Une fois là, après avoir promené un regard circulaire autour de lui, il considère que la position est bonne, plante le sabre dans la terre, s'agenouille derrière un tronc, s'assure que les charges dans le bassinet sont bien sèches et rabat les chiens en arrière pour armer, en essayant d'étouffer le bruit entre ses jambes. Ce faisant, il respire profondément pour se calmer et contrôler son pouls, parce qu'il sent à son aine le vieux et familier frémissement qui précède l'action. Ce qui lui manque parfois, conclut-il. Il arrive aussi, se dit-il, sarcastique, en gardant l'œil sur le sentier, qu'en plus des révolutions et des faces nouvelles, le genre humain ait aussi besoin de recevoir un bon coup de pistolet dans les couilles.

– Les traces s'écartent du sentier, ici, dit le sergent Bernard.

Il parle à voix basse, en montrant avec méfiance le versant couvert d'arbres et de végétation. Il a tiré sur la bride de son cheval, lui fait faire demi-tour, et adresse à Jarnac un regard éloquent. Derrière eux, don Pedro et don Hermógenes ont arrêté leurs montures et attendent, tendus, côte à côte.

– Elles montent sur cette pente, ajoute le sergent en mettant pied à terre, sans lâcher des yeux le sommet de la bosse.

Jarnac met également pied à terre et empoigne son fusil. Bernard adresse un signe muet aux académiciens pour qu'ils descendent eux aussi de leurs chevaux. Pendant qu'ils obtempèrent, le sergent donne des instructions à son subordonné, en lui désignant la rive du fleuve. Celui-ci hoche la tête, s'éloigne de quelques pas et va se poster derrière un arbre, fusil levé. Les basques et les galons rouges de son uniforme bleu, remarque don Hermógenes, se détachent sur le feuillage vert, dans l'atmosphère brumeuse du boqueteau.

– Ne bougez pas de là, souffle Bernard en tirant son pistolet de sa ceinture. Nous allons voir s'il est là-haut.

– Je peux vous être utile, dit l'Amiral, qui empoigne sa canne à épée, déboutonne son manteau et palpe avec assurance la bosse que l'arme du chevalier D'Esmangart fait dans sa poche.

– Vous le serez davantage en ne nous gênant pas, réplique aigrement le sergent.

Il a levé une main pour réclamer le silence, puis fait signe à Jarnac de monter jeter un coup d'œil en haut de la pente ; le garde obéit, son fusil prêt à faire feu, va jusqu'à l'arbre suivant, des fougères jusqu'à la taille. D'un regard, Bernard s'assure que les deux académiciens restent près des chevaux, arme son pistolet et monte la pente. Bouche bée d'émotion, retenant son souffle, une main fermement accrochée au bras de l'Amiral, don Hermógenes regarde le sergent progresser avec prudence, escalader le talus couvert d'arbres, tout examiner scrupuleusement autour de lui, étudier où poser le pied et lancer certains regards à Jarnac, qui évolue en prenant les mêmes précautions, quelques pas sur sa droite. Et il est vrai que le bibliothécaire entend à peine le coup de feu lorsque celui-ci retentit, n'en prend vraiment conscience qu'à l'instant où l'écho résonne dans l'atmosphère humide du petit bois, où le sergent s'arrête soudain, se dresse comme si quelque chose d'inattendu attirait son attention avant de tomber à la renverse entre les fougères, le sang sortant à gros bouillons de sa gorge.

Tout se passe alors avec une rapidité telle que le bibliothécaire peut à peine suivre la succession des événements. De sa position, Jarnac épaule et tire – cette fois, le coup de fusil est fort et proche, comme s'il déchirait l'air humide –, pendant que l'Amiral, se libérant de la main crispée de don Hermógenes, court vers le corps tombé entre les fougères et s'efforce d'arrêter l'hémorragie avec un mouchoir. Pétrifié, mâchoire relâchée par l'horreur, le bibliothécaire voit, en dépit des efforts de son collègue, le liquide vermeil continuer de sortir en jets irrépressibles de la gorge du sergent qui, les yeux exorbités, secoué par des convulsions violentes, suffoque avec un râle rauque et gargouilleux.

– Un autre mouchoir ! crie l'Amiral qui, agenouillé devant Bernard, presse sur la blessure ses mains rougies de sang pour tâcher de la tamponner. Nom de Dieu ! Donnez-moi un mouchoir !

Don Hermógenes s'apprête à le faire, avec des mouvements

hâtifs et maladroits, quand une silhouette qui se déplace à toute allure entre les arbres, en dévalant la pente, attire son attention : l'homme sorti du fourré s'approche rapidement de Jarnac pendant que celui-ci recharge son fusil et, arrivé à trois ou quatre pas de lui, sans lui laisser le temps de réagir, lui tire dessus de tout près, la balle projette le garde en arrière, il va heurter un tronc d'arbre, s'écroule et roule entre les arbustes avant de disparaître de sa vue.

La peau du bibliothécaire se hérisse alors. Épouvanté, il voit l'Amiral cesser de s'occuper de Bernard en entendant le coup de feu, saisir promptement le pistolet que celui-ci a laissé tomber, se dresser l'arme à la main et, presque du même mouvement, viser et tirer sur la silhouette fuyante de l'agresseur, qui se garde derrière un arbre en entendant la détonation – assourdissante pour don Hermógenes, qui porte les mains à ses oreilles – et ensuite, alors que la fumée de la poudre s'évanouit en l'air, se met à courir avec lestеté en direction du bois.

– Il s'échappe ! crie le bibliothécaire, sortant de sa stupeur. Sainte Vierge ! Il s'échappe !

Jamais, même lors de l'attaque des bandouliers sur la Riaza ou du duel avec Coëtlegon, il n'a vu don Pedro aussi décidé qu'à ce moment-là. Pendant un instant, alors qu'il se tient immobile après avoir raté son coup, le regard de l'Amiral se déplace, attentif et froid, comme si l'humidité du bois avait aiguisé ses prunelles, observe le fugitif qui fuit vers le sommet du talus. C'est ainsi que don Hermógenes, éberlué, découvre tout à coup un homme différent, inconnu de lui, dont les années semblent s'être dissipées d'un souffle, le voit prendre la canne posée sur le sol, en tirer l'épée avant de se redresser avec une surprenante agilité, sortir l'arme de poing de la poche de son manteau, l'armer et, le pistolet dans une main, l'épée dans l'autre, gravir le versant avec détermination, comme si le reste du monde avait cessé d'exister. À ce moment-là, le pacifique bibliothécaire terrifié essaie de lui crier de s'arrêter, de ne pas aller plus loin, parce que l'homme qui a tué les gardes pourrait très bien les tuer eux aussi. Mais, quand il ouvre la bouche, il ne réussit à émettre qu'un bredouillement incohérent, et se tait, angoissé, certain que les paroles sont maintenant inutiles, en voyant don Pedro, en haut du talus, disparaître sous le couvert. Alors, brusquement honteux de l'avoir laissé y aller seul, don Hermógenes regarde autour de lui et découvre dans l'herbe le pistolet du sergent Bernard, avec lequel l'Amiral vient de tirer sur l'assassin. C'est ainsi que, à défaut d'autre chose, comme si cette arme inutile le rassurait ou le consolait, don Hermógenes se penche pour la ramasser et, le pistolet dans ses mains tremblantes, grimpe sur la hauteur à la suite de son collègue.

En rejoignant son poste, Raposo empoigne le sabre et le tire du sol, déterminé. Le combat est son élément naturel, il s'y sent comme un poisson dans l'eau, et il sait que le temps va lui manquer pour recharger l'arme à double canon dont il vient de se servir. Mieux vaut s'épargner les mouvements et les jérémiades inutiles. En bas, il y a encore deux hommes – il a compté quatre chevaux quand il les a vus arriver – qui, d'après le bruit de pas qui se rapproche, sont à ses trousses. Un moment, il lui a semblé que l'un des deux, celui qui a tiré le coup de pistolet dont la balle a sifflé à un pouce de son oreille, est le grand académicien. L'ancien brigadier de marine. La pensée qu'il n'a maintenant plus affaire qu'à eux deux le rassure. Ce ne sont pas des adversaires dignes de ce nom, bien que le grand sache tirer, comme il a pu le constater de loin sur la route de l'aller, lors de l'attaque aux abords de la Riaza. Ici, dans les circonstances présentes, ce n'est pas pour lui une menace sérieuse. C'est ainsi que, pendant qu'il attend, tapi sabre à la main derrière un tronc d'arbre, à demi caché par les fougères, Raposo se félicite d'avoir d'emblée réglé leur compte dans les règles de l'art aux deux uniformes bleus qui, eux, étaient à redouter. C'est d'ailleurs pour cela qu'il s'est tout d'abord attaqué à eux, tellement visibles avec les parements rouges de leur uniforme, qui se détachent si nettement, si ingénument, sur le vert de la végétation et des arbres. Encore qu'éliminer deux gardes de la maréchaussée ne soit du goût de personne. Il aurait préféré s'en passer, mais il n'a pas eu le choix : c'était eux ou lui. Quand le reste de la compagnie va apprendre leur mort, on va sans doute organiser une battue en bonne et due forme ; aussi est-il urgent, maintenant, de se débarrasser des deux grands-pères, de jeter les livres à la rivière et de filer au plus vite à la frontière. En ayant bien gagné sa journée.

Des pas proches, un craquement de brindilles, un froissement d'arbuste. Quelqu'un arrive en haut du versant, et il n'est pas loin. À cette distance, songe-t-il brièvement, si ses poursuivants ont encore des pistolets chargés, surtout dans les mains de l'ancien marin, l'affaire peut se révéler épineuse. Avec des balles qui sifflent, on ne sait jamais ce qui peut arriver. Aussi vaut-il mieux se tenir tranquille et à couvert jusqu'à ce qu'ils soient à portée de sabre, sa vieille arme de dragon à poignée de bronze et à lame légèrement incurvée, large et effilée, avec laquelle il suffit de donner un léger coup bien asséné pour mettre hors de combat Lucifer en personne.

Des bruits proches. Des pas rapides, un souffle que l'effort rend court, et qui parvient jusqu'à lui. Le poursuivant le plus proche est là, et Raposo se détend un peu, instinctivement, en s'apercevant qu'il s'agit d'un homme âgé, sans aucun doute le plus grand des deux académiciens. Il se tasse pourtant davantage sur lui-même, jusqu'à ce que les feuilles mouillées d'une fougère lui frôlent le visage. Il respire profondément, puis retient son souffle, tend l'oreille aux bruits pour situer l'endroit exact où se tiendra l'adversaire quand il se découvrira. Si le poursuivant est armé, aussi âgé qu'il soit, attaquer de trop loin exposerait Raposo à recevoir du plomb dans la poitrine. Face à un pistolet, et le vieil homme sait s'en servir, seules la surprise et la proximité lui donneront un avantage. Le moment est venu.

Il se dresse brusquement, sabre levé – c'est à peine s'il entrevoit l'homme qu'il a devant lui, masse sombre, mouillée et à bout de souffle qui surgit d'entre les arbustes, à deux pas de lui –, et il abat son arme. Cependant, les branches basses de l'arbre proche dévient légèrement la trajectoire de la lame qui, au lieu de frapper de taille, le fait du plat, donnant un simple coup sur l'épaule de son adversaire. Raposo lance un blasphème entre ses dents, a le temps de voir se peindre sur le visage du grand académicien la surprise, l'alarme d'avoir reçu un coup, la prompte détermination dans ses yeux clairs et obstinés, presque simultanée avec l'éclair et la détonation du pistolet qu'il a en main ; juste le temps de sentir une soudaine brûlure à son côté droit, et l'impact lui arrache un cri de douleur, le jette en arrière avec violence, l'oblige à prendre appui contre un tronc d'arbre.

– Vieille crevure ! maugrée-t-il en sabrant une nouvelle fois, à l'aveuglette.

Le coup, ou plus précisément le recul pour l'éviter, entraîne la chute de l'Amiral entre les arbustes. Et pendant que Raposo, s'écartant de l'arbre, fait quelques pas en arrière, le sabre dans la main droite, la gauche tâtant sa blessure au côté, il voit l'académicien se lever lentement, endolori, les vêtements mouillés et souillés de boue. Les branches épineuses lui ont griffé le visage, ses cheveux gris sont décoiffés, le catogan sur sa nuque à moitié défait. Raposo le maudit, déconcerté, en le voyant ainsi se remettre debout, avec un sang-froid prodigieux pour un homme de son âge, le fer au clair luisant dans une main qui ne tremble pas. Il maudit le vieux marin tenace qui le guette avec des yeux d'une froideur de givre. Le fils de la grande pute.

– Plus un geste, ordonne Raposo.

Tout en disant cela, il palpe sa blessure au côté et se rassure en constatant qu'il s'agit d'une éraflure qui a touché les côtes, mais à peine, et ne saigne pas beaucoup. Deux pouces plus bas, la balle lui aurait brisé la hanche. Cette pensée provoque en lui un sursaut de colère. Un désir de faire mal. Peut-être de tuer.

– Un pas de plus, et je vous cloue à cet arbre.

À ce moment-là, il désire de toute son âme que la vieille baderne fasse ce pas. Il aimerait joindre immédiatement le geste à la parole, donner des coups de sabre jusqu'à plus soif, soulager ainsi la douleur cuisante de sa blessure au côté et se tirer de l'absurde situation dans laquelle il s'est enferré. Satanés vieillards. Tout s'est embrouillé si bêtement. Pas plus qu'eux il ne devrait se trouver ici.

– Filez, suggère-t-il.

Mais son adversaire ne bronche pas : il le regarde fixement. Dressé de toute sa hauteur. Inexpressif. Comme s'il ne l'entendait pas. On dirait qu'il est en transe. Ailleurs. Dans un autre temps, un autre monde. Raposo lève son sabre et le lui montre. « Tu vois ça ? » semble dire son geste. Cette arme de taille contre ta fragile lame d'estoc. Tu as failli me faire un trou dans la hanche, vieux pantin suicidaire, stupide.

Un bruit dans les fougères. D'autres pas sur le versant. Raposo se tourne à demi et, non sans surprise, voit apparaître l'autre académicien, le petit gros, qui s'immobilise en les apercevant. Il arrive exténué par la montée et l'effort, vêtements mouillés, en sueur, et les regarde l'un et l'autre avec effroi. Inquiet en s'apercevant que le vieux tient un pistolet à la main, Raposo se prépare à lui sauter dessus avant qu'il ait pu viser et tirer ; mais il est aussitôt rassuré quand il s'aperçoit que le chien est baissé et l'arme probablement déchargée. Peut-être sur lui, quand la balle l'a frôlé, tout à l'heure.

– Jetez ça par terre, ordonne-t-il. Tout de suite. Ou je vous tue tous les deux.

Le bibliothécaire hésite, regarde le pistolet comme s'il ne savait qu'en faire et, obtempérant enfin, il le laisse tomber. Raposo lui fait signe, avec son sabre, de s'écarter de l'arme et de se rapprocher de son collègue, ce à quoi don Hermógenes s'empresse d'obéir.

– Voilà où nous en sommes, dit Raposo après réflexion. Vous n'avez rien à faire ici… Alors, vous allez tout de suite déguerpir, retourner d'où vous êtes venus, et nous resterons vous et moi copains comme cochons.

– Vous allez nous tuer nous aussi ? demande le bibliothécaire, abasourdi.

– Non, si vous ne m'y forcez pas.

– Mais les gardes…

– Ce n'était pas leur jour, à ceux-là. Et ce sont les risques du métier. J'ai mon cheval, je connais bien le coin, tout ce qu'il me faut, maintenant, c'est filer au plus vite.

Don Pedro montre d'un geste les ballots de livres par terre, près de la mule et du cheval, à quelques pas de l'escarpement au-dessus de la rivière.

– Et qu'avez-vous l'intention de faire de ça ?

– Les mettre à tremper.

– Comment ?

– Les jeter à l'eau, avec votre permission.

Le bibliothécaire ouvre de grands yeux.

– À l'eau ? Mais pourquoi ?

– C'est mon affaire… Disons que ça me prend comme ça, si vous voulez.

– C'est vous qui nous avez volés à Paris ?

Raposo rit, puis serre les dents, malveillant.

– Ça se pourrait bien.

Ils campent un long moment sur leurs positions, sans dire un mot. Encore incrédule, le bibliothécaire regarde son collègue, qui se tient coi, l'épée à la main. Puis il se tourne de nouveau vers Raposo.

– Je ne comprends rien, conclut-il.

– On ne vous le demande pas.

– Mais vous avez tué deux gardes… Et tout ça… pour voler ces livres ?

– Plus ou moins.

– Pour les détruire ?

Raposo se dit que la petite comédie n'a que trop duré. Il n'a perdu que trop de temps. Il lui reste encore à se débarrasser des livres et à tout moment peut apparaître un piquet de gardes, venus à la rescousse de leurs camarades. Il faut en finir. De gré ou de force. Et ce sera de force.

– Je vous tuerai vous aussi, je vous l'ai dit, si vous ne partez pas immédiatement.

– Et pourquoi devrions-nous partir ? demande l'Amiral, rompant un long silence.

Raposo l'observe. Le vieux n'a pas bougé. Immobile, la pointe de l'épée qu'il tient dans sa main droite effleurant l'herbe, il l'examine comme s'il n'y avait rien d'autre autour de lui. Il n'a même pas regardé les ballots de livres quand il les lui a montrés, tout à l'heure.

– Parce que… commence à dire Raposo.

– Vous nous tuerez, sinon ?

Il l'a interrompu avec beaucoup de froideur, sans la moindre intonation. Comme s'il s'en tenait à évoquer un fait probable. Raposo lui renvoie un regard curieux et sa bouche prend un pli cruel.

– Vous n'êtes pas en état…

– De quoi ?

– D'empêcher quoi que ce soit.

Raposo le voit pencher un peu la tête et regarder la pointe de son épée, comme s'il réfléchissait à ce qu'il vient d'entendre. Comme s'il se livrait à des calculs sur la résistance ou la fragilité des êtres humains et des aciers. Finalement, l'Amiral lève les yeux, et son regard croise de nouveau celui de son adversaire. Il le fait en poussant un léger soupir, résigné, à peine audible, qui déconcerte fort Raposo, parce qu'il comprend subitement que l'homme qui est en face de lui ne bougera pas de l'endroit où il se trouve, aussi longtemps qu'il pourra tenir debout. Aussi longtemps qu'il lui restera assez de forces pour lever sa ridicule épée.

– Ces livres valent-ils que l'on meure pour eux ? demande-t-il.

Son interlocuteur réfléchit un peu, ou paraît le faire.

– Pas en eux-mêmes, mais pour ce qu'ils contiennent, oui, répond-il.

– Ah !... Et de quoi s'agit-il ?

– De la raison. De ce qui fera qu'un jour il n'existera plus d'hommes tels que vous.

Le sourire torve de Raposo, intéressé malgré lui, réapparaît.

– Expliquez-moi ça, si ce n'est pas trop long.

L'ancien marin fait mine de considérer la chose.

– Je doute que vous compreniez, dit-il bientôt.

Et alors, au saisissement de son collègue, l'Amiral lève l'épée et fait un pas en avant, ses yeux froids toujours rivés sur ceux de Raposo ; celui-ci, déconcerté, ne sachant s'il doit armer ou rompre, recule un peu, lève son sabre, menaçant, lui fait décrire un mouvement semi-circulaire qui semble marquer la limite extrême, celle au-delà de laquelle les paroles vont sans retour céder place au fil de l'acier. L'ultime confin où les menaces deviennent silence et mort.

– N'allez pas plus loin, restez où vous êtes, sinon...

Mais c'est alors que l'autre académicien, le bibliothécaire, pâle comme un mort, le menton mal rasé qui tremble, regarde avec angoisse son collègue, ravale sa salive, se tord les mains et, presque du même mouvement, fait un pas en avant pour venir se placer à la hauteur de son ami et offrir son corps à la lame du sabre qui continue de décrire ses demi-cercles devant lui.

– Vous êtes fous, dit Raposo, prêt à porter le coup, en se demandant qui va le recevoir le premier.

Alors, frappé d'étonnement, il voit ce qu'il croyait ne jamais voir en ce monde : il voit l'Amiral sourire. Et ce sourire subit est étrange ; il entoure sa bouche d'une façon singulière, entasse les rides autour de ses yeux bleus aqueux, en leur communiquant la chaleur d'un soudain dégel, d'une lointaine vigueur. Et, paradoxe extraordinaire, cette expression inattendue opère le miracle de rajeunir en un instant les traits de l'homme que Raposo a devant lui, en effaçant ses rides, les égratignures des arbustes, les taches et les ravages du temps et de la vie, pendant que dans la Gorge aux loups, dominant la rumeur des eaux de la rivière et de la douce brise qui agite maintenant les feuilles des arbres, semblent retentir une infinité d'échos du passé, de branle-bas de combats oubliés, de cris de tous ceux qui ont hurlé leur peur et leur courage quand ils rendaient manifeste tout ce que le cœur de l'homme abrite de grand et de terrible. Et dans ce vieux tumulte des siècles, dans les images bigarrées qu'il suscite, l'ancien dragon croit reconnaître le sourire triste et las de ce lieutenant aux moustaches grises qui, dans une autre vie à cette heure si lointaine, chevauche contre l'ennemi dans le défilé de La Guarda, jusqu'à ce qu'il disparaisse dans la fumée de la canonnade, seulement suivi par le jeune cornette, pendant que le reste de l'escadron tourne bride. Et, brusquement secoué par le souvenir qui d'une manière si étrange se superpose au présent, Pascual Raposo regarde avec stupeur les deux hommes devant lui, puis détourne les yeux, qui vont se poser sur le bois où les dernières traces de brume sont encore suspendues entre les branches des arbres, où le soleil darde ses rayons, sur l'eau trouble qui court au fond du val en emportant terre et branches, sur les ballots poignardés contenant les livres qui un jour, peut-être, comme il vient de l'entendre, balaieront de la surface de la terre les hommes comme lui.

– Vous êtes fous, répète-t-il, admiratif.

Puis il baisse le sabre et lance un déchirant éclat de rire, impétueux, presque heureux, qui fait s'envoler les oiseaux surpris tandis qu'ils picotaient le sol entre les fougères.

Épilogue

Et maintenant, une fois de plus, imaginons une autre scène. C'est un jeudi après-midi et dans la Casa del Tesoro, siège de l'Académie royale d'Espagne, entrent les académiciens pour la séance hebdomadaire. Il y a des perruques poudrées, des cheveux poivre et sel ou gris, des vestes aux tons discrets, quelque soutane ecclésiastique. Aujourd'hui, presque tous les membres de l'institution sont présents : vingt et un vêtements chauds, capes, manteaux et capotes, et autant de chapeaux sont pendus aux patères de l'entrée. Il y a aussi des boîtes de tabac à priser qui circulent et quelque cigare qui fume. Tous forment de petits groupes dans le vestibule et conversent après de courtois échanges de politesses, prêts à entrer dans la salle des séances. Cette fois, fait insolite, les grandes portes de chêne qui la séparent du vestibule sont fermées et, à mesure qu'ils arrivent, les académiciens, surpris, se demandent les uns aux autres les raisons de cette nouveauté.

Il est six heures moins une quand entre – il serait plus juste de dire : quand fait son entrée, avec le plus grand sens de la mise en scène – le directeur, don Francisco de Paula Vega de Sella, marquis d'Oxinaga. Et il la fait dans une veste de cour brodée qui porte la plaque de la Grand-Croix de l'ordre de Charles III d'Espagne, en compagnie de don Pedro Zárate y Queralt et de don Hermógenes Molina, le bibliothécaire. L'apparition inattendue de ces deux académiciens, après leur longue absence, suscite un murmure de félicitations et de civilités. Tous viennent leur donner l'accolade et les questionner sur leur voyage, et parmi ces politesses ne manquent pas celles de

Manuel Higueruela et de Justo Sánchez Terrón qui, l'air circonspect et faussement courtois, font chorus avec les marques d'intérêt général tout en prenant grand soin de ne pas échanger un seul regard entre eux. Escortés par le directeur, souriant entre les deux arrivants, ces derniers reçoivent le chaleureux accueil de leurs collègues, qui admirent la minceur de leur bibliothécaire et le teint cuivré par les courses au grand air du visage de l'Amiral. Tous veulent connaître les incidents du voyage, les interrogent sur Paris, les gens dont ils ont fait la connaissance, les événements extraordinaires dont ils ont été informés, avec une rigoureuse exactitude – excepté ceux sur lesquels don Hermógenes et don Pedro ont estimé d'un commun accord de rester discrets – par le bibliothécaire, lettre après lettre. Et tous, bien évidemment, veulent savoir ce qu'il en est de l'*Encyclopédie*.

– Votre attention, messieurs, demande le directeur.

Suit un silence d'expectation. Avec d'aimables paroles, pendant que le reste des académiciens fait cercle autour d'eux, Vega de Sella souhaite la bienvenue aux voyageurs et rappelle la décision prise par l'Académie de les envoyer tous deux à Paris pour en rapporter l'œuvre maîtresse des philosophes français, dont l'acquisition, souligne-t-il, est indispensable à la mise à jour de la nouvelle édition du Dictionnaire.

– Enfin, les voilà tous deux de retour, ajoute-t-il. Leur voyage n'a pas été de tout repos, et cela leur vaut la reconnaissance éternelle de cette institution. Notre affection et notre respect. Ils ont enduré les épreuves d'une longue aventure, pénible et pleine d'imprévus, mais il est tout aussi vrai, d'après ce que je sais, que leur séjour à Paris et les rencontres qu'ils y ont faites avec les plus éminentes personnalités du monde de la philosophie et des sciences ont largement compensé les nombreux déboires…

Il est interrompu par les applaudissements de certains académiciens ; don Hermógenes rougit, l'Amiral détourne les yeux. Vega de Sella sourit, content, regarde les uns et les autres et poursuit son discours en soulignant que, à son avis, le voyage qui vient de se terminer si heureusement peut être considéré comme bien davantage qu'un simple succès de l'Académie.

– C'est un acte patriotique, déclare-t-il tout bonnement, réalisé par des hommes de bien, de dignes Espagnols admirateurs des Lumières et attachés au bonheur des peuples.

Sur ces mots, il promène son regard sur l'assistance et l'arrête, comme par hasard, sur Higueruela et Sánchez Terrón.

– Voilà pourquoi j'ai la certitude que vous tous, sans exception, l'admirerez comme il doit l'être… Cher monsieur le bibliothécaire, cher monsieur l'Amiral, cette Académie est la vôtre, c'est votre maison, celle de la noble langue castillane, et c'est en son nom, et humblement, que je reconnais la dette de gratitude qu'elle a contractée envers vous… Soyez les bienvenus, et mille mercis.

Il y a de nouveau un applaudissement général, des sourires, des félicitations, dont le directeur reçoit sa part en serrant les mains et en acceptant les éloges comme si c'était lui qui s'était rendu à Paris. C'est un jour de bonheur, répète-t-il. Un jour de gloire.

– Et où sont les livres ? demande quelqu'un.

Nouvelle pause théâtrale de la part du marquis d'Oxinaga qui, en un de ces instants de silence pendant lesquels on n'entend pas une mouche voler, avec un regard triomphal et d'un geste solennel, les invite tous à ouvrir les portes fermées et à entrer dans la salle des réunions.

– L'*Encyclopédie* est à votre disposition, messieurs les académiciens.

Elle est là, en effet, intacte et complète, au terme de son long voyage, sous les portraits du fondateur de l'Académie, le marquis de Villena, et de son premier protecteur, le roi Philippe V, entre les rideaux de vieux velours, les meubles au vernis éteint et les étagères avec les livres et les dossiers couverts de la poussière de plâtre des travaux proches du palais royal. Ce sont vingt-huit épais volumes à belle reliure de cuir, aux lettres dorées sur les pièces de titre, disposés avec beaucoup de soin sur le vieux tapis de basane moucheté de taches d'encre, de cire des bougies et d'huile des lampes ; au milieu de l'humble salle qui est celle de la clarification, de la défense et de l'éclat de la langue castillane.

Et, ainsi éclairée par toutes les sources de lumière que l'on a pu réunir pour l'occasion : lampes à huile, dont celle offerte par le roi Charles III, et chandeliers, la première édition de l'*Encyclopédie* a une apparence extraordinaire : celle du monument à la raison et au progrès que renferment ses pages. L'un des volumes, le premier, est ouvert sur le *Discours préliminaire*, page sur laquelle les académiciens qui connaissent le français – presque tous – peuvent lire ces lignes :

> *Ce sont les hommes inspirés qui éclairent le peuple, et les enthousiastes qui l'égarent. Le frein que l'on est obligé de mettre à la licence de ces derniers ne doit pas nuire à cette liberté si nécessaire à la vraie philosophie.*

Et ainsi, l'un après l'autre, même les membres du petit groupe qui naguère se sont opposés à faire figurer cette œuvre dans la bibliothèque de l'institution, vont défiler lentement devant les livres, en une procession silencieuse et admirative : Clemente Palafox, secrétaire de l'Académie et traducteur d'Aristote ; don Joseph Ontiveros, ecclésiastique commentateur d'Horace ; don Melchor Loygorri, auteur du Rapport sur les *Nouvelles Techniques minières et agricoles* ; don Felipe Hermosilla, compilateur du *Catalogue des auteurs espagnols anciens*… Certains d'entre eux s'arrêtent, émus. D'autres chaussent leurs lunettes et tendent la main, curieux, pour toucher, parfois avec dévotion, les pages ouvertes sur lesquelles se penchent les têtes aux cheveux blancs, les visages burinés par le temps, les douleurs et la vie ; pour admirer ses caractères nets, la beauté de la reliure, la blancheur magnifique des pages imprimées avec de larges marges sur le beau papier chiffon qui ne vieillit point, ni ne craquelle ni ne jaunit, résiste au temps et à l'oubli. Celui qui rend les hommes plus sages, plus justes et plus libres.

– Nous avons perdu, remarque Manuel Higueruela.

– Vous avez perdu, réplique Sánchez Terrón. Cette affaire n'a toujours été que la vôtre.

Ils marchent côte à côte sous la lumière jaunâtre des réverbères, à la sortie de l'Académie, réunis par instinct, sans s'être adressé au préalable des signes d'entente.

– Vous êtes extraordinaire, se moque Higueruela, réjoui. Pareil à ces chats qui retombent toujours sur leurs pattes. Combien de vies avez-vous ? – Il l'examine avec curiosité. – Sept ? Quatorze ?

Ils débouchent, à pas lents, sur la place San Gil, le journaliste couvert d'une cape et d'un chapeau, l'autre tête nue avec une redingote anglaise boutonnée jusqu'au cou. Au loin, on aperçoit dans la pénombre la masse imposante et claire du palais royal.

– Tout cela n'a été qu'une absurdité dès le début, dit Sánchez Terrón avec amertume.

– Vous pensez au transport de l'*Encyclopédie* ou à notre accord ?

Son acolyte le regarde de côté, d'un œil critique.

– Notre accord ? Vous exagérez. Il n'y a jamais rien eu de formel.

– Mais il nous a pourtant coûté cher. À vous et à moi… Ce qui me rappelle que vous me devez encore quelques réaux.

– Moi ? Pourquoi ?

– Pour le dernier envoi de fonds que j'ai fait à ce Raposo.

Sánchez Terrón est outré.

– Je n'ai pas l'intention de donner un réal de plus. Le vaillant gredin !

Les rues deviennent plus étroites quand ils arrivent près de l'église de Santiago. Sous le porche, un garde de nuit pourvu d'une pique et d'une lanterne porte la main à son calot pour les saluer quand ils passent devant lui.

– Que sait-on de cet homme ? demande Sánchez Terrón.

– De Raposo ? Il est dans le coin. De retour dans son milieu.

– Je présume qu'il n'a pas eu le toupet de se présenter devant vous.

– Si, il l'a fait. Il n'est pas de ceux qui se cachent… Il est venu me raconter tout ce qui s'est passé, les problèmes qu'il a eus avec les gardes à la frontière et le reste. Il assure avoir fait tout ce qu'il a pu.

– Et vous l'avez cru ?

– En partie.

– Je suppose qu'il vous rendra l'argent reçu.

– Pas le moindre sou.

– Quelle canaille ! s'indigne Sánchez Terrón. Mais je suppose que vous avez pris les mesures appropriées.

– Quelles mesures ?

– Je ne sais pas. Une forme de représailles... Une dénonciation.

En entendant ces derniers mots, Higueruela se gratte vigoureusement une oreille sous la perruque. Puis il jette un regard de commisération sur son interlocuteur, comme si celui-ci était un peu faible d'esprit.

– Ne me faites pas rire... Il n'y a pas là grand-chose à dénoncer. – Le journaliste fait quelques pas en silence, puis grimace, résigné. – Et puis, on ne sait jamais.

– Que voulez-vous dire ?

– Cette fois, l'affaire n'a pas marché, mais la vie a ses tours et ses retours. Il est toujours utile d'avoir sous la main quelqu'un comme Raposo. Et d'autant plus dans une Espagne comme la nôtre.

Sánchez Terrón presse le pas, comme pour se distancier de tout ça.

– Je ne vois pas le moindre intérêt à vos projets, ni aux gens tels que cet individu. Je ne veux plus rien savoir de vous.

Higueruela le rattrape, et se tient près de lui, en riant sans retenue.

– Vous en saurez pourtant quelque chose... Au moins aussi longtemps que vous irez le jeudi à l'Académie.

– Alors, je vous prierai de me dispenser à l'avenir de ce genre de conversation.

Higueruela le regarde, de la tête aux pieds.

– Ne craignez rien, conclut-il avec un sourire méprisant. Mais vous connaître de plus près a été une expérience singulière, je vous le garantis.

– Je ne peux en dire autant. Je vous l'assure.

Ils sont arrivés sur la place de la Villa, entre d'anciens édifices noyés dans l'ombre. Un bruit de sabots résonne sur le pavé, une voiture de louage passe lentement, la lanterne près du cocher allumée.

– Savez-vous, don Justo, ce qui nous différencie, vous et moi ? dit Higueruela en regardant le point lumineux de l'équipage s'éloigner en direction de la Puerta del Sol. Moi, j'assume que pour faire une omelette, il faut casser des œufs, et je ne suis pas gêné de le dire. Ni de le faire. Mais vous êtes de ceux qui, tout en adorant les omelettes, n'osent pas toucher à une coquille, ce qui leur permet de dire et même de prétendre qu'ils s'entendent bien avec la poule qu'ils cuisent au pot.

– Voilà une idiotie.

– Ah bon ? Le temps le dira.

Porte de Guadalajara, à la lueur d'un réverbère lointain, ils longent un mur sur lequel sont collées diverses affiches de spectacle. L'une d'elles annonce une reprise, au théâtre des Caños del Peral, de *Manolo*, de Ramón de la Cruz, et d'une autre pièce, ce qui fait sourire méchamment le journaliste.

– N'en doutez pas... et puisque nous parlons d'idioties... La semaine prochaine, je ferai paraître dans le *Censor Literario* une critique de votre drame de famille, si innovateur et moderne, dont la première a eu lieu il y a quatre jours, au Príncipe... Je sais que vous n'y avez pas assisté par modestie, pour ne pas avoir à rougir sous les applaudissements. Ces lauriers ne vous siéent point. Mais j'y étais, bien sûr. Je ne laisse pas passer une première de vos œuvres.

Un silence suit, rompu par leurs seuls pas. Narquois, Higueruela regarde de temps en temps son collègue, qui avance sans dire un mot, le regard perdu dans l'ombre.

– Vous ne me demandez pas ce que j'en ai pensé... Comment a été accueilli le spectacle ?

– Je ne me soucie nullement de votre opinion, répond l'auteur avec acrimonie.

– C'est vrai, dit Higueruela en se frappant le front. J'oubliais que vous ne lisez pas mon journal, ni les critiques, que vous ne lisez même pas l'*Encyclopédie*, que vous n'avez besoin de rien lire.

Sánchez Terrón semble sur le point de répondre, mais il se replie de nouveau dans le silence. Ce qui excite la méchanceté de son interlocuteur.

– Permettez-moi de vous en donner un aperçu, commence-t-il avec un malin plaisir. *L'Adultère honnête, ou La preuve naturelle de la philosophie*, ce titre qui a sans doute dû vous rendre chauve, m'a paru être un étouffe-chrétien indigeste... Le premier tableau, quand Raimondo explique à son meilleur ami qu'il est amoureux de la nourrice de son fils de huit ans, a laissé le public pantois. Au second, quand il confesse à son épouse sa passion inavouable, et s'exclame : « *Malédiction ! Combien d'amour as-tu gâché en moi, ma vie !* », les spectateurs ont éclaté de rire. Et les huées ont été générales quand est venue la scène du cimetière... Savez-vous comment je vais intituler mon article, don Justo ? *Un rénovateur du théâtre nous prend pour des imbéciles*.

L'auteur s'est arrêté, finalement, sous la lumière d'une lanterne. La colère brise sa voix. Ses paroles sont entrecoupées.

– Vous ! C'est intolérable ! Vous...

Un Higueruela au sourire impitoyable lève les mains pour lui montrer huit doigts tendus.

– Vendredi prochain, don Justo... Dans huit jours sort le *Censor*. Vous avez huit jours pour vous tourner et vous retourner dans votre lit sans pouvoir fermer l'œil, en ruminant votre dépit... Imaginez les moqueries de notre petit monde, de ces philosophes précieux dont vous partagez les vanités, quand mon torchon, nom que vous avez attribué à mon journal à plusieurs reprises, commencera à circuler dans les soirées et les cafés... Et encore, pour donner plus de piquant à la chose, je dis beaucoup de bien, dans ce même numéro, du *Coupable honnête*, de Jovellanos, auteur que vous dépréciez tant, peut-être parce qu'il a un véritable talent, mais dont vous avez plagié la moitié de l'œuvre... Ce Jovellanos que, par effet de contraste efficient, je porte depuis quelques jours dans mon cœur, à titre exceptionnel.

Le visage de Sánchez Terrón est défait, les yeux lui sortent de la tête, et son expression est celle de quelqu'un à deux doigts de commettre un homicide.

– Ça n'en restera pas là, crachote-t-il. Vous, et votre obscurantisme grossier, votre... votre immonde bassesse de confessionnal et de sacristie... votre mauvaise bile réactionnaire... Oh, oui... Je vous garantis que vous aurez de mes nouvelles.

– J'y compte bien, approuve Higueruela avec un calme cynique. Vous et moi, don Justo, sommes appelés à nous donner mutuellement de nos nouvelles pendant quelques siècles... Et pas toutes sur du papier imprimé.

Et ainsi, l'un furibond, l'autre infâme, les deux hommes se

tournent le dos, s'éloignent sous la lumière de la lanterne qui, un instant encore, projette et allonge sur le sol, très semblables l'une à l'autre, leurs ombres ennemies et complices.

Chapeau et canne sous le bras, don Pedro ouvre la porte de chez lui, entre et déboutonne son manteau. Il est fatigué du voyage – don Hermógenes et lui sont arrivés la veille au soir à Madrid – et du trop d'émotions de la journée. Tandis qu'il pend la clef à un clou dans le mur, il voit son reflet dans le miroir du portemanteau de l'entrée, à la lumière de deux lampes à huile allumées sur une console, au-dessous d'une gravure du Sacré-Cœur de Jésus. L'Amiral s'attarde un moment à contempler l'homme qui le regarde dans le miroir, comme s'il avait de la peine à le reconnaître : il a maigri, sa peau a été tannée par le grand air, et la faible lumière des lampes accentue les signes de l'âge, la mince cicatrice de sa tempe gauche, le bleu aqueux de ses yeux las.

Amparo et Peligros, ses sœurs, accourent en l'entendant arriver. Elles sont en robe d'intérieur, en pantoufles, avec leurs coiffes de batiste empesées. Grandes, maigres, les yeux semblables à ceux de l'Amiral. Le miroir reflète les trois visages aux traits si ressemblants, accentuant l'air de famille qui lie par sympathie ses membres.

– Comment les choses se sont-elles passées à l'Académie, Pedrito ?

L'Amiral sourit. Le diminutif révèle que les deux sœurs ne se sont pas encore remises de l'émotion de son retour. Elles l'ont reçu la veille avec des transports de joie, en criant comme des gamines, en le couvrant de baisers dont leur caractère réservé est pourtant loin d'être prodigue. Elles sont restées bouche bée de surprise et de plaisir quand il a déballé les cadeaux achetés pour elles au cours du voyage : deux châles en soie de Lyon, identiques ; deux pièces de dentelles, deux rosaires de jais, deux camées aux effigies des rois de France, et un carton de gravures avec des vues de Paris. Puis elles lui ont préparé un dîner à la fortune du pot, avec des œufs et des croquettes de viande, et elles sont restées très tard assises avec lui autour de la table sous laquelle est le brasero, les jambes à l'abri de la longue nappe qui la recouvre, les pieds près du feu, à lui poser diverses questions sur tous les sujets imaginables. Puis elles l'ont accompagné à sa chambre, et chacune lui a donné un insolite baiser sur le front quand il s'est laissé tomber sur le lit, épuisé, et s'est endormi sans même avoir défait ses bagages.

– Ça s'est bien passé. Le directeur et nos collègues étaient très contents.

– Et ils pouvaient l'être, avec un tel voyage, et cet effort que vous avez fait... Je crois qu'ils ne vous remercieront jamais assez.

Don Pedro sourit, distrait. Peligros l'aide à enlever sa veste, pendant qu'Amparo lui montre la porte de la salle à manger.

– Nous te préparons quelque chose pour dîner ? Aujourd'hui, nous avons de tout.

L'Amiral refuse. Il a copieusement déjeuné, quand Vega de Sella a insisté pour les inviter à La Fontana de Oro, lui et don Hermógenes, afin de célébrer leur retour et de préparer la séance de l'après-midi à l'Académie, où l'*Encyclopédie* allait être présentée à leurs collègues. Maintenant, il désire seulement enfiler une robe de chambre, ôter ses chaussures, mettre ses babouches turques et s'asseoir à son bureau, enfin tranquille, peut-être avec un des livres qu'il a achetés à Paris pour son usage personnel... terminer, par exemple, les dernières pages qui lui restent à lire de la *Morale universelle* de D'Holbach, à laquelle, il y a douze jours, grâce aux sauf-conduits et autres documents officiels dont le bibliothécaire et lui ont été pourvus, il a pu faire passer la douane à Irún, camouflée dans les ballots de l'*Encyclopédie*, sans aucun problème.

– Nous avons fini de défaire tes bagages, dit Peligros en accrochant le manteau de son frère à la patère. Tu trouveras tout dans ton alcôve, sur ton lit.

L'Amiral, qui a cru entrevoir un discret regard d'intelligence entre ses sœurs, déboutonne sa veste en remontant le couloir dans la pénombre, où semblent naviguer les navires des estampes encadrées accrochées aux murs. La chambre, éclairée par un chandelier à trois branches sur lequel ne brûle qu'une bougie, a un haut plafond aux poutres apparentes, une armoire en noyer, une commode au dessus de marbre avec un miroir derrière, une natte de jonc, un vieux coffre posé par terre et un tabouret.

– Nous n'avons voulu toucher à rien, ce sont tes affaires, dit Amparo.

Les objets que ses sœurs ont sortis des bagages sont sur le lit ; elles ont retiré le linge sale et rangé les vêtements dans la commode et l'armoire. Là, sur le dessus-de-lit damassé, se trouvent l'étui en cuir avec le peigne en écaille, les ciseaux et le nécessaire de rasage, un autre étui avec des aiguilles, des boutons, du fil à coudre, la boîte avec les rasoirs, les livres français, deux guides des routes et les cartes des postes utilisées pendant le voyage, entoilées et pliées en quatre, une navaja pour divers usages, une brosse à habits… et, délibérément posé par-dessus le tout, bien en vue, le petit cadre doré avec la silhouette noire de madame Dancenis que l'Amiral a reçu à son hôtel, à Paris, un jour avant son départ, après avoir écrit une courte et formelle lettre d'adieu. Le portrait était enveloppé dans du papier de soie attaché par une faveur, avec le petit livre, *Thérèse philosophe*, et il portait, en réponse aux adieux de l'Amiral, une brève note manuscrite, collée au revers :

> *Il est des hommes qui traversent votre vie sans laisser de trace, et d'autres qui y demeurent, et que l'on n'oublie jamais. Je compte rester dans votre mémoire.*

Prenant le petit cadre dans ses mains, don Pedro le contemple pendant un long moment, mélancolique, avant de le retourner et de lire une nouvelle fois le mot tandis que le troublent des sensations retrouvées et perdues, des résignations inévitables. De cruelles certitudes sur le temps et la distance. Il a laissé le livre à Paris, délibérément, mais a pris le portrait avec lui. La silhouette, délicatement dessinée à l'encre de Chine, présente un profil de femme svelte, très belle, les cheveux relevés, une ombrelle fermée à la main. Les fines lignes des contours rendent pleinement justice à la Margot Dancenis dont l'Amiral se souvient.

– Elle a l'air très élégante, observe Amparo, de la porte.

Don Pedro se retourne, et voit là ses sœurs qui l'observent

avec attention, après avoir parlé entre elles à voix basse. Maintenant, elles se montrent poliment curieuses et un peu scandalisées, comme si depuis le moment où elles ont défait la mallette et trouvé le portrait avec la note au revers, elles n'avaient fait qu'attendre sa réaction. Le moment où leur frère verrait de nouveau le portrait de cette femme, pour elles inconnue, posé par-dessus les autres objets sur le couvre-lit.

– Paris doit être une ville merveilleuse, dit Peligros dans un soupir.

– Un endroit fascinant, ajoute Amparo.

– Oui, répond-il, après un bref silence. C'est vrai.

Alors, les deux sœurs se regardent entre elles, souriant comme quand ils étaient tous trois enfants et qu'ils partageaient un secret, en cachette des adultes. Et toutes les deux se prennent par la main avec tendresse pendant que l'Amiral, après être resté un moment immobile à contempler le portrait, s'approche doucement de la commode et le pose là, sur le marbre, appuyé contre le miroir.

Madrid-Paris, janvier 2015

Table

Du même auteur

Le Tableau du maître flamand
Jean-Claude Lattès, 1993
et « Le Livre de poche », n° 7625

Le Club Dumas ou l'Ombre de Richelieu
Jean-Claude Lattès, 1994
et « Le Livre de poche », n° 7656

Le Maître d'escrime
Seuil, 1994
et « Points », n° 154

La Peau du tambour
Seuil, 1997
et « Points », n° 518

La Neuvième Porte
Jean-Claude Lattès, 1999

Le Cimetière des bateaux sans nom
Seuil, 2001
et « Points », n° 995

La Reine du Sud
Seuil, 2003
et « Points », n° 1221

Le Hussard
Seuil, 2005
et « Points », n° 1460

Le Peintre de batailles
Seuil, 2007

Cadix, ou la Diagonale du fou
Seuil, 2007
et « Points », n° 2903

Un jour de colère
Seuil, 2008
et « Points », n° 2260

Le Tango de la Vieille Garde
Seuil 2013
et « Points », n° 3355

La Patience du franc-tireur
Seuil, 2014
et « Points », n° 4201

LES AVENTURES DU CAPITAINE ALATRISTE
déjà parus

Le Capitaine Alatriste
vol. 1
Seuil, 1998
et « Points », n° 725

Les Bûchers de Bocanegra
vol. 2
Seuil, 1998
et « Points », n° 740

Le Soleil de Breda
vol. 3
Seuil, 1999
et « Points », n° 753

L'Or du roi
vol. 4
Seuil, 2002
et « Points », n° 1108

Le Gentilhomme au pourpoint jaune
vol. 5
Seuil, 2004
et « Points », n° 1388

Corsaires du Levant
vol. 6
Seuil, 2008
et « Points », n° 2180

Le Pont des assassins
vol. 7
Seuil, 2012
et « Points », n° 3145

RÉALISATION NORD COMPO À VILLENEUVE-D'ASCQ
IMPRESSION : NORMANDIE ROTO IMPRESSION S.A.S À LONRAI
DÉPÔT LÉGAL : MAI 2017. N° 128804-2 (1702619)
– Imprimé en France –